Gerhard Sellin
Der Streit um die Auferstehung der Toten

Meiner Mutter
und dem Gedenken meines Vaters

GERHARD SELLIN

Der Streit
um die Auferstehung
der Toten

Eine religionsgeschichtliche
und exegetische Untersuchung
von 1 Korinther 15

VANDENHOECK & RUPRECHT
IN GÖTTINGEN

Forschungen zur Religion und Literatur
des Alten und Neuen Testaments

Herausgegeben von
Wolfgang Schrage und Rudolf Smend
138. Heft der ganzen Reihe

BS
2675.2
.S43
1986

CIP-Kurztitelaufnahme der Deutschen Bibliothek

Sellin, Gerhard:
Der Streit um die Auferstehung der Toten : e. religionsgeschichtl.
u. exeget. Unters. von 1 Korinther 15 / Gerhard Sellin. – Göttin-
gen : Vandenhoeck und Ruprecht, 1986.
(Forschungen zur Religion und Literatur des Alten und Neuen
Testaments ; H. 138)
ISBN 3-525-53815-4

Gedruckt mit Unterstützung der Deutschen Forschungsgemeinschaft
© Vandenhoeck & Ruprecht, Göttingen 1986 – Printed in Germany. –
Ohne ausdrückliche Genehmigung des Verlages ist es nicht gestattet, das
Buch oder Teile daraus auf foto- oder akustomechanischem Wege zu
vervielfältigen. Gesetzt aus Garamond auf Digiset 200 T 2.
Gesamtherstellung: Hubert & Co., Göttingen

Vorwort

„Wenn wir ... bisweilen mit den Wölfen heulen müssen,
dann wird dies bedeuten, daß wir manches von dem Vertrauten vergessen müssen, vor allem das, was uns das
Verständnis des Fremden verstellt, aber es muß nicht bedeuten, daß wir für immer *alles* vergessen werden ... Der
Ethnologe wird zwar als ein Veränderter, doch nicht als
ein ganz anderer zurückkehren, denn sonst hätte nicht *er*
eine Erkenntnis gewonnen. Wer freilich nicht *verstehen*
will, sondern nur übersetzen und subsumieren, der will
lediglich sich einverleiben, der will nicht wissen, *wer* er
ist, der will nur dicker werden, oder zumindest so bleiben, wie er ist ... So mag es denn sein, daß wir unsere
wissenschaftliche Unschuld verlieren, daß unsere alltägli-
che Weise zu sehen ‚gebrochen' wird, daß wir dafür aber
lernen zu *sehen,* was sehen bedeutet ...“
(Hans Peter Duerr, Traumzeit, 1983, S. 147 f.)

Als ich vor zehn Jahren aus Leichtsinn mich anschickte, die religionsgeschichtlichen Hintergründe des Ersten Korintherbriefes zu untersu-
chen, ahnte ich noch nicht, auf welche strapaziöse Expedition ich mich damit begeben hatte. Sehr bald wurde es Neugier, die mich immer weiter in
den Dschungel der Religionsgeschichte sog, und schließlich geriet ich
in den Bann der Schriften des alexandrinischen Juden Philo. Gegenüber
der geheimnisvollen (und in tieferen Schichten doch vertrauten) Welt
des von Philo repräsentierten spirituellen Judentums schien Paulus gelegentlich gar zu verblassen. Doch mit dem Werk Philos, scheint es mir,
bekommt man Zugang zu den Gesprächspartnern Pauli – und damit am
Ende zur theologischen Aussage des Paulus selbst. Nicht daß es mir gelungen wäre, alle Geheimnisse des Textes 1Kor 15 zu lösen! Aber wie
es mir auf dem Hinweg mit Philo (bzw. seinen christlichen Geistesver-
wandten in Korinth) erging, so erging es mir nun auf dem Rückweg mit
Paulus: Seine gegen die (nach meiner Erkenntnis alexandrinischen)
Tendenzen in Korinth gerichteten Aussagen gewannen für mich an
Kontur – und am Ende stand seine Aussage da für mich als die radika-
lere und tragfähigere: Der korinthische Idealismus wird entlarvt als
eine Spielart der sich Ewigkeit bescheinigenden menschlichen Selbst-
herrlichkeit.

Die Arbeit wurde 1981 unter dem Titel „Der tote Adam und der belebende Geist" von der Evangelisch-Theologischen Fakultät der Universität Münster als Habilitationsschrift angenommen und danach von mir noch mehrfach überarbeitet. Sie hätte nicht entstehen können ohne die Ermunterungen, Anregungen und Freiräume, die Herr Prof. D. Willi Marxsen mir als seinem Assistenten zukommen ließ. Der gleiche Dank gilt meinem Doktorvater, Herrn Prof. Dr. Günter Klein, dessen kritische Anregungen ich bei der Überarbeitung aufgreifen konnte. Schließlich danke ich den Herausgebern der FRLANT, den Herren Prof. Dr. W. Schrage und Prof. Dr. R. Smend für die Aufnahme der Arbeit in diese Reihe. Danken möchte ich sodann der Deutschen Forschungsgemeinschaft für eine Druckbeihilfe, den beteiligten Mitarbeitern von Verlag und Herstellung für ihre sorgfältige Arbeit und meiner Schwiegermutter, Frau Maria Metzner, für das unermüdliche Tippen der diversen Manuskriptfassungen. Nicht unerwähnt bleiben sollen die Freunde, mit denen ich während der Jahre in Münster im Gespräch stand, von denen ich besonders nennen möchte Prof. Dr. Alfred Suhl und Prof. Dr. Martin Rese, Dr. Martin Lübking, Dr. Jens-Wilhelm Taeger, Angelika Reichert, Bettina Wirsching, Hartmut Louis, Gabriele Hornscheidt-Adelmund und alle, die im Laufe der Jahre in Zimmer 211 saßen. Besonderer Dank aber gilt dem Menschen, dessen Nähe mich die Arbeit am Schreibtisch viel zu oft entzog, meiner Frau.

Oldenburg, im November 1985   G. Sellin

Inhalt

Einleitung

1. Spätestens seit W. Schmithals' Buch „Die Gnosis in Korinth" ist die Frage nach der theologischen und religionsgeschichtlichen Eigenart der korinthischen Anschauungen, mit denen Paulus sich auseinandersetzt, erneut in den Vordergrund des Interesses gerückt – zu Recht, wie ich meine[1]. Man muß ja davon ausgehen, daß Paulus es in seinen Briefen mit konkreten Gesprächspartnern zu tun hat und seine Aussagen immer deren Fragen, Probleme, Einwände und Anschauungen voraussetzen. Ja erst im Gegenüber zu den Adressaten wird seine Aussageintention verständlich. Nach dem kommunikationstheoretischen Modell, wonach eine Aussage nur im Kontext des kommunikativen Aktes zu verstehen ist[2], wären die paulinischen Briefe, die ja nur die Hälfte der Korrespondenz (des ganzen Gesprächs) darstellen, eigentlich gar nicht verständlich, wenn sie nicht noch erkennbar die vorausgehenden Fragen und Aussagen der Adressaten widerspiegelten. Gerade der 1 Kor gibt nun sehr deutlich zu erkennen, daß Paulus hier auf Fragen antwortet und auf Einwände reagiert. Wenn wir nun die Antwort des Paulus verstehen

---

[1] *R. Bultmann, W. Schmithals, U. Wilckens* (Weisheit und Torheit), *R. Jewett, M. Winter* u. a. (vgl. Lit.-Verz.). Neuerdings wird die Relevanz dieser Fragestellung bezweifelt, etwa bei *H. Conzelmann*, 1 Kor, 29 f. Aber ohne sie wird die Stoßrichtung der paulinischen Aussagen nicht genügend deutlich, zumal dann, wenn man davon ausgehen darf, daß Paulus die terminologischen Voraussetzungen mit seinen Adressaten teilt. Der Hinweis auf einen allgemeinen Synkretismus, in dem alle Katzen grau sind, ist doch nichts anderes als ein voreiliges Aufgeben angesichts der verwirrenden religionsgeschichtlichen Problematik. Mit dem Scheitern der Lösungsmodelle der Religionsgeschichtlichen Schule sind die Aufgaben, die diese gestellt hat, noch keineswegs obsolet. Resignation angesichts der exegetischen Aufgabe könnte ein Satz wie der folgende verraten: „Außerdem darf man dieses Material gar nicht zu genau bestimmen wollen. Jüdische, griechische (popular-philosophische) Gedanken, wie sie auf der Straße aufzulesen waren, traditionelle Anschauungen der griechischen Religion, Mysterienwirkungen (Weihen, Ekstasen) – alles ist da und ist gar nicht reinlich zu sondern." (*H. Conzelmann*, 1 Kor, 30). Im folgenden (S. 30 f.) weiß Conzelmann dann doch eine Menge über die korinthische Mißdeutung des anfänglichen Kerygmas im Sinne einer pneumatischen Selbsterfahrung – nur wird das ganze jetzt als inkommensurable Verirrung gedeutet. Was Paulus recht ist (nämlich Kriterien zu haben), muß seinen Gesprächspartnern billig sein. M. E. werden bei solcher Auslegung das Profil und die theologiegeschichtliche Bedeutung des korinthischen Pneumatikertums unterschätzt. In diesem Fall hat die Religionsgeschichtliche Schule mit ihrem Gnosis-Modell weiter geblickt.

[2] *W. Marxsen*, Einleitung, 21 f., setzt bei seiner Definition und Verhältnisbestimmung von Exegese im Grunde dieses Modell voraus.

wollen, müssen wir zunächst versuchen, die Frage, auf die er antwortet,
zu erheben und selber erst zu verstehen. Diese Frage gewinnen wir aber
nur durch die Antwort hindurch, so daß sich ein Zirkel ergibt, den man
modellhaft in drei Schritten zurücklegen kann: In einem ersten Schritt
kann man den Text formal und immanent analysieren. In einem zweiten Schritt befragt man ihn auf seinen kommunikativen Kontext, also
auf die Frage hin, auf die er antworten will. In einem dritten Schritt
kann man ihn dann als antwortende Aussage und damit erst die Intention des Paulus verstehen. Man sieht sofort, daß die problematische
Stelle im Zirkel der zweite Schritt ist. Hier muß nämlich interpoliert
werden, um von der Frage, der Situation, in die Paulus hinein spricht,
ein Bild zu gewinnen. Ein gutes Beispiel für diesen Sachverhalt ist
1 Kor 15,12. Paulus zitiert hier einen Satz seiner Gesprächspartner:
„Auferstehung Toter gibt es nicht." Ohne den Kontext weiterer korinthischer Sätze ist dieser Satz nicht zu verstehen. Es handelt sich um
eine Verneinung, die erst als eine Ableitung von positiven Prämissen
verständlich werden kann. Dazu müßten wir wissen, wer es ist, der diesen Satz sprach. Das Bild von diesem Sprecher muß zeitgeschichtlich
möglich sein, es müssen zueinander passende Indizien gesucht werden.
Das Bild muß kompatibel mit anderen Sätzen des Sprechers sein, usw.
Kurz: Hier ist religionsgeschichtliche Forschung, die als Element der
Einleitungswissenschaft zu fungieren hat, unumgänglich.

2. Lange Zeit gaben sich die Exegeten damit zufrieden, die Frage
nach der Eigenart der korinthischen Anschauung, die den Anlaß für die
Korintherbriefe darstellt, mit dem Stichwort Gnosis als beantwortet zu
betrachten. Gerade durch die intensive Gnosisforschung der letzten
Jahrzehnte[3] ist aber der Gnosis-Begriff soweit präzisiert worden, daß
man heute im Falle der Korinther vorsichtiger von Proto-Gnostizismus
oder ähnlichem spricht. Aber auch damit ist solange nichts gewonnen,
wie man nicht an konkretem religionsgeschichtlichen Vergleichsmaterial zeigen kann a) was das ist, und b) daß es so etwas überhaupt – abgesehen von Korinth – gab. So gesehen ist die Frage der religionsgeschichtlichen Einordnung der korinthischen Anschauungen, soweit sie
im 1 Kor erkennbar werden, wieder völlig offen. Erst in allerjüngster

---

[3] Angeregt durch die Funde der Nag-Hammadi-Texte. Wichtige Stationen dieser
neuen Gnosis-Forschung sind *C. Colpes* Buch über die Religionsgeschichtliche Schule
(1961), der sogen. Messina-Kongreß (1966; die Beiträge wurden veröffentlicht in: Le
origini dello Gnosticismo, 1967 – dazu s. u. S. 195 ff.), und die Arbeiten von *R. Mc L. Wilson* und *H. M. Schenke*. Die diesem Trend gegenüberstehende Position der Religionsgeschichtlichen Schule, vertieft durch das Werk von *H. Jonas*, beherrschte lange Zeit die
neutestamentliche Forschung (vor allem unter den Namen *R. Bultmann, E. Käsemann, H.
Schlier, W. Schmithals*) und wird heute auch von *K. Rudolph* vertreten (vgl. ferner die Arbeiten von *E. Güttgemanns, M. Winter, P. Schwanz, L. Schottroff* u. a.: s. Lit.-Verz.).

Zeit wendet man sich in dieser Frage wieder dem Quellenmaterial des hellenistischen Judentums zu, das als einziges für diese früheste neutestamentliche Zeit in Frage kommt[4]. Diese Arbeit steckt in den Anfängen, und es ist die Absicht der vorliegenden Studie, sie nach Kräften weiterzuführen. Was hier an exegetischen Erkenntnissen zu gewinnen ist, muß das Ergebnis zeigen.

3. K. Barth hat in 1 Kor 15 den „Schlüsselpunkt" des ganzen Briefes sehen wollen[5]. Als theologisch wertendes Urteil läßt sich diese Behauptung heute angesichts der immer deutlicher erkennbaren Vielschichtigkeit dieses Schreibens nicht mehr halten. Versteht man „Schlüsselpunkt" jedoch im Sinne eines Zugangs zum geschichtlichen Verständnis des Gesprächs zwischen Paulus und seiner Gemeinde, dann könnte man dem zustimmen. Daß man in der Frage nach der korinthischen Front bisher nicht bei 1 Kor 15 eingesetzt hat, liegt wahrscheinlich an dem ungeklärten Verhältnis der beiden Kapitelhälften V. 1–34 und V. 35 ff. Besonders die Funktion des ersten Teiles ist schwer zu erkennen. Hier hat sich denn auch die Forschung, die sich um eine Klärung der Hintergründe von 15, 12 bemühte (warum lehnen „einige" die Auferstehung der Toten ab?), in den scheinbaren Widersprüchen zwischen paulinischer Aussage und durchschimmernder korinthischer Position festgefahren (s. u. A II). Vernachlässigt wurde dabei der zweite Teil des Kapitels. Gerade in diesem zweiten Teil aber finden sich die für die religionsgeschichtliche Frage relevantesten Aussagen. Das gilt vor allem für das Adam-Christus-Motiv in V. 45 f. Daß es sich hierbei um ein vorpaulinisches und in Korinth geläufiges Motiv handelt, ist in der Forschung kaum umstritten. Zugang zu dieser Motivik gewinnen wir jedoch nicht von V. 21 f. her, wo sie erstmalig begegnet, sondern erst in V. 45 f., wo Paulus sie ausführlicher zitiert. Diese beiden Verse erweisen sich dabei als „Schlüssel" für die Beantwortung der Frage nach der korinthischen Position.

4. Als Einstieg bietet sich aber V. 12 an. Nur hier verrät Paulus explizit, worum es geht. Freilich ist auch die von Paulus hier mitgeteilte Äußerung der Korinther, daß es Auferstehung Toter nicht gebe, für den

---

[4] Ein Markstein ist hier *E. Brandenburger*, Fleisch und Geist, 1968 (im Gegensatz zu seinem früheren Buch: Adam und Christus, 1962, das noch ganz im Banne der Gnosis-Hypothese stand); vgl. ferner die Arbeiten von *B. A. Pearson, K.-G. Sandelin, H. Kaiser* und vor allem *E. Schweizer* (Artikel χοϊκός; Artikel ψυχικός). Bei *E. Brandenburger*, Fleisch , und *K.-G. Sandelin* ist das Verhältnis von paulinischer und korinthischer Position in der Frage der Anknüpfung an die hellenistisch-jüdische dualistische Weisheit aber ungeklärt. Die älteste einschlägige Monographie (*B. A. Stegmann*, Christ, the „Man from Heaven". A study of 1 Cor 15, 45–47 in the light of the anthropology of Philo Judaeus, Washington, D. C., 1927) war mir leider nicht zugänglich. Den Andeutungen bei *Sandelin*, A. 191. 244. 758, entnehme ich aber, daß sie überholt ist.

[5] *K. Barth*, 1. Dagegen sah *R. Bultmann*, GuV I, 51, in Kap. 13 den Höhepunkt.

Exegeten zu karg – will (und muß) er doch wissen, aus welchen Gründen man dies in Korinth behauptete. Der Kontext von V.12 verrät darüber unmittelbar nichts. Wenn man freilich die Kategorie Kontext ergänzt durch die Kategorie der Gesprächssituation[6], dann hat man grundsätzlich die Möglichkeit, die in V.12 mitgeteilte Äußerung der Korinther aus ihrer *Vorgeschichte* zu erhellen. Daß es einen Zugang zur Vorgeschichte für den Exegeten tatsächlich gibt, soll im Hauptteil A dieser Arbeit gezeigt werden. Hauptteil B hat dann die Aufgabe, den religionsgeschichtlichen Hintergrund (an Hand von V.45f.) zu klären. Zu diesem für die ganze Studie zentralen Teil ist noch eine Bemerkung vorauszuschicken: Anders als W.Schmithals, der seiner Analyse der Korintherbriefe ein religionsgeschichtliches Modell (erlöserlose Gnosis) voranstellt und dann deduktiv verfährt, soll hier das religionsgeschichtliche Vergleichsmaterial jeweils zu den entsprechenden Textpartien herangezogen werden. Das Verfahren ist also stärker induktiv. Das führt notgedrungen zu einer Schwierigkeit im Aufbau: Die für die ganze Studie entscheidende Darstellung der wesentlichen Gedanken Philos von Alexandrien (als ausführlichster Quelle hellenistisch-jüdischer Theologie) erscheint trotz ihres Umfangs in der Gliederung nur unter der unscheinbaren Ziffer B II 2 c, weil sich erst an dieser Stelle Kriterien für die Darstellung herausgebildet haben. Andererseits gehen die hier darzustellenden philonischen Gedanken weit über die in V.45f. unmittelbar begegnende Motivik hinaus, so daß an späteren Stellen häufig auf diesen Philo-Teil zurückverwiesen werden muß. Er ist aber zugleich so systematisch gehalten, daß er als monographischer Block herauslösbar ist. Philos Gedanken sind nämlich (auch wenn sie nicht seine originalen Einsichten darstellen) ein sinnvolles Ganzes, wo eins am anderen hängt.

Die Studie hat aber zwei Schwerpunkte: Dem Philo-Teil als Gegenstück entspricht Hauptteil C, die Exegese des Kapitels, die Herausarbeitung des paulinischen Anliegens (wobei die Verse 44b–50, deren Exegese in Teil B unumgänglich war, nun ausgelassen werden). Eine durchgehend schlüssige detaillierte Exegese des Kapitels, die ohne Annahme von Mißverständnissen, funktionslosen Exkursen und mehreren wechselnden Fronten der Gegnerschaft auskommt, ist meiner Meinung nach bisher noch nicht gelungen. So bleibt die Aufgabe, das Kapitel zu verstehen und auszulegen als in sich schlüssiges Argument innerhalb eines umfassenden „Gesprächs" des Paulus mit der korinthischen Gemeinde.

---

[6] Man könnte von kommunikativem Kontext reden: so z.T. in der neueren Textlinguistik, wo man zwischen Kontext (kommunikativer Kontext, Gesprächssituation) und Kotext (voranstehender und nachfolgender, umgebender schriftlicher Text) unterscheidet.

A 1 Kor 15,12 und die Vorgeschichte

I Der Wortlaut von V. 12

Das einzige unumstrittene Indiz für die Feststellung der korinthischen Anschauung, mit der Paulus sich in dem thematisch geschlossenen Briefteil 1 Kor 15 auseinandersetzt, ist V. 12. Hier erfahren wir explizit den Anlaß für die Darlegung: Einige der Korinther sagen: (ὅτι) ἀνάστασις νεκρῶν οὐκ ἔστιν.

1. Dieser Satz wird nur einigen der Korinther zugeschrieben (λέγουσιν ἐν ὑμῖν τινες). Das gleiche τινες begegnet noch einmal am Schluß des ersten Argumentationsganges V. 34. Bevor man daraus jedoch folgert, Paulus habe es in Korinth mit mehreren unterschiedlichen theologischen Fronten zu tun[1], ist zu bedenken, daß er wie im ganzen 1 Kor so auch in Kap. 15 durchgehend die Gesamtgemeinde anredet. Nirgends wird dabei erkennbar, daß er sich mit einer Mehrheit einig weiß gegen eine Minderheit von Falschlehrern. Mindestens muß man in den τινες die theologischen Wortführer der Gesamtgemeinde sehen[2]. Die rhetorische Frage πῶς λέγουσιν will doch gerade auf einen Widerspruch zum Kerygma von Christi Auferweckung (V. 1–11) aufmerksam machen, was rhetorische Stringenz nur dann hat, wenn die Korinther insgesamt zumindest in der Gefahr dieser Widersprüchlichkeit stehen. So läßt sich denn auch die Auferstehungsleugnung durchaus vereinbaren mit den im übrigen 1 Kor erkennbaren Zügen der korinthischen Frömmigkeit und Theologie[3].

2. Bei der These der Korinther selbst handelt es sich um eine verneinte Aussage. Eine Verneinung wird aber nur verständlich, wenn man ihre positive Grundaussage kennt. Was genau wird negiert? Die Aus-

---

[1] So vor allem *B. Spörlein*, 30. 82 ff. (zu V. 29).

[2] So z. B. *E. Käsemann*, Apokalyptik, 120; *G. Brakemeier*, 18 mit A 79; 79 f. mit A 340; *J. Becker*, Auferstehung, 70; *Chr. Wolff*, 173. – Ähnlich verfährt Paulus ja auch in 4,18 (vgl. noch 6,11; 8,7).

[3] Wenn man die Auferstehungsleugnung einer der „Parteien" von 1 Kor 1,12 zuweisen möchte, kämen nur die Christuspartei (so *W. Lütgert*, Freiheitspredigt; *W. Schmithals*, Gnosis) oder die Apollosgruppe (so *J. F. Räbiger*, 152 ff.; *B. A. Pearson*, Pneumatikos, 18. 96 f. A 23 u. 24; *ders.*, Wisdom-Speculation, 46 ff. 59; *U. Wilckens*, 1 Kor 2,1–16, 518; *R. A. Horsley*, How Can Some of You Say …, 229 u. passim; vgl. *ders.*, Wisdom, 231 f. 237 f.) in Frage. Aber wo eine der beiden Thesen vertreten wird, wird die andere ausgeschlossen, zu Recht. Zu den „Parteien" von 1 Kor 1,12 vgl. *G. Sellin*, „Geheimnis", 73 ff. 92 ff.

führungen des Paulus lassen nur schwer Rückschlüsse auf die Hintergründe des korinthischen Satzes zu[4]. Grundsätzlich könnten wir aus ihnen sowieso nur das Bild erheben, das Paulus von den korinthischen Anschauungen hat. Aber selbst das ist schwer. Es ist umstritten, ob Paulus überhaupt etwas über die Hintergründe der korinthischen Auferstehungsleugnung weiß, ob er nicht einfach nur vage davon gehört hat, daß man – aus welchen Gründen auch immer – eine Auferweckung Toter leugnet[5].

3. Eine einfache Beobachtung kann hier weiterhelfen: Die Leugnung der Auferstehung ist als negative Aussage bereits Reaktion auf einen positiven Satz, eine Antithese zu einer These[6]. Die These gehört zur Vorgeschichte von V.12.

4. Man kann noch weitergehen: Das ὅτι in V.12 kann nur als ein ὅτι rezitativum aufgefaßt werden. Das heißt: Paulus zitiert hier einen Satz der Korinther wörtlich. Das schließt die Annahme aus, er hätte nur vage davon gehört, daß man in Korinth aus ihm nicht durchsichtigen Gründen etwas gegen die Lehre der Totenauferstehung geäußert hätte. Damit aber haben wir einen Hinweis, der uns Zugang zur Vorgeschichte des Satzes ermöglicht. 1 Kor 7,1 ff. 25 ff.; 8,1 ff.; 12,1–14,40; 16,1 ff. 12 ff. antwortet Paulus auf schriftliche Anfragen der Korinther, wobei er jeweils mit περὶ δέ auf ein Stichwort des Anfragenbriefes (7,1) eingeht. Dieser Brief setzt seinerseits bereits einen Brief des Paulus voraus, den 5,9 erwähnten Vorbrief. Man kann V.12 nun als eine in Korinth aufgestellte *Gegen*behauptung verstehen, die im Anfragenbrief mitgeteilt wurde[7]. Worauf sie sich bezieht, wird an anderer Stelle noch zu fragen sein.

5. Auffällig ist, daß Paulus den Anlaß für seine Ausführungen nicht gleich am Anfang nennt. Dennoch ist klar, daß V.1–11 bereits auf V.12 zugeschnitten sind. Offenbar sind es rhetorische Gründe, die Paulus veranlassen, Kap.15 nicht mit einem περὶ δὲ τῆς ἀναστάσεως νεκρῶν beginnen zu lassen.

Aus diesen Beobachtungen zu V.12 lassen sich nun zwei Aufgaben formulieren: 1. Welches sind die sich hinter V.12 verbergenden *positi-*

---

[4] Das gilt selbst für V.29, insofern strittig ist, ob Paulus mit der Taufe für die Toten einen korinthischen Brauch anspricht (vgl. nur *B. Spörlein*, 82 ff.), erst recht für V.35 (*W. Schmithals*, Gnosis, 147). Herangezogen werden daneben V.18 f. und V.32.

[5] Vgl. *J. Weiß*, 345: „Die Meinung der christlichen Gegner der Auferstehung kennen wir nun doch nicht genau genug; wir kennen nur ihre negative These ..., aber nicht ihre positive Lehre."

[6] Darauf macht als einziger *G. Kegel*, 39 f. A 22, aufmerksam.

[7] Zur literarkritischen Einordnung von Kap.15 in den Themenbrief s.u. S.49 ff. Für korrekte Wiedergabe korinthischer Meinung hält 15,12 auch *A. J. M. Wedderburn*, Denial, 227.

ven Gründe für die Negation von ἀνάστασις νεκρῶν? Diese Aufgabe
soll an Hand eines forschungsgeschichtlichen Überblicks im nächsten
Abschnitt angegangen werden (A II). 2. V. 12 enthält Hinweise auf eine
Vorgeschichte. Ihre Rekonstruktion, die für eine historische Einordnung
von 1 Kor 15 erforderlich ist, soll im übernächsten Abschnitt versucht
werden (A III).

II Der Grund der in V. 12 genannten
Auferstehungsleugnung
(forschungsgeschichtlicher Überblick)

Fragt man nach den *objektiven* Gründen der korinthischen Auferstehungsleugnung, hat man zwischen drei bis heute in der Forschung vertretenen Antworten die Wahl: Entweder wurde in Korinth *jede postmortale Heilsmöglichkeit* überhaupt ausgeschlossen – oder in Korinth leugnete man nur die *Zukünftigkeit* der Auferstehung, weil man die (auch
sonst religionsgeschichtlich belegte) Meinung vertrat, ein Christ sei
schon zu Lebzeiten „auferstanden" – oder man leugnete in Korinth die
Auferstehung der Christen wegen der damit verbundenen Annahme der
Leiblichkeit dieser Auferweckung und hatte stattdessen die Vorstellung
eines leiblosen Heils.

Bevor diese drei möglichen Thesen zu V. 12 überprüft werden sollen,
ist noch ein Problem von hermeneutischer Relevanz zu bedenken: Der
Gegenstand unserer Fragestellung kann nicht die korinthische Meinung „an sich" sein, sondern nur *das Bild, das Paulus von dieser Meinung
hat*[1]. Wenn sich nun zeigen ließe, daß dieses Bild, das Paulus von der
Situation hat, sich in den diesbezüglichen Passagen der verschiedenen
Schreiben des Paulus nach Korinth wandelt (wobei dieser Wandel nicht
durch die Situation selbst, sondern durch den Informationsstand des
Paulus bedingt wäre), dann könnte man zu Recht mit einem paulinischen „Mißverständnis" in 1 Kor 15 rechnen[2]. Bevor wir also die drei
genannten religionsgeschichtlichen Thesen forschungsgeschichtlich
vorstellen und, soweit das schon möglich ist, überprüfen (s. u. S. 21 ff.),
muß zunächst das Problem der „Mißverständnistheorie" diskutiert werden.

---

[1] *P. Hoffmann*, Die Toten, 239.
[2] Das ist die grundsätzliche Berechtigung der besonders von Schmithals strapazier-
ten „Mißverständnistheorie" (vgl. *W. Schmithals*, Irrlehrer, 68 A 123).

1. Die Theorie vom Mißverständnis

1 Kor 15,1–34 bietet einen widersprüchlichen Befund: In der paulinischen Argumentation läuft alles darauf hinaus, den Korinthern totale
Hoffnungslosigkeit zu bescheinigen (besonders deutlich in den Spit-
zenaussagen V.19 und V.32), als wäre die korinthische Heilshoffnung
total auf das Diesseits beschränkt; daneben steht dann aber V.29
(Taufe für die Toten), aus dem hervorgeht, daß man in Korinth Heil
auch für die Toten erwartete. Aufgrund dieses widersprüchlichen Be-
fundes nahm R. Bultmann an, Paulus hätte die Korinther bei Abfassung
des Kapitels mißverstanden: Als Gnostiker hätten sie nur die realistische Auferstehungslehre der jüdisch-urchristlichen Tradition bestritten,
wohingegen Paulus annahm, sie hätten geglaubt, „mit dem Tode sei alles aus". 2 Kor 5,1 ff. sei Paulus inzwischen besser informiert. 1 Kor
15,29 verrate unfreiwillig, daß eine dualistisch-gnostische Vorstellung
schon zur Zeit von 1 Kor 15 die wahre korinthische Meinung sei[3].
W. Schmithals hat diese These übernommen und weiter ausgeführt: 1
Kor 15 gehöre literarkritisch zum Vorbrief, bei dessen Abfassung Paulus noch schlecht über die korinthischen Verhältnisse informiert gewesen sei[4]. Da Schmithals nun einerseits einen mythologisch-gnostischen
Hintergrund der korinthischen Auferstehungsleugnung aus Kap.15 genau erkennen will, andererseits aber mit einem paulinischen Mißverständnis rechnet, gerät er in ein Dilemma: Die Verse, in denen Paulus
genau auf den anthropologischen Dualismus der Korinther eingeht,
entschärft er: V.35 sei nur rhetorische Fiktion[5]. Zu einem Widerspruch
kommt es dann bei V.46. Einmal wird behauptet, V.46 sei „prägnante-
ster Ausdruck des gesamten gnostischen Seinsverständnisses"[6]. Andererseits könne Paulus aber das, was in V.46 steht, zur Zeit der Abfassung des Vorbriefes noch gar nicht wissen: Also sei ernsthaft zu überlegen, ob der Vers nicht als Glosse auszuscheiden sei[7]. Hier ist nicht so
sehr die inhaltliche Bestimmung von V.46 als „gnostisch" zu kritisieren[8], sondern vielmehr die fragwürdige Annahme von der Informa-

---

[3] R. Bultmann, Theologie, 172; ders., Exegetische Probleme, 299; ähnlich E. Dinkler,
RGG IV,20; W. Marxsen, Einleitung, 91 f.; ders, Glaube als Auferweckung, 65 f.; G. Kegel, 39 f. A22.

[4] W. Schmithals, Gnosis, 146 ff. Zur Literarkritik des 1 Kor: s. u. S.49 ff.

[5] W. Schmithals, Gnosis, 147. Stilistisch trifft das zu. Schmithals fragt jedoch nicht,
warum Paulus den Einwand inhaltlich überhaupt vorbringt (dazu s. u. S.72 mit A1).

[6] 159; vgl. 146.

[7] 160 f. A2. Paulus setzt auch nach Schmithals mit V.45 und 47 eine „gnostische"
Gegenthese voraus. Diese hätte er allerdings nur „ungewollt" zurückgewiesen (ebd.). Zur
Kritik vgl. E. Güttgemanns, 57 A21; J. C. Hurd, 196 f.

[8] Schmithals exegesiert die Aussage dieses Verses m. E. korrekt. Zu fragen ist nur, ob
das Prädikat „gnostisch" dabei angemessen ist (dazu s. u. S.195 ff.).

tionslücke des Paulus. Gerade V. 35–50 zeigt nun doch (gleichgültig, wie man im einzelnen exegesiert), daß Paulus etwas von den dualistischen Hintergründen der korinthischen Auferstehungsleugnung kennt. Dann aber kann auch V. 29 nicht mehr als ein dem Paulus *unbewußtes* Indiz der wahren korinthischen Anschauung gelten. Das hat H. Conzelmann zunächst ganz richtig gesehen: Paulus „zeigt sich hier offensichtlich gut unterrichtet. Und wenn er diesen Brauch [der Taufe für die Toten] kennt, kann er den Korinthern nicht wohl die Anschauung zutrauen, mit dem Tod sei alles aus …"[9]. Conzelmann mildert folglich die These vom Mißverständnis ab zu einer These von der *Ratlosigkeit* des Paulus: „Dazu Paulus: Da komme ich nicht mehr mit."[10] Das aber ist eine Verlegenheitsauskunft aus Ratlosigkeit des Exegeten. P. Hoffmann hat die Mißverständnistheorie ebenfalls abmildern wollen: Paulus sei zwar (wie V. 29 zeigt) über die tatsächliche Anschauung der Korinther (ein Leib-Seele-Dualismus: vgl. u. S. 30 ff.) informiert, von seinen theologischen Voraussetzungen her könne er sich jedoch eschatologisches Heil nicht ohne Leiblichkeit vorstellen. Das sei der Grund dafür, daß er den spiritualistischen Heilsglauben der Korinther mit Hoffnungslosigkeit schlechthin gleichsetze[11]. Auch diese Erklärung ist nicht befriedigend, insofern sie psychologisierend von einer bestimmten Vorstellungskompetenz des Paulus ausgeht. Statt dessen ist zu fragen nach der theologischen Intention, die Paulus dazu treibt, ein leibloses Heil als Heillosigkeit zu entlarven.

Die Schwierigkeiten der Exegese von 1 Kor 15, die letztlich zur Mißverständnishypothese führten, hängen mit der Problematik von V. 1–34 zusammen. Wie argumentiert Paulus hier? Es ist der Fehler der meisten Ausleger, übersehen zu haben, daß Paulus in diesem Abschnitt den Korinthern Heillosigkeit unterstellt, genauer gesagt: theologisch aufdeckt. Die Verse 13–19 und 30–33 sind theologische, christologische Schlüsse, nicht aber weltanschauliche Aussagen[12]. Damit haben wir freilich schon auf unsere eigene Exegese vorgegriffen.

---

[9] *H. Conzelmann*, 1 Kor, 327.

[10] Ebd. Conzelmanns Auslegung von 1 Kor 15 ist sehr widersprüchlich. Er rechnet mit einem Mißverständnis (310 f.). Die Vermutung des Paulus erklärt er dabei einmal von einer diesseitsorientierten Mysterienfrömmigkeit her (309): dazu s. u. S. 21 f. Daneben aber meint er, Paulus habe in den Auferstehungsleugnern Leute vermutet, die das Heil auf die zur Zeit der Parusie noch Lebenden beschränkt hätten (310 f.; s. u. S. 23). Angesichts von V. 29 biegt er das paulinische Mißverständnis dann in eine Ratlosigkeit um (327). In Wahrheit hätten die Korinther einen enthusiastischen Auferstehungsglauben gehabt (310 A 123).

[11] *P. Hoffmann*, Die Toten, 245 ff.; ähnlich *A. J. M. Wedderburn*, Denial, 240 f.

[12] Wenn Paulus den Korinthern Hoffnungslosigkeit unterstellt, ist das etwa vergleichbar mit 1 Thess 4, 13, wo den Heiden Hoffnungslosigkeit erst aus christlicher Sicht zukommt. Daß die Heiden keine Hoffnung gekannt hätten, wäre als historische Aussage falsch. Vgl. u. S. 21 A 19.

Die bisher vorgetragenen Mißverständnistheorien stellen überwiegend eine Kombination der unten unter 2. und unter 4. vorgestellten Thesen dar: In Wahrheit leugneten die Korinther die Auferweckung wegen der damit verbundenen Leiblichkeit und hätten selber eine anthropologisch-dualistische Heilshoffnung für die Seele gehabt, sei diese Vorstellung nun gnostisch (R. Bultmann, W. Schmithals) oder allgemein dualistisch-spiritualistisch zu nennen[13], wohingegen Paulus sie so verstanden hätte, als leugneten sie jedes postmortale Heil. Es gibt in der Forschung aber auch die andere Kombination: Die Leugner hätten nur die Zukünftigkeit der Auferstehung abgelehnt, weil für sie „Auferstehung" schon geschehen sei; das aber hätte Paulus mißverstanden in dem Sinne, als sei für sie mit dem Tode alles aus[14]. Prinzipiell ist diese Form der Mißverständnisthese nicht besser als die andere. Ja, ihre Vertreter müssen sogar davon ausgehen, daß V.12 selber schon keine authentische Wiedergabe der korinthischen Meinung sei[15]. Woher man dann aber noch die objektive Meinung der Korinther erkennen will, bleibt zu fragen[16]. V.29 käme als Hinweis auf die von der Vermutung des Paulus abweichende wahre Meinung der Korinther nicht mehr in Frage, denn die Vikariatstaufe für Tote ist mit einem Auferstehungsenthusiasmus nun schon gar nicht vereinbar, insofern es diesem ja nur um die bereits geschehene „Auferstehung" Lebender ginge. Wenn man überhaupt mit einem fortschreitenden Abbau von Informationslücken des Paulus rechnet, käme wegen 2 Kor 5,1–10 nur die andere Form der Mißverständnistheorie, wie sie R. Bultmann und W. Schmithals vertreten, in Frage, denn 2 Kor 5 geht es eindeutig um die Alternative: das postmortale Heil als „Nacktheit der Seele" oder als neue Leiblichkeit. Genau darum – so unsere These – geht es auch 1 Kor 15, und zwar auch in der Meinung des Paulus. Die ganze Mißverständnistheorie hängt m.E. an der Auffassung der Exegeten davon, was die (subjektive) Aussage des Paulus in 15,1–34 sei. Diese ist aber durchaus vereinbar mit einer der drei im folgenden behandelten Theorien über die religionsgeschichtlichen Hintergründe der Auferstehungsleugnung[17].

---

[13] Beides muß jedoch auseinandergehalten werden. Ein anthropologischer Dualismus von Leib und Seele bzw. Leib und Pneuma ist noch kein Gnostizismus.

[14] So z.B. *R. Bultmann,* Urchristentum, 213 A3 (differenzierender: *ders.,* Theologie, 172 [o.S.18 A3]); *E. Haenchen,* RGG II, 1653; *E. Fuchs,* Auferstehungsgewißheit, 201; *U. Luz,* 336f.; *H. Conzelmann,* 1 Kor, 310f. (mit A123).

[15] So *U. Luz,* 337f.; vgl. *H. Conzelmann,* 309f.

[16] *U. Luz,* 336, verweist auf 1 Kor 6,12 und 10,23. Dazu passe nicht das paulinische „Ihr seid noch in euren Sünden" (15,17b). Wie aber bei der anderen Form der Mißverständnistheorie V.29, so würden hier 6,12 und 10,23 belegen, daß Paulus die Meinung der Korinther gekannt hätte. Wieso er dann 15,17b noch schreiben kann, muß eben anders erklärt werden.

[17] Gegen die Mißverständnistheorie ist noch ein grundsätzlicher Einwand vorzubrin-

2. Leugnung jeden postmortalen Heils

Bei dieser These wird das Bild, das Paulus von der Situation in Korinth habe, genau wie in der Mißverständnistheorie dargestellt (Paulus sehe in den Korinthern Leute, für die „mit dem Tode alles aus" sei), jedoch entspreche dieses Bild dem objektiven Sachverhalt. Wir schließen hier allerdings auch die Vertreter der Mißverständnistheorie noch einmal mit ein, insofern sie diese These durchgehend für die subjektive Meinung des Paulus halten. Hier geht man von V. 13–19 und V. 30–34 aus, muß dann aber (insofern man ein Mißverständnis ausschließen will) V. 29 herunterspielen. Es gibt drei verschiedene religionsgeschichtliche Modelle, die man für Korinth (bzw. die subjektive Meinung des Paulus von den Korinthern) annimmt.

1. Man hält die Korinther für Skeptiker und Nihilisten: etwa für epikuräische Empiriker[18]. Kann es aber solche „Epikuräer" unter Christen gegeben haben? Kann Paulus das überhaupt angenommen haben? Hier hängt alles an der Exegese von V. 13–19 und V. 30–34: Stimmt es denn überhaupt, daß Paulus hier weltanschaulichen Nihilismus wittert[19]? Außer aus V. 12 und V. 29 läßt sich aus 1 Kor 15, 1–34 kaum etwas über die tatsächliche oder auch nur von Paulus angenommene Meinung der Korinther entnehmen.

2. Es wird darauf hingewiesen, daß im damaligen Hellenismus eine Jenseitshoffnung keineswegs selbstverständlich gewesen sei, ja, daß gerade auch in den Mysterien nicht Unsterblichkeit, sondern „in erster Linie das irdische Glück" gesucht worden sei[20]. Hier sind jedoch reli-

---

gen: Die Exegese verliert dabei das Kriterium der Konsistenz und damit methodische Schärfe. Vgl. *J. Becker*, Auferstehung, 71: „Je programmatischer man damit rechnet, Paulus habe die Korinther tiefgreifend mißverstanden, desto weniger sind die Risiken solcher Exegese kalkulierbar." Das gleiche gilt übrigens auch gegen die Theorie, Paulus argumentiere gegen mehrere Fronten: Was sich einer behaupteten Hypothese nicht fügt, wird dann einer ergänzenden Hypothese zugeschlagen, statt die Hypothese in Frage zu stellen (z. B. gegen *B. Spörlein*, 30: zu V. 29).

[18] So *W. M. L. De Wette*, 128 f.; *S. Heine*, 193: V. 35 zeige, daß die Korinther empirisch-naturhaft denken und nicht „das Mehr einer das Vorfindliche transzendierenden Wirklichkeit" erkennen. Nein! Die Korinther begrenzen das transzendierende Mehr der Wirklichkeit gerade auf den Bereich des Geistes.

[19] Schon *L. I. Rückert*, I, 394 ff., machte darauf aufmerksam, daß insbesondere V. 19 und V. 32 von Paulus unterstellte Konsequenzen, die sich aus dem Duktus seiner Argumentation ergeben, nicht aber korinthische Meinung sind. Vgl. *L. Schottroff*, 160; *H.-H. Schade*, 192.

[20] *H. Conzelmann*, 1 Kor, 309 (allerdings: als Mißverständnis des Paulus); *D. J. Doughty*, 76 A 61. Man kann sich dafür auf zwei Tatsachen berufen: auf das weitgehende Schweigen postmortaler Hoffnungen in Grabinschriften (*E. Rohde*, II, 379 f.) und den diesseitigen Charakter der bei Apuleius, Metamorphosen Buch XI, 21, 6 f., angedeuteten Isisweihe (vgl. dazu *M. P. Nilsson*, II, 606 ff.): Das durch die Isisweihe geschenkte neue

gionswissenschaftliche Bedenken anzumelden: Dabei wird auseinandergerissen, was in den Mysterien zusammengehört. Der Myste erfährt in
der Weihe gerade eine zeitweilige Vorwegnahme dessen, was ihn aufgrund dieser Weihe nach dem Tode erwartet[21]. Die hellenistischen Mysterien jedenfalls sind ohne den Seelenglauben nicht denkbar[22]. Vor allem aber ist dort, wo die Mysterien mit Judentum und Christentum in
Berührung kamen, die Wirkung der Mysterien auf jeden Fall auch
(wenn nicht gar in erster Linie) postmortal vorgestellt worden. Ganz sicher gilt dies für die ägyptische Form der Mysterien[23], die auf das (hellenistische) Judentum am meisten eingewirkt hat: Die Weihe verschafft

---

Leben ist ein neuer Anfang im Diesseits. Das schließt nun aber den Gedanken eines besseren postmortalen Schicksals keineswegs aus, denn bei Apuleius ist Isis Herrin der Un-
terwelt (5,1! 21,6; 25,3; vgl. *H. Köster*, Einführung, 196; *H.-J. Klauck*, 131; zum Spiritualismus: *J. Griffith*, 51 ff. 258 f.). XI 5,1 wird das erwartete postmortale Heil explizit erwähnt. Daß die Mysterien in hellenistischer Zeit überwiegend diesseitige Heilsfunktionen
gehabt hätten, ist schon wegen ihres orphischen Charakters gänzlich ausgeschlossen, vgl.
M. P. Nilsson, II, 89. 220 ff. 234. 236. 333. 349. 520 ff. 526. 528. 604. Zum Jenseitsglauben
der Mysterien vgl. noch *F. Cumont*, 90 ff.; *J. Leipoldt*, Mysterien, 9. 15. 20 f. 33 ff.; *A. Böhlig*, Mysterien, 12 f. – Das Isis-Buch des Apuleius (Metamorphosen XI) wird in der neutestamentlichen Wissenschaft zu Unrecht auch ins andere Extrem gehend herangezogen:
nämlich für den Versuch, Mitsterben und Mit-Auferstehen des Christen nach Röm 6,4
auf ein mysterientheologisches, enthusiastisches Taufverständnis der vorpaulinischen hellenistischen Gemeinde zurückzuführen (dagegen: *G. Sellin*, „Die Auferstehung ist schon geschehen", 224 ff.; *A. J. M. Wedderburn*, NTS 29, 1983, 337–355; dazu s. auch u. S. 29 f.).
Nun kann man nicht bezweifeln, daß Röm 6 Mysterienmotive als solche voraussetzt (die
Taufe als Initiation). Es fehlt jedoch auch bei Apuleius der entscheidende Gedanke, daß
der Myste in der Weihe den Gott Osiris selbst darstellt (vgl. *M. P. Nilsson*, II, 662; *M. Dibelius*, Isisweihe, 49; *H.-J. Klauck*, 131; anders *J. G. Griffith*, 51 ff.; *K. Wengst*, 40; *N. Gäumann*, 40–46; *E. Käsemann*, Röm, 152 ff.; Gäumann zieht zur Stützung seiner These noch
den späten Beleg Firmicus Maternus, De errore profanarum religionum 22,1 f., heran.
Dort findet sich erst recht kein Hinweis auf Auferstehung der Mysten: vgl. *M. P. Nilsson*,
II, 656). Zu den erwähnten weiteren Weihen (XI 27 ff.) vgl. *M. P. Nilsson*, II,638; *H.-J.
Klauck*, 131 f. Nicht „Auferstehung", wohl aber ein besseres Los nach dem Tode setzt
also auch das Isis-Buch für die Isis-Mysterien voraus. Wenn der Osiris-Mythos überhaupt darin noch eine Rolle spielt, so ist er völlig hellenisiert, d.h. spiritualisiert.
[21] Gerade das Isis-Buch macht dabei deutlich, daß der Myste seit seiner Weihe ein
neues Leben schon diesseits des Todes führt. Das hat aber weder etwas mit Auferstehung
zu tun, noch ist es vergleichbar mit dem korinthischen ekstatischen Pneumatikertum im
Sinne von 1 Kor 4,8. Vielmehr besteht eine starke Parallelität der Isis-Weihe zur paulinischen Verhältnisbestimmung von Soteriologie und Ethik, insofern die Taufe einen neuen
„Wandel" begründet (vgl. *J. G. Griffith*, 52). Das aber ist in Röm 6,4 nach Meinung der
Exegeten, die dort Polemik gegen mysterientheologischen Enthusiasmus vermuten, angebliche anti-enthusiastische Umformulierung des Paulus.
[22] Vgl. *R. Reitzenstein*, Mysterienreligionen, 192 ff.; *J. Leipoldt*, Tod, 167: „In den dio-
nysischen Gemeinden ergreift der Gott schon in diesem Leben seine Gläubigen, nimmt in
ihnen Wohnung, macht sie verzückt …: das ist eine Vorausnahme der Vergottung im Jenseits"; *ders.*, Mysterien, 34; *M. P. Nilsson*, II, 606 ff.; *G. Haufe*, Mysterien, 102 ff.
[23] Vgl. *F. Cumont*, 90 ff.

Anteil am „Leben" gerade über den Tod hinaus[24]. Daß Paulus die Korinther als Anhänger von solchen angeblich rein diesseitsorientierten Mysterien gar irrtümlich angesehen haben sollte, ist noch unwahrscheinlicher.

3. Es gibt eine Variante dieser These, die historisch wahrscheinlicher ist: Die Korinther hätten geglaubt, nur wer die Parusie erlebte, würde Anteil am endgültigen Heil erlangen[25]. So etwas haben ja annähernd zur gleichen Zeit die Thessalonicher tatsächlich angenommen (1 Thess 4, 13 ff.). Jedoch ist dabei auf einen entscheidenden Unterschied hinzuweisen: In Thessalonich war der Auferstehungsgedanke unbekannt[26], in Korinth wird er bestritten. In Korinth spielt wiederum der Parusiegedanke keine maßgebliche Rolle; es ist Paulus, der ihn den Korinthern seinerseits vorhalten muß (1, 8; 4, 5; 6, 1 ff.)[27]. Daß Paulus aber von sich aus angenommen haben könnte, die Korinther rechneten mit einem Heil, das ausschließlich die bei der Parusie noch Lebenden betreffe[28], ist damit zugleich ausgeschlossen. Gegen die These von der Leugnung jeglichen postmortalen Heils sprechen denn auch eine ganze Reihe grundsätzlicher Bedenken: In 1 Kor 1–14 gibt es keinen Hinweis darauf, daß die Korinther einen gespannten Parusieglauben gehegt oder allgemein eine rein diesseitige Heilserwartung gehabt hätten. Das wichtigste Indiz ist aber V. 29, wonach in Korinth eine Taufe für Tote praktiziert wurde[29], und schließlich V. 35 ff: Hier zeigt Paulus sich über die dualistische Anthropologie der Korinther genau informiert.

3. Leugnung der Zukünftigkeit der Auferstehung

Bereits Chrysostomos hatte die korinthischen Auferstehungsleugner mit der 2 Tim 2, 18 erwähnten Ketzerei des Hymenäus und Philetus in Zusammenhang gebracht, welche behaupteten: ἀνάστασιν ἤδη γεγονέναι[30]. Die (künftige) Auferstehung werde abgelehnt, weil sie für den

---

[24] Vgl. JosAs 8, 9; 15, 5; 16, 14 ff. (Zählung und Text nach *Chr. Burchard*). Auch dort geht es freilich nie um Auferstehung.

[25] Erstmals in der Neuzeit wohl *G. Billroth*, Commentar zu den Briefen des Paulus an die Corinther, Leipzig 1883; *A. Schweitzer*, 94; *K. Smyth*, 229 f.; *B. Spörlein*, 38 ff.; *W. F. Orr/J. A. Walther*, 319. 340; ähnlich *A. Schlatter*, Korinthische Theologie, 62 ff.

[26] Das ist freilich nicht unbestritten: Zu 1 Thess 4, 13 ff. s. u. S. 37 ff.

[27] Vor allem *A. Schlatter*, Korinthische Theologie, 64 f., hat den Parusiegedanken bei den Korinthern überschätzt.

[28] Wie *H. Conzelmann*, 310 f., annimmt.

[29] *B. Spörlein*, 82 ff., muß annehmen, die korinthischen Auferstehungsleugner selbst hätten den Brauch der Taufe für Tote nicht geübt (dazu s. u. S. 281 ff.); so auch (trotz anderer Position) *H.-H. Schade*, 299 A 554.

[30] Vgl. *B. Spörlein*, 16 f., zur Geschichte dieser Auslegung.

Christen bereits erfolgt sei[31]: sakramental (in der Taufe[32] oder durch das Herrenmahl[33]), überhaupt mysterienhaft[34] oder gnostisch[35]. Wir müssen nun unterscheiden zwischen der allgemeinen Hypothese, daß es eine vorpaulinische Anschauung von einer bereits realisierten Auferstehung der Christen überhaupt gab[36], und der engeren Frage, ob eine solche Vorstellung in 1 Kor 15 vorliegt. Im folgenden möchte ich zeigen, daß eine solche Annahme, was 1 Kor 15 betrifft, unhaltbar ist[37]. Nicht zu bezweifeln ist allerdings, daß man in Korinth ein präsentisches Heilsbewußtsein hatte. Das zeigt allein schon 1 Kor 4,8 („Ihr seid schon ‚satt‘, ihr seid schon ‚reich‘, ohne uns seid ihr ‚zur Herrschaft gelangt‘ …"). Aber auch an dieser Stelle wird Hoffnung auf ein transmortales Heil keineswegs ausgeschlossen, und vor allem geht es nicht um realisierte *Auferstehung*. 1 Kor 4,8 verrät vielmehr einen prinzipiell uneschatologischen Spiritualismus[38].

---

[31] Diese Auslegung wurde dann (mit jeweiligen Nuancen) vertreten z. B. von *H. v. Soden*, 259 f. A 28; *R. Bultmann*, GuV I, 55 (kombiniert mit der Mißverständnistheorie: *ders.*, Urchristentum, 213 A 3. Später [*ders.*, Theologie, 172, und *ders.*, Exegetische Probleme, 299] hat Bultmann diese Auslegung im Sinne von 2 Tim 2, 18 dann aufgegeben zugunsten der Mißverständnistheorie mit der Theorie vom korinthischen Leib-Pneuma-Dualismus: o. S. 18 A 3); *J. Schniewind; H.-W. Bartsch*, 265 ff.; *W. G. Kümmel* bei Lietzmann, Kor, 192; *E. Käsemann*, Neutestamentliche Fragen, 27 f.; *ders.*, Apokalyptik, 120 f.; *H. Schlier*, 148 f.; *E. Brandenburger*, Adam, 70 ff.; *J. M. Robinson* in Köster/Robinson, 32; *E. Güttgemanns*, 67 ff.; *G. Brakemeier*, 11 ff. 113 f. u. ö.; *J. H. Wilson*, 95 ff.; *C. K. Barrett*, 1 Cor, 109. 347; *E. Brandenburger*, Auferstehung; differenzierender: *J. Becker*, Auferstehung, 74 ff.; *G. Klein*, Eschatologie, 278; *A. C. Thiselton*, 523 ff.; *M. Bünker*, 72; außerdem die o. S. 20 A 14 Genannten (in Kombination mit der Mißverständnistheorie).

[32] Unter Hinweis auf Röm 6: Z. B. *E. Käsemann*, Apokalyptik, 120; *ders.*, Röm, 152 ff.; *J. Becker*, Auferstehung, 55 ff.; *E. Brandenburger*, Auferstehung, 21. 27; bezeichnend *G. Schille*, 11 ff., bes. 35: „Wir sollten daher zugeben, daß die paulinische Taufanschauung aus einer urchristlich-vorpaulinischen Theologie erwachsen ist, die vom Miterweckt- und Mitverherrlichtwerden der Täuflinge redete, also von Dingen, die die Kritik des Apostels herausforderten. Weil Paulus seiner Tradition aber nicht nur Kritik, sondern auch Dank schuldete, konnte er wesentliche Bruchstücke des Überlieferungsgutes aufgreifen." Dazu s. u. S. 27 A 46.

[33] Z. B. *H. Schlier*, 148 f.; *J. H. Wilson*, 107.

[34] *G. Brakemeier*, 11 ff. 113 f. Brakemeier teilt dabei die o. S. 21 f. erwähnte Einschätzung der Mysterienreligionen als diesseitig-gegenwärtig orientiert: „Die korinthischen Jenseitsvorstellungen weisen in das religionsgeschichtliche Milieu der Mysterienreligionen mit ihren eigenartigen ‚eschatologischen‘ Anschauungen." Danach „wird das Ziel der Seligkeit bereits im Diesseits erreicht. Es geht primär um Lebenssteigerung … Hoffnung wird deshalb auch hier nicht wahrhaft möglich, wo man bereits alles erreicht hat" (13).

[35] *H. v. Soden; J. Schniewind; E. Güttgemanns* u. a.

[36] Dazu s. u. S. 27 A 46.

[37] Dabei gehe ich auf den Abschnitt V. 20–28, mit dem häufig argumentiert wird, an dieser Stelle noch nicht ein. Man kann allein an V. 12 (im Kontext von V. 13–20) zeigen, daß nach Meinung des Paulus die Vorstellung realisierter Auferstehung in Korinth nicht vertreten wurde. Zur Unmöglichkeit eines diesbezüglichen paulinischen Mißverständnisses s. o. S. 20.

[38] Das ἤδη stammt dabei von Paulus (vgl. *R. A. Horsley*, How Can Some of You Say

Nun ist der Begriff ἀνάστασις, wie neutestamentliche (2 Tim 2,18) und gnostische Belege [39] zeigen, tatsächlich spiritualisierend umgedeutet worden. Das gleiche gilt von ἐγείρειν (Kol 2,12 f.). Aber die gnosti-

---

..., 203 f.). Zwei der drei Prädikate lassen sich bei Philo nachweisen als Prädikate des pneumatischen Weisen, wie *R. A. Horsley*, How Can Some of You Say ..., 211 f.; *ders.*, Wisdom, 233 ff., gezeigt hat (vgl. auch *A. J. M. Wedderburn*, Denial, 234 f.). Daß der Weise wahrhaft „reich" und der wahre „König" sei, dieses Motiv entstammt der Stoa („reich": Diog Laert VII 125; „König sein": Epictet III 22,63; Cicero, Acad II 44, 136 ff.; Fin III 22,75 f.; Seneca, Benef VII 2,5; 3,3; „reich" + „König sein": Plutarch, Mor 472a; vgl. SVF III, 589 ff.), ist dann von Philo aber auf den Weisen als (dualistischen) Pneumatiker bezogen worden. „Reich": z. B. Sacr 43 f.; Post 139; Plant 69; Spec IV 75; Virt 8–10; Praem 104; Her 27. 313–315; „herrschen" bzw. „König": z. B. Op 148; Abr 261; Mos II 2 f.; Post 128. 138; Agr 41; Virt 212–219; Ebr 113; Sobr 55–57; Migr 197; Mut 152; Som II 242–244; beides zusammen: Post 138 f.; Ebr 112 f.; Sobr 55–57; daneben bezeichnet Philo den Weisen als den wahrhaft Adeligen, εὐγενής: Sacr 43 f.; Virt 187–190. 212–219; vgl. 1 Kor 1,26. Schließlich wird der Weise als der wahrhaft Freie bezeichnet: z. B. Post 138; Her 27. Gleiches gilt schließlich von dem in 1 Kor 6,12; 8,9; 10,23 (vgl. 9,1 ff.) anklingenden ἐξουσία-Begriff: Philo, Virt 218; Prob 59 (dazu s. u. S. 58). Von diesem Hintergrund her ist gerade auch der Herrschaftsbegriff in 1 Kor 4,8 *kein eschatologischer!* Weder geht es um Gottes noch um Christi Herrschaft, sondern es geht ausschließlich um die jederzeit mögliche prinzipielle Weltüberlegenheit des Pneumatikers nach dem Vorbild des stoischen Weisen. – Die Aussage „ihr seid schon satt" (κεκορεσμένοι ἐστέ) hat keine terminologische Entsprechung bei Philo, doch steht dahinter die Vorstellung von der Weisheit als der pneumatischen Seelenspeise vom Himmel her (Op 158; All I 97. III 152. 161–181; Sacr 44; Her 191; Post 122; Det 115 f.; Congr 174; Fug 138; Mut 259). κορεννύναι und κόρος sind nun aber bei Philo negative Prädikate. Das könnte bei Paulus ironisch-polemisch anklingen: Ihr seid ja „vollgefressen" mit eurer Weisheit! Ein ähnlicher Vorwurf mit Hilfe des Trunkenheitsmotivs klingt 1 Kor 15,34 an (s. u. S. 287 ff.). Wie die Sattheit tritt auch die „Aufgeblähtheit" (φυσιοῦν: neben Kol 2,18 im NT nur 1 Kor 4,6. 18 f.; 5,2; 8,1; 13,4) bei Philo im Schimpfwort: φυσᾶν (wozu φυσιοῦν ein seltenes Synonym ist). Mächtige und Reiche blähen sich auf (Virt 173; Cher 64; Som II 115. 290 f.; Post 115). Hierbei begegnet wie in 1 Kor 4,7 bei Philo der Gegensatz von ἔχειν und λαμβάνειν: Der falsche Weise glaubt zu „besitzen", der wahre Weise „empfängt" (Congr 130; s. u. S. 149 f.). Dabei hat Philo schon Weisheit, Reichtum und Herrschaft derart metaphorisiert, daß sie nur noch auf die inspirierte Pneumagabe (λαμβάνειν) bezogen werden. Paulus bezieht nun sogar diese ekstatische Weisheit in seine Polemik ein, indem er – gegen die korinthischen Pneumatiker – das φυσιοῦν gerade auch von der γνῶσις aussagt (1 Kor 8,1). Auch diese Ebene der spirituellen Güter wird von Paulus also noch einmal transzendiert: durch die ἀγάπη, die der höchste Weg ist (12,31b). – Es ist deutlich, daß die gerade in 1 Kor 4,8 angesprochenen geistlichen Güter der Korinther nichts Eschatologisches sind. „Wir sind schon auferstanden" wäre im Munde der Korinther undenkbar; vgl. *E. E. Ellis*, „Christ Crucified". Die Gegenkritik von *A. C. Thiselton* (der zu Kap. 15 aber immerhin konzedieren muß, daß 15,12 nicht im Sinne von 2 Tim 2,18 zu verstehen sei) berücksichtigt nicht die weisheitlichen Motive in 4,8.

[39] *H.-M. Schenke*, Auferstehungsglaube; *E. Güttgemanns*, 68–70; *M. L. Peel*, Gnosis und Auferstehung, 147 ff.; *ders.*, Gnostic Eschatology, 155 ff.; *E. H. Pagels*, 278 f.; vgl. *K. Rudolph*, ThR 34, 361. Der Gnostizismus konnte sich das ganze Arsenal apokalyptischer Motivik aneignen. Aber gerade hier sind dann auch christliche Einflüsse in gnostischen Texten am besten greifbar (*M. L. Peel*, Gnosis und Auferstehung, 149 f.; vgl. *K. Rudolph*, ThR 34, 361).

schen Belege sind relativ spät[40] und lassen keine Schlüsse auf die paulinische Zeit zu. Vor allem setzen sie eine realistische Vorstellung von Auferstehung schon voraus[41]. E. Brandenburger hat jedoch zeigen können, daß bereits „im hellenistisch-jüdischen Bereich Vorstufen für diesen Sachkomplex [gemeint ist: Auferstehung schon zu Lebzeiten] und ... terminologische Bezüge" nachweisbar sind[42]. In der hellenistisch-jüdischen Schrift Joseph und Aseneth (8,9; 9,5; 15,5. 12; 16,14 ff.; 19,11)[43] wird der Vorgang der Bekehrung als Belebung und Herausführung vom Tod ins Leben verstanden. Dabei wird das πνεῦμα ζωῆς in Form einer Himmelsspeise übermittelt, die Unsterblichkeit verleiht. Diese Parallelen sind in der Tat von kaum zu überschätzender Bedeutung für das Verständnis von 1 Kor 15 – und zwar sowohl für die Auffassung der Korinther wie für die theologische Position des Paulus. Jedoch belegen sie gerade nicht die Vorstellung einer perfektischen *Auferstehung*. Zwar verleiht die Weihe unsterbliches Leben durch das πνεῦμα ζωῆς. Ja, die Bekehrung selber wird begriffen als ἀναζωοποίησις und ἀνακαίνωσις (JosAs 15,5) – aber nicht als ἀνάστασις[44]. Die Alternative ist nicht gegenwärtige oder zukünftige Auferstehung, sondern: ewiges Leben oder Auferstehung. Der Begriff ἀνάστασις steht im Umkreis dieses Denkens überhaupt nicht zur Verfügung[45], und wo er

---

[40] Vgl. *B. Spörlein*, 35.

[41] *H.-W. Bartsch*, 266 ff.

[42] *E. Brandenburger*, Auferstehung, 22.

[43] Zählung nach *P. Riesler* und *Chr. Burchard*; nach *M. Philonenko*: 8,10 f.; 9,5; 15,4. 13; 16,8 ff. (19,11 fehlt bei Philonenko); nach *P. Batiffol*: 49,17 ff.; 30,14 ff.; 61,2 ff.; 62,11 ff.; 64,3 ff.; 69,22 ff. Weiteres s. u. S. 85 f.

[44] *E. Brandenburger*, Auferstehung, 26, verweist auf JosAs 20,7: καὶ ἔδωκαν δόξαν τῷ ζωοποιοῦντι τοὺς νεκρούς (Text nach *Chr. Burchard*; fehlt bei *M. Philonenko*). Aber diese Gottesprädikation begegnet wörtlich bei Paulus selbst (Röm 4,17) und kann keineswegs als Ursprung der enthusiastischen Auferstehungsvorstellung aufgefaßt werden. Das Leben vor der Bekehrung wird in JosAs zwar als Totsein verstanden, doch vor Kol 2,12 f. ist das nirgends mit der eschatologischen Vorstellung der ἀνάστασις in Verbindung gebracht worden (s. u. S. 27 A 46). – *H.-W. Kuhn*, Enderwartung, 44 ff., hat in vier Dankliedern von Qumran eine entsprechende heilsvergegenwärtigende Form der Eschatologie finden wollen (in 1 QH 3, 19 ff.; 11,3 ff. 15 ff.; 15). Doch beruht diese These wohl, wie *K. Müller* (BZ 12, 1968, 304 ff.) in einer Rezension gezeigt hat, auf einem exegetischen Mißverständnis metaphorischer Niedrigkeitsprädikate (am deutlichsten 1 QH 11,12: „damit du aus dem Staub heraus die madigen Leichname zur Gemeinschaft erhebst" – keine eschatologische Aussage: vgl. *L. Wächter*, ThLZ 93, 1968, 659). Auch die genannten vier Qumranlieder haben also als Belege für eine proleptische Eschatologie auszuscheiden: „Stets ist hier deutlich Vergangenheit und Gegenwart ... von der Zukunftserwartung der Gemeinde ... geschieden." (*K. Müller*, 305; vgl. auch *E. Grässer*, Deutsches Pfarrerblatt 67, 1970, 608).

[45] Vgl. *A. J. M. Wedderburn*, Denial, 236; *ders.*, NTS 29, 1983, 348; *Chr. Burchard*, 1 Kor 15, 39–41, 257 f. (258 A 95: „JosAs benutzt kein Auferstehungsvokabular, kennt übrigens auch keine endzeitliche Auferstehung.").

auf der anderen Seite auftaucht, ist damit zunächst *leibliche* Auferstehung gemeint (die dann selbstverständlich zukünftig gedacht ist). Erst später wird der Begriff ἀνάστασις (freilich im Anschluß an die hier aufgezeigte hellenistisch-jüdische Tradition) spiritualisiert[46]. Das setzt aber schon die Verbreitung des realistischen ἀνάστασις-Begriffs im Christentum voraus. Nun wird aber – und das ist für uns das entscheidende Argument – ἀνάστασις in Korinth überhaupt abgelehnt (οὐκ ἔστιν: 15,12). Also kann der Begriff noch nicht im spiritualisierten Sinne gemeint sein – dann hätte man ihn nicht abzulehnen brauchen.

Es kommt ein zweites, gewichtigeres Argument hinzu. Die ganze hier besprochene Deutung scheitert an V. 13–19: Zwar könnte Paulus einem Auferstehungs-Enthusiasmus an sich den Vorwurf der Hoffnungslosigkeit machen. Aber die Argumentation in V. 13–19 verläuft so, daß diese Annahme ausgeschlossen wird: Hoffnungslosigkeit gilt nach Paulus ja erst deshalb, weil er unterstellt, daß mit der Leugnung der Totenauferstehung auch *Christi* Auferstehung hinfällt. Da Paulus das aber aus V. 12 ableitet (V. 13: Wenn es keine Totenauferstehung gibt, kann auch

---

[46] Eine spiritualistische Umdeutung der apokalyptischen Auferstehungsterminologie liegt erstmals in Kol 2,12 f. und bei den 2 Tim 2,18 angegriffenen Gegnern vor (also in der Paulus-Schule nach dem Tod des Apostels: vgl. *H. Conzelmann*, Paulus und die Weisheit, 180). Der Verfasser des 2 Tim wirft den Gegnern vor, daß sie Streit um Worte treiben (λογομαχεῖν) und Begriffe entleeren (κενοφωνία), daß sie also den Begriff ἀνάστασις seiner realistischen Bedeutung berauben, und knüpft seinerseits deutlich an Röm 6,8 an (so *A. Lindemann*, Paulus, 139). Das könnte gegen eine Auffassung gerichtet sein, wie sie Kol 2,12 f vertreten wird (ebd.), wo direkt an Röm 6,4 angeknüpft wird (*Lindemann*, Paulus, 115 f.; *ders.*, Aufhebung, 30 f. 141). Daß Kol 2,12 f. von Röm 6 abhängig ist, dafür gibt es ein klares Indiz: Das Motiv vom Mit-Begraben-Werden in der Taufe hat in Kol 2 (anders als in Röm 6, wo es das Ende der Sündenherrschaft zum Ausdruck bringt) keine Funktion mehr, ja, es ist sogar widersinnig, wenn der Christ doch gerade schon *vor* der Taufe „tot" (νεκρός) war (Kol 2,13). Daß das Begräbnis-Motiv in Kol 2 überhaupt erwähnt wird, erklärt sich nur aus der Abhängigkeit von Röm 6. – Verrät nun aber Röm 6,4 eine ältere enthusiastische Aussage von der in der Taufe bereits realisierten Auferstehung der Christen, die Paulus im zweiten Teil absichtlich futurisch und ethisch umgebogen hätte? Das ist ausgeschlossen: 1. Röm 6,5 und V. 8 enthalten die futurische Aussage. Dabei macht gerade V. 8 (im Gegensatz zu V. 4) einen alten, formelhaften Eindruck. 2. Der Kontext schließt eine paulinische Frontstellung gegen einen Enthusiasmus geradezu aus: Paulus geht es ja um den Gedanken, daß der Christ *schon jetzt* der Macht der Sünde gestorben ist und folglich lebt. So kommt Paulus *von sich aus* in V. 13 zu einer ganz ungeschützten enthusiastischen Aussage, (die zwar metaphorisch ist, doch dennoch enthusiastischer Usurpierung völlig offenstünde): „Stellt euch Gott zur Verfügung als solche, die aus den Toten zum Leben gekommen sind" (ὡσεὶ ἐκ νεκρῶν ζῶντας). Selbst wenn das ὡσεί abmildernd gemeint sein sollte, wie *E. Käsemann*, Röm, 169, meint, kann man hier nicht von eschatologischem Vorbehalt reden. Paulus denkt in Röm 6 also gar nicht an Leute, denen er ein bremsendes „Noch nicht" zu sagen hätte (so ähnlich auch *F. Hahn*, Die Taufe im Neuen Testament, 18–21; *ders.*, Das Verständnis der Taufe nach Römer 6, 140; *A. J. M. Wedderburn*, NTS 29, 1983, 337–355). Zur Frage der Mysterien: s. o. S. 21 f. mit A 20; zum ganzen: *G. Sellin*, „Die Auferstehung ist schon geschehen".

Christus nicht auferstanden sein), kann er die Leugnung der Auferstehung nicht als schon vollendete Auferstehung der Christen aufgefaßt haben (da sich daraus ja nicht eine Leugnung der Auferstehung Christi folgern ließe – im Gegenteil!) [47].

Beide hier vorgetragenen Einwände hat E. Güttgemanns zu entkräften versucht: Die „gegnerische These" laute nicht „ἀνάστασις οὐκ ἔστιν, sondern ἀνάστασις νεκρῶν οὐκ ἔστιν (V. 12). Nur diese letztere haben die Korinther abgelehnt" [48]. Damit stützt Güttgemanns eine der Hauptthesen seines Buches: die Korinther hätten eine gnostische Christologie vertreten, nach der die Erlösten bereits mit Christus inthronisiert wären. Es gehe also um eine *christologische* Lehrdifferenz: Paulus betone gegenüber der gnostischen Identifizierung von Christus und den Christen eine Distanz, die vor allem zeitlicher Art sei: Bisher ist nur Christus auferweckt, nicht aber sind es die Christen [49]. Wegen dieser seiner differenzierenden Christologie gelte Paulus bei den Korinthern als „Außenseiter" (15, 8–10) [50]. Nun wurde aber schon darauf hingewiesen, daß V. 13 eine enthusiastische Deutung nicht zuläßt, weil Paulus gegenüber Enthusiasten nicht behaupten könnte, dann sei auch Christus nicht auferstanden. Hier hat Güttgemanns nun ein relativ starkes Argument: Paulus impliziere die Sterbens-Aussage aus dem Kerygma (V. 4). Wenn es keine Auferstehung *Toter* gibt, ist auch Christus nicht auferweckt, denn dieser war ja ein Toter [51]. Güttgemanns paraphrasiert dann den ganzen Abschnitt V. 13–19 mit dem Zwischengedanken, daß Paulus bei den Korinthern die These von der Auferstehung nur der Lebenden voraussetze. Mag das bei V. 13–19 noch angehen, so scheitert Güttgemanns Theorie an V. 12 selber. Zunächst ist daran zu erinnern, daß der gnostische und nachpaulinische (2 Tim 2, 18) Sprachgebrauch von ἀνάστασις eine Spiritualisierung des urchristlichen realistischen Sprachgebrauchs (ἀνάστασις nur für Verstorbene) darstellt, diesen also voraussetzt. *Immer* aber (ob realistisch oder spiritualisiert) wird ἀνάστασις von der Auferstehung *Toter* gebraucht [52]. Selbst der spiritualisierte Sprachgebrauch setzt ja voraus, daß der „Erweckte" (sei es nun

---

[47] Vgl. *U. Luz*, 336. Vor allem V. 17b („ihr seid dann noch in euren Sünden") würde einen Auferstehungs-Enthusiasmus überhaupt nicht treffen. Leider rechnet *Luz*, 337 f., nun wieder mit einem Mißverständnis: Auferstehungs-Enthusiasmus sei dennoch der wahre Grund für die Ablehnung der (zukünftigen) Auferstehung. Paulus habe das jedoch auf jede Heilshoffnung bezogen. Entsprechend versteht Luz V. 20–28 (und V. 12–19) als eine Argumentation für zukünftiges Heil überhaupt (s. u. S. 264 ff.).

[48] *E. Güttgemanns*, 67.

[49] 73 ff.

[50] 81 ff. (dazu s. u. S. 244 f.).

[51] 75.

[52] *W. Schmithals*, Gnosis, 338; vgl. *B. Spörlein*, 34 f.

der Gnostiker oder der Myste) *vom Tod* erweckt wurde. Das Wort νε-κροί wäre also in jedem Falle *mit spiritualisiert* (vgl. Röm 6,11; Eph 2,5; Kol 2,13, wo überall die Erweckten als gewesene νεκροί bezeichnet werden), so daß die sprachliche Argumentation von Güttgemanns schon deshalb verfehlt ist. Wenn die Korinther also die Vorstellung von der spiritualisierten, bereits erfolgten ἀνάστασις besessen hätten, könnten sie niemals den Satz „Auferstehung Toter gibt es nicht" aufgestellt haben. Der Gnostiker wäre ja gerade ein vom Tode Auferweckter, also ein auferweckter Toter. Der Hinweis auf 2 Tim 2, 18 führt hier folglich nicht weiter [53]. Auferstehung ist als Vorstellungskategorie für die Korinther überhaupt unakzeptabel [54].

Die Hypothese vom vorpaulinischen Auferstehungs-Enthusiasmus bringt zwei Kategorien zusammen, die m. E. erst in nachpaulinischer Zeit verbunden wurden: Eine zeitlos-ontologische Vorstellung vom Heil als „Leben" (so in den von E. Brandenburger angeführten hellenistisch-jüdischen Belegen [55]), die für das korinthische Denken – soviel läßt sich an dieser Stelle schon sagen – durchaus möglich ist, und eine zeitlich-apokalyptische Vorstellung von der künftigen Auferweckung der Leiber, die Paulus als gemein-urchristliche (vgl. 1 Thess 4, 13 ff. [56]) seinerseits mitbringt. Diese zweite Vorstellung stößt offenbar als ganze in Korinth auf Ablehnung. Bei Paulus selber laufen beide noch relativ unausgeglichen nebeneinander her (vgl. Röm 6, 13, wo die spiritualisierende Form vorliegt: ὡσεὶ ἐκ νεκρῶν ζῶντας [57]; in Röm 8, 11 ist dann beides durch zeitliche Staffelung von pneumatischer und somatischer Erlösung ausgeglichen). Eine Sprachverschmelzung von ζωοποίησις und ἐγείρειν ist dann in den Deuteropaulinen erstmalig belegt (Kol

---

[53] Vgl. die stringente Argumentation von *G. Kegel*, 39 f., *N. Hyldahl*, Auferstehung, 126, und *A. J. M. Wedderburn*, Denial. Gegen die Deutung im Sinne des ἀνάστασιν ἤδη γεγονέναι haben sich ausgesprochen: *W. M. L. De Wette*, 129; *G. Heinrici*, 1 Kor, 440 f.; *A. Robertson/A. Plummer*, 347; *W. Schmithals*, Gnosis, 148. 338; *P. Hoffmann*, Die Toten, 224 (vgl. Vorwort der 3. Aufl.); *ders.*, TRE IV,45; *J. C. Hurd*, 286; *B. Spörlein*, 16 ff. 178; *R. A. Horsley*, How Can Some of You Say ..., 207. 229 f.; *H.-H. Schade*, 299 A563; *J. Lambrecht*, 515. – *R. McL. Wilson*, Gnosis und NT, 53 f., weist darauf hin, daß die kategorische präsentische Formulierung οὐκ ἔστιν zur Bestreitung lediglich der zukünftigen Auferweckung nicht paßt.

[54] Vgl. *W. Marxsen*, Glaube als Auferweckung, 65: Die Korinther benutzen für ihre Erlösung „*nicht* den Begriff Auferstehung ... Man sprach eben von Erlösung; oder man sagte: Ich bin vollendet, ich habe das Ziel schon erreicht oder ähnliches. Das war dann eine Aussage, die nur die Seele betraf, nur das Ich des Menschen. Jetzt wartete man darauf, daß die Seele den Körper verlassen könnte".

[55] S. o. S. 26 (zu JosAs).

[56] Es ist zu beachten, daß Paulus den 1 Thess am Anfang seines Gründungsaufenthaltes in Korinth verfaßt hat.

[57] S. o. S. 27 A 46. Den νεκρός-, aber nicht den ἀνάστασις-Begriff kann Paulus spiritualisieren.

2, 12 f.). Erst jetzt läßt sich von einem Auferstehungs-Enthusiasmus im eigentlichen Sinne reden[58]. In Korinth aber ist der Auferstehungsbegriff noch nicht in die spirituelle Anschauung vom Leben mit einbezogen. Er wird als mit dem Heil nicht vereinbar total abgelehnt.

4. Leugnung der Auferstehung wegen der damit verbundenen Leiblichkeit

V. 12 läßt folglich nur die vierte Interpretation zu: Die Korinther lehnten die Auferstehung der Toten überhaupt ab, weil sie den damit verbundenen Gedanken der Leiblichkeit des ewigen Heils nicht akzeptieren konnten. Diese These paßt in erster Linie zu V. 35 ff., wo Paulus den σῶμα-Begriff betont herausstellt[59]. Sie paßt entsprechend zu V. 29, wo deutlich wird, daß die Korinther mit einem postmortalen Heil rechnen. Daß sie sich bisher nicht völlig durchsetzen konnte, liegt zum einen an dem schwierigen ersten Teil des Kapitels, V. 1–34[60], dann aber auch daran, daß sie mit einigen religionsgeschichtlichen Problemen behaftet ist. Nach dieser Hypothese hat man davon auszugehen, daß in Korinth ein anthropologischer Dualismus vertreten wurde, der zwischen Leib und geistigem Ich des Menschen unterscheidet. Entsprechend hat man an einen platonischen Leib-Seele-Dualismus gedacht[61]. Diese Vermutung ist jedoch aus zwei Gründen unbefriedigend: 1. Der philosophische anthropologische Dualismus platonischer Prägung ist stärker ontologisch begründet. Man muß aber von einem wesensmäßigen Unterschied zwischen Philosophie und Religion ausgehen. Zwar ist der spätere (mittlere) Platonismus durch pythagoreische Elemente stärker soteriologisch geworden (dazu s. u. S. 114 f.). Aber hier ist denn auch

---

[58] Der Begriff Enthusiasmus selber entstammt dem zeitlos-ontologischen Denken: Durch Ekstase enthebt sich der Mensch seiner Zeit- und Weltlichkeit und erlebt das Heil im zeitlosen Sein, das ihm aufgrund dieser Möglichkeit nach dem Tode seines Leibes endgültig beschieden ist. Der Gegensatz ist dabei nicht „schon" und „noch nicht", sondern Zeit (Werden; Leib) und Sein (Geist). Wo in der Umgebung des Urchristentums Worte wie ἔνθους, ἐνθουσιάζειν begegnen, bezeichnen sie ausnahmslos uneschatologische Phänomene. Ekstase ist dabei keine Prolepse, sondern ein immer schon möglicher Durchstoß aus der Zeit in die Ewigkeit. Das gegenwärtig erfahrene Pneuma ist auch nicht der Geist der Endzeit, sondern der ewige Geist der Transzendenz. Vgl. *G. Sellin*, „Die Auferstehung ist schon geschehen", 221 ff.

[59] Mit Recht *H.-H. Schade*, 192: „V. 35 ff. sind als Polemik des monistischen gegen einen dualistischen Standpunkt in der Anthropologie zu verstehen ..."

[60] Vor allem an einer Fehleinschätzung von V. 18 f. und V. 32 f.

[61] So bereits *L. I. Rückert*, I, 394 ff. (mit der lange Zeit scharfsinnigsten Argumentation); ferner *P. W. Schmiedel*, 186; *G. Heinrici*, 1 Kor, 439 ff.; *ders.*, Sendschreiben, 466 ff.; *J. Weiß*, 344 ff.; *A. Robertson/A. Plummer*, 329. 346 f.; *H. Lietzmann*, Kor, 79; *W. D. Davies*, 304; *E. Fascher*, 289.

gerade die ψυχή nicht mehr von Natur aus unsterblich. Mit Vorbehalt muß man aber sagen: Für die Philosophie ist der Mensch als Seele prinzipiell unsterblich – für die Religion ist er prinzipiell erlösungsbedürftig. Wären die Korinther Leib-Seele-Dualisten, brauchten sie überhaupt keine Christologie, keine Sakramente, also keine Soteriologie. 2. Der Begriff ψυχή (oder νοῦς) spielt in 1 Kor nicht die Rolle, die man bei der Hypothese erwarten müßte. Er begegnet lediglich in V. 45, dort aber – und das ist völlig überraschend, weil in Widerspruch zu jeder klassisch-griechischen Philosophie – als *negativer* Gegenbegriff zu πνεῦμα. Hier liegt also ein besonderer Dualismus vor, dessen Herkunft und Eigenart uns noch ausführlich beschäftigen wird.

Aus diesen Gründen hat man dann später den Gnostizismus als Wurzel der korinthischen Theologie angesehen. Der Begriff „Gnosis" ist jedoch bis heute nicht präzis genug definiert, so daß die religionsgeschichtliche Analyse des 1 Kor darunter gelitten hat. Gelegentlich hat man damit alles, was nicht alttestamentlich-jüdisch, sondern hellenistisch war, bezeichnet. Unter dem Einfluß der Religionsgeschichtlichen Schule wurde dann später das „Orientalische" (überwiegend Iranische) als Merkmal der Gnosis hervorgehoben, womit man nun zwar zwischen Gnosis und Hellenismus differenzieren konnte. Aber da man zugleich alles im Hellenismus, das nicht klassisch-griechisch war, auf eben diese Gnosis zurückführte, blieb die Gnosishypothese mit dem Makel der Unschärfe behaftet. W. Lütgert, der als erster eine umfassende Analyse des 1 Kor unter dem Gnosis-Begriff durchführte[62], verzichtete noch auf religionsgschichtliche Definition und Ableitung und versuchte eine immanente Darstellung der Merkmale korinthischer Theologie: Libertinismus, Askese, Vollendungsbewußtsein, Emanzipationsstreben, Enthusiasmus, Glossolalie, Verachtung des Sakraments, Verachtung der Natur und Hochschätzung des Pneuma erinnern an das, was aus der Kirchengeschichte als Gnosis bekannt ist[63]. Darein paßt auch die Leugnung der Auferstehung[64]. Lütgert identifizierte diese gnostische Front mit der „Christuspartei" von 1 Kor 1, 12[65]. An die Religionsgeschichtli-

---

[62] Die Gnosis-Theorie ist allerdings älter. Bereits *J. L. von Mosheim*, Erklärung des Ersten Briefes des heiligen Apostels Pauli an die Gemeinde zu Corinthus, 2. Ausgabe Flensburg 1762, 66 f., sah in der korinthischen Auferstehungsleugnung einen Ausdruck von Leib und Welt verachtender Gnosis. Im Laufe des 19. Jahrhunderts trat diese These jedoch völlig in den Hintergrund, und zwar im Gefolge von F. Chr. Baurs Konzeption der Geschichte des Urchristentums, wonach man hinter jeder antipaulinischen Regung judenchristliche Kräfte sah.

[63] *W. Lütgert*, Freiheitspredigt, 102 ff.   [64] 128 f.

[65] 87 ff. – An W. Lütgert knüpfte erst *H. Weinel* (1910) an. An zwei Punkten hat er Lütgert wohl zu Recht korrigiert: Er bestritt die Identifizierung der Gnostiker mit der „Christuspartei" (S. 381) und schloß von V. 29 (Vikariatstaufe) auf einen massiven Sakramentalismus der Korinther (384).

che Schule und W. Lütgert knüpfte dann W. Schmithals an[66]. Während
Lütgert das korinthische Schwärmertum als eine durch hellenistisches
Denken beeinflußte Radikalisierung und Pervertierung der paulinischen Predigt verstand, geht Schmithals davon aus, daß in Korinth von
außen kommende häretische Einflüsse vorliegen müssen[67]. Zunächst
kennzeichnet er aber die korinthische Anschauung ganz im Sinne von
Lütgert: Vor allem aus V. 12. 29. 46 schließt er, die Korinther hätten
eine „spiritualistische Jenseitserwartung" gehabt, wobei nicht direkter
Einfluß griechischer Philosophie, „sondern der nach Korinth impor-
tierte gnostische Mythos Grund der Auferstehungsleugnung war"[68].
Dabei sind Schmithals' Beobachtungen am Text weitgehend zutreffend,
was den Spiritualismus betrifft. Fragwürdig ist aber die Methode der
Deutung und Ableitung vom gnostischen Mythos. Schmithals geht dabei von einem erlöserlosen Modell eines gnostischen Mythos aus[69]. Er
liest dieses Modell jedoch in die Korintherbriefe hinein. Von einem
gnostischen Mythos überhaupt könnte im 1 Kor nur an einer bzw. zwei
Stellen die Rede sein: 15,21 f. und vor allem V. 45 f. Hier meinen die
Vertreter der Gnostiker-Hypothese, einen ihrer besten Belege überhaupt vorliegen zu haben[70], handelt es sich doch beim gnostischen Mythos um den Mythos des einen Urmenschen, der durch Fall in die Materie geriet und als Vielheit von Lichtfunken auf die Erlösung von oben
wartet. Aber: 1. Ist dieser Mythos wirklich in V. 45 f. angesprochen?
Immerhin geht es dort um *zwei* Anthropoi. 2. Gibt es in vor-manichä-
ischer Zeit überhaupt einen solchen Mythos? Diese Frage ist in jüngster
Zeit zumindest umstritten, wenn sie nicht schon negativ entschieden
wurde[71].

Das ist der Grund dafür, daß neuere Untersuchungen, die für 1 Kor
am Gnosis-Begriff festhalten möchten, auf das Postulat eines Urmensch-Mythos verzichten, Gnosis anders definieren und so den Gnosis-Begriff ausweiten. P. Hoffmann hat m. E. die korinthische Anschauung, welche die Ursache der Auferstehungsleugnung ist, ziemlich genau
erfaßt, wenn er auf Justin, Dial 80, verweist. Dort geht es um Christen,
οἱ λέγουσι μὴ εἶναι νεκρῶν ἀνάστασιν, ἀλλ᾽ ἅμα τῷ ἀποθνήσκειν τὰς

---

[66] Vor allem aber auch an die erstmals reflektierte Gnosis-Definition von H. Jonas
und an die exegetischen Ergebnisse R. Bultmanns – worauf an dieser Stelle nicht einzugehen ist.

[67] *W. Schmithals*, Gnosis, 114.

[68] 147 f.

[69] 32 ff. – Von den gnostischen Texten von Nag Hammadi behauptet *Berliner Arbeitskreis*, 16: „In keinem System fehlt eine Erlösergestalt."

[70] *E. Brandenburger*, Adam.

[71] Vgl. *C. Colpe*, Religionsgeschichtliche Schule; *H.-M. Schenke*, Gott „Mensch"; *A.
Böhlig*, New Testament; *T. H. Tobin*, 102 ff.; s. u. S. 59 ff. u. 195 ff.

ψυχὰς αὐτῶν ἀναλαμβάνεσθαι εἰς τὸν οὐρανόν[72]. Diese Stelle ist deshalb interessant, weil sie neben einer fast wörtlichen Parallele zur These von 1 Kor 15,12 zugleich eine positive Alternative, die die Ablehnung der Auferstehungsvorstellung begründet, enthält: die Himmelfahrt der Seelen. Hoffmann kann sich dafür weiter auf V. 29 stützen. Wenn er diese Anschauung jedoch als gnostisch bezeichnet, dann ist der Gnosis-Begriff derart erweitert, daß er wieder mit hellenistisch gleichzusetzen ist und letztlich unbrauchbar wird. Himmelfahrt der Seelen ist derart verbreitet, daß sie als spezifisches Merkmal von Gnosis auszuscheiden hat[73]. Sie begegnet zum Beispiel – und das ist für unsere spätere religionsgeschichtliche Analyse wichtig – auch im hellenistischen Judentum (z. B. SapSal und Philo)[74]. Auch L. Schottroff verzichtet auf den Erlösermythos als Kriterium der Gnosis[75], arbeitet jedoch mit einem definierten Gnosisbegriff. Entscheidend ist nach ihr der Grad der Dualisierung: Gnostisch sei ein Dualismus dann, wenn in ihm das Kosmische, von dem die Erlösung den Menschen zu distanzieren habe, als feindlich und mächtig gelte. Das treffe für die Korinther zu[76]. L. Schottroff hat für ihre Definition die Nag-Hammadi-Texte, soweit bis dahin zugänglich, herangezogen. Ich halte ihr Kriterium für weitgehend zutreffend. Wo die Welt als Produkt widergöttlicher Wesen gilt, ist der Mensch in der Welt Feindschaft ausgesetzt. Nur müßte man hier weitergehen: Auch für Paulus selbst ist der Mensch feindlicher Mächtigkeit ausgesetzt – und doch bleibt die Welt, anders als im Gnostizismus, Gottes Schöpfung. Erst da, wo der Schöpfer der Welt vom erlösenden Gott getrennt wird, sollte man deshalb von Gnostizismus reden[77]. Absolute Weltfeindlichkeit trifft dann auch für das, was wir aus den Korintherbriefen wissen, nicht zu, und wenn es auch asketische Tendenzen in Korinth gibt (1 Kor 7), so sind diese doch nicht durch einen solchen Dualismus begründet[78]. Askese ist aber durchgehend Merkmal der

---

[72] P. Hoffmann, Die Toten, 243. Diese Stelle zog schon G. Heinrici, Sendschreiben, 466, heran; vgl. H. Lietzmann, Kor, 79.

[73] C. Colpe, Himmelsreise, besonders 439.

[74] Im Vorwort der 3. Aufl. schließt P. Hoffmann sich inzwischen der Herleitung der Auferstehungsleugnung aus dem hellenistischen Judentum an.

[75] L. Schottroff, 160 f. 166.

[76] 166 ff.

[77] Weiteres s. u. S. 195 ff.

[78] Typisch ist vielmehr der durch die pneumatische Weltüberlegenheit bedingte „Libertinismus". Vgl. A. J. M. Wedderburn, Denial, 239: Der Leib wird abgewertet, bleibt aber von Gott geschaffen und gilt nicht als böses Geschöpf niederer Mächte. – Ein Problem stellt dann allerdings Kap. 7 dar, insofern es hiernach anscheinend asketische Tendenzen in Korinth gegeben hat. Man kann diese entweder einer anderen Gruppe in der Gemeinde zuschreiben (etwa den in Kap. 8 genannten „Schwachen") oder aber mit W. Schrage, Zur Frontstellung, 217 ff., davon ausgehen, daß Libertinismus und Askese „nur

gnostischen Nag-Hammadi-Texte[79]. Vielmehr steht in Korinth das im Vordergrund, was man als Libertinismus zu bezeichnen pflegt. Der setzt aber eine Haltung voraus, die die Welt als soteriologisch irrelevant betrachtet[80].

Ein Verdienst der Arbeit von L. Schottroff ist es, erstmals klargemacht zu haben, daß die Lösung der Problematik von 1 Kor 15 bei V. 35ff. einzusetzen hat, nicht aber bei V. 1–34. Denn erst im zweiten Teil des Kapitels wird die Front, gegen die Paulus zu argumentieren hat, deutlich[81]. Ihre Arbeit hat aber zugleich indirekt gezeigt, daß die These vom Gnostizismus der korinthischen Auferstehungsleugner letztlich nicht haltbar ist. Es sind hier gerade kompetente Gnosis-Forscher[82], die diese These heute bestreiten und dabei gemeinsam auf ein anderes religionsgeschichtliches Phänomen hinweisen: die hellenistisch-jüdische Weisheitstheologie. Es handelt sich dabei um Zeugnisse ägyptischen (alexandrinischen) Judentums: vor allem Philo, SapSal, JosAs[83]. S. Arai lehnt die Gnosishypothese vor allem deshalb ab, weil die Korinther noch keinen „Bruch in der Gottheit" kennen, setzt also die neuere enge

---

[79] verschiedene Formen der mit dem Dualismus gegebenen Degradierung des Soma" sind (219). In der Tat verraten die gnostischen Originalschriften durchweg asketische Tendenz. Dagegen ist der Vorwurf des Libertinismus nur in den späteren antignostischen Polemiken der Kirchenväter (aber auch Plotins) zu finden (zu Jud s. u. S. 61 f. A 90). Ob hier eine direkte Verbindung zur korinthischen Praxis, die hinter 1 Kor 6,12–20 erkennbar ist, vorliegt, ist doch sehr zweifelhaft (vgl. *F. Wisse*, 115–117, der allerdings zu weit geht, wenn er 1 Kor 6,12–20 als theoretische Erörterung über die Grenzen der christlichen Freiheit auffaßt). Umgekehrt ist aber auch die asketische Tendenz (7,5) nicht notwendig nur gnostisch zu verstehen. Vielmehr läßt sich vom hellenistisch-jüdischen Weisheitsdenken her beides erklären: Die Irrelevanz des Soma kann sowohl zum Verzicht auf den wie zur Gleichgültigkeit gegenüber dem Geschlechtsverkehr führen. Diese ethischen Konsequenzen sollte man aber noch nicht als gnostisch bezeichnen, weil es an keiner Stelle im 1 Kor einen Hinweis darauf gibt, daß das Soma dämonisiert worden wäre (letzteres gegen *W. Schrage*, Zur Frontstellung, 222).

[79] Vgl. *Berliner Arbeitskreis*, 16; *F. Wisse*, 115–117.

[80] Im übrigen erkennt *L. Schottroff* die Gnosis-disparaten Züge der korinthischen Religion: Im Fall der Vikariatstaufe, die mysterienhaften Ursprungs sei, scheinen die Korinther „dualistisches und sakramentales Denken miteinander vereinbart zu haben ... Die Korinther verstehen sich als Christen, teilen dualistisches Denken, nehmen Mysterienhaftes auf und ... pflegen auch ein Pneumatikertum, das auch nicht unbedingt mit gnostischem Denken zusammengehört" (165). Daß hier der Begriff eines klaren Gnostizismus verloren geht, bemerkt bedauernd *K. Rudolph*, ThR 37, 299 f.

[81] *L. Schottroff*, 163. 165 f.; vgl. *M. Bünker*, 70. – Paulus braucht nicht über das zur Debatte stehende Problem zu informieren. Die Korinther wissen von vornherein, worum es geht, wir aber leider nicht.

[82] *S. Arai; B. A. Pearson; K.-G. Sandelin*.

[83] Ferner sind zu nennen Aristobul (s. u. S. 115 f.); Od Sal 11 griech. (s. u. S. 86 A 29); Test Hiob (s. u. S. 66 f. A 104); „Gebet Josephs" (s. u. S. 166 A 220); Gebete aus Const Apost VII und VIII (dazu *W. Bousset*, Studien, 231 ff.); Spuren aus Justin, ClemAlex und Origenes. Vgl. zum ganzen *E. R. Goodenough*, 291 ff. Zu JosAs: *D. Sänger*, bes. 191.

Gnosis-Definition voraus[84]. Er selber denkt jedoch an eine christliche Gruppe der Träger der λόγοι σοφῶν[85]. Daß die Korinther Christen waren, ist klar. Ob aber gerade sie die Herrenwort-Tradition pflegten, ist mehr als vage. Die Korinther berufen sich in ihrer dualistischen Anthropologie denn auch nirgends erkennbar auf Herrenworte.

Auf die hellenistisch-jüdische Weisheit hatte bereits J. Dupont hingewiesen. Er versuchte, den in der Tat zentralen Passus V.45 f. aus einer hellenistisch-jüdisch beeinflußten, aber von Paulus selbst vorgenommenen Interpretation von Gen 2,7 herzuleiten[86]. R. Bultmann vermochte dagegen leicht zu zeigen, daß die Antithese von πνεῦμα und ψυχή nicht einfach von Paulus aus Gen 2,7 direkt entwickelt sein konnte[87]. Unter neuen Voraussetzungen hat B. A. Pearson die These von Dupont (jedoch unabhängig davon) erneuert: Nicht Paulus selbst, wohl aber die Korinther vertraten eine hinter V.45 f. erkennbare Auslegungstradition von Gen 2,7, die Paulus an dieser Stelle umbiegt[88]. Zwar hat Pearson die Antithese von πνεῦμα und ψυχή als solche m. E. nicht befriedigend erklären können, überzeugend ist aber sein ausführlicher Nachweis, daß die spätere gnostische Exegese von Gen 2,7 sich in wesentlichen Punkten von der hinter V.45 erkennbaren unterscheidet[89]. Die Gnosis sei vielmehr direkter Nachfahre dieser hellenistisch-jüdischen, an Gen 1–2 entwickelten Anthropologie[90].

Für die Frage nach dem Ursprung und Wesen des hinter 1 Kor 15,35 ff. erkennbaren eigentümlichen Dualismus ist das zweite Buch von E. Brandenburger, Fleisch und Geist, von großer Bedeutung. Die wichtigsten Zeugen für das von ihm als „dualistische Weisheit" bezeich-

---

[84] S. Arai, 436 f.

[85] 433 ff. – im Anschluß an H. Köster/J. M. Robinson, 28 ff. 91 A 57; 173, und H. W. Kuhn, Der irdische Jesus, 317 f. Vgl. auch K.-G. Sandelin, 149 ff. Nach J. M. Robinson waren diese Träger der Herrenworttradition aber zugleich Gnostiker mit der These, bereits Auferstandene zu sein. Vgl. dagegen W. Schrage, Zur Frontstellung, 226–228 (228: „Nicht der Enthusiasmus, sondern Paulus beruft sich auf Herrenworte.").

[86] J. Dupont, 151–180.

[87] R. Bultmann, Gnosis, 14 ff. Den Gegensatz von ψυχικός und πνευματικός hatte R. Reitzenstein, Mysterienreligionen, 71 ff. 340 ff., als gnostisches Merkmal dargestellt. Dazu s. u. S. 181 ff.

[88] B. A. Pearson, Pneumatikos, 17 ff. 82 f.

[89] 51–81. Pearson untersucht dafür: ApokrJoh; Rabbinische Adam-Golem-Vorstellungen; Saturninus; Simonische Gnosis; Sethianische Ophiten; Mandäische Literatur; Manichäische Literatur; Valentin, Fragment 1; Evangelium Veritatis; Adam-Apokalypse (NHC V, 5: 64,1–85,32); Naassener-Hymnus; Baruchbuch des Justin; Sophia Jesu Christi; „Vom Wesen der Archonten" (NHC II, 4: 86,20–97,23); Titellose Schrift „Vom Ursprung der Welt" (NHC II, 5: 97,24–127,17) und Valentinianische Literatur. Vgl. ders., Philo, 77 ff.

[90] B. A. Pearson, Pneumatikos, 83 ff.; ders., Philo, 78 ff. Daß der Poimandres (CH I) in diese jüdische Tradition mit hineingehört, hat ders., Jewish Elements in CH I, gezeigt.

nete Phänomen sind SapSal und vor allem die Schriften Philos von Alexandrien[91]. Mit den Werken Philos hat sich ein bis heute noch nicht ausgemessenes Feld für die religionsgeschichtliche Erklärung gerade von 1 Kor 15 aufgetan. Nicht nur die Antithese von πνεῦμα und ψυχή, sondern auch die Adam-Christus-Antithetik könnte von dort her ihre Erklärung finden[92]. Sollte man nun zeigen können, daß diese hellenistisch-jüdische Tradition direkt hinter der besonders aus V. 45 f. erkennbaren Vorstellung steht, wäre das gegenüber der vormals gängigen Herleitung aus einer mythologischen Gnosis insofern ein Gewinn, als man nun von einem religionsgeschichtlich eindeutiger datierbaren und lokalisierbaren Phänomen, als die Gnosis es darstellt, ausgehen könnte. Zugleich hätte man als Quellen Schriften, die älter sind als alle gnostischen Quellen, aus denen eine frühe Gnosis durchgehend immer erst rekonstruiert werden muß.

Ein Problem bleibt freilich: Es muß gezeigt werden, daß sich hinter V. 45 f. tatsächlich korinthisches Denken verbirgt und nicht etwa Paulus von sich aus auf hellenistisch-jüdisches Schulwissen seiner Zeit zurückgreift[93]. Das muß bei der Exegese dieser beiden Verse geklärt werden. So viel läßt sich jedoch schon sagen: Der weisheitliche Dualismus paßt nur zur aus 15,12 (und V. 35) sprechenden korinthischen Position, daß es keine Auferstehung Toter geben könne. –

Wir sind bei unserem Überblick über die Forschungsgeschichte anhand von V. 12 bereits zu einem vorläufigen Ergebnis gekommen: Akzeptabel erscheint nur jene Lösung, die hinter V. 12 eine Leugnung der

---

[91] Die Ergebnisse dieses Buches lassen sich nicht ganz mit Brandenburgers Dissertation „Adam und Christus" in Übereinstimmung bringen. In „Fleisch und Geist" will er die dualistische Weisheit stärker für das Denken des Paulus selbst veranschlagen (s. u. A 93). Aber gerade die Ablehnung der Auferstehung, die ja wegen 15,12 als Meinung der *Korinther* gesichert ist, paßt genau zur dualistischen Weisheit. Diese (und nicht der Gnostizismus) steht auch hinter der Adam-Christus-Spekulation der Korinther (s. u. S. 90 ff.).

[92] So gehen denn die neuesten Arbeiten zu 1 Kor 15 von Philo aus: *U. Wilckens*, Christus der letzte Adam, bes. 389 ff.; vgl. *ders.*, Zu 1 Kor 2, 1–16 (eine vollständige Revision seiner ganz unter dem Bann der Theorie vom gnostischen Mythos stehenden Arbeit „Weisheit und Torheit"); *K.-G. Sandelin*, bes. 26 ff.; *H. Kaiser* (speziell aber in Hinsicht auf 2 Kor 5, 1–10); *H.-H. Schade*, 192 f.; *J. Lambrecht*, 515 f. Vor allem die Aufsätze von R. A. Horsley leiten die im ganzen 1 Kor erkennbaren Phänomene korinthischer Theologie aus Philo her: *Horsley*, Pneumatikos (zu 1 Kor 2 und 15); *ders.*, How Can Some of You Say ... (zu 1 Kor 15,12: S. 223 ff.); *ders.*, Wisdom (zu 1 Kor 1–4); *ders.*, 1 Corinthians 8–10 (zu 1 Kor 6; 8–10); *ders.*, ZNW 69, 1978, 130–135 (zu 1 Kor 8,6); *ders.*, Spiritual Marriage (zu 1 Kor 7); *ders.*, Gnosis (zu 1 Kor 8, 1–6).

[93] So *E. Brandenburger*, Fleisch, 48 A 1; 134 mit A 2, und *K.-G. Sandelin*, 149 ff. (anders B. A. Pearson; R. A. Horsley; H.-H. Schade). Die extreme Gegenpostion dazu vertritt *M. Widmann*, 53 A 21: V. 44 b–48 sei (wie übrigens auch 1 Kor 2,6–16) ein wörtlicher Abschnitt aus der Antwort der korinthischen Pneumatiker (dagegen zu Recht *M. Bünker*, 148 A 143).

Auferstehung Toter *aus Gründen dualistischer Anthropologie* sieht. Für die Weiterarbeit empfiehlt sich dabei ein Einsatz bei V. 35 ff. Der Text, auf den sich die religionsgeschichtliche Frage zuspitzt, ist 1 Kor 15, 45 f.

Wir haben uns damit bereits ein wenig von V. 12, um den es bisher ging, entfernt. Das, was wir anhand einer kritischen Sichtung der Forschungspositionen zu V. 12 erarbeitet haben: daß nämlich die Korinther in der Sicht des Paulus anthropologische Dualisten sind, die die Leiblichkeit für erlösungsirrelevant halten – dieses vorläufige Ergebnis fordert die Frage heraus, ob Paulus darüber überhaupt in Kenntnis gewesen sein kann. Wir müssen also die oben in Teil I angeschnittene Frage nach der *Vorgeschichte* von V. 12 fortsetzen: Wie weit kann Paulus über die Hintergründe der korinthischen Auferstehungsleugnung informiert sein? Sonst bestünde die Gefahr einer durch die religionsgeschichtliche Blickweise bewirkten Überinterpretation.

III Die Vorgeschichte

Nur zweimal ist Paulus vor der Abfassung von 1 Kor 15 auf die „Auferstehung der Toten" zu sprechen gekommen: in 1 Thess 4, 13 ff. und in 1 Kor 6, 14[1].

1. 1 Thess 4, 13–5, 11

a) Das Problem der Thessalonicher

Im Blick auf 1 Kor 15, wo Paulus die theologische Notwendigkeit des Satzes von der Auferstehung der Toten so vehement verteidigt, könnte man vermuten, dieser Satz habe zum ursprünglichen Grundbestand seiner Theologie und Verkündigung von Anfang an gehört. Dem scheinbar entsprechend begegnet eine derartige Aussage dann auch im ältesten erhaltenen Paulus-Brief, dem 1 Thess. Sieht man sich den Text 1 Thess 4, 13 ff. jedoch genauer an, macht man eine überraschende Entdeckung: Offenbar zieht Paulus hier erstmals und mehr am Rande das Motiv von der Auferweckung der Toten heran. Explizit erwähnt wird es nur in V. 16, dem der Argumentation (die in V. 15 vorliegt) nur als Stütze dienenden „Herrenwort". In V. 14 ist es nur implizit enthalten. In Wahrheit geht es in 1 Thess 4, 13–18 um die Parusie. Das zeigt sich

---

[1] Zeitlich nach 1 Kor 15: 2 Kor 4, 14; 5, 1 ff.; 1, 9 f.; Röm 6; 11, 15. Ein chronologisches Problem stellt Phil 3 dar. Sehr wahrscheinlich ist der Brief Phil 3 nicht vor 1 Kor 15 einzuordnen.

schon daran, daß dieser Abschnitt eng mit 5, 1–11 zusammengehört[2].
Zielpunkt des ganzen Abschnittes ist das ἅμα … σὺν κυρίῳ aller (der
dann noch lebenden wie der inzwischen verstorbenen) Christen bei der
Parusie (4, 17 Ende; 5, 10). Die Aussage von der Auferstehung der Toten dient dabei dazu, den Thessalonichern zu erklären, daß die vor der
Parusie verstorbenen Christen vom Heil nicht ausgeschlossen sind
(4, 15). 4, 13 nennt das Problem, 4, 15. 17 Ende und V. 18 sind Ziel der
paulinischen Aussage. V. 14 und 16 f. sind zwei unterschiedliche Be-
gründungen. Das Problem der Thessalonicher wird verständlich, wenn
man davon ausgeht, daß ihre Heilserwartung vollständig auf die Parusie ausgerichtet war. 1 Thess 1, 9 f., wo Paulus auf die bis zu ihm nach
Korinth dringende Kunde vom Missionserfolg in Thessalonich zu sprechen kommt, verrät zugleich etwas über den Inhalt der paulinischen
Gründungspredigt dort (seine εἴσοδος): Rettung vor dem künftigen
Zorn bei der Parusie des auferweckten Gottessohnes. Parusie ist das
Erlösungsmodell. Von einer Verbindung von Auferweckung Christi
und Auferweckung der Toten[3] findet sich dort nichts. 1 Thess 4, 13 ff.

---

[2] 5, 11 nimmt 4, 18 wieder auf; 5, 10 gebraucht Paulus „schlafen" und „wachen" dop-
peldeutig, einerseits auf die Parusiebereitschaft, andererseits auf Verstorbene und Lebende bezogen. Der Vers verklammert also beide Teile (*W. Marxsen*, 1 Thess, 63 ff.).

[3] Es läßt sich zeigen, daß es erst Paulus ist, der Auferweckung Christi und Auferwekkung der Toten in ein Beziehungsverhältnis bringt. Das erste Mal, wo das – andeutungsweise – geschieht, ist 1 Thess 4, 14 (s. u. S. 45 f.). Die vorpaulinischen Formeln Röm 4, 24;
7, 4; 10, 9; 1 Kor 15, 3b–5; Gal 1, 1; 1 Thess 1, 10 enthalten diesen Gedanken noch nicht.
Konstruktiv für diese vorpaulinische Kerygmatik war die Auferweckung Christi, nicht
aber die Auferweckung der Christen. Eine Ausnahme könnte Röm 1, 4 sein, wonach Jesu
Einsetzung zum Gottessohn ἐξ ἀναστάσεως νεκρῶν geschieht. Damit könnte die Auferweckung Jesu in ihrer kosmischen Dimension als Ereignis der allgemeinen Totenauferweckung gemeint sein (so *M. Dibelius*, Botschaft und Geschichte, II, 103 A 14; *H. W.
Bartsch*, ThZ 23, 1967, 329 ff.; *E. Käsemann*, Röm, 10; *U. Wilckens*, Röm, I, 65; vgl. 279 zu
Röm 4, 24; *G. Klein*, Reich Gottes, 665; *ders.*, Eschatologie, 276). Möglich ist aber die Annahme, daß hier ein ἐκ vor νεκρῶν wegen des vorherigen ἐξ weggefallen ist, so daß es in
der Formel lediglich um Jesu Auferweckung ging (so *H. Lietzmann*, Röm, 25). Die These,
daß Jesu Auferweckung selbst in frühester Zeit schon als Anbruch der endzeitlichen allgemeinen Totenauferweckung verstanden worden wäre, wird auch von *J. Becker*, Auferstehung, 24. 30 f., *H.-H. Schade*, 84 f., und *N. Hyldahl*, Auferstehung, bes. 120 f., bezweifelt. Ihr widerspricht schon die Tatsache, daß die erste Erscheinung des Auferstandenen
(vor Petrus) Mission auslöste. Es ist erst Paulus, der das Osterkerygma und die Vorstellung von der endzeitlichen Totenauferweckung in Beziehung bringt (Apg 26, 23 schließt
sich an paulinische bzw. nachpaulinische Redeweise an). Paulus selber benötigt dazu
(wenn auch noch nicht in 1 Thess 4, 14) bereits hellenistisch geprägte Motive, um die Entsprechung zum Ausdruck zu bringen. In den formal verwandten Aussagen 1 Kor 6, 14;
2 Kor 4, 14 und Röm 8, 11 verbindet er die formelhafte Wendung von der Auferweckung
Jesu mit der soteriologischen Aussage von der künftigen Auferweckung der Christen. Es
ist kaum anzunehmen, daß ihm die genannten drei Stellen als ganze schon als Formeln
vorgegeben waren. Man kann noch zeigen, wie Paulus die Analogie selbst entwickelt –
erstmalig in 1 Thess 4, 14, dann ausführlich in 1 Kor 15. Hier greift er bezeichnenderweise

bestätigt das: Paulus führt hier etwas Neues ein, wie die belehrende, nicht erinnernde Formulierung οὐ θέλομεν δὲ ὑμᾶς ἀγνοεῖν (V.13) zeigt[4]. Ziel ist die Tröstung (4,18; 5,11) der durch inzwischen eingetretene Todesfälle in Glaubenszweifel geratenen Thessalonicher. Die „Auferstehung der Toten" kann ihnen bis dahin nicht bekannt gewesen sein. Dieser Gedanke war auch nicht nötig, wenn man davon ausgeht, daß Paulus damals in Thessalonich das Heil gepredigt hat ganz in der Vorstellung der in absehbarer Zeit alle Christen noch zu ihren Lebzeiten ereilenden Parusie des Retters. Das Problem, das nun aber durch die Todesfälle entstand, war nicht so sehr die Frage, was aus den Toten würde, sondern eine Infragestellung des Glaubens überhaupt[5]. Wenn Paulus nun das Heils-„Modell" der Parusie erweitert und ergänzt durch das apokalyptische Motiv der endzeitlichen Totenerweckung, so bedeutet dies letztlich eine Ablösung des Glaubens von objektiven Heils-Modellen überhaupt. Das macht am deutlichsten V.14: Wenn Gott den toten Christus auferweckte, dann ist damit verbürgt, daß Gott auch die Christen im Tode nicht im Stich lassen wird. Damit leuchtet auch für Paulus selbst ein neuer theologischer Gedanke auf, der in den späteren Schriften zunehmend an Bedeutung gewinnen wird (dazu weiter unter c). Dieser Gedanke in V.14 ist Paulus nicht vorgegeben. Was ihm vorgegeben ist (den Thessalonichern aber bis dahin nicht bekannt war), ist in V.16f. enthalten, dem von Paulus zitierten λόγος κυρίου, in dem sich noch erkennbar das apokalyptische Motiv der endzeitlichen Totenauferweckung als ein wesentliches Element verbirgt (dazu weiter unter b).

Dieser soeben skizzierten Deutung[6] steht eine ganz andere gegenüber, auf die wegen ihrer Konsequenzen für 1 Kor 15 hier einzugehen ist: Man geht davon aus, daß den Thessalonichern die Lehre von der Totenauferstehung nicht unbekannt gewesen sein könne. Sie sei ihnen aber „inzwischen zweifelhaft gemacht worden"[7].

---

nicht auf eine derartige schon fertige Formel zurück, sondern auf die kombinierte Pistis-formel 15,3b–5, die keine soteriologische Analogie-Aussage enthält. Paulus muß vielmehr in 15,12ff. die Analogie erst mühsam entwickeln (s.u. C II 2; vgl. auch G. Sellin, „Die Auferstehung ist schon geschehen", 231 A 21; s.u. S. 63 A 92). Allerdings wird nun 1 Kor 6,14 zum Problem, insofern hier schon *vor* 1 Kor 15 die Analogisierung vorausgesetzt ist (dazu s.u. S. 49f. A 49).

[4] G. Lüdemann, 232f. 240, gegen W. Harnisch, 22.

[5] N. Hyldahl, Auferstehung, 129: Die „Parusie als solche" war in Frage gestellt.

[6] Sie findet sich bei W. Marxsen, 1 Thess 4,13–18 (vgl. ders., 1 Thess, 62ff.); U. Wilckens, Ursprung, 59f.; J.H. Wilson, 102f.; G. Bornkamm, Paulus, 228; G. Kegel, 34ff.; E. Brandenburger, Auferstehung, 19f.; G. Klein, Naherwartung, 245ff.; J. Becker, Auferstehung, 46ff.; G. Lüdemann, 229ff.; N. Hyldahl, Auferstehung, 121ff. 127ff.; H.-H. Schade, 157ff.; ähnlich schon M. Dibelius, HNT 11,23f.

[7] W. Schmithals, Situation, 118.

Im Anschluß an W. Lütgert und W. Schmithals hat am ausführlichsten W. Harnisch zu begründen versucht, daß wie in Korinth so auch in
Thessalonich die gnostische Agitation am Werk gewesen wäre. Daraufhin hätten die Thessalonicher die Lehre von der Auferstehung der Toten abgelehnt, weil sie überzeugt wären, bereits zu Lebzeiten in Identität mit dem Kyrios auferweckt zu sein[8]. Das würde bedeuten, daß
1 Thess 4,13 ff. auf gleichem Hintergrund wie 1 Kor 15 zu verstehen
oder gar der 1 Thess zeitlich nach 1 Kor 15 anzusetzen wäre. Diese Interpretation verfehlt jedoch den Text.

1. Harnisch behauptet, es ginge nicht um eine seelsorgerliche Frage,
sondern um eine häresiologische: Nun ist zwar V. 13b (λύπη wie die
Heiden) ein paulinisches Interpretament. Aber 4,18[9] und 5,11 stehen
Harnisch' Deutung entgegen[10].

2. Den entscheidenden V. 15 deutet Harnisch falsch. Er hebt οἱ
ζῶντες heraus und versteht darunter generell die Lebenden, auf die allein sich (im Sinne der These von Schniewind und Güttgemanns zu
1 Kor 15,12) das Heil beziehen könne. Das viel gewichtigere und οἱ
ζῶντες gerade interpretierende οἱ περιλειπόμενοι tut er dagegen als
„traditionelle, apokalyptisch vorgeprägte Unterscheidung zwischen Üb-
rigbleibenden und Toten" ab (ohne dabei das für die Situation gerade
spezifische εἰς τὴν παρουσίαν überhaupt zu erwähnen)[11]. Daß V. 15

---

[8] *W. Lütgert*, BFchTh 13,6,55 ff., bes. 77 ff.; *W. Schmithals*, Situation, 116 ff.; *W. Harnisch*, 22 ff.; vgl. auch *R. Jewett*, 17. 251. W. Harnisch hat die These von W. Schmithals insofern modifiziert, als er für die thessalonikische Irrlehre eine Auffassung voraussetzt,
wie sie E. Güttgemanns für die Korinther (1 Kor 15,12) postulierte: daß man die Auferstehung Toter ablehnte, weil „Auferstehung" als gnostischer Begriff nur die bereits geschehene Erweckung bedeutete (dazu s. o. S. 23 ff.).
[9] *Harnisch*, 18 A 13, möchte 4,18 als Glosse ansehen. Dagegen *J. Baumgarten*, 98 A
206; *N. Hyldahl*, Auferstehung, 121. 125.
[10] *Harnisch*, 26 A 36, übersetzt παρακαλεῖν an diesen Stellen statt mit „trösten" mit
„ermahnen" – zu Unrecht: vgl. *C. J. Bjerkelund*, 92. 125–135; *O. Schmitz*, ThWNT V,
794 Z. 18 ff. Der ganze 1 Thess zeugt von einer wohlwollenden Haltung des Paulus gegenüber dieser Gemeinde, die eine polemische Situation ausschließt (vgl. *W. Marxsen*,
1 Thess, 25. 28 u. ö.). Auf 5,11b (καθὼς καὶ ποιεῖτε) geht Harnisch überhaupt nicht ein.
Gegen Harnisch auch *G. Löhr*, 273; *N. Hyldahl*, Auferstehung, 124 ff.
[11] *Harnisch*, 27. Zum apokalyptischen Hintergrund von οἱ περιλειπόμενοι s. *A. F. J.
Klijn*, I Thessalonians 4,13–18. Er hat gezeigt, daß das Problem des Verhältnisses von
„Übriggebliebenen" und Gestorbenen schon traditionell in der jüdischen Apokalyptik
verhandelt wurde (z. B. 4 Esra 5,41 ff.; 6,25; 13,14–24; 13,24 heißt es: „So wisse, daß die
Überbleibenden bei weitem seliger sind als die Gestorbenen."). Im Unterschied zu syr Ba-
ruch (bes. 49 ff.), wo ähnlich wie in 1 Kor 15,51 ff. Überlebende und Tote gemeinsam der
Verwandlung unterzogen werden, schließen sich in 4 Esra aber Auferstehung der Toten
(7,25 ff.; 14,34 f.) und Vorstellung vom Erleben des Weltendes (5,41 ff.; 6,25; 13,14–24)
gegenseitig aus, insofern nach 7,25 ff. *alle* vor dem Gericht (am Ende des Zwischenrei-
ches [7,28], auf das allein nun die Überlebenden bezogen werden) sterben, während in
den übrigen Partien nur die Überlebenden gerettet werden (6,25). Das sind zwei unaus-

„die Entscheidung über das Verhältnis der Lebenden zu den Toten der
eschatologischen Zukunft" vorbehält, wie Harnisch an späterer Stelle
behauptet[12], führt dabei am Aussagegehalt des Textes vorbei. ἡμεῖς οἱ
ζῶντες οἱ περιλειπόμενοι εἰς τὴν παρουσίαν ist nicht Prädikat (also die
beabsichtigte neue Aussage, „Rhema"), sondern Subjekt, also das Aus-
gangsproblem („Thema"). Prädikat ist stattdessen οὐ μὴ φθάσωμεν.
Hier ist nun das Futur zu beachten: Nach der Deutung von Harnisch
müßte φθάνειν präsentisch gebraucht sein. Subjekt ist dabei οἱ ζῶντες.
Damit ist aber bewiesen, daß es um οἱ ζῶντες *zum Zeitpunkt der Parusie*
geht[13].

3. In V. 14 liest Harnisch eine antignostische Spitze willkürlich ein:
Das Futur ἄξει und die Wendung διὰ τοῦ ᾿Ιησοῦ wollten polemisch eine
zeitliche und personale Distanz zwischen dem bereits auferweckten
Christus und den nach Paulus noch nicht auferweckten Christen betonen[14]. Aber für Paulus wie für die Thessalonicher ist gerade die futurische Dimension selbstverständlich und und kaum strittig, geht es doch
im ganzen Zusammenhang um die Parusie. Das σὺν-Χριστῷ-Sein ist
das auch von den Thessalonichern *erwartete* Heilsgut. Offen ist nur, ob
die Toten dabeisein werden. Genau das zu bejahen, ist nach 4,17 und
5,10 Ziel der paulinischen Ausführungen. – Es ist deshalb nicht möglich, für das hinter 1 Thess 4,13 ff. stehende Problem gnostische Irrlehre anzunehmen[15].

---

geglichene Traditionen. Gegen *Klijn*, 67, muß man nun aber betonen, daß weder die Vorstellung von der Auferweckung der Toten in Thessalonich schon vor Abfassung des
1 Thess bekannt war, noch die Thessalonicher über den Ausgleich der beiden verschie-
denartigen Eschatologien (Überleben – Auferweckung) spekulierten, noch die von Paulus
4,13–18 gebotene Lösung mit der traditionellen Antwort der Apokalypsen identisch war
(*Klijn*, 72), auch wenn Paulus hier beide apokalyptischen Eschatologien verbindet. Nach
dem Modell, das Paulus hier bietet, werden nämlich nur die Christen auferweckt. Die traditionelle Antwort der Apokalypsen wird dagegen das von Paulus verwendete „Herrenwort" in V. 16 f. enthalten haben (dazu s. gleich im Text).

[12] *Harnisch*, 49.

[13] Es ist bezeichnend, daß *Harnisch*, 49, das πρῶτον in V. 16 nicht zeitlich, sondern
sachlich verstehen muß.

[14] *Harnisch*, 34 ff.

[15] Vgl. die ergänzende Kritik von *G. Lüdemann*, 221–226, und *N. Hyldahl*, Auferstehung, 124–126. – Es gibt noch eine dritte Deutung: Die Thessalonicher hätten gar nicht
um das Heil der Verstorbenen überhaupt gefürchtet, sondern nur einen lediglich quanti-
tativen Nachteil (φθάνειν V. 15 in rein zeitlichem Sinne) der vorzeitig Verstorbenen angenommen. Sie hätten sich etwa gefragt: „Werden die verstorbenen Christen bei Anbruch
der Parusie gleicher Ehren wie die Lebenden teilhaftig oder werden sie etwa diesen gegenüber – wenn auch nur zeitweise – zurückgesetzt?" (*K. Deissner*, 12; ähnlich heute
H.-A. Wilcke, 122; *J. Baumgarten*, 92. 97; erwägend *P. Siber*, 22). Bei dieser Anahme, die
von einem theoretischen Problem in Thessalonich ausgeht, bliebe unverständlich, wieso
Paulus dann die Adressaten vor heidnischer Hoffnungslosigkeit bewahren will (V. 13).
Dabei zeigt V. 14a, daß es um den Einschluß der Verstorbenen in die ἐλπίς und damit in

Wenn also die oben skizzierte Auslegung (Paulus „rettet" den auf die
Parusie gerichteten Glauben durch erstmalige Einführung des Motivs
der Totenauferstehung) zutreffend ist, entsteht eine schwierige Frage:
Wie ist man denn vorher mit dem Problem der Verstorbenen fertig geworden[16]? Die Frage läßt sich aus dem Text beantworten.

b) Die Lösung des Problems mit Hilfe der Tradition V. 16 f.

Paulus steht hier keineswegs vor einem für ihn neuen Problem, denn er
hat bereits eine traditionelle Antwort darauf zur Hand: den λόγος κυρίου V. 16 f.[17]. Allerdings ist seine Antwort nicht ganz identisch damit.
Hier läßt sich eine traditionsgeschichtliche Scheidung vornehmen. Dafür gibt es theoretisch zwei Möglichkeiten: Entweder handelte die Tradition nur von der Entrückung der Christen bei der Parusie, und das

---

die πίστις überhaupt geht (vgl. *W. Schmithals*, Situation, 117). 5,10 stellt diesen Sinn sicher: Ziel für „Wachende" und „Schlafende" ist das „Leben" mit Jesus Christus (vgl. auch
G. Lüdemann, 226 f.). – Axiom auch dieser (o. in dieser A skizzierten) Deutung Deissners
u. a. ist die Annahme, daß den Thessalonichern die Vorstellung der endzeitlichen Auferweckung der Toten bekannt gewesen sein müsse, etwa durch die Gründungspredigt des
Paulus (so auch noch *A. F. J. Klijn*, I Thessalonians 4, 13–18, S. 67 – vgl. o. S. 40 f. A 11).

[16] Eine andere Frage ist es, warum Paulus bei seinem Gründungsaufenthalt nichts von
der Auferstehung Toter verkündigt hat. Die Antwort liegt auf der Hand: Weil er zu diesem Zeitpunkt nicht mit Todesfällen rechnete. Andererseits muß es aber woanders schon
Todesfälle von Christen gegeben haben (s. o. im Text). Dieses Problem haben G. Lüdemann und W. Marxsen thematisiert. G. Lüdemanns Arbeit gipfelt in der These, daß die
zweite Missionsreise des Paulus viel früher stattgefunden habe, als in den bisherigen
chronologischen Entwürfen angenommen, und zwar gegen Ende der dreißiger Jahre, als
die erste christliche Generation noch selbstverständlich die Parusie in nächster Zeit erwartete. 1 Thess sei dann Anfang der vierziger Jahre geschrieben und enthalte in 4, 13 ff
die ersten tastenden Versuche des Paulus, mit Hilfe der Auferstehungsvorstellung dem
Problem der Parusieverzögerung zu begegnen (*G. Lüdemann*, 264; vgl. 218 f.; *H.-H.
Schade*, 173 ff., schließt sich Lüdemanns Chronologie an). Abgesehen von den Schwierigkeiten solch neuer chronologischer Konstruktion bleibt die Frage, ob es nicht auch schon
am Ende der dreißiger Jahre ein solches Parusieverzögerungsproblem bzw. unerwartete
Todesfälle gegeben haben sollte. W. Marxsen hält an der üblichen Chronologie fest, rechnet aber mit einem neu einsetzenden Schub radikaler Naherwartung bei Paulus zur Zeit
der zweiten Missionsreise (*W. Marxsen*, Einleitung, 47; *ders.*, 1 Thess, 21 f.). Dies würde
am besten erklären, wieso Paulus einerseits eine schon traditionelle Lösung des Problems
zur Hand hat (V. 16 f. – s. gleich im Text), andererseits in Thessalonich nichts davon ver-
lauten ließ. Noch bei Abfassung des 1 Thess in Korinth ist Paulus anscheinend davon
überzeugt, daß weitere Todesfälle nicht mehr zu erwarten sind. Ganz anders sieht das
dann in Ephesus aus zum Zeitpunkt, als Paulus 1 Kor 15,51 f. schreibt (s. u. §S. 46 ff.).

[17] Mit λόγος κυρίου wird lediglich zum Ausdruck gebracht, daß Paulus eine Tradition
in Anspruch nimmt (vgl. aber den Vorschlag von *G. Löhr*, [u. S. 43 A 24]). Dabei ist das ὅτι zu
Beginn von V. 16 ein ὅτι rezitativum, während ὅτι in V. 15 epexegetisch zu τοῦτο gehört.
V. 15 ist vorwegnehmende paulinische Zuspitzung und Anwendung: vgl. *W. Harnisch*, 41;
P. Siber, 36 f.; *G. Lüdemann*, 243. 247.

Motiv der Totenauferweckung hätte erst Paulus eingefügt[18]. Oder aber die Tradition bestand gerade darin, daß der Entrückungsvorstellung schon das Auferweckungsmotiv eingefügt war[19]. Die erste Lösung ist deshalb unwahrscheinlich, weil Paulus dann das, was er mit der Tradition belegen wollte, selber eingefügt hätte[20]. Paulinische Einfügungen sind dagegen ἐν Χριστῷ, πρῶτον – ἔπειτα, ἡμεῖς οἱ ζῶντες und vielleicht ἅμα σὺν αὐτοῖς, so daß sich für die Tradition etwa folgender Wortlaut ergibt: [ὁ κύριος] ἐν κελεύσματι, ἐν φωνῇ ἀρχαγγέλου καὶ ἐν σάλπιγγι θεοῦ, καταβήσεται ἀπ᾽ οὐρανοῦ καὶ οἱ νεκροὶ ἀναστήσονται, [καὶ] οἱ περιλειπόμενοι [ἅμα σὺν αὐτοῖς] ἁρπαγήσονται ἐν νεφέλαις εἰς ἀπάντησιν τοῦ κυρίου εἰς ἀέρα[21].

οἱ περιλειπόμενοι gehört in die traditionelle Entrückungsvorstellung, wie die Parallele 4 Esra 13, 16–24 zeigt. Dort geht es genau um das Problem von vor dem Ende Gestorbenen und Überlebenden – 13,24: „So wisse also, daß die *Überbleibenden* bei weitem seliger sind als die *Gestorbenen*." Der λόγος κυρίου enthält dagegen durch das damit verbundene Auferweckungsmotiv eine Lösung für die in Thessalonich vorliegende Problematik. G. Lüdemann meint nun, Paulus selber hätte hier direkt auf eine jüdische Apokalypse zurückgegriffen, wo Entrückungs- und Auferstehungsmotiv bereits verbunden gewesen wären, jedoch in umgekehrter Reihenfolge: Die Überlebenden würden lediglich dazu entrückt, um den Menschensohn einzuholen; danach würde dann die allgemeine Totenauferstehung auf der Erde stattfinden[22]. Einfacher ist aber die Annahme, daß wir es bei dieser Tradition bereits mit einer vorpaulinischen *christlichen* Lösung des Parusieverzögerungsproblems zu tun haben[23]. Dafür spricht schon die Reihenfolge (νεκροί – περιλειπόμενοι), die durch den paulinischen Zusatz πρῶτον – ἔπειτα nur verdeutlicht wird. Dafür spricht vor allem, daß Paulus diese Tradition als einen λόγος κυρίου ausgeben kann[24]. Schießlich ist die Entrückung in die

---

[18] So *N. Hyldahl*, Auferstehung, 130 ff.: Das „Herrenwort" sei Mt 24,30 f., wo es nur um die Parusie geht.

[19] Beide Möglichkeiten erwägt *W. Marxsen*, 1 Thess 4, 13–18, 29 ff.

[20] Vgl. *W. Harnisch*, 46.

[21] Vgl. die ähnliche Rekonstruktion bei *U. Luz*, 329; *P. Siber*, 37 f.; *W. Harnisch*, 42 f.; *J. Baumgarten*, 94 f.; *G. Lüdemann*, 242 ff. (247); *H.-H. Schade*, 160.

[22] *G. Lüdemann*, 249 ff.; dagegen vgl. *H.-H. Schade*, 285 A 373.

[23] Vgl. *U. Luz*, 329; *G. Löhr*, 272 f.; *W. Schmithals*, Situation, 117: V. 15–17 dürften „längst zum seelsorgerlichen Rüstzeug des Paulus angesichts der beginnenden Parusieverzögerung gehört haben".

[24] So muß *G. Lüdemann*, 254, behaupten, daß „nach Pauli Verständnis gewiß ein Wort des Erhöhten vorliegt, der Grundbestand von V. 16 f. jedoch auf eine *jüdische* Apokalypse zurückgeht, die von Paulus als Wort des Herrn aufgefaßt wurde". Attraktiv ist der Vorschlag von *G. Löhr*, 272 f.: Zugrunde liege eine frühchristliche Bezugnahme auf die Theophanieschilderung LXX Ex 19, 17 ff., wo σάλπιγξ, νεφέλη, καταβαίνειν und φωνή auftauchen. „Herrenwort" beziehe sich auf die LXX.

Luft zur ἀπάντησις nicht lediglich als Einholung des Menschensohnes auf die Erde zu verstehen. Vielmehr drückt das Passiv ἁρπάζεσθαι eine umgekehrte Bewegung aus: Der Kyrios (oder Menschensohn) holt die περιλειπόμενοι ab zur *Entrückung* in den Himmel[25]. Dabei sind in der vermuteten Tradition zwei nur schwer miteinander vereinbare Motive verbunden worden. Wenn man davon ausgeht, daß erst Paulus ἐν Χριστῷ (eventuell auch ἅμα σὺν αὐτοῖς) einfügte[26], dann ergibt sich, daß wir es hier mit zwei ganz verschiedenen Vorstellungen zu tun haben, nämlich in V.16 mit dem Motiv vom Kommen des Menschensohnes zur *allgemeinen* Auferweckung der Toten (vgl. das Wiederanklingen des Motivs in 1 Kor 15,51 f.), wozu eigentlich das Gerichtsmotiv gehört, und in V.17 mit dem ganz anderen Motiv von der Entrückung (nur) derer, die bis zum Ende bewahrt wurden (Rest-Gedanke; aus diesem Motivkreis: οἱ περιλειπόμενοι). Nur so erklärt sich ein Widerspruch der Richtungsangaben im Bild: Einmal geht es um das καταβαίνειν des Kyrios-Menschensohnes, zum anderen um das ἁρπάζεσθαι der bis zum Ende Bewahrten. Es ist klar, daß für Paulus insofern ein Ausgleich besteht, als er einmal die Auferweckung auf die ἐν-Χριστῷ-Seienden eingrenzt und zugleich Auferweckung und Entrückung zeitlich kombiniert, so daß sich die Sequenz ergibt: 1. Herabkommen des Kyrios – 2. Erweckung der Seinen – 3. Entrückung der zuvor Erweckten und der noch lebenden Christen mit dem Kyrios in den Himmel. Dies dürfte jedoch schon Ergebnis paulinischer Redaktion sein. Das, worauf Paulus mit der Wendung λόγος κυρίου Bezug nimmt, scheint mir dagegen eine vollständige Kombination beider Einzelmotive gewesen zu sein: 1. Kommen des Menschensohnes – 2. Erweckung aller Toten (vgl. Dan 12,2; 1 Hen 22) – 3. Gericht über noch Lebende (περιλειπόμενοι) und auferweckte Tote – 4. Entrückung der im Gericht vor dem Zorn Gottes Geretteten. – Mit dieser Kombination von Parusieerwartung und Lehre der endzeitlichen Auferweckung aller Toten (worauf dann das Weltgericht und schließlich die Entrückung der im Gericht Bewahrten folgten) hat man vor Paulus das Problem der Todesfälle von Christen gelöst.

Dies ist jedoch noch nicht die Lösung des Paulus. Schon hier bei der ältesten paulinischen Erwähnung der Totenauferstehung gilt (wie dann durchgehend), daß Paulus keineswegs die Vorstellung einer *allgemei-*

---

[25] So *W. Harnisch*, 43 f. A 23, (unter Berufung auf H. Löwe) gegen *E. Peterson*, ZSTh 7, 1930, 682 ff. ἀπάντησις meint nur das Entgegengehen, sei es zur „Einholung" (so ausschließlich die Belege von Peterson), sei es zur Begleitung. Die Pointe besteht ja gerade in den zwei gegenläufigen Richtungen.

[26] *U. Luz*, 328 A 48; *W. Harnisch*, 43 A 20, und *J. Baumgarten*, 94, halten ἅμα σὺν αὐτοῖς für vorpaulinisch; anders *G. Lüdemann*, 246.

nen Auferweckung der (= aller) Toten teilt. Immer ist sie bei ihm *christologisch* ausgerichtet. Auferweckt werden nur die toten *Christen.* Deutlicher wird das in V. 14.

c) Der Ansatz einer christologischen Begründung der Totenauferweckung (V. 14)

W. Marxsen hat nachdrücklich bestritten, daß in 1 Thess 4,13–18 die Totenauferweckung thematisiert werde[27]. Thematisiert wird sie in der Tat nicht. Sie hat im Zusammenhang nur eine Hilfsfunktion; Thema bleibt die endzeitliche Erlösung bei der Parusie. Vor allem in Hinsicht auf V. 14 muß man aber die Frage stellen, ob sie dabei nicht doch einen größeren sachlichen Stellenwert einnimmt, als Marxsen ihr zubilligen möchte. Er bestreitet, daß in V. 14 überhaupt von ihr die Rede sei[28]. Tatsächlich spricht V. 14b explizit nicht davon. ἄξει σὺν αὐτῷ kann sich im Kontext (V. 17: ἁρπαγησόμεθα, ἀπάντησις, σὺν κυρίῳ ἐσόμεθα) nur auf die Entrückung beziehen – allerdings auf die Entrückung *zuvor auferweckter* Entschlafener. Denn Entrückung gibt es nur für Lebende[29]. Der Gedanke der Auferweckung ist in V. 14b also *impliziert.* Auch die Wendung οὕτως καί verlangt eine Analogie in beiden Satzhälften[30], und die kann tatsächlich nur im ἀνέστη von V. 14a stecken, das einem implizierten ἀνέστη in V. 14b entspricht. Dafür spricht schließlich noch das διὰ τοῦ ᾿Ιησοῦ, das auf keinen Fall mit κοιμηθέντας, sondern mit ἄξει zu verbinden ist[31]. Das Nebeneinander von διὰ τοῦ ᾿Ιησοῦ und σὺν αὐτῷ, beides von dem einen Verb ἄξει abhängig, läßt sich dann zwanglos erklären: Das „Sein mit Jesus" (4,17; 5,10) ist zukünftiges Ziel der Erlösung. διὰ τοῦ ᾿Ιησοῦ kann dann nur für die Ursache, oder genauer: das Mittel und Werkzeug der Erlösung stehen. Das aber ist das Kerygma. διὰ τοῦ ᾿Ιησοῦ faßt das Kerygma personal zusammen (vgl. das ᾿Ιησοῦς in V. 14a als Subjekt der kerygmatischen Aussage). Weil es dabei um das Mit-Jesus-Sein von Gestorbenen geht, gewinnt nun unvermittelt das eine der beiden inhaltlichen Glieder des Kerygmas, die ἀνέστη-Aussage, inhaltliche Bedeutung. Sie wird zur Begründung des Heils von Toten. Es ist auffällig, wie sehr diese Begründung noch im Ansatz steckt[32]. Die Analogie ist nicht expliziert. Man kann daraus nur

---

[27] *W. Marxsen,* 1 Thess 4,13–18, 31. 33. 35 ff.; *ders.,* 1 Thess, 65. 67; vgl. *N. Hyldahl,* Auferstehung, 132 ff.

[28] *W. Marxsen,* 1 Thess 4,13–18, 33; *ders.,* 1 Thess, 67.

[29] Vgl. *W. Harnisch,* 35 A 33.

[30] Vgl. 1 Kor 2,11; 15,42. Damit wird die „Sachhälfte" eines Gleichnisses eingeleitet.

[31] Vgl. *P. Hoffmann,* Die Toten, 213 ff.; *P. Siber,* 27; *G. Lüdemann,* 236 ff.

[32] Vgl. *G. Klein,* Naherwartung, 246 A 23; *J. Becker,* Auferstehung, 50; vor allem *G. Lüdemann,* 233. 239. 241.

folgern, daß Auferstehung Jesu und allgemeine endzeitliche Auferwekkung der Toten in ältester Zeit nicht zusammengedacht wurden. Erst
Paulus entwickelt erstmalig in 1 Thess 4,14 ff. eine solche Analogisierung[33]. Das Parusie-Modell (Entrückung) bleibt in 1 Thess 4 noch do-
minant. Aber es fehlt nur noch ein kleiner Schritt, und wir stehen vor
der explizierten Analogie: Wie Christus (starb und) auferstand – so
werden die Christen auferstehen[34]. Dabei ist dann die Parusievorstel-
lung als Heils-Modell zurückgetreten. Das aber haben wir erstmals in
1 Kor 6,14 vor uns[35].

d) Das Verhältnis von 1 Kor 15,51f. zu 1 Thess 4,13–18

Die Motive aus 1 Thess 4,16 f. verwendet Paulus noch einmal gegen
Ende seiner ausführlichen Apologie der Aussage von der Auferwekkung der Christen: 1 Kor 15,51 f. Auch hier geht es um die Auferwekkung der Christen bei der Parusie (wie in 1 Thess 4,16), jedoch fehlt
der Gedanke der Entrückung, stattdessen begegnet das Motiv von der
Verwandlung. Zwar wird in 1 Kor 15 noch damit gerechnet, daß aus
der Gruppe Paulus und seine Adressaten („wir") einige die Parusie zu
ihren Lebzeiten antreffen wird, doch ist das eindeutig die Minderheit,
wie V.51 zeigt („nicht alle werden wir sterben ..."). Daß hier eine
schwerwiegende Verschiebung der Aussage vorliegt, insofern nun im
komplementären Gegensatz zu 1 Thess 4 das vorherige Sterben die Regel, das Überleben die Ausnahme bedeutet, hat G. Klein gezeigt[36]. Er
geht davon aus, daß das „Wir" von V.51 mit dem „Wir" von V.52 Ende
identisch sein muß. Danach ist „Verwandlung" die sowohl Überlebende
wie Tote umfassende Kategorie. Demgegenüber sehen G. Lüdemann,
M. Rese und H.-H. Schade in dem „Verwandeltwerden" von V.52b einen Vorgang, der nicht die Toten, nur die Lebenden erfasse, also kom-
plementär zur Auferweckung der Toten stehe. Folglich rechne Paulus
damit, selber die Parusie noch zu erleben[37]. Aber das ἡμεῖς ἀλλαγησό-

---

[33] Vgl. *G. Lüdemann*, 241 f.; *N. Hyldahl*, Auferstehung; *H.-H. Schade*, 162 ff.

[34] In Röm 6 hat Paulus dann auch die Sterbens-Aussage des Kerygmas analogisiert,
d.h. soteriologisch auf die anthropologische Ebene transponiert.

[35] Vgl. *G. Lüdemann*, 233. Zur Exegese von 1 Kor 6,14 s.u. S.49 f. A 49.

[36] *G. Klein*, Naherwartung, 256: „Wo ... die erwartete Verwandlung die Gleichstel-
lung verbürgt, dort ist der Leitbegriff am Schicksal der Toten orientiert, haben Regel und
Ausnahme ihre Plätze vertauscht und muß das exzeptionelle Geschick der Überlebenden
in das normale der Toten eingezeichnet werden." Vgl. *ders.*, Eschatologie, 279; *J. Becker*,
Auferstehung, 98; *G. Lüdemann*, 268 ff. Dagegen *H.-H. Schade*, 207 ff.; *Chr. Burchard*,
1 Kor 15,39–41, 250.

[37] *G. Lüdemann*, 268 f.; *M. Rese*, 315; *H.-H. Schade*, 207 ff.; *J. Gillman*, 319 f. 322. Während Lüdemann dabei aber noch mit einer Verschiebung der Aussage gegenüber 1 Thess 4
rechnet, leugnet *Schade*, 207, ausdrücklich, „daß Paulus inzwischen das Sterben bis zur

μεθα in V.52 darf keineswegs auf die Überlebenden eingeschränkt werden. Das ist durch den (die Interpretation des nachfolgenden V.52) dominierenden[38] V.51 ausgeschlossen: „Alle zwar werden wir nicht[39] entschlafen, *alle aber werden wir verwandelt werden*". Versteht man V.52b jedoch im Sinne von Lüdemann, Rese und Schade, würde nicht nur das „Wir" von V.52 von dem in V.51 unterschieden sein[40], sondern auch das ἀλλαγῆναι beidemale etwas Unterschiedliches meinen. Vor allem wird die Struktur von V.52b verkannt, als wären οἱ νεκροὶ ἐγερθήσονται ἄφθαρτοι und ἡμεῖς ἀλλαγησόμεθα *additiv* zu verstehen. Aber es handelt sich bei V.52b um ein enumeratives[41] Verhältnis von *drei* Aussagen: 1. Die Trompete wird ertönen, 2. und die Toten werden auferweckt werden (und damit ἄφθαρτοι, und d.h. im Zusammenhang implizit: verwandelt sein), 3. und wir werden [so alle] verwandelt werden. Dabei kann zwischen 2. und 3. keine zeitliche Differenz bestehen, wie V.52 deutlich macht (ἐν ἀτόμῳ, ἐν ῥιπῇ ὀφθαλμοῦ)[42]. Die Auferstehung der Toten ist ja zugleich deren Verwandlung (wie das Ergebnis, ἄφθαρτοι, zeigt).

Das heißt, daß im Gegensatz zu 1 Thess 4,13–18 die Auferweckung der Toten keine Hilfsvorstellung mehr ist, sondern daß sie nun umfas-

---

Parusie als Regelfall und das Überleben als Ausnahme ansieht". Noch dezidierter *Chr. Burchard,* 1 Kor 15,39–41, 250 A 65: „Zum ‚Normalfall' (...) scheint mir der Tod vor der Parusie für Paulus nie geworden zu sein. Die Auferweckung der Toten bleibt eine Sonderregelung für Sonderfälle, wie viele auch immer." Angesichts von 1 Kor 6,14; 15,12 ff.; 2 Kor 4,14; Röm 8,11 scheint mir diese Behauptung unhaltbar.

[38] Es ist ein exegetischer Grundsatz, daß der Sinn einer voranstehenden Aussage den Sinn der folgenden Aussage bestimmt. Nach diesem Grundsatz ist das ἡμεῖς ἀλλαγησόμεθα in V.52 nur im Sinne des πάντες ἀλλαγησόμεθα von V.51 zu verstehen.

[39] Die Lesart des Vaticanus verdient den Vorzug (vgl. *B.M.Metzger,* Textual Commentary, 569). πάντες οὐ = „nicht alle" (*Bl.-D.-R., § 433,3;* vgl. *H.Lietzmann,* Kor, 85; *W.G.Kümmel* bei Lietzmann, 195; *G.Klein,* Naherwartung, 251). Die Umstellung der beiden Wörter ergibt sich, weil πάντες als umfassendes Subjekt (und schon auf ἀλλαγησόμεθα bezogen) betont vorangestellt wird (so *Ch.F.D.Moule,* 268). Gekünstelt wirkt die Erklärung von *Chr.Burchard,* 1 Kor 15,39–41, 250: Die Negation beziehe sich nicht auf πάντες allein, sondern auf die ganze Aussage V.51b: Es werde verneint, „daß wir alle bei der Parusie sterben müssen." Dagegen spricht die Wiederholung von πάντες im δέ-Satz. Burchard möchte die Toten aus V.51 ganz heraushalten, um die Verwandlung sowohl in V.52 wie in V.51 ausschließlich auf die zum Zeitpunkt der Parusie Lebenden (und das sei der Normalfall) beziehen zu können.

[40] Während *G.Lüdemann,* 269 A 162, diese Diskrepanz bei seiner Deutung zugibt, hat *H.-H.Schade,* 208, für das doppelte „Wir" eine sprachliche Begründung geben wollen: Das betonte ἡμεῖς in V.52 hebe dieses „Wir" von dem „Wir" der einfachen 1.Pers. Pl. in V.51 ab, und zwar um die Gegenüberstellung des „Wir" zu οἱ νεκροί zu markieren. Aber diese Begründung überzeugt nicht: Einerseits läßt das πάντες in V.51 kein explizites ἡμεῖς mehr zu, andererseits verlangt die parataktische Abfolge in V.52 (zweimaliges καί) notwendig ein explizites Subjekt vor ἀλλαγησόμεθα.

[41] Zweimaliges καί (Parataxe); vgl. dazu *F.Mussner,* Struktur, 407 ff. (vgl. u. S. 237 A 23).

[42] Vgl. *J.Becker,* Auferstehung, 102; *H.Conzelmann,* 1 Kor, 348: „in einem Akt".

send das Modell abgibt für die Heilsvorstellung, wobei sie als „Verwandlung" interpretiert wird. Daß die Auferweckung als Verwandlung gefaßt wird, hat nun aber seinen Grund nicht in der Tatsache, daß Paulus das Modell der Vorstellung erweitern will, um auch die Überlebenden (zu denen er sich womöglich selber rechne) zu erfassen [43]. Vielmehr geht es im ganzen Kontext 1 Kor 15,35 ff. darum, die von Paulus gegenüber den Korinthern verteidigte Kategorie „Auferstehung der Toten" generell als „Verwandlung" von irdisch-vergänglichem σῶμα in σῶμα πνευματικόν zu interpretieren. Weil „Fleisch und Blut" nicht ins Gottesreich gelangen können (V. 50), ist „Verwandlung" (und das heißt: Auferstehung) notwendig.

Die entscheidende Frage, der wir uns hiermit genähert haben, ist nun, warum Paulus sein soteriologisches Modell von 1 Thess 4 zu 1 Kor 15 so entscheidend geändert hat. Drei Antworten sind darauf denkbar: 1. Bei Abfassung des 1 Kor ist das Sterben vor der Parusie inzwischen zur Regel geworden [44]. 2. Paulus selber hat in der Zwischenzeit eine einschneidende existenzielle Todeserfahrung gemacht [45]. 3. Die Auseinandersetzung mit den Korinthern, insbesondere ihrer die Auferweckung Toter ausschließenden Anthropologie und Soteriologie zwang Paulus zu einer Revision seines Modells.

Die erste Antwort befriedigt nicht, wenn man bedenkt, wie gering der zeitliche Abstand zwischen der Abfassung von 1 Thess und 1 Kor aller Wahrscheinlichkeit nach ist [46]. Überdies hat sie 1 Kor 15,6 gegen sich. Allerdings kommt man ohne die Annahme, für Paulus habe sich die Zeitspanne bis zur Parusie erheblich ausgedehnt, nicht aus [47]. Die zweite Antwort steht und fällt mit der Hypothese von einer frühen Gefangenschaft in Ephesus, von der (abgesehen von der strittigen Stelle

---

[43] So *M. Rese*, 315. In 1 Thess 4 fehlt die Verwandlung ja völlig, obwohl es dort doch gerade hauptsächlich um das Erleben der Parusie geht.

[44] So *G. Lüdemann*, 270 f.

[45] *A. Suhl*, 140. 200 ff. 250 ff. 342 f. und passim, rechnet u. a. auf Grund von 1 Kor 15,32 mit einer frühen Gefangenschaft des Paulus in Ephesus, und zwar noch vor Abfassung des 1 Kor. Es ist aber fraglich, ob 1 Kor 15,32 auf eine solche Gefangenschaft mit drohendem Todesurteil zu beziehen ist (vgl. u. S. 286 A 215). Von einer Todesgefahr in Ephesus redet Paulus explizit erst in 2 Kor 1,8 ff., und zwar mit einer Formulierung, die darauf schließen läßt, daß er den Korithern damit eine neue, ihnen noch unbekannte Information gibt: οὐ γὰρ θέλομεν ὑμᾶς ἀγνοεῖν (gegen *Suhl*, 201. 257 A 5); vgl. auch *W.-H. Ollrog*, 247 f. A 36 (Ollrog selber meint, daß die Gefangenschaft vor dem Zwischenbesuch anzusetzen sei. Dann müsse 2 Kor 1,8 aber zur Apologie gehören: S. 247 ff. Aber das läßt sich literarkritisch nicht durchführen).

[46] Dies Argument fiele bei der Chronologie von *G. Lüdemann* (s. o. S. 42 A 16) freilich fort. Jedoch allein die Tatsache, daß 1 Kor 15,51 f. so eng an 1 Thess 4,13 ff. angelehnt ist (*J. Becker*, Auferstehung, 96: „Reinterpretation von 1 Thess 4"; vgl. *G. Lüdemann*, 265 A 148), läßt wieder an zeitliche Nähe denken.

[47] *G. Klein*, Naherwartung, 155 f.

15, 32) im 1 Kor sonst nichts erkennbar ist. Ich möchte im folgenden die dritte These begründen. Hierzu ist es allerdings erforderlich, auf den im Zusammenhang des Problems oft übersehenen Vers 1 Kor 6, 14 (in seinem Kontext) näher einzugehen. Denn wie 1 Kor 15, 51 f. als eine „Reinterpretation" von 1 Thess 4, 15–17 gelten kann [48], so könnte man 1 Kor 6, 14 als „Reinterpretation" und Weiterführung von 1 Thess 4, 14 bezeichnen. Hier in 1 Kor 6, 14 ist überdies das explizit ausgesprochen, was bei der Exegese von 1 Kor 15, 51 f. häufig bestritten wird: daß Paulus nun generell mit dem Modell der Auferweckung operiert und sich selbst zu den Sterbenden rechnet: Gott wird „uns" auferwecken. Zugleich ist in 1 Kor 6, 14 der christologische Ansatz der Soteriologie vom Kerygma her, der sich in 1 Thess 4, 14 andeutete, konsequent durchgeführt.

2. 1 Kor 6, 14

Zwischen 1 Thess 4 und 1 Kor 15 liegt also eine fundamentale Verschiebung vor, so daß man das Problem einer Vorgeschichte von 1 Kor 15, 12 nicht mehr direkt von 1 Thess 4 her angehen kann. Nun scheint 1 Kor 6, 14 auf den ersten Blick nur einige Diktierstunden älter zu sein als 1 Kor 15, 12, so daß man von Vorgeschichte im eigentlichen Sinne gar nicht reden könnte. Indes ist die Subsumierung von 1 Kor 6, 14 in die *Vorgeschichte* von 1 Kor 15, 12 durchaus angebracht, wie im folgenden Abschnitt gezeigt werden soll.

a) Das literarkritische Verhältnis von 1 Kor 6, 14 zu 1 Kor 15

Auf eine merkwürdige Tatsache ist m. E. in der Exegese bisher noch nie hingewiesen worden: Im selben 1 Kor, in dem Paulus sich ausführlich mit der Tatsache beschäftigt, daß die Korinther die Rede von einer Auferstehung Toter kategorisch ablehnen, argumentiert er an einer anderen Stelle in dieser Hinsicht völlig unbefangen mit eben dem Satz von der Auferweckung der toten Christen, nämlich in 6, 14. Wie kann Paulus aber etwas als Begründung anführen, was doch – wie er laut 1 Kor 15 wissen müßte – von seinen Gesprächspartnern nicht akzeptiert wird? Die Antwort kann nur lauten: 1 Kor 6, 14 und Kap. 15 können nicht im selben Brief gestanden haben. 6, 14 gehört in den 5, 9 erwähnten „Vorbrief", Kap. 15 in den späteren „Themen-" oder „Antwortbrief" [49].

---

[48] Vgl. o. A 46.

[49] Um so schwieriger wird die Frage, wieso Paulus nun plötzlich *vor* 1 Kor 15 eine Aussage macht, nach der Auferweckung Jesu und künftige Auferweckung der Christen

Im Anschluß an W. Schmithals[50] rechnet man heute allerdings, sofern man eine Briefteilung des 1 Kor überhaupt akzeptiert[51], Kap. 15 zumeist zum Vorbrief[52] – mit der Begründung, das Kapitel beginne nicht, wie für den späteren Brief zu erwarten, mit περὶ δέ[53].

Dagegen gibt es jedoch eine Reihe von Einwänden: 1. Paulus kann das aktuelle Stichwort (das er im Antwortbrief sonst mit περὶ δέ einleitet) erst in 1 Kor 15,12 nennen, nachdem er in V. 1–11 seine Argumentationsbasis geschaffen hat. 2. Es geht hier nicht einfach um eine Rückfrage der Korinther, sondern um expliziten Widerspruch, so daß ein

---

schon vollständig in eine Analogie-Beziehung gebracht sind (s. o. S. 38 f. A 3). *U. Schnelle* hat deshalb die These aufgestellt, 1 Kor 6,14 sei eine nachpaulinische Glosse. Neben dem soeben genannten Argument (1.) führt er noch eine Reihe weiterer Gründe an: 2.) V. 14 unterbreche die in sich vollständige Argumentation V. 13b. 15a. 3.) Man müsse in V. 14 den Ausdruck σῶμα statt des Personalpronomens erwarten. 4.) Die implizierte Gleichsetzung von σῶμα und ἡμεῖς widerspreche dem z. B. 1 Kor 15,35 ff. erkennbaren Anliegen, zwischen dieser Leiblichkeit und der Auferstehungsleiblichkeit eine Diskontinuität anzunehmen. 5.) V. 14 unterbreche die Kette der Diatribenwendung ἢ οὐκ οἴδατε (6,2. 3. 9. 15. 16. 19). 6.) 6,14 setze zwingend voraus, daß Paulus mit seinem und der Adressaten Sterben rechne, wohingegen er sich 15,51 f. zu den die Parusie noch Erlebenden zähle. – Alle Argumente sind aber nicht zwingend. Argument 2. trifft nur scheinbar zu: Ohne V. 14 stünden die paulinischen σῶμα-Aussagen V. 13. 15 ff. in der Gefahr, im dualistischen Sinne der Korinther mißverstanden zu werden, insofern erst V. 14 klarmacht, daß mit σῶμα die vom Ich nicht zu trennende Person gemeint ist. Ja, V. 15 steht mit V. 14 in einem unlösbaren Zusammenhang: Auferweckt werden „wir" ja durch unsere Christusbeziehung, d. h. wir sind als σῶματα Glieder des Christusleibes. Ohne V. 14 wäre der Leib-Christi-Gedanke, der hier überhaupt das erste Mal bei Paulus auftaucht, gar nicht begründet (vgl. u. S. 55 ff.). Zu Argument 3.: Der ganze Abschnitt setzt voraus, daß σῶμα ganzheitlich die Leibhaftigkeit der Person meint. Zu 4.: Auch in 1 Kor 15,35 ff. kommt Paulus ohne eine formale Identität zwischen dem Menschen als σῶμα ψυχικόν und dem Menschen der Auferstehungsleiblichkeit nicht aus. Zu 5.: Schon V. 12 und 13 fallen aus der Kette der rhetorischen Fragen heraus. Zu 6.: Das ἡμεῖς von 15,52 umfaßt Tote und Überlebende (s. o. S. 46 f.). Es bleibt dann das erste Argument. Dazu ist zu sagen: Paulus hat den Gedanken von 6,14 schon in 1 Thess 4,14 vorgebildet. Die Ziele der in 1 Kor 15 vorgeführten Argumentation sind also schon vorher abgesteckt. Schließlich noch ein zusätzliches Gegenargument: Ohne V. 14 würde der Schluß von V. 13 (ὁ κύριος τῷ σώματι) seinen Sinn verlieren (vgl. das o. zu Argument 2. Gesagte). Ja, ohne V. 14 verlöre der ganze (anthropologische) Abschnitt 6,12–20 seine christologische Fundierung, die ihn überhaupt erst konstituiert.

[50] *W. Schmithals*, Gnosis, 85.

[51] Daß tiefergehende Exegese ohne literarkritische Aufteilung auch des 1 Kor nicht mehr auskommt, dafür ist das Bekenntnis von *H.-J. Klauck*, 241, bezeichnend: „Entgegen der anfangs gehegten Erwartung, die auf den Nachweis der literarkritischen Einheitlichkeit ausging, hat mich die Arbeit am Text zu der Ansicht geführt, daß der erste Korintherbrief ein zusammengesetztes Gebilde ist." Für Einheitlichkeit aber neuerdings wieder *H. Merklein*, ZNW 75, 1984, 153–183.

[52] W. Schenk; H.-M. Schenke/K. M. Fischer; *A. Suhl*, 208; anders: J. Weiß; E. Dinkler (vgl. die Übersicht bei *H.-M. Schenke/K. M. Fischer*, 99).

[53] Zur Begründung: *W. Schmithals*, Gnosis, 85; *W. Schenk*, Briefsammlung, 224 ff.

wertfreies περὶ δέ gar nicht angebracht wäre. 3. Ein weiteres Argument hat jüngst Chr. Wolff vorgebracht: Paulus läßt den Abschnitt über die Auferstehung auf den Abschnitt über die Charismen Kap. 12–14 (12, 1: περὶ δέ) folgen, weil es in beiden Fällen um eine Überbewertung des Pneumatischen geht[54]. Wenn Kap. 15 also im genuinen Zusammenhang mit Kap. 12–14 steht, dann kann man Kap. 15 nicht als den ersten, noch auf mangelnder Information basierenden Versuch des Paulus verstehen, auf eine vage, dem Apostel nur zu Ohren gekommene Nachricht von korinthischer Irrlehre zu reagieren. Stattdessen setzt Kap. 15 schon einen längeren Gesprächsgang voraus, der nun rekonstruierbar wird: Vorbrief – Widerspruch der Korinther – 1 Kor 15 als Antwort[55]. Worauf im Vorbrief aber bezog sich der Widerspruch der Korinther? Die Antwort kann nur lauten: auf eben die besagte Stelle 1 Kor 6, 14. Daß dies keine Überinterpretation eines einzelnen Verses ist, wird die Untersuchung seines Kontextes (6, 12–20) zeigen.

Zuvor muß aber der Vorbrief rekonstruiert werden, soweit das möglich ist. 5, 9 wird er erwähnt, 7, 1 der Brief mit den Anfragen der Gemeinde. Alle mit περὶ δέ eingeleiteten Partien gehören zum Antwortbrief des Paulus: 7, 1 ff. 25 ff.; 8, 1 ff.; 12, 1 ff.; 16, 1 ff. 12 ff., dazu aber auch 5, 9–11 (und, wie eben gezeigt, Kap. 15). 5, 9–11 ist die einzige Stelle, wo wir explizit etwas über den Inhalt des Vorbriefes erfahren. Diese Stelle ist in ihrer Tragweite für die Rekonstruktion des Vorbriefes bisher noch nicht genügend beachtet worden[56]. Als erstes fällt auf, daß 5, 11 eine nahe Parallele in 6, 9 b. 10 hat:

5, 11	6, 9–10	
πόρνος	πόρνοι	πλεονέκται
πλεονέκτης	εἰδωλολάτραι	μέθυσοι
εἰδωλολάτρης	μοιχοί	λοίδοροι
λοίδορος	μαλακοί	ἅρπαγες
μέθυσος	ἀρσενοκοῖται	
ἅρπαξ	κλέπται	

---

[54] Chr. Wolff, 149. Er möchte freilich jegliche Teilung des 1 Kor ausschließen.

[55] Eine weitere Rekonstruktion der Vorgeschichte bis zum Gründungsaufenthalt ist m. E. in diesem Punkt nicht möglich (gegen J. C. Hurd, 91 f. 195. 229 ff. 282). Ich rechne allerdings damit, daß bereits zwischen Gründungsaufenthalt und Vorbrief die Wirksamkeit des Apollos in Korinth fällt, so daß sich von daher Probleme entwickelten, die zu den Anfragen der Korinther führten (vgl. 16, 12). 1 Kor 1–4, wo Paulus erstmals und sehr versteckt gegen Apollos selber argumentiert, bildet jedoch einen besonderen Brief, der noch nach dem „Antwortbrief" anzusetzen ist (so W. Schenk, Briefsammlung, 235 ff.; W. Schmithals, Korintherbriefe als Briefsammlung, 265 ff.; W. Marxsen, Einleitung, 88. 93; G. Sellin, „Geheimnis", 72; dagegen jedoch H. Merklein, 159 f.).

[56] Vgl. aber G. Bornkamm, Vorgeschichte, 189 A 131, der als erster auf die Beziehung von 5, 9 ff. auf 6, 1–11 hinwies, und W. Schenk, Briefsammlung, 230.

Alle sechs Glieder von 5,11 sind in 6,9b–10 (neben vier zusätzlichen) enthalten. Es wäre sehr unwahrscheinlich, daß Paulus in 6,9b–10 auf 5,11 zurückgegriffen und zugleich weitere vier Elemente, die keinen aktuellen Bezug haben, ergänzt haben sollte. Das Umgekehrte ist wahrscheinlich. Paulus zitiert in 5,11 aus dem Gedächtnis aus der Reihe 6,9 f. Wichtiger noch ist etwas anderes: Die in 5,11 aufgezählten Glieder haben zum größten Teil aktuellen Bezug, sind also nicht bloß traditionelle Elemente eines Lasterkatalogs: Das gilt in erster Linie vom πόρνος, aber dann auch vom εἰδωλολάτρης (erinnert an 10,14: εἰδωλολατρία). Diese beiden Glieder stehen aber in 6,9b voran. Der μέθυσος erinnert an 11,21 (μεθύειν). Hinzu kommt, daß συνεσθίειν in 5,11 überhaupt 11,17 ff. anklingen läßt[57]. Vor allem aber hat das κρίνειν 5,12 f. in 6,1–11 selber eine Entsprechung. Ich vermute deshalb, daß der Vorbrief mit 6,1–11 endete: 6,9–11 ist eine ausgezeichnete Überleitung zu einem Briefschluß, in die ein traditioneller Lasterkatalog eingebaut ist. Vor allem πόρνοι und εἰδωλολάτραι enthielten dabei die aktuellen Bezüge. Auf diese Summa des Vorbriefes spielt Paulus im Antwortbrief in 5,9–12 wieder an, wobei er noch deutlicher die aktuellen Bezüge unterstreicht. 5,9 hebt dabei das Thema πόρνος wieder hervor. Worauf speziell bezieht sich das? Es gibt nur eine Stelle, die genau paßt: das ist der vorangehende Abschnitt 5,1–8[58]. 5,9–11 bildet keinen logischen Anschluß an V.1–8. Vielmehr ist V.9–11 eine spätere Bezugnahme (ἔγραψα) auf V.1–8.

Wenn diese Vermutung zutreffen sollte, dann hätten wir damit zugleich ein System für das Anordnungsverfahren des Redaktors entdeckt: Er hätte im Interesse einer thematischen Anordnung die miteinander korrespondierenden Abschnitte beider Briefe zusammengestellt, genauer gesagt: die Teile des Vorbriefes so in den Antwortbrief eingefügt, daß sie nun jeweils mit den sich auf sie beziehenden Antworten zusammenstehen[59]. Was uns als Zwischenglieder fehlt, sind die Rück-

---

[57] κλέπται, πλεονέκται und ἅρπαγες in 6,10 haben aktuellen Bezug in ἀποστερεῖτε in 6,8. Im Anschluß an *W. Schrage*, Einzelgebote, 43 f., ist freilich auch der usuelle Bezug der einzelnen Glieder der Kataloge in Rechnung zu stellen, doch schließt das einzelne aktuelle Bezüge nicht grundsätzlich aus (vgl. *A. Vögtle*, Tugend- und Lasterkataloge, 28 ff.; *S. Wibbing*, 86 ff.).

[58] So als einziger *A. Suhl*, 206 ff. (vgl. aber *H. Merklein*, 181 f.). Im weiteren Sinne kommt auch 6,12–20 in Frage.

[59] Diese Anordnung muß demnach in der korinthischen Gemeinde in sehr früher Zeit geschehen sein, als man die historische Beziehung von Vorbriefpartien, diesbezüglicher Rückfragen und dazugehöriger Antwortpartien noch halbwegs in Erinnerung hatte, stellt aber schon den Anfang einer Situationsablösung und Umprägung zur thematisierten „Lehre" des Apostels dar. Die frühe Entstehung macht es verständlich, daß es keine Textzeugen für eine vorredaktionelle Fassung der Einzelbriefe mehr gibt.

fragen der Korinther. Man kann sie aber erschließen. Sie bezogen sich auf die jeweils daneben stehenden Vorbrief-Partien.

Ich vermute, daß der Vorbrief aus folgenden Partien (in folgender Reihenfolge) bestand: 11,2–34; 5,1–8; 6,12–20; 9,24–10,22; 6,1–11[60]. Dieser Brief hatte in Korinth Rückfragen ausgelöst, die sich aus seiner Thematik ergaben: Es geht ja (abgesehen von 11,2–34) um Probleme des christlichen Lebens in heidnischer Umwelt. Wenn Paulus dabei die Eigenständigkeit der christlichen Gemeinde betont (6,1–11: Meidung heidnischer Gerichtsbarkeit; 6,12–20: Meidung heidnischen Dirnenverkehrs; 9,24–10,22: Meidung der Teilnahme am heidnischen Kult), so war das leicht Mißverständnissen ausgesetzt: Erfordert das nicht völlige Separation von der Welt? In Bezug auf 5,1–8 stellt Paulus in 5,9ff. klar: Ihr sollt keine πόρνοι *in eurer Gemeinde* dulden. 7,1 klingt eine Frage an, die die paulinische Warnung vor πορνεία (6,12–20) offenbar auf die Frage des Geschlechtsverkehrs überhaupt ausweitete[61]. 8,1ff. schließlich setzt eine Frage voraus, die die ursprüngliche Warnung vor Teilnahme am Götzenkult (9,24–10,22) wieder generalisierte: Wie steht es mit dem Essen von Götzenopfer*fleisch*? Diese Frage behandelt Paulus im Antwortbrief in 8,1–9,23; 10,23–11,1, indem er als Kriterium die Rücksicht auf den Bruder nennt (an sich wäre sonst das Essen von kultisch geschlachtetem Fleisch erlaubt)[62]. Die genannten Fragen der Korinther waren also erweiternde „Überhaupt"-Fragen. Daß der Redaktor 6,1–11 an 5,9–13 anschloß, ist naheliegend: 6,1–11 ist offenbar der zentrale Abschnitt aus dem „Vorbrief", der das Mißverständnis, das Paulus in 5,9 korrigieren will, hervorrief[63]. 5,11 läßt dabei noch einmal alle Themen des Vorbriefes anklingen unter Rückgriff auf dessen Abschluß 6,9–11.

---

[60] Das wie eine captatio benevolentiae wirkende ἐπαινῶ in 11,2 paßt gut in die Nähe eines Briefanfangs. Das steigernde und verallgemeinernde ὅλως ἀκούεται von 5,1 führt das πρῶτον... ἀκούω von 11,18 fort. φεύγετε ἀπὸ τῆς εἰδωλολατρίας (10,14) innerhalb von 9,24–10,22 schließt an φεύγετε τὴν πορνείαν (6,18a) an. Thematisch geht es in beiden Teilen um das σῶμα. Stichwortartig kehrt σῶμα aus 6,20 in 9,27 wieder. – Vor allem 6,12–20; 9,24–10,22 und 11,2–34 sind bereits häufig zum Vorbrief gerechnet worden: so von J.Weiß, E.Dinkler, W.Schmithals und H.-M.Schenke/K.M.Fischer; *H.-J.Klauck*, 250. 272. 283.

[61] So *H.Conzelmann*, 1 Kor, 139; vgl. *W.Schmithals*, Gnosis, 222.

[62] Der Versuch von *G.D.Fee*, Biblica 61, 1980, 172–197, schon Kap.8 auf den Tempelmahl-Kult zu beziehen und dadurch eine Briefteilung auszuschließen, hat in Kap.8 zwar V.10 für sich (vgl. *H.Merklein*, 163–169), scheitert jedoch an V.7–9 und 13. Vgl. dazu *H.-J.Klauck*, 248. 272. 283. Entscheidend ist, daß das in 8,10 erwähnte „Liegen im Tempel" mit ganz anderer Begründung zurückgewiesen wird als die Teilnahme am Tisch der Dämonen in 10,14ff.

[63] Dabei „entlarvt" die redaktionelle Zusammenstellung ganz nebenbei, daß die Korinther Paulus gar nicht so sehr mißverstanden haben, wie er in 5,9 glauben machen will: 6,2 hatte er tatsächlich geschrieben: „Oder wißt ihr nicht, daß die Heiligen die Welt rich-

b) 1 Kor 6, 12–20 und die Thematik des Vorbriefes

5, 1–8 richtet sich nicht einfach gegen Unzucht. Erkennbar ist, daß der „Unzuchtsünder" eine Ausnahme darstellt[64]. Wogegen Paulus sich wendet, ist der Mangel an ekklesiologischem Bewußtsein der Gemeinde. Daß sie so etwas *duldet*, ist ihr Mangel. Sie hat keine eigene Struktur. Der Wandel ihrer Glieder ist ihr gleichgültig. Damit zusammen hängt ein Heils-Individualismus, wie aus 11, 17 ff. (Mißstände beim Herrenmahl) hervorgeht[65]: Jeder nimmt sein eigenes Mahl. Das Gemeinschaftsleben ist nicht vom Heil strukturiert, das Heil findet keinen Ausdruck im Sozialen: Hier gelten vielmehr die alten heidnischen Beziehungen des Individuums. Das Heil gewinnt keine Gestalt im Alltag, in der Gemeinschaft, im ethischen Wandel.

Zwei Abschnitte, die zahlreiche Bezüge untereinander aufweisen, machen das besonders deutlich: 10, 14–22 und 6, 12–20. Der eine warnt vor Teilnahme am Götzenkult (φεύγετε ἀπὸ τῆς εἰδωλολατρίας: 10, 14), der andere vor Hurerei (φεύγετε τὴν πορνείαν: 6, 18). Von den Dämonen wird das gleiche gesagt wie von der Unzucht: Beide nehmen den Menschen gefangen. Wer den Götzen – wenn auch nur in der Meinung, dies uneigentlich und gefeit zu tun – dient, für den werden sie lebendig. Die Tischgemeinschaft von 10, 14 ff. entspricht genau der fleischlichen Gemeinschaft mit der Hure. An beiden Stellen bringt Paulus den σῶμα-Begriff ins Spiel, den er beidemale *christologisch* ableitet: durch den Leib-Christi-Gedanken. Beidemale schließt die Christus-κοινωνία eine andere leibliche Gemeinschaft aus.

Wie erklären sich nun die Mißstände in Korinth? Was ist die Ursache für das merkwürdige Verständnis von christlichem Heil, bei dem Leib, Gemeinschaft, Ethik ausgeklammert sind? Aus 6, 12 geht hervor, daß man aus einem Freiheitsprinzip, das Paulus generell anerkennt (πάντα μοι ἔξεστιν[66]), Folgerungen ableitete, bei denen Paulus differenziert. Wohl gilt auch für Paulus: τὰ βρώματα τῇ κοιλίᾳ καὶ ἡ κοιλία τοῖς βρώμασιν, denn beide sind vergänglich. Nicht aber gilt: τὸ ... σῶμα ...

---

ten werden? Wenn nun durch euch die Welt gerichtet werden soll ..." Dagegen 5,12 f: „Was soll ich die draußen richten? Sollt ihr nicht die drinnen richten? Die draußen wird Gott richten." Auch hier ist es kaum möglich, daß 6,1–11 mit 5,9–13 im selben Brief gestanden haben kann.

[64] Gegen *W. Schmithals*, Gnosis, 224, der diese Stelle für seine These vom prinzipiellen gnostischen Libertinismus der Korinther in Anspruch nimmt.

[65] Vgl. *H. Schlier*, Hauptanliegen, 155; *D. J. Doughty*, 79 f. Daß die Korinther sakramentalistische Pneumatiker sind und ihr Freiheitsbewußtsein sich daraus ergibt, hat *H. v. Soden*, 259 ff., gezeigt.

[66] Paulus zitiert die Parole später noch einmal im Antwortbrief (10,23), in der Einschränkung nun auf 8,1 zurückgreifend: Die οἰκοδομή steht über der Freiheit. Dem entspricht strukturell im gleichen Brief Kap. 13: Die ἀγάπη (vgl. 8,1) steht über der Geistesbegabung. Vgl. o. S.25 A 38.

τῇ πορνείᾳ, sondern das Soma gehört dem Kyrios und der Kyrios dem Soma. Das ist die paulinische Pointe, die in den folgenden Versen 14–20 begründet wird. Was Paulus will, ist deutlich: Der „Wandel" des Christen ist vom Kyrios bestimmt. Der Abschnitt gipfelt in der Aussage: „Verherrlicht Gott an eurem Leibe!" (V. 20b). Das heißt: Der Gottesdienst hat mit dem Leib zu geschehen. Der Anlaß für diese Ausführung ist offenbar eine falsche Konsequenz, die aus dem Freiheitsprinzip gezogen wurde. V. 13a zeigt, daß man sich damit zunächst über jede Art von Speisevorschriften hinwegsetzte, was Paulus billigt[67]. Im folgenden differenziert er aber zwischen κοιλία und σῶμα. Das σῶμα erhält von ihm eine Würde zugesprochen, die es von der vergänglichen κοιλία abhebt. Die ganze Argumentation des Paulus setzt voraus, daß man in Korinth ein solches Verständnis von σῶμα nicht teilte. Offenbar konnte man nicht zwischen σῶμα und κοιλία differenzieren. Aus V. 14–20 geht indirekt hervor, woran das lag. V. 13c enthält die paulinische These: σῶμα und κύριος gehören zusammen (daraus läßt sich schließen, daß man in Korinth nicht von einer solchen Relation ausging; die Heilssphäre bezog sich nicht auf das σῶμα).

V. 14 (1. Argument): Es besteht eine Analogie zwischen κύριος und σῶμα. Wie Gott den κύριος auferweckt hat, so wird er auch „uns" (als σώματα) auferwecken. Paulus sagt damit gleich zweierlei: 1. Das σῶμα ist der Ewigkeit würdig. 2. Das aber gilt aufgrund seiner christologischen Qualität (Analogie). Hier hat Paulus erstmals die in 1 Thess 4, 14 nur angedeutete Möglichkeit ausgeführt: Das christologische Kerygma wird zum Strukturmerkmal des Christseins. Die Soteriologie wird durch die Christologie geprägt. Damit hängt die Entstehung des grundlegenden paulinischen σῶμα-Begriffs zusammen, der erstmalig an dieser Stelle begegnet: σῶμα ist nicht etwas am Menschen, das der Mensch hat, sondern der Mensch ist als Person σῶμα. Leiblichkeit wird so zu einer anthropologischen Wesenskategorie[68]. Deutlich wird das an dieser Stelle daran, daß hier das Personalpronomen ἡμεῖς für σῶμα steht[69]. Wieder gewinnt man aus einer einfachen Umkehrung die Sicht

[67] Im Antwortbrief differenziert Paulus auch in diesem Punkt: Weil die Welt entdämonisiert ist, sind wir in Bezug auf die Speise frei (8, 4). Das Wissen von dieser entdämonisierten Welt ist die dort angesprochene γνῶσις (8, 1). Diese γνῶσις wird aber durch die ἀγάπη begrenzt, die nach Paulus die höchste Verwirklichung der Freiheit ist (vgl. 1 Kor 13). Zum hellenistisch-jüdischen Hintergrund von 1 Kor 8, 1–6: R. A. Horsley, Gnosis.

[68] E. Käsemann, Leib, 119; R. Bultmann, Theologie, 195.

[69] Das Kerygma besagt, daß Gott „uns" mit dem Kyrios „zusammenfaßt", so daß der Leib-Begriff gerade die Verbindung zum Ausdruck bringt. Von diesem Aspekt her muß man der von E. Güttgemanns, 230 f. (vgl. 236 f.), vertretenen Auffassung widersprechen, daß es Paulus gegenüber den Korinthern auf die Differenz zwischen Erlöser und Erlösten ankomme. Ein gnostischer Salvator-Salvandus-Mythos, gegen den Paulus sich wendete, ist nirgends erkennbar. Daß „auch im Eschaton mit dem σῶμα zu rechnen ist" (229),

der Korinther: Menschliches Ich und σῶμα sind Gegensätze. Das σῶμα ist nur ein Attribut des Menschen.

V. 15 (*2. Argument*): Die Christen sind über ihre σώματα (schon jetzt) mit dem Herrn verbunden (V. 15). Das schließt Unzucht mit dem Leibe aus (V. 16). Entscheidend ist dabei, daß σῶμα für Paulus das Bindungselement ist, das den Menschen unausweichlich zum Glied einer Gemeinschaft macht. Der Mensch ist immer Mächten ausgeliefert. Von dieser seiner Welteinbettung kann er sich nicht distanzieren. – Wieder kann man eine Gegenposition daraus erschließen: Der Mensch kann sich von seiner Welt distanzieren. Dann wird die Freiheitsparole verständlich: πάντα μοι ἔξεστιν – weil ich (als „er-*löst*") der Welt entnommen und ihr über-legen bin.

V. 17 und 19 (*3. Argument*): Überraschend spricht Paulus an dieser Stelle von einer *pneumatischen* Christusverbindung. Das wird nur verständlich, wenn wir hier von einer Antithese von πνεῦμα und σῶμα in Korinth ausgehen. Klar wird das in V. 19, wo Paulus die positive Relation von πνεῦμα und σῶμα plausibel macht: Das σῶμα ist *Tempel* des transzendenten Pneuma, das von außen her zum Menschen kommt. Damit wird dem Leib Würde zugesprochen. – Wieder kann man die Gegenposition erschließen: Das σῶμα behindert das πνεῦμα. Wer das Pneuma hat, distanziert sich vom σῶμα.

V. 18 (*4. Argument*): Dieser Vers wirkt auf den ersten Blick deplaciert, weil er den Zusammenhang von V. 17 und 19 unterbricht. Er holt den Zwischengedanken nach, daß bei der πορνεία der ganze Mensch als Person selbst im Spiel ist. Gemeint ist, daß bei der Unzucht der Täter zugleich sein Opfer ist, insofern er sich selbst zum Objekt seiner Sünde macht[70]. Das Argument ist nur dann wirksam, wenn man es gegen eine Haltung gerichtet versteht, nach der der Mensch sein Selbst von seiner irdisch-leiblichen Lebensweise distanziert. Paulus sagt dagegen: Du triffst dich selbst.

V. 19 Ende und V. 20a (*5. Argument*) bringen ein weiteres Motiv ins Spiel: Ihr gehört gar nicht euch selbst, sondern seid Christi Eigentum. Das setzt voraus, daß man nicht zwei „Gemeinschaften" angehören kann[71]. Als σῶμα ist der Mensch prinzipiell Sklave – fragt sich nur, wer

---

daß „das σῶμα ... eine auch im Eschaton bleibende ontologische Struktur des Menschseins" sei (230), kann schon deshalb nicht die Pointe sein, weil V. 14 nicht Ziel sondern Mittel der Argumentation ist. Das σῶμα ist nun aber gerade Medium der Christus*gemeinschaft* (V. 15), so daß man das ganze Problem von Identität (Gnostiker) und Differenz (Paulus) als eingetragen betrachten muß.

[70] So zu recht *J. Weiß*, 165, unter Hinweis auf stoische Anschauung. Paulus erhebt also nicht den Vorwurf, daß der Unzuchtsünder die Hure zum Objekt degradiere (ein moderner Gedanke).

[71] Vgl. 10, 14 ff.

sein Herr ist. Der Abschnitt gipfelt in der Aufforderung zum *leiblichen* Gottesdienst (δοξάζειν → Tempel). Mißachtung der leiblichen Dimension des Menschen macht den „Wandel" als Ausdruck des Glaubens unmöglich.

Paulus bekämpft in 6, 12 ff. die „Leiblosigkeit" der Gemeinde – sowohl in individual-ethischer wie in ekklesiologischer Hinsicht. Die Abwertung des σῶμα hat zur Konsequenz, daß man übersieht, wie der Mensch in Beziehungen lebt, die nicht zulassen, daß er sich seiner Welt enthebt.

Wenn wir nun zusammenfassend danach fragen, was Anlaß und Gegenüber dieser Argumentation sein könnte, stoßen wir auf eine besondere Auffassung vom Menschen und seiner Erlösung, die die kreatürliche, leibliche Dimension des Menschseins vom Heil ausklammert. Pneuma und Soma werden als sich ausschließende Gegensätze angesehen. Die Gemeinschaft des Menschen mit Christus ist eine rein pneumatische (V. 17). Das leiblich-irdische Leben ist demgegenüber irrelevant. Der erlöste Mensch ist über die βιωτικά erhaben. Darin besteht seine Freiheit. Demgegenüber muß Paulus betonen, daß der Mensch gerade *als* σῶμα existiert, das σῶμα also nicht vom Ich zu trennen ist. Das geschieht durch die fundamentale Aussage V. 14: „Wir" werden auferweckt aufgrund unserer Christusverbundenheit. Dann sind wir aber auch jetzt schon leibliche Glieder Christi (V. 15; s. o. S. 49 f. A 49).

An dieser Stelle wird die religionsgeschichtliche Fragestellung unvermeidlich. Der Text enthält vor allem zwei Elemente, die in der Forschung bis heute heftig umstritten sind, deren religionsgeschichtliche Zuordnung aber für das Verständnis nicht nur des 1 Kor, sondern der paulinischen Theologie überhaupt von großer Bedeutung sind. Das eine ist der korinthische Freiheitsbegriff (zumeist unter dem Stichwort „Libertinismus" behandelt), der sich im Schlagwort πάντα μοι ἔξεστιν ausspricht, das andere das Motiv vom Leibe Christi.

1. πάντα μοι ἔξεστιν ist korinthisches Schlagwort[72]. H. Conzelmann hat behauptet: „Es gibt nur stoisches und kynisches Vergleichsmaterial"[73]. Nun steht aber fest, daß der stoische Freiheitsbegriff, der hier terminologisch anklingt, keinesfalls das hinter 1 Kor 6, 12 ff. stehende korinthische Denken beherrscht haben kann[74]. Das zeigt allein schon die konkrete Zuspitzung in V. 13a, wo die Freiheit von Speiseregeln dualistisch begründet wird. Deshalb hat Schmithals hier sofort auf gnosti-

---

[72] ἐξουσία, ἔξεστιν, ἐλευθερία, ἐλεύθερος begegnen durchgehend in 1 Kor (Kap. 6; 8–10) in einer Weise, die sonst für Paulus unüblich ist (vgl. *R. A. Horsley*, 1 Corinthians 8–10, 579–581).

[73] *H. Conzelmann*, 1 Kor, 131. Zur stoischen Terminologie in 4, 8 s. o. S. 24 f. A 38.

[74] *H. Conzelmann*, 1 Kor, 132; *W. Schmithals*, Gnosis, 218.

schen Libertinismus geschlossen[75]. Dafür gibt es freilich gar keine Belege. Nun ist aber schon Conzelmanns Behauptung, es gebe nur stoisches Vergleichsmaterial, nicht ganz richtig. Die zahlreichen Belege aus den Werken Philos von Alexandrien hat er einfach unter die stoischen gerechnet[76], ohne zu beachten, daß bereits Philo die stoische Terminologie dualistisch eingebettet hat. Philos Weiser ist zwar auf den ersten Blick ganz stoisch geschildert: ἐξουσίαν σχήσει πάντα δρᾶν καὶ ζῆν, ὡς βούλεται. ᾧ δὲ ταῦτ᾽ ἔξεστιν, ἐλεύθερος ἂν εἴη (Prob 59)[77]. Aber dieser Freiheitsbegriff bezieht sich auf den Menschen, der sich von der Welt distanziert hat. Die Macht, die das bewirkt, ist bei Philo das jenseitige Pneuma[78]. Philos Weiser ist also der Pneumatiker. Daß wir mit Philos Schriften als Vergleichsmaterial nicht falsch liegen, verrät der Text noch an anderer Stelle. Es wurde oben schon vermutet, daß die Korinther zwischen κοιλία und σῶμα nicht differenzierten. Beide wären dann der Vergänglichkeit unterworfen. Soteriologisch relevant wäre nur das, was unvergänglich sein kann. Diesem Dualismus gegenüber, der letztlich ontologisch begründet ist (vergänglich – unvergänglich), muß Paulus die Würde des Soma hervorkehren. An einer Stelle tut er das in einem Bild: Der Leib ist Tempel des im Menschen einwohnenden Pneuma (V. 19). Nur Philo bietet Parallelen – aber nun mit genau entgegengesetzter Intention: Bis auf eine Ausnahme gebraucht er das Bild vom Leib als Haus negativ: als Gehäuse, Kerker, Sarg der Seele[79]. Positiv spricht er dagegen von der *Seele* des Frommen als „Haus" der διάνοια[80], des Logos und *Pneuma*[81], als „Haus" bzw. „*Tempel*" Gottes selbst[82]. Alle Belege setzen einen Dualismus voraus, wonach der Leib abgewertet wird. Die undualistische Ausnahme ist Op 137 – auch sie freilich charakteristisch von Paulus abweichend: Der

---

[75] *W. Schmithals*, Gnosis, 218; ebenso *E. Güttgemanns*, 226 f.

[76] In SVF ist Philo einer der Hauptzeugen für die stoische Freiheitsethik. Vgl. dazu *R. A. Horsley*, 1 Corinthians 8–10, 579–581.

[77] Vgl. z.B. auch Prob 13 f. 20–22. 29 f. 41–46. 57–62; Det 22–24. 146; All III 42–48; Fug 116–118; Praem 162 f. Auch für die paulinische Einschränkung in V. 12b bietet Philo die beste Parallele: „Mache dich in deiner Gesinnung fremd, lasse dich von keinem dieser Dinge zurückhalten, stehe über ihnen, sie seien dir untertan, nie aber laß sie deine Herren werden. Da du ein König bist, lerne herrschen, nicht, dich beherrschen zu lassen" (Migr 7 f.) Der Anfang des Zitats enthält den nicht-stoischen Gedanken von der *Fremdheit* des Weisen in der Welt.

[78] Hier mußte etwas vorgegriffen werden, damit die angeführten Belege verstanden werden können: s. u. S. 101 ff.

[79] Cher 115; Imm 150; Agr 25. 65; Migr 185. 187. 189. 195; Som I 56. 122. Der Körper ist „tot", „Leichnam": All III 74. Vgl. u. S. 130 ff.

[80] Som II 173.

[81] Imm 134; Sobr 64.

[82] Cher 98 ff.; Som I 149; II 250; Virt 188; Praem 123.

„Leib" ist „Wohnung und Tempel" der *Seele*[83]. – Das alles spricht für die Annahme, daß Paulus es in Korinth schon im Vorbrief mit einem Dualismus von σῶμα und πνεῦμα zu tun hat, der seine Wurzeln im hellenistischen Judentum (für uns zugänglich im Werk Philos von Alexandrien) hat. Danach ist die Seele allein fähig, das Pneuma zu empfangen. Ist damit auch das Schlagwort πάντα μοι ἔξεστιν abgeleitet, so doch noch keineswegs seine libertinistische Verwendung in Korinth. Aus 6,12–20 muß man ja schließen, daß unter korinthischen Christen Umgang mit Hetären praktiziert wurde. Eine solche Konsequenz hätte ein hellenistisch-jüdischer Pneumatiker wie Philo niemals zugelassen (s. u. S. 61 A 90). Hier (wie bei der Teilnahme an heidnischen Göttermahlen: 1 Kor 10, 14 ff.) ist die heidnische Vergangenheit der korinthischen Christen in Rechnung zu stellen. Die alte heidnische Praxis wurde durch eine hellenistisch-jüdische Pneumatheologie gerechtfertigt. Der ganze Vorbrief befaßt sich mit der „heidnischen" Struktur der Gemeinde, die nach Paulus durch den leibvergessenen Pneumatismus bedingt ist. Auf die Frage, wie die vorchristliche Vergangenheit der Korinther ausgesehen haben könnte (heidnisch oder synagogal) und wie das hellenistisch-jüdische Pneumatikertum nach Korinth gelangt sein könnte, wird noch gesondert einzugehen sein.

2. Das Motiv vom Leib Christi galt bis in neueste Zeit als Ausformung eines gnostischen Anthropos-Mythos. Diese These ist jedoch durch H.-M. Schenke erschüttert worden, der zeigen konnte, daß es einen entsprechenden gnostischen Urmensch-Mythos nicht vor dem Manichäismus gab. Zwar gab es eine alte mythische All-Gott-Vorstellung (der Kosmos als Gott), aber diese ist nirgends gnostisch (d. h.: der All-Gott ist – ganz undualistisch – Kosmos, nicht Pneuma)[84]. Die Rede

---

[83] Das Pneuma dagegen kann für Philo nie im Leib selbst Wohnung nehmen. Zum undualistischen Charakter von Op 135 ff. s. u. S. 98 ff.

[84] *H.-M. Schenke*, Gott „Mensch", passim (vgl. den Schluß S. 155 f.); *Berliner Arbeitskreis*, 19; *K. M. Fischer*, Tendenz, 48 ff.; vgl. *C. Colpe*, Religionsgeschichtliche Schule, 209 ff.; *A. Böhlig*, New Testament, 90 ff.; *E. Schweizer*, ThLZ 86, 1961, Sp. 162 f.; ders., Artikel σῶμα, 1088 Z. 3 ff.; *T. H. Tobin*, 102 ff. Dagegen versucht *P. Schwanz*, 27–31. 39–41, vergeblich, die alte These von *E. Käsemann*, Leib, 65 (vgl. *H. Schlier*, ThWNT III, 676 Z. 4 ff.), zu halten, daß die kosmische All-Gott-Vorstellung schon vor Paulus durch den gnostischen Urmensch-Erlöser-Mythos dualistisch-pneumatisch umgeformt worden wäre. Aber es gibt vor Mani keine Belege für einen solchen gnostischen σῶμα-Begriff: *E. Schweizer*, Artikel σῶμα, 1088 Z. 3 ff.; 1090, 29 ff. *P. Schwanz*, 32 mit A 255, beruft sich dagegen auf (über *H. Schlier* und *J. Jervell* [s. u. in dieser A] nicht hinausgehende) Belege, die zwar das κεφαλή-Motiv enthalten (das erst in den Deuteropaulinen mit dem paulinischen σῶμα-Begriff verbunden wurde und selber ebenfalls nicht gnostischen Ursprungs ist), nicht aber den σῶμα-Begriff (Belege bei *H. Schlier*, ThWNT III, 676 f.; ders., Christus und die Kirche im Epheserbrief, 1930, 45 ff.; der von *J. Jervell*, 169, noch angeführte Beleg aus dem Tractatus Tripartitus NHC I, 60, gehört nicht hierher). Zu diesen Belegen vgl. *E. Schweizer*, Artikel σῶμα, 1088 ff. Die einzige Stelle, die überhaupt in Frage kommen

vom himmlischen Anthropos wiederum hat andere Wurzeln[85]. Ich möchte nun zeigen, daß die Rede vom Leib Christi ein *paulinischer* Gegenentwurf ist gegen eine in Korinth alles beherrschende Vorstellung von der *pneumatischen* Christus-Einheit. Paulus führt von sich aus den σῶμα-Begriff nicht nur im individuellen Bereich (Ethik) ins Feld, sondern er dient ihm auch zur Konstituierung einer Ekklesiologie. Das geht nicht nur aus 1 Kor 6,12–20 hervor („Glieder" Christi), sondern auch aus 10,14 ff., wo Paulus das σῶμα-Motiv aus der Herrenmahltradition ableitet[86], womit er zweierlei zum Ausdruck bringt: einmal den Gedanken leiblicher Gemeinschaft, dann aber auch den Gedanken, daß diese Gemeinschaft auf dem in den *Tod* gegebenen Leib Christi basiert. Das stellt Paulus dem individualistisch-pneumatischen Sakramentalismus der Korinter entgegen, für die das Herrenmahl Einflößung des unsterblich machenden Pneuma in die Seele bedeutete. Christus ist für die Korinther Pneuma, und als solcher kommt er dem geistigen Ich des Menschen zu. – Deutlicher wird das in einem Abschnitt des Antwortbriefes, 1 Kor 12,12 ff. Hier bezieht Paulus den Leib-Begriff aus dem stoischen Organismus-Gedanken (ein Leib – viele Glieder). Nun hat E. Käsemann zwar recht, wenn er darauf hinweist, daß in 1 Kor 12 nicht der Organismus-Gedanke, sondern das Motiv von der Christus-Einheit und der in diese Einheit versetzenden Taufe (ἐν-Χριστῷ-Motiv: 12,12 f.) entscheidend ist[87]. Nur ist es falsch, auf dieser vorpaulinischen (und korinthischen) Ebene schon von „Leib", „Inkorporierung" usw. zu reden. Hier handelt es sich um eine rein pneumatische Einheit, um Christus-Mystik. Erst Paulus macht aus der pneumatischen Einheit eine somatische – und bringt damit durch Einführung des σῶμα-Begriffs die Ethik und Ekklesiologie zum Zuge. Es ist ja bezeichnend, daß er den σῶμα-Begriff in Kap. 10 und 12 jeweils aus anderen Zusammenhängen gewinnt: einmal aus der Abendmahlsparadosis (Kap. 10), zum anderen aus dem Organismus-Motiv. Ähnlich ist es 1 Kor 6,15. Hier klingt das Leib-Christi-Motiv erstmalig an, und man erkennt noch, wie Paulus es entwickelt: Er will zeigen, daß die Relation des Christen zum

---

könnte, ist ClemAlex ExcTheod 42,2 (dazu s. aber *E. Schweizer*, Artikel σῶμα, 1088 Z. 25 ff.). Aber auch hier liegt nicht der Mythos vom zerstückelten Leib des Urmenschen vor. Für die vormanichäische Gnosis ist σῶμα durchgehend (wie für die Korinther und den Dualismus des hellenistischen Judentums) negatives Gegenüber zu πνεῦμα. Und da, wo eine Urmensch-Spekulation begegnet, die ebenfalls dualistisch ist, ist der himmlische Anthropos πνεῦμα, niemals ein σῶμα. Und wo im Judentum eine undualistische Adam-Spekulation vorliegt, fehlt das Gnostische ganz (Adam ist dann nie ein Erlöser): s. u. S. 99 f. A 80. – In Summa: Paulus selbst bildet den Leib-Christi-Gedanken als Korrektiv gegen eine Pneuma-Christus-Mystik.

[85] Damit werden wir uns noch ausführlich zu beschäftigen haben: s. u. S. 101 ff.
[86] Dort hat es vor Paulus noch nicht die κοινωνία begründet.
[87] *E. Käsemann*, Leib, 170 f.

Kyrios die leibliche Existenz erfaßt. σῶμα ist ja die Kategorie jeglicher Kommunikation des Menschen überhaupt. Wenn nun der Mensch als σῶμα mit Christus in Verbindung steht, dann verhält er sich wie ein Teil-Leib zum Gesamt-Leib, wie ein Einzelglied zum Leib[88] (6,15). Für die Argumentation V. 14–20 ist es kein Zufall, daß dabei der Rekurs auf das Kerygma voransteht (ebenso in 1 Thess 4,14 und dann besonders auffällig in 1 Kor 15,1–11). Dies ist der Weg, auf dem Paulus dann (über 1 Kor 15,13 ff. 29 ff.) schließlich in Röm 6 zur Aussage von der Todes- und Lebens-Gemeinschaft der Christen mit Christus kommt.

Vorgegeben ist Paulus dabei schon das ἐν-Χριστῷ-Motiv, das vor ihm aber nichts mit einem σῶμα zu tun hat. Es ist vielmehr Ausdruck eines reinen Pneumatismus: Christus als Pneuma ist die Kraft, die die Seele des Menschen aus dem Irdisch-Vergänglichen befreit und selber pneumatisch macht. Wer so zum Pneumatiker geworden ist, der ist frei. Was sein Leib tut, ist für sein Heil ohne Bedeutung. So kommt es, daß man in Korinth in den alten heidnischen Bindungen weiterleben kann: Teilnahme am Kult (10,14 ff.)[89]; heidnische Gerichtsbarkeit (6,1–11); Gleichgültigkeit gegenüber dem sündigen Bruder (5,1–8); Dirnenverkehr (6,12–20)[90]; Heilsindividualismus, der sich im ungeordneten Her-

---

[88] Vielleicht steht dabei im Hintergrund eine popularphilosophische Variante des All-Gott-Motivs: die Relation von Mensch und Kosmos als Mikro-Kosmos und Makro-Anthropos, die wiederum in der Stoa eine wesentliche Rolle spielte (wo es gerade auf die Entsprechung von Mensch und Natur ankommt). Das ist wiederum ein monistisches Motiv, das der gnostischen Distanzierung von Mensch und Kosmos nicht entspricht. Ja, durchgehend erkennbar ist bei Paulus eine Tendenz zur monistischen Sicht von Mensch und Kosmos (mit gewissen Annäherungen an stoische Gedanken) im Gegenüber zu einer dualistischen Separation auf Seiten der Korinther. Vgl. *H.-H. Schade*, 192 (zu 1 Kor 15,35 ff.).

[89] Dazu gehört auch 9,24–10,13. Aus diesem Text geht hervor, daß man sich in Korinth in pneumatischer Heilssicherheit geborgen weiß in einem magisch-mysterienhaften Sakramentsverständnis, das zur Teilnahme am Götzenkult befähigt (*H.-J. Klauck*, 257).

[90] Diese Praxis selber leitet sich natürlich nicht vom hellenistischen Judentum her: Zwar kann Philo sagen: „Und wenn du zu ungemischtem Wein und reich besetzten Tischen gehst, so gehe getrost …" (Fug 31). Doch wäre es nicht in Philos Sinne, wenn der weltüberlegene Weise sich der Hurerei tatsächlich hingäbe. Von einem „Libertinismus" in Korinth zu reden, ist freilich ebenfalls mißverständlich. Von *programmatischer* Unzucht, wie sie später die Kirchenväter einigen gnostischen Sekten vorwerfen, kann keine Rede sein. Die gnostischen Originalschriften von Nag-Hammadi zeigen übrigens, daß im Gnostizismus nicht Libertinismus, sonder Askese vorherrschte; vgl. *Berliner Arbeitskreis*, 16: „Bei welchem System man auch ansetzt, ist die ethische Konsequenz doch niemals ein Libertinismus, sondern die Askese." Vgl. auch *K. Rudolph*, Gnosis, 263. Daß Unzucht in Korinth praktiziert wird, ist freilich nicht zu bezweifeln (gegen *F. Wisse*, 115 ff.). Diese hat ihre Wurzeln in heidnischer Vergangenheit, wird aber gerechtfertigt durch den Leib-Pneuma-Dualismus hellenistisch-jüdischer Herkunft. Diese *Rechtfertigung* der Unzucht kritisiert Paulus in erster Linie (5,2. 6a). – Der ketzerpolemische Vorwurf des Libertinismus findet sich auch schon im Neuen Testament, nämlich im Judas-Brief (V.4 ff.). Ein zuverlässiges Bild von den Gegnern im Jud ist schwer zu gewinnen. Ob man aus V.5–8

renmahl ausdrückt (11, 17 ff.); Mißachtung einer Tradition wie die Kopftracht der Frauen (11, 2 ff.)[91]. Man tut dies ja alles nur mit dem heils-irrelevanten „Körper". Wie (später) Kap. 12–14 zeigen, kam alles auf den *pneumatischen* Gottesdienst an. Schon 6, 20 verlangt Paulus dagegen den *leiblichen* Gottesdienst. Die Leiblichkeit ist für ihn Kennzeichen der Geschöpflichkeit des Menschen. Wird nun der Mensch Christus zugeordnet, wird er zu einem neuen Geschöpf, dem es ermöglicht ist, einen Gottesdienst zu vollbringen, wie ihn das Geschöpf seinem Schöpfer schuldig ist.

---

erschließen kann, daß „homosexuelle Ausschweifungen" (*Ph. Vielhauer*, Geschichte, 591) oder überhaupt sexueller Libertinismus (*W. Schrage*, Judas, 232) zur programmatischen Praxis dieser Leute gehörten, erscheint mir fraglich: An den Abfall in der Wüste (vgl. 1 Kor 10, 1 ff.), die Engel von Gen 6, 1–4 und die Sodomiter (Gen 19) wird erinnert. Dem zweiten und dritten Beispiel ist gemeinsam der Verkehr zwischen *Engeln* und *Menschen*. Das heißt aber, daß der in V. 8 erhobene Vorwurf sich gar nicht auf in Rausch oder Ekstase vollzogene Sexualpraktiken bezieht, sondern auf eine ekstatisch-visionäre Vereinigung mit Engeln – ein Phänomen, das in ähnlicher Form schon der Glossolalie von 1 Kor 14 zugrunde liegt (Menschen werden pneumatisch den Engeln gleich und sprechen deren je nach Engelklassen unterschiedliche Sprachen – s. u. S. 66 f. A 104). Von diesem erhöhten Zustand aus „besudeln" sie σάρκα (man beachte den indeterminierten Akk.-Sing.), das ist der Stoff der Lebewesen der materiellen Schöpfung (vgl. 1 Kor 15, 39), verachten sie κυριότητα (oder mit ℵ u. a. κυριότητας – vgl. Eph 1, 21 zum Singular, Kol 1, 16 zum Plural), das ist eine Engelklasse (die sie überstiegen haben), lästern sie δόξας (ebenfalls Wesen einer Engelklasse). Das heißt: Im Zustand der pneumatischen Ekstase verachten und verspotten sie die Wesen der niederen, von ihnen überstiegenen Sphären. Es handelt sich also um ähnliche Pneuma-Ekstatiker wie die Korinther. Dazu paßt dann auch V. 19: Wahrscheinlich sogar unter Rückgriff auf 1 Kor 2, 14 wendet der Verfasser des Jud den Anspruch der Gegner, Pneumatiker zu sein, gegen sie: Sie sind im Gegenteil ψυχικοί, πνεῦμα μὴ ἔχοντες. – Ein Beispiel für eine solche Verachtung von Engelhierarchien durch einen Pneumatiker enthält das u. S. 166 A 220 ausführlicher behandelte „Gebet Josephs" (Text bei *E. Schürer*, Geschichte, III 360): Jakob, der den Herrn selbst sah, versteht sich als πνεῦμα ἀρχικόν und πρωτόγονος παντὸς ζῴου ζῳουμένου ὑπὸ θεοῦ. Er trifft auf den Engel Uriel, der auf die Erde kam und bei den Menschen wohnte (κατέβην ἐπὶ τὴν γῆν καὶ κατεσκήνωσα ἐν ἀνθρώποις – eine andere Deutung dieser Aussage aber bei *J. Z. Smith*, 257. 273 ff.). Beide streiten um den Rang, wobei Jakob den Uriel deklassiert: „Und ich sagte ihm seinen Namen, und der wievielte (πόσος) er unter den Söhnen Gottes (ἐν υἱοῖς θεοῦ) sei: ‚Bist du nicht Uriel, der Achte nach mir, und bin ich nicht Israel, der Oberengel der Macht des Herrn und Anführer unter den Söhnen Gottes? Bin ich nicht Israel, der erste Diener im Angesicht des Herrn…?" Jakob = Israel ist bei Philo Typ des Pneumatikers, der Gott geschaut hat (s. u. S. 166). – Als ein weiteres Beispiel für antilibertinistische Polemik im Neuen Testament werden die gegen die Nikolaiten und ähnliche Gruppen gerichteten Passagen in Apk 2, 6. 14 f. 20 angesehen. Erwähnt werden dort das Essen von Opferfleisch und Hurerei. Beide Praktiken beziehen sich auf die beiden Hauptforderungen des Aposteldekretes (Apg 15, 28–30), d. h. auf die im späteren Heidenchristentum gültigen Relikte des jüdischen Gesetzes. Insofern die Gegner dieses ablehnen, stehen sie in einer gewissen Tradition radikaler Pauliner (vgl. *U. B. Müller*, 21 ff.). Keineswegs heißt das aber, daß sie programmatisch Unzucht betrieben haben und diese gar gnostisch begründeten.

[91] Dabei spielen wahrscheinlich Aufklärung und Emanzipation von der Dämonenfurcht eine Rolle: vgl. 1 Kor 8, 4.

Für einen pneumatischen Dualismus, wie wir ihn aus 1 Kor 6, 12 ff. erschließen können, muß vor allem *ein* Argument des Paulus zum Ärgernis werden: die Argumentation mit der Auferweckung der Christen als σῶμα, 1 Kor 6, 14. Den Widerspruch auf genau diese Aussage haben wir im Zitat 1 Kor 15, 12b vor uns. Dann ist aber ganz klar, daß die Ablehnung der Totenauferstehung im Dualismus der Korinther begründet ist, die mit dem σῶμα-Begriff positiv nichts anfangen können. Zugleich ist nun geklärt, daß Paulus die dualistischen Hintergründe der Auferstehungsleugnung genau kennt: Er hat sich mit ihnen ja schon im Vorbrief auseinandergesetzt.

3. Zur Frage der Vermittlung hellenistisch-jüdischer Pneumatheologie nach Korinth

a) Der Grund der Verschiebung von 1 Thess zu 1 Kor 15

Ausgehend von 1 Thess 4, 13–18 konnten wir eine Entwicklung theologischer Aussagen in zwei Punkten erkennen – einmal von 1 Thess 4, 16 f. zu 1 Kor 15, 51 f.: von der Auferweckungsvorstellung als Hilfskonstruktion zur Auferweckungsvorstellung als soteriologischem Grundmodell (greifbar im neu auftauchenden Motiv der „Verwandlung"); zweitens dann von 1 Thess 4, 14 zu 1 Kor 6, 14: von einer erstmalig angedeuteten Verwendung der kerygmatischen christologischen Formel für eine soteriologische Aussage[92] zu einer konsequent durchgeführten Analogisierung von Auferweckung Christi und erwarteter Auferweckung der

---

[92] Auf jeden Fall ist die Analogiebildung in 1 Thess 4, 14 für die Thessalonicher etwas Neues (sofern es gilt, daß ihnen die Vorstellung der Auferweckung der toten Christen bis dahin unbekannt war). Die Frage, ob Paulus selbst eine solche aus dem Kerygma durch Analogisierung abgeleitete soteriologische Formel (wie Christus auferstand – so werden die Christen auferstehen) schon vorher geläufig war, läßt sich nicht sicher beantworten. Angesichts der Tatsache, daß er sie bei seinem Gründungsaufenthalt in Thessalonich offensichtlich noch nicht gebrauchte, möchte ich die Frage verneinen. Erstmalig in 1 Thess 4, 14 beginnt er, die Analogie-Aussage zu entwickeln. Die Entwicklung geht dann weiter über 1 Kor 6, 14; 1 Kor 15; 2 Kor 4, 14; 2 Kor 1, 9 f. zu Röm 6. Die These, daß dahinter eine mysterientheologisch geprägte und mit der Taufe zusammenhängende vorpaulinisch-heidenchristliche Christologie stehe (Schicksalseinheit des Mysten mit dem sterbenden und auferstehenden Gott), halte ich für ausgeschlossen. Abgesehen von Röm 6 (dazu s. o. S. 27 A 46) läßt keine jener Analogieformeln auch nur die Spur einer präsentischen oder perfektischen Auferstehungsvorstellung erkennen. Vielmehr geht es immer um eine Beziehung von vergangener Auferweckung Christi und *futurischem* Heil der Christen, gerade auch in 1 Thess 4, 14 (gegen *K. Wengst*, 44–46). Zu Röm 6, 4 und zur Frage, ob hinter 1 Kor 15 überhaupt eine solche perfektische Auferstehungsvorstellung („wir sind bereits auferstanden") stehe: s. o. A II 3; zum ganzen Problem (Röm 6; Kol 2; 2 Tim 2, 18): *G. Sellin*, „Die Auferstehung ist schon geschehen".

Christen. Beides hängt nun aber zusammen. In dem Maße, wie Auferweckung als Verwandlung zum soteriologischen Grundmodell wird,
läßt sich auch die Analogie von christologischer und soteriologischer
Aussage voll ausbilden. Das geschieht freilich nicht erst in 1 Kor 15 (wo
diese Analogie vor allem im Zusammenhang mit dem Adam-Christus-
Schema den Gedankengang von V. 1–34 beherrscht[93]), sondern schon
in 1 Kor 6,14. Hier (im Vorbrief) ist es der den Leib für ein Adiaphoron
haltende Pneumatismus der Korinther, der Paulus veranlaßt, die Auferweckung der Christen als Argument für die Würde des σῶμα ins Feld
zu führen (wobei wie selbstverständlich impliziert ist, daß Auferwekkung sich auf den Leib bezieht). *Tatsächlich ist es der paulinische σῶμα-
Begriff* (den Paulus im Gegenzug gegen ein anthropologisch-dualisti-
sches Pneumatikertum im Vorbrief hier und in Kap. 10 erstmals entwik-
kelt), *der die vollständige Analogieformel von Auferweckung Christi und
Auferweckung der Christen ermöglicht.* Dabei hat (in 1 Kor 6,14 nur implizit, in 1 Kor 15 dann explizit) im Gegensatz zu 1 Thess 4 der Tod nun
eine für die Anthropologie fundamentale Bedeutung bekommen. Das
kann nicht allein ein Problem weiterer Todesfälle sein (als hätten in
den zwei bis vier Jahren zwischen der Abfassung des 1 Thess und der
Abfassung des Vorbriefes[94] Todesfälle signifikant zugenommen), denn
Paulus selbst bezieht sich 1 Kor 6,14 implizit, 1 Kor 15,51 f. dann explizit[95] in den Kreis der zuvor Sterbenden mit ein. Wegen 1 Kor 15,51 f.
nicht zu bezweifeln dagegen ist die notwendige Annahme, daß der erwartete Zeitpunkt der Parusie für Paulus hinausgezögert sein muß,
denn mit einer Naherwartung, wie sie in 1 Thess 4 vorliegt, wäre das
Modell von der Auferstehung als Normalfall nicht vereinbar. Indes ist
es die Frage, ob ein derartiges neues Zeitbewußtsein des Apostels die
Ursache für die Modellverschiebung sein kann, oder ob es nicht umgekehrt eine Konsequenz des neuen anthropologischen und soteriologischen Modells ist, in dem das menschliche Sein zum Tode fundamentale Bedeutung erhält.

Daß dieses neue soteriologische Modell aber mit den anthropologisch-soteriologischen Problemen der Korinther zusammenhängt,

---

[93] S. u. Teil C. *H.-H. Schade*, 209, weist zu Recht darauf im Zusammenhang mit 1 Kor
15,51 f. hin: „Durch den Einsatz der Adam-Christus-Typologie ist nun in 1 K 15 eine
volle Parallelisierung der Auferweckung Christi und der Gläubigen erreicht." Was er dabei jedoch übersieht, ist die Tatsache, daß die Parallelisierung schon in 1 Kor 6,14 erreicht
ist, und zwar *ohne* die Adam-Christus-Typologie (gleichgültig, ob man nun 6,14 einem
früheren Brief zuweist oder nicht; zur Frage, ob der Vers eine nachpaulinische Glosse ist,
s. o. S. 49 f. A 49).
[94] Nach *G. Lüdemanns* Chronologie (vgl. 271) wäre der zeitliche Abstand allerdings
wesentlich größer: 8–11 Jahre. Diese chronologische These scheint mir indes zu gewagt
(wobei hier eine Auseinandersetzung mit Lüdemann nicht möglich ist).
[95] S. o. S. 46 ff.

scheint mir insbesondere aus dem Kontext von 1 Kor 6, 14 und 1 Kor 15, 51 f. hervorzugehen. Nicht erst aus 1 Kor 15, schon aus 1 Kor 6 läßt sich eine Auseinandersetzung mit einem σῶμα-πνεῦμα-Dualismus erkennen, die dann bis hin zu 2 Kor 5 die korinthische Korrespondenz beherrscht.

b) Die Vermittlung der dualistischen Anthropologie an die Gemeinde in Korinth

Die Frage ist nun, wie der schon im Vorbrief erkennbare Pneuma-Soma-Dualismus nach Korinth gelangt sein kann. Diese Frage ist besonders dann von Bedeutung, wenn die o. in A II 4 vorgetragene Vermutung zutrifft, daß es sich hierbei um hellenistisch-jüdische Weisheit handelt. Ausgeschlossen scheint mir eine sogenannte „endogene" Entwicklung[96] zu sein, nach der die paulinische Freiheitsbotschaft libertinistisch mißverstanden worden wäre. Zu den dafür notwendig in Rechnung zu stellenden kognitiven Voraussetzungen der vorchristlichen Vergangenheit (griechisches Heidentum oder hellenistische Synagoge) käme wenigstens noch ein Einfluß von außen, der zumindest für die zeitliche Phase von 1 Kor 1–4 notwendig anzunehmen ist. Fragen wir zunächst nach der vorchristlichen Vergangenheit. Die Annahme, daß die korinthische Gemeinde aus der Synagoge hervorging, ist nicht ganz von der Hand zu weisen. Daß es in Korinth eine Synagoge gab, ist belegt[97]. In jedem Fall ist ja damit zu rechnen, daß hellenistische Juden bzw. mit der Synagoge in Verbindung stehende „Gottesfürchtige" die Keimzellen vieler heidenchristlicher Gemeinden gebildet haben[98]. In-

---

[96] So Ph. Vielhauer, Geschichte, 139, im Anschluß an W. Lütgert, Freiheitspredigt, und R. Reitzenstein, Mysterienreligionen, 333 ff.

[97] Inschrift bei A. Deissmann, 12 f. A 8; vgl. Philo, Leg Gai 281 f. Der Wortlaut der Inschrift [συνα]γωγη Εβρ[αιων] zeigt, daß Ἑβραῖος nicht die Sprache meint. Selbstverständlich sprachen die Mitglieder der korinthischen Synagoge griechisch (nicht, wie noch Deissmann meinte, aramäisch; vgl. N. A. Bees, in: Die Griechisch-Christlichen Inschriften des Peleppones, hrg. von N. A. Bees, Bd. I, Athen 1941, S. 19).

[98] Das Anknüpfungsschema der Apg, nach dem Paulus jeweils in der Synagoge auftrat, braucht nicht gänzlich ohne historischen Anhalt zu sein (vgl. z. B. 1 Kor 9, 20 f.). Die Abmachung auf dem Apostelkonvent, wonach Paulus die Verkündigung an Heiden, Petrus die an Juden anvertraut war (Gal 2, 7 f.), stünde dem nicht entgegen, wenn man sie rein geographisch auffassen darf (vgl. W. Marxsen, 1 Thessaloniker, 17 f.). Überdies ist denkbar, daß die junge heidenchristliche Gemeinde in einer Stadt, in der schon eine jüdische Gemeinde existierte, nicht ohne konflikthafte Berührungen zur Synagoge blieb. Dazu mag vor allem der unvermeidbare Einfluß auf die sogenannten Gottesfürchtigen und potentiellen Proselyten geführt haben (vgl. zum Problem W. Schrage, ThWNT VII, 833 f.). Dennoch sollte man nicht vergessen, daß sich aus keinem der übrigen echten Paulusbriefe (vom hier strittigen Fall der Korinther vorläufig und von der nicht von Paulus gegründeten römischen Gemeinde gänzlich abgesehen) eindeutige Hinweise für eine syn-

des stehen dieser Annahme synagogaler Vergangenheit der korinthischen Gemeinde eindeutige Hinweise auf eine rein heidnische Vergangenheit entgegen: Die im Vorbrief angesprochenen Mißstände (Hetärenverkehr, Teilnahme an heidnischen Göttermahlen, Prozessieren vor
heidnischen Gerichten) erklären sich am besten aus der heidnischen
Vergangenheit der Gemeinde. 1 Kor 12,2 spricht das direkt aus[99].
Chr. Wolff hat deshalb auch die für 1 Kor 15 eigentümliche Pneumavorstellung direkt aus dem Heidentum herleiten wollen[100]. Er erinnert an
die Bedeutung des Pneuma in der Mantik von Delphi, das ekstatische
Rede (vgl. 1 Kor 12–14) und Offenbarung von Geheimnissen bewirkt.
„Solche Vorstellungen werden in der überwiegend heiden-christlichen
korinthischen Gemeinde (12,2) zum Verstehenshintergrund gehört haben …"[101]. Ohne Zweifel finden sich die griechischen Vorstellungen
eines mantischen, enthusiastisch-ekstatischen Pneumabegriffs in den
von Paulus registrierten und bekämpften korinthischen Vorstellungen
wieder. Doch sind sie dorthin kaum ohne Vermittlung des hellenistischen Judentums gelangt. Die heidnisch-griechischen Belege decken
auch nur *einen* Aspekt des korinthischen Pneumatismus. Der Gegensatz von πνευματικός und ψυχικός[102] (1 Kor 2,14 f.; 15,46), der mit dem
Pneuma in Verbindung gebrachte σοφία-Begriff (1 Kor 1–4)[103], die in
Korinth geläufige Adam-Christus-Spekulation (1 Kor 15) – all das ist
ohne das Verbindungsglied der alexandrinisch-jüdischen Weisheit
(SapSal, Philo) nicht denkbar. Hinzu kommt, daß Belege für die spezifisch gottesdienstliche Glossolalie (1 Kor 12–14) nur in hellenistisch-jüdischen Schriften zu finden sind[104]. Dennoch ist zweifellos richtig, daß

---

agogale Vorgeschichte einer paulinischen Gemeinde ergeben. Die Gemeinden von Galatien, Philippi und Thessalonich sind genuin heidenchristlich (Gal 4,8; 1 Thess 1,9 f; Apg
16,11 ff.).

[99] Daneben sind dann aber auch bald Judenchristen in Korinth anzutreffen, jedenfalls,
sofern man der Apg glauben darf: Aquila und Priscilla, Krispus (vgl. 1 Kor 1,14) und der
„Gottesfürchtige" Titius Justus (zu Apollos: s. u.). Hinzu kommt ein wie auch immer gearteter Einfluß des Petrus (Kephas-Partei). Vgl. zum ganzen: *H.-J. Klauck*, 236. Die judenchristliche Färbung der Gemeinde ist jedoch ein *sekundäres* Phänomen.

[100] *Chr. Wolff*, 213–215 (unter Hinweis auf die Mantik von Delphi, die eleusinischen
Mysterien, Plutarch und Jamblichus: vgl. *H. Kleinknecht*, ThWNT IV, 343 ff.).

[101] *Chr. Wolff*, 215.

[102] Für einen negativen ψυχή-Begriff gibt es keine griechisch-heidnischen Belege.

[103] Vgl. *H.-J. Klauck*, 239 f.: Über Weisheitsspekulationen drang Mysteriensprache ins
hellenistische Judentum ein.

[104] Vor allem TestHiob 48–50 (griech. Text: *R. A. Kraft*; deutsch: *B. Schaller*,
JSHRZ III 3). Diese Schrift gehört eventuell ins griechisch sprechende Judentum Ägyptens (vgl. 28,7; zum Ursprung: *Schaller*, 309 ff.; *D. Rahnenführer*, ZNW 62, 1971, 68–93).
Hier begegnet auch das Motiv pneumatischer Inspiration (ἀναλαβὼν πνεῦμα), woraus ein
Gesang entsteht (43,2; 48,3; 51,1 f.). Die Rede in „Zungen" ist der Gott verherrlichende
Gesang der Engel und Geister. In der Ekstase (vgl. 2 Kor 12,4) beherrscht der Pneumati

hierbei *indirekt* griechische Einflüsse vorliegen – jedoch nicht in Korinth selbst, sondern im alexandrinischen Judentum, das neben stoischen vor allem pythagoreisch-platonischen Einflüssen offenstand (Aristobul, Philo). Im nächsten Hauptteil wird dieser religionsgeschichtlichen Frage ausführlich nachzugehen sein. Es bleibt an dieser Stelle die Frage zu beantworten, auf welchem Weg die weisheitlich-pneumatischen Vorstellungen hellenistisch-jüdischer Herkunft Eingang in die korinthische Gemeinde gefunden haben könnten. Zwar ist die Gemeinde wohl ursprünglich rein heidenchristlich, jedoch finden sich sehr bald Anzeichen für judenchristliche Elemente. Gewiß entsprechen die diesbezüglichen Angaben der Apg (18,1ff.) der lukanischen Tendenz, die Gemeinden aus der Syngoge hervorwachsen zu lassen. Doch lassen sich die Nachrichten über Aquila und Priscilla und Apollos kaum gänzlich dieser Tendenz einordnen[105]. Überdies belegt der 1 Kor selbst judenchristlichen Einfluß in der Gemeinde nach dem Weggang des Paulus: in der Erwähnung einer Kephas- und einer Apollos-Gruppe.

Eine genauere Analyse von 1 Kor 1–4 könnte zeigen, daß die korinthische pneumatische Weisheitstheologie mit dem Namen des Apollos zusammenhängt. Das geht zwingend aus 1 Kor 3,5–17 hervor, wo im deutlichen Zusammenhang mit dem Weisheitsthema (vgl. 3,4) nur noch die Apollos- und die Paulusgruppe genannt werden. Paulus hat die Gemeinde gegründet, Apollos hat nach ihm dort gewirkt. Dem entsprechen die Metaphern in 3,5ff., und zwar nicht nur bis V.9, sondern bis V.17: Paulus hat gepflanzt, Apollos hat begossen. V.10 bezieht Paulus nun im gleichen Sinne die Metapher vom Fundamentbauen auf sich.

---

ker diesen Gesang der Engel und damit ihre Sprache. Eine Besonderheit, die an Philo erinnert, enthält 49,2. Von der inspirierten Tochter wird dort gesagt: „Ihr Mund nahm die Sprache der Engelmächte (ἀρχῶν – v.l. ἀρχόντων) an und besang das Werk des erhabenen τόπος". τόπος ist bei Philo eine ontologisch zu verstehende Gottesbezeichnung (Fug 75 ff.; Som I 62 ff.) und vor allem Logos-Name (Som I 62. 118 f. – s. u. S. 142 u. 152). Mit Philo verwandte ontologische Anklänge enthält auch TestHiob 36,3 f. (irdische Unbeständigkeit – himmlische Ruhe; vgl. Philo, Jos 145; QEx II 83. 91). Daß die Glossolalie als Sprache der Engel, Geister (und Pneumatiker) *ägyptisch*-hellenistischen Ursprungs ist, vermutete *Reitzenstein*, Poimandres, 55–59 (vgl. 362. 366). Aber gerade der „Poimandres" (CH I), eine weiterer Beleg für Glossolalie, enthält *jüdische* Elemente (vgl. *B. A. Pearson*, Jewish Elements in CH I). Weitere Belege für Glossolalie liegen vor in ApokAbr 10,8 ff.; 12,4; 15,6 (deutsch: *B. Philonenko-Sayar/M. Philonenko*; diese Schrift hat ebenfalls auffallende Berührungen mit philonischen Gedanken) und an vielen Stellen im SlavHen. Vor allem ist zur Glossolalie noch Philos Schilderung der Gottesdienstgesänge der Therapeuten (Vit Cont) zu nennen. – Die Wendung γένη γλωσσῶν in 1 Kor 12,10. 28 setzt verschiedene Klassen von Zwischenwesen (Engel) voraus, die unterschiedliche Sprachen sprechen. Die Zungenrede ist durchgehend direkt an Gott gerichteter Lobgesang (vgl. 1 Kor 14,2). Entsprechend kritisiert Paulus ihren Privatcharakter, der zum Individualismus der korinthischen Pneumatiker paßt.

[105] Vgl. *E. Haenchen*, Apg, 531 ff.; *W.-H. Ollrog*, 39.

Auf wen ist dann das ἐποικοδομεῖν zu beziehen? Das kann nur auf Apollos gehen (denn das ἐποικοδομεῖν ist im Bildfeld semantisch synonym zum ποτίζειν). Es gibt im Text keinen Hinweis darauf, daß nun plötzlich ab 3,10 von anderen (wem?) die Rede sei. Dafür spricht auch, daß schon in V. 8 (wo es nach Meinung aller Exegeten noch um Apollos geht) vom „Lohn" die Rede ist. Das aber ist das Thema von V. 12 ff. (vgl. V. 14) [106]. V. 11 sollte im Bildfeld von Fundamentlegen (Paulus) und Darauf-weiter-Bauen (Apollos) eigentlich unproblematisch sein: Das von Paulus gelegte Fundament ist Christus, den Paulus den Korinthern bei der Gründung vermittelt hat. Es ist kaum gerechtfertigt, hier einen Anklang an das Felsenwort Mt 16,18 herauszulesen und daraus eine beherrschende Rolle der Kephas-Partei für Kap. 3 (oder gar für den ganzen 1 Kor) abzuleiten [107], zumal es zwischen 1 Kor 3,11 f. und Mt 16,18 keine terminologischen Berührungen gibt [108].

Diesem aus 1 Kor 3 gewonnenen Bild vom Wirken des Apollos entspricht nun bis in die Einzelheiten hinein Apg 18,24 ff.: Apollos ist Alexandriner, kommt mit einem Empfehlungsbrief in die bereits bestehende Gemeinde (vgl. dazu 2 Kor 3,1), nachdem Paulus von Korinth weitergezogen ist. Er ist „mächtig in der Schrift" und „brennend im Geist", also Pneumatiker [109]. *Apollos – so die These – brachte das weisheitliche hellenistisch-jüdische Pneumatikertum nach Korinth* [110]. Daß Paulus Apollos für mitschuldig an den korinthischen Zuständen hält, geht aus den merkwürdigen zwischen Person und Werk differenzierenden Gerichtsaussagen in 1 Kor 3,12 ff. (vgl. vor allem V. 15) hervor [111].

---

[106] Zur ausführlichen Begründung vgl. G. *Sellin*, „Geheimnis", 75 ff.

[107] So *Ph. Vielhauer*, Oikokome, 74 f.; *ders*., Kephaspartei, 348 f.; *C. K. Barrett*, Cephas, 6 f.; *R. Resch*, Peter, 296 ff.; *ders*., Simon – Petrus, 106 f. 149 f. – Davon wird die Frage der Existenz einer Gruppe mit der Kephas-Parole nicht berührt. Daß im Sinne der Abmachung von Gal 2,7 ff. Petrus eine Parallelmission in der korinthischen Synagoge angefangen hätte, ist allerdings schwer denkbar. Eher ist wohl bei der Kephasgruppe an zugewanderte Judenchristen aus einer von Petrus gegründeten Gemeinde zu denken. Aber der ganze 1 Kor läßt keine Polemik gegen Petrus erkennen. In 1 Kor 9,1 ff. dient Petrus (wie die anderen Apostel und die Herrenbrüder) nur als Beispiel. Die Anklage gegen Paulus (9,3) entspricht dagegen völlig der hinter 2 Kor 11,7 ff. erkennbaren (vgl. 2 Kor 2,17): In der Sicht der Pneumatiker darf ein Apostel nichts Sarkisches (also Broterwerb) treiben.

[108] Mt 16,18: πέτρα, οἰκοδομεῖν; 1 Kor 3,11 f.: θεμέλιον, ἐποικοδομεῖν. Vor allem V. 12 schließt jeden Bezug zu Mt 16,18 aus.

[109] Zu den Einzelheiten: G. *Sellin*, „Geheimnis", 77 f.

[110] Vgl. G. *Sellin*, „Geheimnis", 75 ff. 86 ff. 90 ff.; *H. Räisänen*, 173 mit A 62.

[111] Aus 3,8 kann man keineswegs herauslesen, Paulus sei sich mit Apollos einig. V. 8a sagt lediglich, daß der „Pflanzende" und der „Begießende" *von ihrer Aufgabe her* eine Einheit sind, und zwar beide als Mitarbeiter Gottes (V. 9). V. 8b differenziert aber schon nach unterschiedlicher Leistung, was in V. 10 ff. dann thematisiert wird. Ebenso ist 3,6b kein Hinweis für eine Aussage, Gott habe auch das Werk des Apollos gesegnet. Vielmehr

Nun steht freilich 1 Kor 16,12 dieser These entgegen: Paulus hat Apollos, den „Bruder"[112], mehrfach gebeten, nach Korinth zu reisen. Dem aber paßt das zur Zeit nicht. Wie Paulus befindet sich auch Apollos seit einiger Zeit wieder in Ephesus. – Einige Überlegungen sollten nun aber davor warnen, aus 16,12 voreilige Schlüsse auf eine Einmütigkeit zwischen beiden Aposteln zu ziehen. Aus 16,12 geht deutlich hervor, daß Apollos kein Mitarbeiter des Paulus, sondern eine selbständige Persönlichkeit ist. Paulus hat ihm nichts zu gebieten. Man kann Apollos nun durchaus in die Kategorie der von D. Georgi für den 2 Kor als Gegner vermuteten hellenistisch-jüdischen Wandermissionare einreihen[113]. Daß Paulus ihn oft gebeten hat, nach Korinth zu ziehen, könnte im Interesse einer Klärung der durch Apollos mitverursachten korinthischen Probleme liegen. Wenn außerdem die Vermutung zutrifft, daß 1 Kor 1–4 einen eigenständigen, dritten Brief nach Korinth darstellt[114], dann wäre 1 Kor16,12 einem früheren Stand der Dinge zuzuschreiben, als sich die Problematik noch nicht auf die Person des Apollos zugespitzt hatte. Ob Apollos dann vor diesem dritten Schreiben noch einmal in Korinth gewesen ist, läßt sich nicht beantworten.

c) Die Weiterentwicklung bis zur Situation von 2 Kor

So ergibt sich das Bild einer zunehmenden Konfliktverschärfung: Im Vorbrief setzt Paulus sich mit Problemen auseinander, die sich aus der heidnischen Vergangenheit und einem durch hellenistisches Judenchristentum vermittelten Pneumatismus und Sakramentalismus ergaben. Diese Auseinandersetzung wird im Themenbrief gezielter fortgesetzt, z. B. Kap. 8, wo sich das Problem der Wissenden und der schwachen Brüder (8,7: Heidenchristen!) genau aus diesem Zusammenprall von heidnischer Vergangenheit und weisheitlicher „Gnosis" ergibt[115]. Dieser Brief nimmt ja Bezug auf Anfragen und Einwände der Korinther,

---

betont das ἀλλά einen Gegensatz. Überdies ist ηὔξανεν Imperfekt („aber immer war es Gott, der gedeihen ließ").

[112] Aus der ἀδελφός-Bezeichnung darf man freilich nicht zu viel herleiten. Jeder Mitchrist ist „Bruder".

[113] D. Georgi, Gegner, passim. Vgl. W.-H. Ollrog, 40 f. Daß Paulus die Gegenapostel im Tränenbrief als Pseudoapostel und Satansdiener brandmarkt, spricht nicht gegen deren generelle religionsgeschichtliche Verwandschaft mit dem frei umherziehenden Apostel Apollos, den Paulus doch (im Rahmen der einschränkenden Kritik in 3,5 ff.) immerhin gelten läßt. Die Töne des Tränenbriefes finden sich ja auch noch nicht in der „Apologie" 2 Kor 2,14 ff., obwohl niemand bezweifelt, daß hier die Front die gleiche wie im Tränenbrief ist. Persönlich angreifend wird Paulus erst dort.

[114] S. o. S.51 A55.

[115] Dieser Begriff von γνῶσις entstammt der hellenistisch-jüdischen Weisheit (vgl. 8,4–6: dazu R. A. Horsley, Gnosis).

die ihrerseits wiederum an die Aussagen des Vorbriefes anknüpften. So
ist 1 Kor 15 letztlich eine Fortsetzung der in 1 Kor 6,12–20 über das
σῶμα gemachten Aussagen, wobei 15,12 wörtlich (und 15,35 indirekt)
noch den Einwand der Korinther erkennen läßt.

Nach der Abfassung des Themenbriefes erhielt Paulus von den Leuten der Chloe Nachricht über einen Streit (1 Kor 1,11). In diesem Streit
sind nun die Personen der Apostel selber thematisiert worden. Sicher
ist, daß dabei Apollos und Paulus gegeneinander ausgespielt wurden
(4,6). Man kann aber noch weitergehen: Paulus befindet sich erkennbar in der Defensive (4,3–5; vgl. 3,1 f.; 4,18)[116]. Der weisheitliche
Pneuma-Soma-Dualismus des Apollos scheint sich in Korinth durchzusetzen. Paulus gerät in den Ruch des Sarkikers (vgl. 2 Kor 10,2) bzw.
Psychikers, dem die pneumatisch vermittelte Weisheit abgeht, wie die
außerordentlich geschickte Verteidigung in 1 Kor 2,6–3,4, die selber
zum Angriff wird, noch erkennen läßt. Hier rückt Paulus nun in 3,5–23
das Verhältnis zwischen sich selbst und Apollos zurecht: Dieser hat auf
dem von Paulus gelegten Fundament weitergebaut, doch in einer Weise,
die zumindest in der Gefahr steht, die Gemeinde zu zerstören
(3,10–17).

Die Auseinandersetzung ist noch weitergegangen. Der Anlaß des
Schreibens 2 Kor 2,14–7,4 (der sogenannten Apologie) ist nicht mehr
zu erkennen. Dieser Brief wirbt um Vertrauen und Verständnis
(vgl. 6,11–13; 7,2–4) und legt die Theologie des Apostels sachlich
(wenn auch im Gegenüber zu einem ekstatisch-enthusiastischen Apo-
stelverständnis: 3,7–18[117]) dar. Der Abschnitt 5,1–10 läßt sich dabei
deutlich als Fortsetzung der Gedanken von 1 Kor 15 verstehen. Er richtet sich gegen die gleiche Front wie 1 Kor 15: gegen einen Pneuma-
Soma-Dualismus, der das postmortale Heil als Nacktheit der durch das
Pneuma erlösten Seele versteht[118]. Damit stehen wir vor der Frage, ob
die sogenannten Gegner aus den Briefen des 2 Kor in irgendeiner Kontinuität zu dem aus den Schreiben des 1 Kor erkennbaren Pneumatikertum stehen. Die Apologie enthält zwei konkrete polemische Hinweise
auf Leute, die 1. das „Wort Gottes verhökern" (2,17), und die 2. „Emp-
fehlungsbriefe ... gebrauchen" (3,1). Beides verweist auf charismati-

---

[116] Vgl. die bei *G. Sellin*, „Geheimnis", 75 A 21 angegebene Literatur.

[117] Im Hintergrund steht eine Auffassung vom Apostelamt nach Art des hellenistisch-
jüdischen Mose-Verständnisses: vgl. *S. Schulz*, Die Decke des Mose (ZNW 49, 1958,
1 ff.); *D. Georgi*, Gegner, 274 ff.; *D. Lührmann*, 45–66; *E. Schweizer*, GPM 1971/72, 89 ff.;
T. Saito, 1–23.

[118] S. u. S. 225; vgl. *L. Schottroff*, 147 ff. (vgl. 151 [gegen *R. Bultmann*, Exegetische
Probleme]: Paulus „hat die gegnerische Meinung völlig verstanden" und seine Position gegenüber 1 Kor 15 nicht modifiziert); religionsgeschichtlich korrekter (keine Gnosis, sondern hellen. Judentum à la Philo): *H. Kaiser*, passim; gegen *D. Georgi*, VF 9, 1958/59,
90–96.

sche Wanderapostel[119], von deren Wirksamkeit in Korinth der 1 Kor
scheinbar nichts verrät, weshalb D. Georgi annahm, zwischen 1 Kor und
„Apologie" (2 Kor 2, 14–7, 4) sei durch das erstmalige Auftreten solcher
Wandercharismatiker in Korinth eine völlig neue Front entstanden[120].
Wir sahen aber, daß schon 1 Kor 9, 1 ff. einen Vorwurf anklingen läßt,
der in dieselbe Richtung weist: Paulus lasse sich nicht (wie für einen
pneumatischen Apostel erforderlich) von der Gemeinde bezahlen. Und
Apg 18, 27 erwähnt ein Empfehlungsschreiben, das dem Apollos für sein
Auftreten in Korinth ausgestellt worden war. Damit soll nun nicht behauptet werden, es ginge auch noch in der „Apologie" um Apollos. Das
ist schon deshalb unmöglich, weil hier (wie dann im darauf folgenden
„Tränenbrief" 2 Kor 10–13) von mehreren Leuten (3, 1: τινες) die Rede
ist. Wohl aber darf man annehmen, daß Apollos der erste vom Schlage
dieser von Gemeinde zu Gemeinde ziehenden Pneumatiker-Apostel
war, mit deren späteren Vertretern Paulus sich (nach einem konfliktrei-
chen „Zwischenbesuch") im Tränenbrief in kaum zu überbietender
Schärfe auseinandersetzt.

Wir haben in Teil A eine Voraussetzung für die Exegese von 1 Kor 15
anhand von Vorfragen zu 15, 12 gewonnen. Es läßt sich nun am Text
von Kap. 15 selber zeigen, daß Paulus sich mit einer dualistischen Begründung der Auferstehungsleugnung auseinandersetzt: In V. 35 führt
er das Stichwort σῶμα, das bereits im Vorbrief eine so maßgebliche
Rolle spielte, wieder ein. Dieser ganze zweite Teil des Kapitels ist eine
Auseinandersetzung mit diesem Dualismus, wie schon die auffällige
Antithesenreihe bis hin zu V. 52 zeigt. Aber mehr noch: Hier findet
man sogar die theologischen Prinzipien dieses in Korinth verbreiteten
Dualismus. In V. 45 f., einem merkwürdigen Schriftbeweis mit religionsgeschichtlich hochgeladener Motivik und Begrifflichkeit, liegt – um es
vorwegnehmend zu sagen – der Schlüssel zum Verständnis des korinthischen Pneumatikertums.

---

[119] Vgl. *D. Georgi*, Gegner, 225 f. 234 ff. 241 ff.
[120] *D. Georgi*, Gegner, 7–16. 303 f.; *ders.*, VF 9, 1958/59, 95 f.

B Der religionsgeschichtliche Hintergrund: 1 Kor 15, 45 f.

I 1 Kor 15, 45 f. im Rahmen des Kontextes

1. V. 35

Den zweiten Teil des Kapitels leitet Paulus mit einem fiktiven Einwand ein, der auf die Hintergründe der korinthischen Auferstehungsleugnung eingeht und das korinthische Denken wiedergeben will[1]. Der Einwand besteht aus zwei Fragen (wie? mit welchem Leibe?), die jedoch nur als synonym und sich interpretierend verstanden werden können[2]. Die zweite, präzisierende Frage macht deutlich, daß es sich um einen Einwand handelt, der den Leib als vergänglich versteht. Der Tod ist ja Ende des Leibes. Insoweit läßt V. 35 noch zwei Deutungen zu. Die erste vertritt Spörlein: Wenn der Leib im Tode vergeht, kann es kein postmortales Heil geben (s. o. S. 21 ff.). Aber diese Deutung ist ausgeschlossen, weil Paulus im folgenden gar nicht auf den Nachweis aus ist, daß nach dem Tod ein Heil überhaupt denkbar sei. Vielmehr läuft alles auf die Betonung der Diskontinuität hinaus (Verwandlung, Tod zwischen Saatkorn- und Pflanzenexistenz). Dann bleibt nur die andere Möglichkeit: Mit V. 35 formuliert Paulus einen Einwand aus dualistischer Denkweise[3]. Die Frage setzt ein unpaulinisches Verständnis von σῶμα

---

[1] ἀλλὰ ἐρεῖ τις ist Diatribenstil (*R. Bultmann*, Stil, 66 f.). *W. Schmithals*, Gnosis, 147 (der sich dabei zu Unrecht auf Bultmann beruft: vgl. Stil, 67 f. mit A 1), folgert daraus im Interesse seiner Mißverständnistheorie, Paulus gebe damit nicht das korinthische Denken wieder. Eine solche Annahme ist absurd (vgl. schon *J. Weiß*, 367; *N. Schneider*, 68 ff.; *B. Spörlein*, 96 f.: Es wäre undenkbar, daß Paulus „hier einfach einen Absatz seiner Auferstehungstheorie anfügen würde, wenn er nicht wüßte, daß er damit auch tatsächlich dem Anliegen der Korinther dient").

[2] Gegen *J. Jeremias*, Flesh, 304 f.; *ders.*, Chiasmus, 297; *C. Farina*, 25; *G. M. Hensell*, 137. Nach Jeremias behandelt Paulus in V. 36–49 die zweite Frage („mit welchem Leibe?"), in V. 50 ff. die erste („wie"). Dagegen ist zu sagen, daß V. 50 noch zum Vorhergehenden gehört (s. u. S. 74 f.). Vor allem aber reicht V. 35 gar nicht bis V. 51 ff., wo die Verwandlung ja nicht nur von den Toten, sondern auch von den Lebenden ausgesagt wird. V. 35 bezieht sich dagegen nur auf die Toten (*G. Brakemeier*, 83 f.) und bestimmt den Text bis einschließlich V. 50. Eine ausführliche Widerlegung der These von J. Jeremias bei *J. Gillmann*, 316 ff. (der aber V. 50 zu V. 51 f. zieht).

[3] Die Frage ist keinesfalls spöttisch gemeint (gegen *J. Schniewind*, 130; *E. Brandenburger*, Adam, 73 A 2; *S. Heine*, 191 ff.). Paulus formuliert sie ja selber und beantwortet sie ernsthaft.

voraus: Weil das Heil sich nur auf das geistige Ich des Menschen beziehen kann (nur die Seele die Potenz hat, unsterblich zu werden), das σῶμα aber vergänglich (und damit nur ein Akzidenz des wahren Menschen) ist, ist Auferstehung (weil per definitionem somatisch) ausgeschlossen. Damit setzt V.35 einen Anstoß an der Annahme voraus, daß sich das Heil auf den sterblichen Leib beziehen soll. Paulus wehrt diesen Einwand ab, indem er deutlich macht, daß es ihm nicht um die Kontinuität *dieses* Leibes („Fleisch und Blut": V.50) und damit um Auferstehung an sich geht, sondern um eine neue *Geschöpflichkeit* des Menschen. σῶμα ist der Mensch für Paulus als *Geschöpf*, als *ganzer* (und somit ist er auch als ganzer vergänglich). Die Frage V.35 ist also in ihrer Denkvoraussetzung falsch gestellt (vgl. das ἄφρων), weil sie 1. vom Gedanken der Kontinuität ausgeht und 2. (damit im Zusammenhang) das Ich des Menschen von seinem σῶμα abhebt (so daß der Mensch nun ein σῶμα *hat*, und nicht σῶμα *ist*)[4]. Daß das Vergängliche (σῶμα) unvergänglich wird, ist im (griechisch denkenden ontologischen) Dualismus undenkbar. Genau darauf aber kommt es Paulus an: Weil Gott der ist, der das Nicht-Seiende zum Sein ruft (Röm 4,17), beharrt Paulus auf dem Gedanken der Totenauferweckung. Während die erste Schöpfung des Menschen ein vergängliches, irdisches σῶμα hervorbrachte (Adam), bringt die endzeitliche Schöpfung ein „pneumatisches Geschöpf" hervor. So kommt es, daß Paulus den für korinthische Ohren gewiß absurden Begriff σῶμα πνευματικόν bilden kann, der die Antwort auf die Frage V.35 darstellt. Weil es um die Frage der Menschenschöpfung geht, bringt Paulus im Zentrum seiner Auseinandersetzung den Schriftbeleg Gen 2,7: V.45 f.

2. Struktur und Gliederung von V.35 ff.

Auf den in der Frage V.35 enthaltenen Einwand antwortet Paulus zunächst mit einem Gleichnis (V.36–41), dem in V.42 mit οὕτως καί die Anwendung folgt. Aus dem Gleichnis aufgenommen ist dabei nur das σπείρεται, dem nun ein auf der Sachhälfte liegendes ἐγείρεται gegen-

---

[4] R. *Bultmann*, Theologie, 193, meinte, Paulus habe sich an dieser Stelle verleiten lassen, „auf die Argumentationsweise seiner Gegner einzugehen". Dabei habe er „den σῶμα-Begriff in einer für ihn sonst nicht charakteristischen Weise verwendet." Das ist gewiß richtig. Man muß nur sehen, daß Paulus sich bemüht, sein Menschenbild in Auseinandersetzung mit der dualistischen Anthropologie zu begründen und damit die in der Frage V.35 enthaltenen Voraussetzungen zu überwinden. Im übrigen zeigt der für Paulus unspezifische σῶμα-Begriff in V.35, daß Paulus hier genau die dualistischen Denkvoraussetzungen der Korinther trifft, er ihre Anschauung also kennt. Das schließt dann auch die Mißverständnistheorie aus.

übergestellt wird. Der σπείρεται-ἐγείρεται-Antithese sind dann eine ganze Reihe von Qualitäten zugeordnet, so daß die Struktur von V.42 an durch einen durchgehenden Dualismus, eine Reihe von Antithesen[5], gekennzeichnet ist:

V.42	σπείρεται	– ἐγείρεται
	φθορά	– ἀφθαρσία
43	ἀτιμία	– δόξα
	ἀσθένεια	– δύναμις
44a	σῶμα ψυχικόν	– σῶμα πνευματικόν
44b	σῶμα ψυχικόν	– (σῶμα) πνευματικόν
45	πρῶτος ἄνθρωπος ᾽Αδάμ	– ἔσχατος ᾽Αδάμ
	ψυχὴ ζῶσα	– πνεῦμα ζῳοποιοῦν
46	τὸ ψυχικόν	– τὸ πνευματικόν
47	ἐκ γῆς	– ἐξ οὐρανοῦ
48f.	χοϊκός	– ἐπουράνιος
50	σὰρξ καὶ αἷμα	– βασιλεία θεοῦ
	φθορά	– ἀφθαρσία

In V.53 f. folgen abschließend noch einmal zwei Antithesen:

53f.	τὸ φθαρτόν	– ἀφθαρσία
	τὸ θνητόν	– ἀθανασία

An der Reihe dieser Antithesen ist einiges auffällig: 1. Mit V.44a hört die Anwendung des „Gleichnisses" auf. V.44b untersteht nicht mehr dem σπείρεται – ἐγείρεται. Dem entspricht die Auffälligkeit, daß V.44b die beiden antithetischen Begriffe aus V.44a wiederholt. Hier setzt offenbar eine neuer Gedankengang ein, der nun auf den Zielbegriffen von V.42–44a (σῶμα ψυχικόν – σῶμα πνευματικόν) fußt und aufbaut. 2. In V.51 f. setzen die antithetischen Begriffe aus. Dadurch, daß in V.50b das erste Begriffspaar aus V.42 (φθορά – ἀφθαρσία) zyklisch wiederkehrt, wird deutlich, daß die Gegenüberstellung mit V.50 eigentlich abgeschlossen ist. Das heißt zunächst, daß V.50 zum Vorherigen und nicht zum Folgenden zu ziehen ist. 3. Merkwürdig ist vor allem, daß ψυχικός und ψυχὴ ζῶσα auf der negativen Seite der Antithesen zu stehen kommen.

Die dritte Beobachtung wird uns noch ausführlich beschäftigen (s. u. S. 181 ff.). Die beiden anderen sind für die Abgrenzung und Untergliederung wichtig. V.50 wird häufig zum Folgenden gezogen. So hat J. Jeremias gemeint, ab V.50 gehe es um eine neue Unterscheidung: nicht

---

[5] Zur Bedeutung des paulinischen Antithesenstils in 1 Kor 15: *N. Schneider*, 34 ff. 62 ff.; *G. M. Hensell*, 97 ff.

mehr um den Dualismus von Sterblichkeit und Unsterblichkeit, sondern um den Gegensatz von Lebenden (σὰρξ καὶ αἷμα) und Toten (φθορά). V. 50a und b seien nicht synonym, sondern bildeten einen synthetischen Parallelismus[6]. Das hängt mit der synthetischen Deutung von V. 35 durch Jeremias zusammen: V. 36–49 behandelte V. 35b („mit welchem Leibe kommen sie?"), V. 50–57 dann V. 35a („wie werden die Toten auferweckt?")[7]. Zwei schwerwiegende Gründe sprechen gegen diese Meinung: 1. V. 50 muß als synonymer Parallelismus aufgefaßt werden[8]. σὰρξ καὶ αἷμα bezeichnen den Menschen zwar als sterbliche Kreatur im Sinne einer Ganzheit (und nicht substanzhaft), was Jeremias richtig hervorgehoben hat[9]. Aber das gilt auch für den gesamten Abschnitt von V. 42 an. Vergänglichkeit (V. 50b) ist deshalb als Merkmal von „Fleisch und Blut" aufzufassen. 2. Die angebliche Unterscheidung von bei der Parusie noch Lebenden und schon Gestorbenen bestimmt auch V. 51–53 gerade nicht in dem Sinne, wie Jeremias meinte: Zwar enthält V. 53 f. eine V. 50 entsprechende Differenz von mehr substanzhaftem (φθαρτός – ἀφθαρσία) und mehr animalischem (θνητός – ἀθανασία) Aspekt (wobei das erste ein Merkmal des zweiten ist), doch betont gerade V. 51 f. (besonders V. 51b) die *Gemeinsamkeit* von noch Lebenden und schon Verstorbenen[10]. Die Verwandlung betrifft beide Gruppen. Mit dem μυστήριον in V. 51 ff. bringt Paulus den weiterführenden Gedanken[11] zum Ausdruck, daß die dualistischen Antithesen eschatologisch aufgelöst werden. Dem dient der Gedanke der Verwandlung, der den an sich mißverständlichen Gedanken der Auferstehung (der alte Leib) erst qualifiziert. Insofern schließt V. 51 inhaltlich an V. 50 an: Der auferweckte Leib kann nicht „Fleisch und Blut" sein. Weil es um die dualistischen φύσεις geht, muß Auferstehung als Verwandlung qualifiziert werden.

Eine Schwierigkeit besteht noch im Übergang von V. 44a zu V. 44b. Mit V. 44a, so sahen wir, endet die Gleichnis-Anwendung, das σπείρεται-ἐγείρεται-Schema. Die beiden Ziel-Begriffe ψυχικός und πνευματικός sind erreicht. Mit ihnen haben der „Schriftbeweis" V. 45 (ψυχή – πνεῦμα) und die dazugehörige Erläuterung V. 46 (τὸ ψυχικόν – τὸ πνευ-

---

[6] *J. Jeremias*, Flesh, 301; *G. M. Hensell*, 139 ff. Dagegen *J. Gillmann*, 316 ff.

[7] S. o. S. 72 A 2.

[8] Das gleiche gilt ja auch schon von V. 35 (s. o. S. 72).

[9] *J. Jeremias*, Flesh, 299.

[10] *G. Klein*, Naherwartung, 253 ff.; vgl. auch *H. Conzelmann*, 1 Kor, 346; *J. Baumgarten*, 106.

[11] τοῦτο δέ φημι in V. 50 weist zwar voraus, aber nur auf den Inhalt des ὅτι-Satzes innerhalb von V. 50. „ἀδελφοί steht gern am Anfang eines Abschnitts, aber ebenso in der Zusammenfassung am Schluß z. B. 1 Kor 7, 24; 11, 33; 14, 39" (*E. Schweizer*, Artikel σάρξ, 128 A 239). Vgl. auch 1 Kor 15, 58!

ματικόν) zu tun. Was soll dann aber V. 44b („wenn es ein σῶμα ψυχικόν gibt, dann gibt es auch ein σῶμα πνευματικόν")? Zwei Antworten werden in der exegetischen Literatur bisher darauf gegeben:

1. Auf den ersten Blick scheint Paulus in V. 44b aus der Existenz eines σῶμα ψυχικόν auf die Existenz eines σῶμα πνευματικόν zu *schließen*. Entsprechend meinen die Ausleger, die 1 Kor 15 als gegen rein immanenzhaftes Heilsdenken gerichtet verstehen (s. o. S. 21 ff.), Paulus wolle hier die Auferstehung (und damit die Möglichkeit postmortalen Heils überhaupt) beweisen[12]. Aber in diesem Falle wäre V. 44b eine durch nichts begründete Behauptung. Inwiefern würde denn die psychische Existenzweise die Annahme einer pneumatischen erfordern? Auch die weitere Auskunft, V. 44b sei „Behauptung", die dann in V. 45 „bewiesen" werde[13], trifft den Sachverhalt nicht. Denn der Schriftbeweis in V. 45 leistet das gerade nicht. Daß es noch einen pneumatischen Adam neben dem irdischen geben soll (und deshalb eine pneumatische Daseinsweise des Menschen nach seiner irdischen), geht doch aus Gen 2,7 selbst in keiner Weise hervor, obwohl es terminologischen Anhalt finden kann (s. u. S. 91). Das, was nach der hier zur Debatte stehenden exegetischen Auskunft bewiesen werden sollte, ist in V. 45 über Gen 2,7 hinausgehend erst *eingetragen*. Man muß aber noch weiter gehen: Das, was angeblich bewiesen werden sollte, wird in V. 45 sogar *vorausgesetzt*: der Gedanke von *zwei* Urmenschen und damit zwei dualistisch geschiedenen Existenzweisen. Ja diese dualistische Auslegungstradition von Gen 2,7 ist gerade das den Korinthern Geläufige und braucht ihnen nicht erst bewiesen zu werden.

2. G. Brakemeier zieht V. 44b noch zum Vorherigen, weil es – wie er richtig bemerkt – ab V. 45 nicht mehr um die Leiblichkeit selbst geht[14]. Tatsächlich taucht der Begriff σῶμα ab V. 45 nicht mehr auf. Nach Brakemeier enthält V. 44b die Aussage, daß auch das Pneumatische unter der Kategorie der Leiblichkeit zu begreifen sei: „Wenn die erste Schöp-

---

[12] Z.B. *J. Weiß*, 371; *E. Brandenburger*, Adam, 73; *B. Spörlein*, 103 f. Gegen die alte These, Paulus wolle die Denkmöglichkeit der Auferstehung unter Hinweis auf die Existenz eines Leibes aus Pneuma-Substanz, eines Astralleibes, begründen, hatte *K. Deissner*, 34, eingewandt, der Gegenbegriff σῶμα ψυχικόν könne ja nicht entsprechend als Körper aus Seelen-Substanz aufgefaßt werden (vgl. *E. Güttgemanns*, 265 f.). In der Tat geht es hier nicht um Substanzen, sondern um das Gegenüber von sterblicher und unsterblicher Physis. In V. 39–41 operiert Paulus jedoch tatsächlich mit der antiken Astralphysik (s. u. S. 218 ff.). Falsch ist sowohl bei *K. Deissner* wie bei seinen Kontrahenten die Annahme, daß Paulus hier aus der einen Existenzweise die andere *folgere*, oder daß er die pneumatische Existenzweise überhaupt irgendwie beweisen wolle. Er setzt beide antithetischen Existenzweisen vielmehr (eben als Dualismus) voraus.

[13] *J. Weiß*, 373; *H. Lietzmann*, Kor, 84 f.; *E. Brandenburger*, Adam, 73; *J. Becker*, Auferstehung, 91 f.; *J. Lambrecht*, 512.

[14] *G. Brakemeier*, 98 f.; vgl. *K.-G. Sandelin*, 46.

fung leiblich ist, dann ist es auch die zweite."[15] In der Tat steht dieser
Gedanke hinter den ganzen paulinischen Ausführungen von V. 35–50.
Nur ist damit die spezifische Funktion von V. 44b noch nicht erkannt.
σῶμα steht in diesem Satz ja nicht als (logisches) Prädikat von „pneumatisch". Stattdessen wird (im Sinne der erstgenannten Auslegung) einfach die Existenz eines pneumatischen σῶμα behauptet. Wenn das aber,
wie o. unter 1. gezeigt, nicht Beweisziel der ganzen Aussage ist, welchen Sinn hat dieser Satz dann?

Die Antwort auf diese Frage ergibt sich aufgrund der Spannung zwischen der in Korinth geläufigen dualistischen Auslegungstradition von
Gen 2,7 einerseits und der paulinischen Aussageintention andererseits.
Die dualistische Verwendung von Gen 2,7 liefert als solche für die pau-
linische Gegenposition gegen das korinthische Pneumatikertum noch
kein Argument. Ganz im Gegenteil: Sie ist – wie die folgende religionsgeschichtliche Motivanalyse von V. 45 (s. u. B II) zeigen wird – eine Art
Hauptbeleg für die in Korinth vertretene spiritualistisch-dualistische
Position. Wenn Paulus sich also auf das Feld der in Zusammenhang mit
Gen 2,7 stehenden Urmensch-Lehre begibt, muß er zuvor korrigierende
Weichen stellen. V. 44b dient nun dazu, sicherzustellen, daß die dualistische Verwendung von Gen 2,7 in V. 45 auch das hergibt, worauf Paulus hinauswill: daß auch das Pneumatische eine Geschöpflichkeit darstellt. Der psychische Adam steht hinter σῶμα ψυχικόν, der (für Paulus
eschatologische) Pneuma-Adam (Christus) hinter dem σῶμα πνευματικόν. *Entsprechend den zwei Urmenschen gibt es zwei Leiblichkeiten* (ein
Gedanke, welcher der dualistischen Auslegungstradition von Gen 2,7
und damit den Korinthern fernlag: denn dort entsprachen den beiden
Urmenschen die sich einander ausschließenden Kategorien σῶμα und
πνεῦμα selber). Zielpunkt der Aussage von V. 44b ist also: Es gibt nicht
nur den Leib des psychischen Urmenschen, sondern auch den des pneumatischen. Das muß für die nun in V. 45 f. folgende paulinische Uminterpretation der Urmenschlehre vorweg sichergestellt sein. Für die Gliederung von 1 Kor 15,35 ff. ergibt sich daraus die Konsequenz, daß
V. 44b zu V. 45 ff. zu ziehen ist, zwischen V. 44a und 44b also ein Einschnitt besteht.

Zusammenfassend läßt sich 1 Kor 15,35–58 dann gliedern:

    35
    36–50
        36 –44a
        44b–50
    51–57
    58 (zugleich als Abschluß des ganzen Kapitels)

---

[15] *G. Brakemeier*, 99.

3. V. 45 f. im Überblick

In V. 45 bezieht Paulus sich auf eine besondere Auslegungstradition von Gen 2,7, wobei auf den ersten Blick nicht klar wird, was er damit zeigen will. Er spielt offenbar auf eine Motivik an, die er den Korinthern nicht weiter erklären muß. Etwas deutlicher wird er dann in V. 46: So schwierig die Exegese dieses Verses auch ist (wir können uns ihm erst zuwenden, nachdem wir die Motivik von V. 45 zu klären versucht haben), auf jeden Fall läßt sich dem Wortlaut entnehmen, daß Paulus hier eine irgendwie andere Reihenfolge umkehrt. V. 45 selber läßt sich zunächst formal exegesieren: Paulus zitiert Gen 2,7, ergänzt jedoch πρῶτος und Ἀδάμ und fügt V. 45b ganz hinzu. Damit ist das Entscheidende erst eingetragen: daß es *zwei* Urmenschen gibt, denen gegensätzliche Attribute und Prädikate zukommen. Im Unterschied zu V. 47, wo dem πρῶτος ἄνθρωπος ein *δεύτερος* ἄνθρωπος gegenübergestellt wird, heißt der zweite Adam hier ἔσχατος. Es kann zunächst nur eine Vermutung sein, die sich im Verlauf der Untersuchung zu bewähren hat, wenn wir annehmen, daß Paulus ein vorgegebenes δεύτερος, das er in V. 47 beibehalten konnte, hier durch ἔσχατος ersetzt hat [16]. Ebenfalls muß noch Vermutung bleiben, daß er dabei auch die traditionelle Reihenfolge beider ἄνθρωποι vertauscht hat (was durch V. 46 nahegelegt wird) [17]. Die Struktur von V. 45 ist durch den Dualismus bestimmt: Vom Verb ἐγένετο sind zwei gegensätzliche Subjekte (ὁ πρῶτος ἄνθρωπος Ἀδάμ – ὁ ἔσχατος Ἀδάμ) und zwei gegensätzliche Prädikatsbestimmungen (εἰς ψυχὴν ζῶσαν – εἰς πνεῦμα ζῳοποιοῦν) abhängig. Während die erste Prädikatsbestimmung (aus Gen 2,7) semantisch ohne weiteres einleuchtet, macht die zweite insofern Schwierigkeiten, weil ja πνεῦμα ζῳοποιοῦν semantisch eine aktive Größe, eine Schöpfungspotenz ist, von der man eigentlich kein „Werden" aussagen kann. Von der creatura kann man sagen, sie „wurde", vom „creator" aber nicht ohne weiteres. Verständlich wird das jedoch, wenn man be-

---

[16] Zur Rede von einem ἔσχατος Ἀδάμ oder ἄνθρωπος gibt es keine religionsgeschichtliche Parallele, wohl aber zu δεύτερος ἄνθρωπος: Philo, All II 5, nennt so den Gen 2,7 geschaffenen irdischen Urmenschen = Adam (vgl. dazu *R. A. Horsley*, Pneumatikos, 277); ebenso Irenaeus Haer V 12,2 in seiner eigenen (gerade nicht gnostischen) Wiedergabe von 1 Kor 15,45.

[17] Bei Philo wie in der Gnosis ist der pneumatische Urmensch der πρῶτος ἄνθρωπος, der irdische Urmensch Adam (dessen Erschaffung in Gen 2,7 berichtet wird) der δεύτερος ἄνθρωπος (vgl. vorige Anm.) Während Paulus πρῶτος und ἔσχατος rein zeitlich gebraucht, verwendet Philo πρῶτος, δεύτερος, auch ἔσχατος (freilich kommt ἔσχατος ἄνθρωπος nie vor) immer zeitlos-ontologisch wertend, z. B. Her 172: „Anfang (ἀρχή) des Erschaffens ist ... Gott, das *letzte*, an Wert geringste Ende (τὸ δ' ἔσχατον καὶ ἀτιμότατον ... τέλος) die sterbliche Gattung"; vgl. auch All II 48. Es geht dabei um die beiden Extremstufen der Seinshierarchie (ἀρχή, πρῶτος – τέλος, ἔσχατος).

denkt, daß der ἔσχατος Ἀδάμ = Christus für Paulus eindeutig erst durch seine Auferweckung zur Schöpfungspotenz „wurde" (vgl. 15,22). Nicht der präexistente Christus, sondern der Auferweckte erhält das Prädikat πνεῦμα ζῳοποιοῦν[18]. Das ἐγένετο bleibt also auch in V. 45b Prädikatsverb.

In der exegetischen Literatur wird auf diese Tatsache immer wieder hingewiesen (s. vorige A), ohne daß erkannt wird, vor welch fundamentalem Motiv der vorpaulinischen Christologie man sich hier befindet. Daß ein Mensch (insbesondere nach seinem Tode) zu einer soteriologischen Pneuma-Gestalt „wird", diesem Motiv werden wir noch ausgiebig im hellenistischen Judentum nachgehen.

Es wurde bereits angedeutet, daß sich diese Motive in V. 45 nicht aus Gen 2,7 selbst ergeben. In irgendeiner Form spielt Paulus hier auf vorgegebene Tradition an. Drei Motive sind es, denen nachzugehen ist: der Begriff πνεῦμα ζῳοποιοῦν, das Adam-Christus-Motiv und die Antithese ψυχικός – πνευματικός. Irgendwie hängen diese Motive, soviel läßt sich schon vermuten, mit einer dualistischen Interpretation von Gen 2,7 zusammen. Es lassen sich, wenn man von der antithetischen Struktur der Verse 45 f. ausgeht, folgende Gegensatzpaare bilden:

> ψυχή   – πνεῦμα
> ζῶσα   – ζῳοποιοῦν
> ψυχικός   – πνευματικός
> Adam   – Christus
> (Gen 2,7)   – (?)

II Die religionsgeschichtlichen Motive in V. 45 f.

1. πνεῦμα ζῳοποιοῦν

Wie sich ψυχή und πνεῦμα antithetisch entsprechen, so auch die Attribute ζῶσα und ζῳοποιοῦν. Während ψυχὴ ζῶσα in Gen 2,7 enthalten ist, scheint πνεῦμα ζῳοποιοῦν eingetragen zu sein. Doch auch dieser Ausdruck hat eine Entsprechung in Gen 2,7, nämlich in πνοὴ ζωῆς[1].

---

[18] Gegen *J. Weiß*, 374; *J. Jeremias*, Artikel Ἀδάμ, 143 – mit: *K. Deissner*, 40 ff.; *A. Vögtle*, Adam-Christus-Typologie, 320; *E. Schweizer*, Artikel πνεῦμα, 417 A 572; *H. Hegermann*, 113 A 1; *W. G. Kümmel*, bei Lietzmann, Kor, 195; *J. Jervell*, 258 ff.; *H. Conzelmann*, 1 Kor, 341 f.; *R. Scroggs*, Last Adam, 92; *K.-G. Sandelin*, 48, u. a. Eigenwillig ist die These von *Chr. Burchard*, 1 Kor 15,39–41, πνεῦμα ζῳοποιοῦν bedeute für Paulus nur, daß Christus vom Geist auferweckt worden sei, nicht aber, daß er selber aktiv auferweckt (S. 244; ähnlich schon *B. Schneider* – s. u. S. 88 f. A 40). Dagegen spricht neben dem Wortlaut von V. 45 auch 15,21 f. Ein Problem liegt hier aber – s. u. S. 179 f. A 245.

[1] Vgl. *J. Lambrecht*, 513. Damit ist die alte Streitfrage geklärt, ob V. 45b noch zum Zitat gehört. Es handelt sich nicht um eine Erweiterung, sondern um einen Bestandteil des Zitates, freilich schon in einer besonderen Auslegung.

1. Nun ist der Ausdruck πνεῦμα ζῳοποιοῦν, der an dieser Stelle überhaupt erstmalig nachzuweisen ist, keine paulinische Erfindung. Zwar kommt das Verb ζῳοποιεῖν bereits im vorherigen Kontext vor (V. 22. 36), jedoch dort eindeutig von Paulus vorwegnehmend aus dem komplexen Motiv V. 45 abgeleitet[2]. Joh 6,63, die deutlichste Parallele (τὸ πνεῦμά ἐστιν τὸ ζῳοποιοῦν), kann kaum von Paulus direkt abhängig sein. Also handelt es sich um ein Motiv, das auch unabhängig von Paulus begegnet. Das zeigen ebenfalls die übrigen neutestamentlichen Belege zu ζῳοποιεῖν, die sich in zwei Gruppen einteilen lassen: Einmal ist Gott selbst Subjekt des ζῳοποιεῖν (Joh 5,21[3]; Röm 4,17; 8,11[4]). Hierfür gibt es vorpaulinische Belege (s. gleich). Daneben ist aber das πνεῦμα Subjekt: neben 1 Kor 15,45 und Joh 6,63 auch 2 Kor 3,6[5] und 1 Pet 3,18[6]. Diese Stellen sind nun alle *dualistisch* (σάρξ als Gegenüber zu πνεῦμα) und *soteriologisch*[7] zu verstehen, d. h. das ζῳοποιεῖν bezieht sich nicht auf die vergangene Schöpfung, aber (abgesehen von der paulinischen Uminterpretation) auch nicht auf die endzeitliche Auferwekkung, sondern auf ein stets gegenwärtig mögliches Geschehen. Dabei ist der Geist nicht einfach eine Sphäre, in der Leben herrscht, sondern stets ist er aktiver Urheber von Leben.

---

[2] 15,21 f. klingt das Adam-Christus-Motiv erstmalig an. Obwohl es ausführlich erst in V. 45 geboten wird (vgl. zur Priorität dieser Stelle gegenüber 1 Kor 15,21 f. und Röm 5,12 ff: *E. Brandenburger*, Adam, 70. 73 ff.; *L. Schottroff*, 125 f. 140 ff.), gebraucht Paulus es schon vorwegnehmend. Das heißt: er setzt es in Korinth als bekannt voraus. Der Ausdruck ζῳοποιεῖν erhält in V. 22 und 36 deutlich eschatologisch-zukünftige Bedeutung. In V. 45 geschieht das gleiche dadurch, daß der „lebendig machende Geist" mit dem ἔσχατος Ἀδάμ identifiziert wird. Das aber dürfte paulinische Umakzentuierung sein. Das Motiv vom πνεῦμα ζῳοποιοῦν ist nämlich von Haus aus nicht eschatologisch, wie noch zu zeigen ist.

[3] Ebenfalls vom „Sohn" als Subjekt. Entscheidend ist das ζῳοποιεῖν durch den Sohn, das präsentisch-soteriologisch, nicht futurisch-eschatologisch gemeint ist. Das ζῳοποιεῖν des Vaters steht parallel zu seinem ἐγείρειν τοὺς νεκρούς, das ebenfalls nicht apokalyptisch-futurische Aussage, sondern präsentisches Gottesprädikat ist. Nur ἐγείρειν zeugt im Zusammenhang schon von späterer Sprachverschmelzung (vgl. Kol 2,13 und Eph 2,5: συνζῳοποιεῖν in Bezug auf das ἐγείρειν Christi; dazu s. o. S. 27 A 46).

[4] Hier klingt aber noch an, daß das πνεῦμα eine wesentliche Rolle spielt. Das futurische ζῳοποιήσει (bezogen auf die σώματα) ist hier schon Ergebnis der paulinischen Auseinandersetzung von 1 Kor 15 (vgl. 1 Kor 15,22. 36).

[5] Dazu gehört noch Gal 3,21, eine paulinische Variierung des Motivs von 2 Kor 3,6. Der „tötende Buchstabe" als Gegenüber zum „lebendig machenden Geist" ist ja in 2 Kor 3,6 das Gesetz.

[6] Die Beziehung auf Christus als Objekt der Vivifikation des Geistes in 1 Pet 3,18 kann nur als Sonderfall der geistlichen Belebung von Menschen überhaupt verstanden werden. Dabei wird πνεύματι wegen der Parallelen Joh 6,63 und 1 Kor 15,45 am besten instrumental zu verstehen sein.

[7] Vgl. *R. Bultmann*, Artikel ζῳοποιέω, 876 Z. 44 ff.; *E. Schweizer*, Artikel πνεῦμα, 417 A 572.

2. Für Aussagen mit Gott als Subjekt des ζῳοποιεῖν (Röm 4, 17; 8, 11; Joh 5, 21) gibt es vor- und außerpaulinische (jüdische) Belege, doch fehlt hier durchweg das dualistische Moment. In LXX gibt ζῳοποιεῖν Hiphil- und Piel-Formen von חיה wieder (Hi 36, 6; IV Reg 5, 7: Gott ist mächtig, ϑαναϑῶσαι καὶ ζῳοποιῆσαι[8]). Röm 4, 17 (ϑεὸς ὁ ζῳοποιῶν τοὺς νεκρούς) hat seine engsten Parallelen in der 2. Benediktion des 18-Bitten-Gebets[9] und JosAs 20, 7[10]. Es handelt sich um ein zeitlos präsentisches Gottesprädikat. Die Wahl von ζῳοποιεῖν in den griechischen Belegen entspricht dem LXX-Sprachgebrauch.

3. Im griechischsprachigen Judentum bekommt die Rede von Gottes ζῳοποιεῖν eine philosophische Dimension. Erstmalig begegnet dieser Sprachgebrauch in II Esra 19, 6 LXX in schöpfungstheologischem Zusammenhang: σὺ ζῳοποιεῖς τὰ πάντα. Es handelt sich, wie aus dem Zusammenhang hervorgeht, bei der Wendung selbst nicht um den Weltschöpfungsakt (der wird zuvor mit ποιεῖν bezeichnet), sondern um die Welterhaltung (hebräisch: Partizip Piel von חיה). Dieses ebenfalls zeitlos-präsentische Gottesprädikat findet sich dann philosophisch ausgebaut im Aristeasbrief (16): δι' ὃν [Gott] ζῳοποιοῦνται τὰ πάντα καὶ γίνεται. Dort geht es um ein stoisches Motiv: Angespielt wird auf die stoische Etymologie der Akkusativformen von Zeus (Ζῆνα und Δία)[11]. An diesen beiden Stellen (vgl. im NT noch 1 Tim 6, 13: ζῳογονεῖν τὰ πάντα) wird erstmals für uns erkennbar stoische Theologie für den alttestamentlichen Gottesglauben herangezogen. Aus der Stoa erklärt sich die präsentische Zeitlosigkeit der Aussage: Die stoische Gottheit ist das die Welt durchwirkende belebende Prinzip, Pneuma, Logos oder Dynamis genannt[12]. Damit deutet sich schon an, wie es dazu kommen kann, daß πνεῦμα Subjekt der Aussage wird. Neben der Zeitlosigkeit ist für diese stoische Tradition allerdings charakteristisch das Monistische. Außerdem handelt es sich um kosmologische Aussagen, nicht um soteriologische. Und schließlich: Für den gesamten Terminus πνεῦμα ζῳοποιοῦν selbst gibt es keinen einzigen stoischen Beleg.

---

[8] Zu II Esra 19, 6 (= Neh 9, 6) s. nächsten Absatz. Vgl. noch TestGad IV 6 und 4 Esra 5, 45 (vivificare).

[9] Partizip Piel oder Hiphil von חיה; vgl. *U. Wilckens*, Röm, I 274.

[10] S. o. S. 26 A 44. Vgl. TestGad IV 6.

[11] *R. H. Charles*, II, 96 Anm.; vgl. Wendland bei *E. Kautzsch*, II, 6 Anm. b. Stoische Belege: SVF II, 305. 312. 315. Vgl. auch JosAnt XII 22: Dort wird der Name Ζῆνα erklärt: πᾶσιν ἐμφύειν τὸ ζῆν. ἐμφύειν ist aber Ausdruck aus Gen 2, 7 LXX. Hier wird diese Stelle freilich nicht dualistisch, sondern stoisch-monistisch verwendet.

[12] Das stoische Pneuma ist die Kraft, die alle Elemente bindet und die Welt im Innersten zusammenhält (vgl. dazu *M. Pohlenz*, I, 216; II, 107; *M. E. Isaacs*, 43 ff.). Dafür kann auch λόγος stehen. Es handelt sich zugleich um die Kraft, die die Welt belebt. Die Gottheit ist eine zeitlos gegenwärtige Kraft. Von „Schöpfung" kann man allenfalls reden als einem immerwährenden Prozeß in Perioden.

4. Vom ζωοποιεῖν des πνεῦμα (*im kosmologischen Sinne*) ist erst in der Hermetik die Rede: CH IX 6; XI 4 (vom ζωοποιεῖν der Weltseele, die dem Pneuma entspricht); XI 17; XII 22; XVI 8 [13]. Hier liegt nicht mehr stoische Prinzipienlehre vor, sondern bereits neupythagoreische. Die ältere Stoa kannte nach DiogLaert VII 134 zwei Prinzipien: τὸ πασχόν (die Materie) und τὸ ποιοῦν (der Logos, der Gott) [14]. Die Welt aber wurde aufgefaßt als ein großes ζῷον [15]. Man kann davon ausgehen, daß im Partizip ζωοποιοῦν diese Prinzipienlehre noch anklingt (vgl. Joh 6, 63: τὸ ζωοποιοῦν). Belegt ist ein solcher Gebrauch von ζωοποιεῖν jedoch nicht in der Stoa, sondern erst in späteren *pythagoreischen* Zeugnissen: DiogLaert VIII 27 und Jambl VitPythag 212, wo ausdrücklich die Physik der pythagoreischen Schule referiert wird [16]. Hier sind die stoischen Prinzipien *dualisiert* worden. Materie und Pneuma durchdringen sich nicht, sondern sind absolute Gegensätze. Dieser Pythagoreismus, der uns noch häufig begegnen wird, hat aber schon relativ früh nachweislich auf das alexandrinische Judentum eingewirkt [17].

5. Damit ist der *soteriologische* Sinn von ζωοποιεῖν aber noch nicht erklärt. Die Aussage vom ζωοποιεῖν τὰ πάντα ist zu unterscheiden vom neutestamentlichen Motiv des „Spiritus vivificans", das sich im soteriologischen Sinne auf den Menschen bezieht. Wieder führt uns das zunächst in stoische Gefilde. In der Stoa hängen Physik und Anthropologie über den Pneuma-Begriff eng zusammen. Das Pneuma, das die Welt belebt, belebt zugleich den Menschen. Die Menschenseele ist pneumatisch verbunden mit der Allseele. In diesem Sinne gab es eine Pneuma-Medizin, die wiederum in

---

[13] Vgl. *R. Bultmann*, Artikel ζωοποιέω, 876 f. (in Bultmanns Artikel wird die entscheidende Stelle 1 Kor 15, 45 nur am Rande erwähnt, übergangen wird die Stelle auch von *H. Schwantes*, 56 ff.). Es sei noch darauf hingewiesen, daß das Motiv nicht in den „gnostischen" Traktaten CH I (Poimandres) und XIII begegnet. Wichtig ist noch das hermetische Fragment bei Cyrill, Contra Julianum I 556 B und C, wo vom Pneuma gesagt wird: καὶ τὰ πάντα ζωοποιοῦν bzw. τὰ πάντα ζωοποιεῖ καὶ τρέφει (bei *J. Kroll*, 72; vgl. *A. D. Nock/A.-J. Festiguere*, Bd. IV, S. 128).

[14] Dazu *Pohlenz*, I, 73 f.; II 42; *K. Reinhardt*, in: PW XXII 1, Sp. 642.

[15] Stoische Belege: SVF II 633 ff.; auch bei Philo: z. B. Aet 26. 95; Her 155; Spec I 210. Für die Stoa spielt die harmonische Mensch-Kosmos-Beziehung eine große Rolle (ausgedrückt in der Relation von Mensch als Mikrokosmos und All als Makro-Anthropos); auch das bei Philo: z. B. Post 38; Plant 28.

[16] *H. Diehls*, I, 449 Z. 23; 476 Z. 14. Zum Zusammenhang dieser Lehre mit alexandrinisch-jüdischen Vorstellungen s. *H. Diehls*, II, 211 A 1. Zur äußerst wichtigen Stelle DiogLaert VIII 24 ff. vgl. *E. Schweizer*, Kol, 100–104; *ders.*, Versöhnung des Alls, bes. 494 ff.

[17] So bei Aristobul (dazu s. u. S. 115 f.). Bei Philo von Alexandrien ist die ganze stoische Terminologie bereits von einem dualistischen Gesamtverständnis eingebettet. Dabei sind, wie man bei Philo nachweisen kann, neupythagoreische Einflüsse maßgebend gewesen (s. u.). Überwiegend in dieser dualistischen Fassung ist der „Hellenismus" auf Judentum und Urchristentum einflußreich geworden.

Alexandrien auf jüdisches Denken eingewirkt hat. Nach Erasistratos dringt das Pneuma als πνεῦμα ζωτικόν durch Mund und Nase ins Herz, ins Blut und schließlich (als πνεῦμα ψυχικόν) ins Gehirn. Dieser Ausdruck πνεῦμα ζωτικόν begegnet dann in Sap und bei Philo[18].

a) Op 30 steht bei Philo die Wendung ζωτικώτατον τὸ πνεῦμα im Zusammenhang mit Gen 1, 2c (das Pneuma Gottes schwebte über den Wassern). Gen 1, 2c wird in Gig 22 und QGn IV 5 zunächst ganz im Sinne der stoischen Physik interpretiert. Wenn man jedoch genauer hinsieht, wird deutlich, daß diese Physik für Philo nur Bild ist für einen überphysikalischen Vorgang. Gig 22 geht es um die *Inspiration* der 70 Ältesten, die als Prototypen der Weisen gelten.

b) Der älteste hellenistisch-jüdische Beleg für πνεῦμα ζωτικόν ist Sap 15, 11. Damit wird dort aber ausdrücklich die πνοὴ ζωῆς von Gen 2, 7 wiedergegeben. Dabei sind πνεῦμα und ψυχή identisch[19]. Die Menschenseele ist so ein Teil der Weltseele. Sie ist ein verliehenes Pneuma, ein Darlehen (15, 8. 16). Vorausgesetzt wird hier die alttestamentliche Anthropologie, wie sie am deutlichsten in Gen 2, 7 zum Ausdruck kommt und dann in radikalisierter Form in der alttestamentlichen Skepsis: Der Mensch lebt nur durch den verliehenen Gottesgeist, der im Tod zu Gott zurückkehrt, während der Körper zu Staub zerfällt. Das Pneuma kehrt zu Gott zurück, der χοῦς (Staub) zur Erde (Koh 12, 7). In der Skepsis bedeutet dies das Ende der menschlichen Existenz – nicht so jedoch in SapSal. Nach Sap 15, 3 sind die Frommen nämlich von der totalen Auflösung im Tode ausgenommen. Nach Sap 2, 23 ff. sind sogar alle Menschen zur Unvergänglichkeit erschaffen, aber der Teufel führte den Tod ein. Nur für die Seelen der Gerechten bleibt das Los der Unvergänglichkeit. Es wird deutlich, wie hier die stoische Auffassung der Seele als Pneuma-Element beibehalten wird, jedoch eine Möglichkeit zur Unsterblichkeit besteht, der Mensch also weder vergänglich noch naturhaft unsterblich ist. Hier macht sich – bei Beibehalten des monistischen Pneumabegriffs der Stoa – ein Dualismus bemerkbar, insofern sich das Los der Gerechten (Unsterblichkeit) von dem der Sünder (Vergänglichkeit) unterscheidet[20]. Deutlicher wird das im zen-

---

[18] Erasistratos-Fragmente: bei Galen (SVF II 241; vgl. 235); vgl. *M. Wellmann*, in: PW VI 1, Sp. 341. Dazu *H. Leisegang*, Heilige Geist, 18 A 2; *J. M. Reese*, 15 f.; *W.-D. Hauschild*, 257. Auch der Ausdruck τὸ ζῳοποιητικόν ist übrigens medizinisch belegt (Diocles medicus: s. *H. G. Liddell/R. Scott*, 760; dazu *M. Wellmann*, in: PW V, 802–812). ζωτικός und πνεῦμα im medizinischen und physikalischen Sinne der Stoa z. B. auch Philo, Praem 144; πνεῦμα ψυχικόν: Leg Gai 63.

[19] Vgl. *K. Deissner*, 154; *J. M. Reese*, 84 A 239.

[20] Nach *E. Brandenburger*, Fleisch, 106 ff., setzt Sap 6–9 sowohl eine skeptische Anthropologie (Koh) wie einen kosmologischen Dualismus voraus. Zum unterschiedlichen Pneuma-Begriff von Sap 15 f. und Sap 6–9 vgl. auch *W. Bieder*, ThWNT VI, 369.

tralen Abschnitt Sap 6–10. Hier gehören nun πνεῦμα und σοφία zusammen (7, 7; 9, 17)[21], und beide stehen jetzt der ψυχή des Menschen gegenüber. Erst dadurch, daß die Seele des Menschen von Sophia/Pneuma *inspiriert* wird, erlangt sie Unsterblichkeit. Das heißt aber, daß das πνεῦμα ζωῆς von Gen 2, 7 nicht mehr mit der ψυχή identisch ist, sondern mit der σοφία. Dies ist eine ganz wesentliche Verschiebung, deren Bedeutung und Tragweite für die folgende Analyse von 1 Kor 15, 45 f. nicht überschätzt werden kann. Einmal haben wir hier den ältesten Beleg für eine Anthropologie, nach der ψυχή und πνεῦμα sich gegenüberstehen (s. u. S. 181 ff.), der Mensch also einschließlich seiner Seele vergänglich ist, sofern er nicht von der Weisheit inspiriert wird. Zweitens ergibt sich daraus die Konsequenz, daß, wenn man Gen 2, 7 mit dem Pneuma zusammenbringt, dieses Pneuma zur erlösenden Weisheit wird. Die Menschenschöpfung durch das Weisheitspneuma (Sap 9, 2) ist nun sozusagen Muster und Modell für die Erlösung durch Weisheit. Dennoch wird das πνεῦμα σοφίας in 7, 22 ff. noch ganz in der Terminologie der stoischen Pneumalehre charakterisiert[22].

c) Es gibt noch einen dritten wichtigen Beleg für πνεῦμα ζωτικόν: JustinDial 6, 2. Justin berichtet im „Dialog mit dem Juden Tryphon" von einem Gespräch mit einem „Alten", welches Anstoß seiner eigenen Bekehrung war (3–7). Der „Alte" ist demnach ein Christ. Die Worte des „Alten" gipfeln in der Behauptung der Überlegenheit der Propheten und der „Freunde Christi" über alle Philosophen. Durchgeführt wird das an der Frage, ob die Seele unsterblich sei oder nicht. Der „Alte" behauptet, sie sei nicht selbst das Leben, sondern habe nur Anteil am Leben: „... gerade so wie der Mensch nicht immer existiert und nicht immer der Körper mit der Seele verbunden ist, sondern die Seele dann, wenn diese Vereinigung gelöst werden muß, den Körper verläßt und der Mensch nicht ist, so weicht auch von der Seele, wenn sie nicht mehr sein soll, der lebensspendende Geist (τὸ ζωτικὸν πνεῦμα) und ist die Seele nicht mehr, sondern kehrt eben dahin zurück, woher sie genommen wurde" (6, 2). Das ist auf den ersten Blick die alttestamentlich-

---

[21] Vgl. Sap 9, 10: Die Sophia wird vom Himmel „gesandt" wie 9, 17 das Pneuma (den Hinweis verdanke ich brieflich Ed. Schweizer). 8, 19 und 9, 15 widersprechen dem nicht: Die Seele bedarf, um dem beschwerlichen Leib zu entkommen, des Pneumas. Zur Heterogenität der Teile Sap 1–5; 6–10 und 11 ff. vgl. *D. Georgi*, JSHRZ III 4, 393; zur Verwandtschaft mit Philos Allegorischem Kommentar: ebd., 395. Hier von einem „gnostischen Zweig der Weisheitsbewegung" zu sprechen, verwischt aber wieder die Begriffe (s. u. B IV).

[22] Vgl. *J. M. Reese*, 13 f. Ein weiterer Beleg für stoische und eventuell neupythagoreische Deutung der Weisheit von Prov 8, 22 ist ein Aristobul-Fragment (bei Euseb PraepEv XIII 12, 9–16, übersetzt bei *N. Walter*, JSHRZ III 2, 276 f.). Zu Aristobul s. u. S. 115 f.

skeptische Sicht von Gen 2,7. Zuvor ist aber deutlich gemacht: „Jedoch behaupte ich durchaus nicht, daß alle Seelen sterben … sondern daß die Seelen der Frommen an irgendeinem besseren Orte bleiben … Die einen also, welche gotteswürdig erscheinen, sterben nicht mehr, die anderen werden bestraft, so lange Gott will, daß sie noch existieren …" (5,3) [23]. Hier wird die weisheitliche Anthropologie von SapSal vertreten, wobei noch eindeutiger als dort zwischen dem „lebenspendenden Geist" und der Seele unterschieden wird. Es ist klar, daß Gen 2,7 im Hintergrund steht, *wobei zwischen πνοὴ ζωῆς und ψυχὴ ζῶσα streng unterschieden wird.* Das entspricht genau der Unterscheidung von πνεῦμα ζῳοποιοῦν und ψυχὴ ζῶσα in 1 Kor 15,45 (und damit dem Dualismus von πνευματικός und ψυχικός).

6. Von einem präsentischen, erlösenden unsterblich machenden pneumatischen Wirken Gottes sprechen einige Stellen in der hellenistisch-jüdischen Schrift JosAs. Dabei wird erstmals die ζῳοποιεῖν-Terminologie verwendet, und zwar in deutlicher Verbindung mit dem kosmologischen Gottesprädikat, 8,9: (ϑεὸς) ὁ ζῳοποιήσας τὰ πάντα καὶ καλέσας ἀπὸ τοῦ σκότους εἰς τὸ φῶς … καὶ ἀπὸ τοῦ ϑανάτου εἰς τὴν ζωήν (vgl. 8,3 und Röm 4,17) [24]. Anders als in den oben erwähnten stoisch beeinflußten zeitlosen Aussagen ist hier ζῳοποιεῖν *aoristisch* gebraucht, d. h. hier ist der Bezug auf die zeitlich vergangene Schöpfung gemeint. Aber, und das ist nun entscheidend: Die formgeschichtliche Funktion dieser Schöpfungsaussage liegt auf der Ebene der Gegenwart. Im Kontext geht es nämlich um die *Bekehrung*, einen präsentischen Akt, der in Analogie zum vergangenen Schöpfungshandeln Gottes gesehen

---

[23] Zu JustinDial 6,1 f., vgl. *N. Hyldahl*, Philosophie, 213 f., der den Text ganz aus stoischen Zusammenhängen erklären will (Poseidonios), und *J. C. M. van Winden*, 100 ff., der direkte christliche Bezugnahme auf Gen 2,7 annimmt (S. 106). Beides ist nur halb richtig, denn einerseits ist die stoische Terminologie (τὸ ζωτικὸν πνεῦμα) inhaltlich (im Kontext) bereits dualisiert, andererseits setzt das Motiv schon eine weisheitliche Tradition der Gen 2,7-Auslegung voraus. Im Zusammenhang von Dial 6,1 f. geht es um die Antithese von ζωή-*Sein* und Der-ζωή-*teilhaftig-Werden* der Seele. Das eine ist der philosophische Weg (Plato und Pythagoras: vgl. 6,1; 7,1), das andere der weisheitliche. Abhängig von JustinDial 6,1 f., ist IrenHaer II 34,4. – Genau dies Motiv, nun aber in der ζῳοποιεῖν-Terminologie, findet sich wieder in einer Katene zu Joh 1,4 (Origenes, Bd. 4: GCS 10, S. 485 f.), und zwar bezogen auf den Logos. Das Gewordene erhält durch sein (des Logos) ζῳοποιεῖν Leben, Gnosis, Erleuchtung. (Diese Katene hat übrigens inhaltlich keine Entsprechung in der Auslegung von Joh 1,4 im Kommentar des Origenes selber: vgl. GCS 10, S. 72 ff.). Die ζῳοποιεῖν-Terminologie in der Katene hat keinen Anhalt an Joh 1, stellt also keinen Reflex auf das Neue Testament dar. D. h. wir stehen hier vor der hellenistisch-jüdischen Tradition vom erlösenden ζῳοποιεῖν des Weisheitspneuma (nun auf den Logos bezogen), die ihrerseits mit Gen 2,7 operierte (vgl. IrenHaer II 34,4). Die weisheitliche Deutung von Gen 2,7 setzt auch IrenHaer V 12,2 f., voraus (s. o. S. 78 A 16; s. u. S. 107 A 95).

[24] Text und Zählung nach *Chr. Burchard*, Vorläufiger griech. Text, 12 (nach *M. Philonenko*: 8,10).

wird. So hat die Aussage von ihrer formgeschichtlichen Verankerung her *soteriologischen Gegenwartsbezug*[25]. Das wird deutlicher in der Fortsetzung JosAs 8,9 (8,10 f.): Im Gebet Josephs über Aseneth, das mit einer Reihe von Gottesprädikationen beginnt (darunter: ὁ ζῳοποιήσας τὰ πάντα), heißt die entscheidende Bitte: ζῳοποίησον καὶ εὐλόγησον τὴν παρθένον ταύτην. καὶ ἀνακαίνισον τῷ πνεύματί σου ... καὶ *ἀναζωοποίησον* τῇ ζωῇ σου καὶ φαγέτω ἄρτον ζωῆς σου ... καὶ εἰσελθάτω εἰς τὴν κατάπαυσίν σου ...[26]. Vgl. 15,5: ἰδοὺ δὴ ἀπὸ τῆς σήμερον ἀνακαινισθήσῃ καὶ ἀναπλασθήσῃ καὶ *ἀναζωοποιηθήσῃ* καὶ φάγεις ἄρτον εὐλογημένον ζωῆς καὶ πίεις ποτήριον εὐλογημένον ἀθανασίας ... Der Augenblick der Bekehrung wird als inspirativer Akt neuer Belebung verstanden. Gottes Schöpfungshandeln wird übertragen auf einen präsentischen inspirativen Akt[27]. Dieser Akt wiederum wird zugleich sakramental ausgedrückt[28]. Der zweite Beleg für einen solchen Inspirationsgehalt von (ἀνα)ζωοποιεῖν ist OdSal 11,12 griech[29]: ἀνεζωοποίησέν με τῇ ἀφθαρσίᾳ αὐτοῦ, wobei im Kontext wieder reichlich die hellenistisch-jüdische Pneuma-Symbolik begegnet[30].

[25] Von daher fällt Licht auf die engste Parallele, Röm 4,17 (vgl. *U. Wilckens*, Röm, I 274). Vom bekehrungstheologischen Hintergrund des Wortes ζῳοποιεῖν wird der rechtfertigungstheologische Gebrauch der Gottesprädikation durch Paulus verständlicher (vgl. *E. Käsemann*, Röm, 114 f.). Röm 4,17 ist aber wie JosAs 20,7 zeitlos-präsentisch formuliert (s. o. S. 81).

[26] So der Text nach *M. Philonenko*, 158 (8,10 f.). Nach *Chr. Burchard*, Vorläufiger griechischer Text, 12 (8,9), fehlt jedoch das ζῳοποίησον am Anfang der zitierten Stelle. Das gleiche gilt für 27,10 (*Burchard*, 46) = 27,8 (*Philonenko*, 214), wo Philonenko κύριος ὁ θεός μου ὁ ζῳοποιήσας με ἐκ τοῦ θανάτου liest, Burchard aber: κύριε ὁ θεός μου ὁ *ἀναζωοποιήσας* με καί ... Nach Burchard käme das Simplex ζῳοποιεῖν in JosAs also nur in der Gottesprädikation θεὸς ὁ ζῳοποιήσας τὰ πάντα (8,3. 9) bzw. zeitlos präsentisch θεὸς ὁ ζῳοποιῶν τοὺς νεκρούς (20,7) vor. Für den soteriologischen Vorgang (Bekehrung) stünde immer *ἀναζωοποιεῖν*. Diese terminologische Differenzierung halte ich für wahrscheinlicher. Es bleibt aber dabei, daß Gottes Schöpfungshandeln (Aorist in 8,3. 9!) das Modell abgibt für das gegenwärtige Erlösungshandeln (ἀναζωοποιεῖν: 8,9; 15,5; 27,8 nach Burchard).

[27] Vgl. *E. Brandenburger*, Auferstehung; *Chr. Burchard*, 1 Kor 15,39–41, 255–258.

[28] Dazu *D. Sänger*, 191 ff. Sänger führt JosAs auf die gleiche hellenistisch-jüdische Weisheitstheologie zurück, aus deren Kreisen auch Philo stammt. – Der sakramentalen Fassung dieser Inspirationstheologie entspricht auch Herm sim IX 16,2. 7, wonach vom Taufwasser das ζῳοποιεῖν ausgeht. Das Wasser ist schon im hellenistischen Judentum (neben dem Manna-Brot) eins der wesentlichen Symbole des Pneuma. Taufe und Herrenmahl in Korinth hängen mit dieser hellenistisch-jüdischen Weisheitstradition zusammen (s. u. S. 150 f.; vgl. *H.-J. Klauck*, 168 ff.). JosAs enthält jedoch keinen Hinweis auf ein Taufsakrament.

[29] Zum griech. Text von OdSal 11 (Bodmer Papyrus XI): *J.-H. Charlesworth*, 9 ff.; *M. Lattke*, I, 106–113; vgl. zum Inhalt: *H. Lewy*, 83 ff. (kannte erst nur die syr. Fassung). OdSal 11 ist neben Philo (wo der Terminus ζῳοποιεῖν nicht vorkommt, wohl aber die Sache: s. u. S. 103 ff.) und JosAs der dritte wichtige Beleg für die Tradition von der weisheitlichen Inspiration. Hier finden wir die bei Philo häufigen Pneuma-Symbole „Fels" (5), „Wasser", „Quelle des Lebens" (6), „Rausch" (7 f.).

[30] Nicht mehr in diesen Zusammenhang gehört m. E. TestAbr A 18 (als Parallele auf-

7. Der Mensch ohne Pneuma ist nach dieser Vorstellung im übertragenen Sinne tot. Erst die Pneuma-Verleihung vermittelt eigentliches „Leben", Unsterblichkeit. Das setzt nun aber schon einen Dualismus voraus zwischen sterblicher irdischer Existenz und unsterblicher geistlicher Existenz, platonisch gesprochen: zwischen Werden und Sein. In dieser dualistischen soteriologischen Vorstellung vom ζῳοποιεῖν spielte offenbar Gen 2,7 eine entscheidende Rolle. Belegt ist das zunächst für den Ausdruck πνεῦμα ζωτικόν in Sap 15,11; Philo (Op 30) und Justin (Dial 6,2)[31]. Wir sahen bereits, daß dieser Ausdruck der alexandrinischen Pneuma-Medizin entstammt mit ihrer Vorstellung vom Eindringen des Körper und Geist in Lebensfunktion haltenden Pneumas durch Mund und Nase. Diese Vorstellung erinnert an Gen 2,7[32]. Nun gibt es in diesem Zusammenhang einen zwar späten, aber sehr aufschlußreichen Beleg zu ζῳοποιεῖν: Lukian, Ver. hist. I 22. Diese Stelle wirkt wie eine Karikatur von Gen 2,7: Ihre *totgeborenen* (νεκρά) Kinder erwecken die Mondbewohner nach der Geburt dadurch zum Leben (ζῳοποιοῦσιν), daß sie sie in den *Wind* stellen, der ihnen in den geöffneten *Mund* bläst. Hier klingt das alte, wohl ägyptischem Ursprung entstammende Motiv der Windzeugung an[33]. Wichtiger noch ist die Tatsache, daß Lukian sich in den Verae historiae in erster Linie gegen den populären Neupythagoreismus seiner Zeit wendet[34]. Im Umkreis dieser philosophisch-religiösen Strömung fanden wir aber die Ansätze des Motivs vom πνεῦμα ζῳοποιοῦν[35].

Zeugnisse für eine dualistisch-weisheitliche Verwendung von Gen 2,7 finden wir bei Philo (vor allem die wichtige Stelle All I 32: s. u. S. 103 ff.), obwohl der Ausdruck ζῳοποιεῖν nicht vorkommt. Die ursprünglich stoische Pneuma-Vorstellung ist dabei schon pythagoreisch dualisiert. Ohne das übernatürliche Pneuma ist der Mensch ein lediglich bio-

---

geführt bei *M. Philonenko*, 183 Anm.), wo ἀναζῳοποιεῖν schon im apokalyptisch-eschatologischen Kontext steht und auf die leibliche Auferweckung bezogen ist. Das zeugt von später (christlicher?) Verschmelzung spiritualistischer Sprache und realistischer Auferweckungsvorstellung. Erst recht gilt das von Ps.-Philo LibAnt 25,7; 38,4; 51,5.

[31] Zu erinnern ist vor allem noch an IrenHaer II 34,4 (o. S. 85 A 23), wo es um die auch bei JustinDial 6,1 f. und Origenes, Katene zu Joh 1,4 (ebd.), verhandelte Frage nach der Beziehung der Seele zur Unsterblichkeit geht (vgl. auch IrenHaer V 12,2 f.). Hauptbeleg ist dafür Gen 2,7, womit gezeigt werden kann, daß der Mensch erst durch Anhauchung Gottes das (wahre, geistliche) Leben erhält. Dahinter steht aber die ganze weisheitliche dualistische Inspirationstheologie, wie wir sie genauer bei Philo kennenlernen werden (s. u. S. 103 ff.).

[32] Erinnert sei auch an JosAnt XII 22 (o. S. 81 A 11).

[33] *H. Kleinknecht*, ThWNT VI, 338 f. ζῳοποιεῖν bedeutet ursprünglich „zeugen" und entstammt der Biologie (die ältesten Belege bei Theophrast und Aristoteles in biologischen Schriften).

[34] Vgl. Gesch. d. griech. Lit. II 2, S. 714.

[35] Vgl. o. S. 82.

logisch vegetierendes Wesen, vom Geist her gesehen „tot"[36]. Das aber
läßt sich musterhaft ausdrücken durch Gen 2, 7: Danach wird Adam zunächst als ein toter Körper, eine Menschenpuppe, aus Erde gebildet.
Erst in einem zweiten Akt erhält er Leben, indem Gott ihm πνοὴ ζωῆς
(Lebenskraft) durch die „Nase" „einhaucht."[37] Diese Vorstellung
nimmt in der späteren Gnosis (als sogenanntes Adam-Golem-Motiv) einen breiten Raum ein, wobei diese sekundäre Belebung durchweg als
Erlösung verstanden wird[38]. Das Motiv selber ist aber nicht gnostisch,
sondern weisheitlich. Der Vorgang von Gen 2, 7 dient als Modell der erlösenden Weisheitsinspiration. Der natürliche Adam ist danach sterblich (Staub, Erde, „irdisch"). Die Einblasung von πνοή = πνεῦμα[39] bedeutet die Erlösung als Verleihung der Unsterblichkeit. Das, was den
Menschen im Modell von Gen 2, 7 „wahrhaft lebendig" macht (vgl.
Philo, All I 32), ist das „lebendig machende (Weisheits-)Pneuma".

Zusammenfassung: Der Ausdruck πνεῦμα ζῳοποιοῦν, der als ganzer
erstmals 1 Kor 15, 45 begegnet, wegen Joh 6, 63 aber schon vorpaulinische Tradition sein muß, weist zurück in alexandrinisch-jüdische Weisheitstheologie mit ihrer Verwendung von Gen 2, 7. Wie Adam nach
Gen 2, 7 ohne Pneuma nur ein Erdkloß (Golem) ist, so ist der natürliche
Mensch ohne das Unsterblichkeit verleihende Pneuma im übertragenen
Sinne tot. Das Motiv hat von Haus aus nichts mit der endzeitlichen Totenauferweckung zu tun[40], sondern gehört in das zeitlos-dualistisch

---

[36] Bei Philo findet sich dieses Motiv an einigen Stellen auch dadurch ausgedrückt, daß
von einer doppelten Seele des Menschen gesprochen wird, der Blutseele und der Pneuma-
seele. Wer kein Pneuma hat, vegetiert nur (am deutlichsten: Her 54 ff.). Daß es dabei um
ein spirituelles Leben der Kinder der Weisheit geht, zeigt Her 53.
[37] LXX verallgemeinert den im Hebräischen stehenden Ausdruck „Nase" zu
πρόσωπον. Dem entspricht, daß in der stoischen Medizin das Pneuma durch Nase und
Mund eindringt.
[38] Vgl. dazu *L. Schottroff*, 8 ff. Sie bestreitet eine Herkunft des Motivs aus der allegorischen Auslegung von Gen 2, 7 (S. 39). Zunächst erkennt sie ganz richtig, daß das Golem-
Motiv in seiner ursprünglichen Form nicht mit dem Demiurgen gnostischer Prägung zusammenhängt. Ursprünglich wird der Golem vom Himmel her belebt (S. 33 f.). Das aber
enspricht doch genau dem weisheitlichen Dualismus mit seiner Verwendung von Gen 2, 7.
Bei L. Schottroffs Ergebnis: „So muß die Frage der Herkunft des Motivs ungeklärt bleiben" (S. 41; vgl. *K. Rudolph*, ThR 37, 1972, 297 f. A 1) braucht man nicht stehen zu bleiben; vgl. *B. A. Pearson*, Pneumatikos, 55 ff. – Zur Geschichte des Motivs: *G. Scholem*,
Eranos 22, 1953, 235–289.
[39] Philo hebt in All I 31 ff. die πνοή aus Gen 2, 7 LXX vom Pneuma ab, um das Problem zu überbrücken, daß Gen 2, 7 einerseits Schöpfungsaussage, dann aber auch Modell
der Weisheitsinspiration ist (s. u. S. 103 ff.). An anderen Stellen verrät er aber noch die Tradition, wo πνεῦμα und πνοή identisch sind. Det 80 zitiert er Gen 2, 7 nach LXX, schreibt
aber gegen LXX πνεῦμα ζωῆς (vgl. Op 135).
[40] Gelegentlich wird die Behauptung aufgestellt, 1 Kor 15, 45b (πνεῦμα ζῳοποιοῦν)
gehe auf Ez 37 zurück (*B. Schneider*; *C. Farina*, 116 ff. 146 ff.; ähnlich *H.-H. Schade*, 69 ff.
– dazu s. u. S. 92 A 48). Dafür verweist man auf GenR 14, 8, wo Gen 2, 7 mit Ez 37, 14 in Verbin-

und spiritualistisch denkende hellenistische Judentum Alexandriens. Hier gab es schon früh Berührungen mit dem Neupythagoreismus, dessen Einfluß sich noch im Terminus (τὸ) ζῳοποιοῦν verrät. Eine Rolle spielt aber auch die alexandrinische Medizin mit ihrer stoischen Pneumalehre (πνεῦμα ζῳτικόν), die im alexandrinischen Judentum (wahrscheinlich nicht ohne Einfluß des Pythagoreismus) dualistisch abgewandelt wurde. Gen 2,7 ist dabei zum Schlüsseltext geworden. In allegorischer Auslegung wird die Belebung Adams auf die Inspiration des Weisen, des Pneumatikers gedeutet. Jetzt wird verständlich, wie Paulus aus Gen 2,7 sowohl ψυχή wie πνεῦμα herauslesen kann: Adam ohne Pneuma ist nur ψυχὴ ζῶσα, sterbliche „Seele". Erst wer des Pneuma teilhaftig wird, erlangt unsterbliches Leben. In Philos Allegorischem Kommentar werden wir diese weisheitliche Auslegung von Gen 2,7 wiederfinden, und zwar in Verbindung mit der Lehre von zwei Urmenschen (s. u. S. 90 ff.). – Merkwürdig bleibt allerdings immer noch eins: Wie kommt Paulus dazu, das πνεῦμα ζῳοποιοῦν mit einem der beiden ἄνθρωποι zu identifizieren? Auch diese Identifizierung von Pneuma und Christus ist nachweisbar keine Erfindung des Paulus, sondern gehört in den Umkreis des traditionellen Motivkomplexes, von dem wir einen Zipfel zu fassen bekommen haben. Daß Christus als übermenschliche Heilsmittlergestalt (wie Pneuma, Logos, Sophia) aufgefaßt wurde, bezeugt ja auch (neben Joh 1,1 ff. und Kol 1,15 ff.) 1 Kor 8,6, wo Paulus eine den Korinthern zumindest geläufige Formel zitiert, die ebenfalls in die neupythagoreisch beeinflußte [41] alexandrinisch-jüdische Theologie zurückweist [42]. Auch hier geht es nicht um Schöpfungsmittlerschaft,

---

dung gebracht wird. Das Entscheidende aber, daß nämlich einer der beiden Anthropoi mit dem Geist identifiziert wird, läßt sich von daher nicht erklären. *B. Schneider*, 155. 160, fälscht 1 Kor 15,45 um, wenn er übersetzt: „the last Adam, a being *spiritized by* a life-making Spirit" (Hervorhebung von mir; die gleiche Deutung auch bei *Chr. Burchard*, 1 Kor 15,39–41, 244 – s. o. S. 79 A 18). GenR 14,8 deutet Gen 2,7 ganz im Sinne des alttestamentlichen Menschenbildes, wonach das Leben des Menschen solange währt, wie der Odem Gottes in ihm bleibt (also undualistisch): „Weil der Mensch in dieser Welt durch Blasen zum Dasein gelangt ist, darum stirbt er." Dem wird Ez 37,14a als endzeitliche Verheißung einer neuen Welt gegenübergestellt: „einst aber wird ihm der Geist *gegeben werden* und er *wird* leben." (Die Gegenüberstellung von Blasen und Geist entspricht Philos Differenzierung von πνεῦμα und πνοή: s. u. S. 106 ff.). Ez 37 LXX nimmt dabei selber schon Bezug auf Gen 2,7 (Ez 37,5: πνεῦμα ζωῆς; V. 9: ἐμφυσᾶν). Entscheidend gegen diese Herleitung des Motivs von 1 Kor 15,45 aus Ez 37 spricht aber, daß sich weder aus Ez 37 noch aus GenR 14,8 der Dualismus von πνεῦμα und ψυχή herleiten läßt. So hat denn auch ζῳοποιεῖν keinen terminologischen Anhalt in Ez 37 (auch im hebräischen Text nicht: es begegnet keine Piel- oder Hiphil-Form von חיה). – Auch der Beleg TestGad IV 6 (ὥσπερ ἡ ἀγάπη καὶ τοὺς νεκροὺς θέλει ζῳοποιῆσαι ...) ist nicht eschatologisch aufzufassen (vgl. JosAs 20,7).

[41] Neupythagoreischen Ursprung der kolossischen „Philosophie" hat *E. Schweizer*, Kol, 100 ff.; *ders.*, Versöhnung des Alls, nachgewiesen.

[42] Zum alexandrinisch-jüdischen Hintergrund der Formel 1 Kor 8,6: *R. A. Horsley*,

sondern um Erlösungsmittlerschaft (ἡμεῖς δι᾿ αὐτοῦ)[43]. Wie es dazu kommt, daß Christus als ἄνθρωπος zu einer Pneuma-Gestalt „werden"[44] konnte, läßt sich aber erst erklären, wenn wir das Adam-Christus-Motiv (oder genauer: das Motiv von den zwei Urmenschen) untersucht haben. Dazu müssen wir freilich sehr weit ausholen.

2. Das Motiv der zwei Urmenschen

a) Adam und Christus in V. 45–50

An drei Stellen in seinen Briefen spricht Paulus von einer Relation Christus – Adam: Röm 5, 12 ff.; 1 Kor 15, 21 f. und 1 Kor 15, 45–50. Die Exegeten sind sich heute insoweit einig, daß man 1. annimmt, Paulus greife hier auf religionsgeschichtlich vorgegebene Motivik zurück, und 2. davon ausgeht, daß 1 Kor 15, 45 ff. derjenige Text ist, welcher der traditionellen Motivik noch am nächsten steht[45]. Auf jeden Fall empfiehlt es sich, den Motivkomplex nicht als ganzen religionsgeschichtlich ableiten zu wollen. Die Suche nach Parallelen bzw. Motivquellen versagt dann auch gerade an dem einen Punkt der *urzeit-endzeitlichen* Gegenüberstellung der zwei Anthropoi, so daß E. Käsemann zu dem Schluß gekommen ist: „Dagegen ist die Adam-Christus-Typologie als solche bisher noch nicht geklärt."[46] Das wäre nicht verwunderlich, wenn man

---

ZNW 69, 1978, 130–135; *W. Theiler*, Vorbereitung, 15–35; *H. Dörrie*, Präpositionen. Die Logos-Sophia-Gestalt hat zugleich Schöpfer- wie Erlöserfunktion (Philo, Sacr 8: Durch den selben Logos erschafft Gott das All und führt den Vollkommenen wie Mose von den irdischen Verhältnissen hinauf).

[43] Vgl. *J. Murphy-O'Connor*, RB 85, 1978, 253–267.

[44] ἐγένετο ... εἰς ... ist auch Prädikat von V. 45b (s. o. S. 79).

[45] Z. B. *E. Brandenburger*, Adam, 70; *L. Schottroff*, 125 f.

[46] *E. Käsemann*, Röm 137 f. Vgl. auch *K. M. Fischer*, Adam, 283 ff.; *B. Schaller*, Diss., 190: „Völlig ohne Entsprechung ist ... die typologische Verknüpfung und Gegenüberstellung Adam – Christus. Ihre Herkunft läßt sich aus keiner der bekannten Überlieferungen ableiten; eine Klärung ihres Hintergrundes ist eine der offenen Fragen der neutestamentlichen Forschung." Käsemann stellt sich die Entstehung so vor, daß zu einer vorliegenden Urmenschspekulation „die apokalyptische Anschauung von den beiden Äonen mit ins Spiel" komme, wodurch erst das Urzeit-Endzeit-Schema entsteht. „Ebenso ergibt sich dann die Möglichkeit, den Schöpfungsmittler als Beginn und Urheber der allgemeinen Totenauferweckung zu verstehen ..." (138). Käsemann hält es nun aber für unwahrscheinlich, daß diese Typologie erst Paulus selber schuf (jedoch: „Wie hilfreich sie ihm gerade im vorliegenden Text [Röm 5] war, liegt auf der Hand": ebd.). Diese These hängt bei Käsemann jedoch mit der von ihm vertretenen Anschauung von einer *vorpaulinischen* enthusiastischen Tauftheologie mit realisierter Eschatologie (vorweggenommene Totenerweckung) zusammen, wie sie in den Deuteropaulinen bezeugt ist. Diese Hypothese von einer vorpaulinischen enthusiastischen Theologie steht aber als ganze hier in Frage (s. o. S. 23 ff.). Auf jeden Fall gibt es keine Belege für eine vor- oder nebenpaulinische Vorstel-

einmal davon ausgeht, daß es erst Paulus selbst ist, der auf der Grund-
lage einer Motivik von zwei Urmenschen den Gedanken der Urzeit-
Endzeit-Entsprechung einträgt und damit von einem ἔσχατος Ἀδάμ *in
polemischer Intention* redet. Dafür spricht die bereits o. S. 78 gemachte
Beobachtung, daß in V. 47 statt vom ἔσχατος vom δεύτερος ἄνθρωπος
die Rede ist. Zugleich zeigt V. 46, daß Paulus eine vorgegebene Reihenfolge umgekehrt hat (ἀλλ᾽ οὐ πρῶτον ... ἀλλά ... ἔπειτα). Das heißt
dann aber, daß er ein Schema voraussetzt, nach dem es zwei Urmenschen gibt, zunächst einen „pneumatischen", dann einen „psychischen".
Das Verhältnis von πνεῦμα ζωοποιοῦν (pneumatischer Urmensch) und
Adam als ψυχὴ ζῶσα (psychischer Urmensch) war also genau umge-
kehrt. Durch die Umkehrung erreicht Paulus es, den pneumatischen
Urmenschen zugleich zum eschatologischen Adam zu erklären (statt
δεύτερος nun ἔσχατος)[47]. Christus ist für ihn ja erst dadurch zum
πνεῦμα ζωοποιοῦν geworden, daß er als *Auferweckter* unvergängliches
Leben bewirkte (15,22). Ferner ist zu beachten, daß Paulus sämtliche
Elemente dieser Vorstellung (wenn auch künstlich – vgl. o. S. 76) aus
Gen 2,7 bezieht, wobei πνεῦμα ζωοποιοῦν der πνοὴ ζωῆς entspricht.
Nach Gen 2,7 ist die πνοὴ ζωῆς als Mittel der Schöpfung dem Geschöpf

---

lung einer Relation von einem πρῶτος und einem *ἔσχατος* ἄνθρωπος (womit das verbrei-
tete Vorkommen einer Urzeit-Endzeit-Entsprechung als solcher natürlich nicht bestritten
werden soll). Die Belege, die *B. Murmelstein*, WZKM 35, 1928, 253 ff., für das angebliche
Vorhandensein der Vorstellung eines eschatologischen Adam im Judentum anführt, belegen *das* gerade nicht. Sie belegen nur den Gedanken, daß der *Messias* die Sünde Adams
sühnt und aufhebt. Es geht also allenfalls um die Erlösung Adams. Adam selbst spielt
keine soteriologisch aktive Rolle. Murmelstein ist aber darauf aus, Adam selbst als Erlöser nachzuweisen. Immerhin muß er dabei zugeben: „Zur vollkommenen Parallele mit
dem Gedankengang Urmensch-Erlöser fehlt uns nur noch der Gedanke, daß Adam selbst
der kommende Erlöser ist. Und es muß im voraus gesagt werden: deutlich werden wir
diese Idee im Judentum nicht finden, aber Spuren davon werden wir kennenlernen ..."
(258 f.). Aber auch die dann aufgeführten Belege geben solche „Spuren" kaum her. Vor
allem fehlt in sämtlichen Belegen das Motiv der *dualistischen* Gegenüberstellung *zweier
Anthropoi*. Entweder ist der Erlöser kein Anthropos (im Sinne eines himmlischen „Urmenschen"; er heißt weder Adam noch wird er Anthropos genannt), oder er ist mit Adam
geradezu identisch (das sind dann allerdings schon spätere gnostische Vorstellungen, die
Murmelstein m. E. in die jüdischen Texte hineinliest). Aber gerade das würde ja der Antithese von erstem und letztem Adam nicht entsprechen. Der Gedanke einer Konsubstantialität von Salvator und Salvandus hat keinen Anhalt in den Korintherbriefen. Zu Murmelstein vgl. u. S. 100 A 80. Auf die Adam-Sage aus VitAdEv und ApokMos verweist auch *U.
Bianchi*, Numen 18, 1971, 3 ff. 6. – Daß es keinen von Paulus unabhängigen Beleg für das
Schema von einem ersten und einem zweiten (bzw. letzten) Adam gibt, betont zu Recht
C. Colpe, Artikel υἱὸς τοῦ ἀνθρώπου (ThWNT VIII), 474; ebenso *U. Wilckens*, 1 Kor
2, 1–16, 534; *J. Lambrecht*, 516 mit A 85.
[47] Wenn *J. Schniewind*, 134, folgert, Paulus teile mit den Korinthern die Prämisse, es
gebe einen ἔσχατος Ἀδάμ, so ist der entscheidende paulinische Akzent, der im ἔσχατος
liegt, gerade verkannt.

(ψυχὴ ζῶσα) aber selbstverständlich auch zeitlich voraus. Wenn Paulus nun dieses Pneuma mit dem „himmlischen" Urmenschen (V. 48) verbindet, setzt er also indirekt eine Reihenfolge pneumatischer Anthropos – irdischer Anthropos voraus. Auf diese will er aber gar nicht hinaus. Das heißt nun wiederum, daß ihm die Motivik von den zwei Urmenschen hier vorgegeben ist. Da er sie polemisch behandelt, muß man schließen, daß sie Bestandteil der korinthischen Anthropologie war. – Schließlich ist noch ein weiteres zu beachten, bevor man auf die Suche nach dem Ursprung dieser Motivik geht. Die beiden Urmenschen sind zugleich „Typen" zweier Menschenklassen (V. 48). Allein von daher liegt es nahe, daß *beide* Urmenschen ursprünglich protologische Größen waren. Der Rekurs auf den Urstand (als Schöpfungsmythologie) ist ja grundsätzlich Interpretation gegenwärtigen oder zeitlosen Existenzbewußtseins. Die Rede von *zwei* Urmenschen ist also Ausdruck einer besonderen ontologisch begründeten und soteriologisch gewendeten dualistischen Anthropologie [48].

b) Hypothese: Herleitung des Motivs aus alexandrinisch-jüdischer Theologie (Philo)

Wenn es zutrifft, daß als vorgegebenes Motiv nicht eine komplexe Urzeit-Endzeit-Typologie in Frage kommt, sondern lediglich die Vorstellung von zwei Urmenschen, kommen vor allem zwei religionsgeschichtliche Bereiche in Betracht: der Gnostizismus und die Schriften Philos [49]. Dabei stellen Philos Schriften als solche die älteren Quellen dar. Wenn im folgenden der Versuch unternommen wird, die Urmenschlehre hin-

---

[48] *H. H. Schade*, 69–90, erklärt die Adam-Christus-Typologie „aus der Anwendung weisheitlicher, apokalyptischer wie rabbinisch-exegetischer Tradition des Judentums auf den auferweckten Christus." (83 f.). Weisheitlich sei der Dualismus, apokalyptisch und rabbinisch sei die Auslegungstradition von Gen 2,7, „wonach die Gegenüberstellung von Urzeit und Endzeit sowie die Auffassung Christi als lebendigmachender Geist gegeben sind." (83). Dabei sei es „keineswegs ausgemacht, daß Paulus diese Typologie oder eine Vorform davon bei dem korinthischen Gegner vorfand" (83; vgl. 77 f.). Entscheidend sei der apokalyptische Aspekt, wobei „Christus himmlischer Mensch als Gegenwärtiger und *Kommender* ist" (85). Dabei sei die Parusie konstitutiv. „Spekulationen von zwei Urmenschen" seien „möglicherweise sogar ganz entbehrlich" (79). Dennoch: „Der Dualismus, den Paulus z. T. aufnimmt und gegen den er z. T. polemisiert, läßt sich nach allem gut aus dem hellenistischen Judentum verstehen ..." (81). – Das ganze ist eine religionsgeschichtliche Mischkonstruktion ohne klare Konturen, wobei die weisheitlich-philonische Linie keineswegs ausgeschöpft ist und die polemische Funktion der Aufnahme apokalyptischer Motivik durch Paulus verkannt wird.
[49] Vgl. *P. Schwanz*, 26 (analog zu den paulinischen εἰκών-Aussagen) im Anschluß an *J. Jervell*. CH I (Poimandres) kann man in diesem Zusammenhang vorläufig zur Gnosis rechnen. Daß rabbinische Adam-Lehren ausscheiden, dazu s. u. S. 99 f. A 80.

ter 1 Kor 15,45 von Philos Anthropologie her zu interpretieren[50], die gnostischen Quellen aber zurückgestellt werden, so beruht dies auf der hypothetischen Annahme, daß die gnostische Vorstellung von der Menschenschöpfung eine Weiterentwicklung der durch Philo bezeugten darstellt. Sollte sich zeigen lassen, daß Philos Urmenschlehre der hinter 1 Kor 15,45 stehenden entspricht, dann wäre damit ja immerhin schon soviel gewonnen, daß man eine fest umrissene Vorstellung in einer datierbaren Quelle hätte, die zeitlich dem 1 Kor sehr nahe kommt. Es bleibt dann freilich immer noch die weitere Frage, ob Philo nicht selber schon eine ältere, womöglich gnostische Anschauung wiedergibt. Das Verhältnis Philos zur Gnosis muß also gesondert berücksichtigt werden (s. u. S. 202 ff.).

Bekanntlich lehrt Philo in Anknüpfung an die zweimalige Erwähnung der Menschenschöpfung in Gen 1,27 und 2,7 eine doppelte Menschenschöpfung (Op 134–147; All I 31–42): Gen 1,27 bezieht er auf einen himmlischen Urmenschen bzw. die Idee des Menschen, Gen 2,7 auf Adam, den wirklichen ersten Menschen, den Protoplasten. Nun wird aber, besonders in der deutschen Forschung, überwiegend bestritten, daß diese Vorstellung Philos überhaupt hinter 1 Kor 15,45 stehen könne[51]. Jedoch beruht diese Bestreitung schon auf falschen exegetischen Voraussetzungen, die sich z. T. schon hier kritisieren lassen:

1. Daß Philos Schriften in Korinth bekannt gewesen wären, ist zwar nicht auszuschließen, jedoch auch nicht naheliegend. – Es fragt sich aber, ob man hier nicht mit einer verbreiteten hellenistisch-jüdischen Genesis-Interpretation rechnen muß, für die Philos Schriften nur ein Zeuge sind. Auf das Problem einer traditionsgeschichtlichen Philo-Interpretation muß daher gesondert eingegangen werden (s. u. S. 169 ff.).

2. Der philonische Idee-Mensch hat keine eschatologische Funktion[52]. – Wenn die oben angestellte Vermutung zutrifft, daß erst Paulus den himmlischen Anthropos zum ἔσχατος Ἀδάμ machte, erledigt sich

---

[50] So z. B. *W. D. Davies*, 51 f.; *C. K. Barrett*, First Adam, 75; *ders.*, 1 Cor, 374 f.; *R. G. Hamerton-Kelly*, 138–144; *B. A. Pearson*, Pneumatikos, 17 ff.; *R. A. Horsley*, Pneumatikos, 274 ff.; *ders.*, How Can Some of You Say ..., 216 ff.; *U. Wilckens*, 1 Kor 2,6–16, 231 ff.; *J. Lambrecht*, 515 f.; bereits *K. Barth*, 116; *H. Lietzmann*, Kor, 85 f. (dagegen aber *W. G. Kümmel* bei Lietzmann, S. 195); *O. Cullmann*, Christologie, 171 ff.; *K. H. Schelkle*, Theologie II, 179; IV 1,85; erwägend auch *C. Colpe*, Schule, 61 A 2; vgl. *ders.*, Artikel ὁ υἱός τοῦ ἀνθρώπου, 476, Z. 21 ff.; *H. Conzelmann*, 1 Kor, 341.

[51] Z. B. von *W. G. Kümmel* bei Lietzmann, 195; *A. Vögtle*, Menschensohn, 210 f.; *E. Schweizer*, Artikel πνεῦμα, 417 A 572 (Schweizer mißversteht an dieser Stelle aber Philos Urmenschlehre als kosmologisch und bedenkt nicht, daß erst Paulus den Gedanken der Auferweckung einträgt); *G. Brakemeier*, 107; *R. Scroggs*, Last Adam, 87 A 30; *B. Schaller*, Diss., 217 A 41; *K.-G. Sandelin*, 45; *K. M. Fischer*, Adam, 283 ff.

[52] Z. B. *G. Brakemeier*, 107; *K. M. Fischer*, Adam, 283 ff.; bereits *K. Deissner*, 38.

dieser Einwand. Die Urmensch-Spekulation ist als solche nicht eschatologisch.

3. Im Unterschied zu Philo argumentiert Paulus nicht mit Gen 1,27[53]. – Auch dieses Argument erledigt sich, wenn man davon ausgeht, daß Paulus die Reihenfolge umkehrte. Wenn er in Gen 2,7 die Erschaffung seines „ersten" Anthropos berichtet findet, kann er Gen 1,27 explizit nicht mehr verwenden, ohne seine eigene Argumentation zu durchkreuzen[54]. Der εἰκών-Begriff in 1 Kor 15,49 verrät aber noch, daß Gen 1,27 im Hintergrund steht[55].

4. Bei Philo fehle der Gegensatz von πνεῦμα und ψυχή. ψυχή sei bei Philo nicht negativ bewertet[56]. – Dies Argument stimmt nicht. ψυχή und νοῦς werden bei Philo durchaus ambivalent gebraucht. Das hängt mit der spezifischen Verwendung von Gen 2,7 zusammen. Darauf ist noch ausführlich einzugehen.

5. In platonischer Denkweise sehe Philo (Op 134; All I 31) in Gen 1,27 die Erschaffung der *Idee* des Menschen. Von diesem Idee-Menschen könne aber keine kreative oder soteriologische Funktion, ja nicht einmal ethische Aktivität ausgesagt werden[57]. – Dies Argument ist scheinbar überzeugend. Aber der erste Anthropos ist nicht einfach nur passive Idee, wie ein genaueres Eingehen auf Philos Gedanken zeigen wird. J. Jervell hat versucht, Philos Aussagen über den Idee-Menschen völlig von den soteriologischen Zügen seiner Theologie (wo es um den Logos geht, der dann gnostische Züge aufweise) abzutrennen. Aber gerade auf die merkwürdige Verbindung von Ontologie und Soteriologie wird es ankommen. Idee-Mensch und Logos-Anthropos lassen sich bei Philo nicht trennen[58].

6. Ähnlich steht es um den folgenden Einwand: 1 Kor 15,46 zeigt, daß es in 1 Kor 15,45 f. um ein *zeitliches* Nacheinander geht. Das aber paßt gerade nicht zu Philo, dessen zwei Anthropoi *zeitlose* Größen sind[59]. In der Tat – aber damit ist doch noch nicht widerlegt, daß es in *Korinth* um die zeitlosen Anthropoi, wie wir sie bei Philo kennen ler-

---

[53] Z.B. *G. Brakemeier*, 107; vgl. *K. Deissner*, 37 f.

[54] Vgl. *U. Wilckens*, 1 Kor 2,6–16, 532.

[55] Vgl. *J. Jervell*, 258; *U. Wilckens*, Christus der ‚letzte Adam', 389; *P. Hoffmann*, TRE 4, 455; *J. Lambrecht*, 513.

[56] Z.B. *G. Brakemeier*, 107.

[57] *J. Jervell*, 259; *G. Brakemeier*, 107; *K.-G. Sandelin*, 45; *U. Wilckens*, 1 Kor 2,6–16, 531–533. Vgl. auch *U. Bianchi*, Numen 18, 1971, 3: „ ... l'Homme céleste philonien ne joue aucun rôle dans la vicissitude du salut et dans l'eschatologie."

[58] Vgl. schon *F.-W. Eltester*, 39 ff.; *E. Brandenburger*, Adam, 118; *H.-M. Schenke*, Gott „Mensch", 121 ff.; *R. A. Horsley*, Pneumatikos, 277 A 22; *ders.*, How Can Some of You Say ..., 217 mit A 31 (vgl. u. S. 103 A 87); *J. Lambrecht*, 516; *T. H. Tobin*, 139 ff.

[59] So vor allem *R. Scroggs*, Last Adam, 122; *A. J. M. Wedderburn*, „Heavenly Man", 301–306 (dazu s. u. S. 167 A 221); vgl. *H.-H. Schade*, 240 A 349.

nen werden, gehen könnte. 1 Kor 15, 45 f. ist – wie zu zeigen sein wird – gerade Angriff gegen eine ontologische Erlösungslehre. Wenn auch in neuester Zeit von einigen Exegeten erkannt wird, daß Paulus selbst in V. 45 f. eine *ontologische* Urmenschlehre, wie sie bei Philo zu finden ist, chronologisch umkehrt und dadurch eschatologisiert[60], so ist doch (bis auf die bahnbrechende Arbeit von T. H. Tobin, die aber die neutestamentlichen Bezüge ausspart) noch nirgendwo Philos Urmenschlehre in ihrem dualistisch-weisheitlichen Kontext und ihrer Relevanz für 1 Kor 15 ausführlich dargestellt worden. Auf jeden Fall ist ein genaueres Eingehen auf Philos Schriften unerläßlich. Es genügt nicht, nur einzelne Motive gewissermaßen wie aus einem Steinbruch heranzuziehen, wie es bis heute auf diesem Felde fast immer geschehen ist. Der Weg über die Darstellung der Hauptzüge von Philos Theologie mag umständlich erscheinen; er wird sich aber für das Verständnis von 1 Kor 15 als lohnend erweisen[61].

c) Das Motiv der zwei Urmenschen im Rahmen der Anthropologie, Ontologie und Soteriologie Philos (Exkurs)

α) Vorbemerkungen

Um die Verwandtschaft der hinter 1 Kor 15, 45 ff. erkennbaren Urmenschlehre mit der philonischen Anthropologie nachzuweisen, ist es erforderlich, weiter auszuholen. Denn einerseits erledigen sich die im vorigen Abschnitt erwähnten Gegenargumente, wenn man das Motiv der doppelten Menschenschöpfung im Zusammenhang mit der gesamten Anschauung und Denkweise Philos betrachtet, zum anderen enthalten die Schriften Philos insgesamt die meisten Bezüge zu den aus 1 (und 2) Kor erkennbaren Umrissen korinthischer Theologie. So läßt sich denn auch aus dem Werk Philos beantworten, wieso in Korinth die Auferweckung Toter bestritten wurde.

---

[60] So *U. Wilckens*, Christus der ‚letzte Adam', 388–393; *ders.*, 1 Kor 2, 6–16, 531–533; *C. Colpe*, Artikel ὁ υἱὸς τοῦ ἀνθρώπου, 475 f.; *P. Hoffmann*, TRE 4, 455; *J. Lambrecht*, 515 f. (unter Verweis auf die mir nicht zugängliche Dissertation von *J. Gillmann*, Transformation into the Future Life. A Study of 1 Cor 15: 50–53, its Context and Related Passages, unpublished Ph. D. dissertation Cath. Univ. Leuven, 1980, 314 f.). Bei der Untersuchung von V. 46 wird darauf näher einzugehen sein (s. u. S. 179 f.).

[61] Als einziger ist *R. A. Horsley* in seinen Aufsätzen von einer philonischen Theologie als Hintergrund des ganzen 1 Kor ausgegangen. Jedoch setzt auch er nicht mit einer Darstellung der Gedanken Philos ein, so daß gerade der rätselhafte Hintergrund von 1 Kor 15, 45 f. nicht genügend aufgehellt wird. Trotz Horsleys überzeugenden Nachweisen in einzelnen Punkten müssen wir deshalb den mühevollen Weg über das philonische Labyrinth noch einmal gehen, wobei uns jetzt das Buch von *T. H. Tobin* als Wegweiser dienen kann.

Nun ist freilich gerade die Frage nach dem inneren Zusammenhalt der philonischen Gedanken, nach seinem System, bis heute so gut wie ungelöst. Zum Teil hat man die Widersprüche mit dem Hinweis auf den homiletischen Charakter vor allem seiner allegorischen Schriften zu erklären versucht[62], dann aber auch mit dem abqualifizierenden Urteil, er sei ein unselbständiger, zur gedanklichen Systematisierung unfähiger „Schwätzer" gewesen, der wahllos Traditionen und Motive aufgegriffen hätte. Die Folge dieser Urteile ist bis heute, daß man seine Werke als Steinbruch religions- und philosophiegeschichtlicher Traditionsforschung benutzt[63]. Was den eigentümlichen Charakter und die Herkunft seiner Anschauungen betrifft, so werden in der Forschung – zum Teil alternativ – drei „Felder" angegeben: 1. die antike Philosophie um die Zeitenwende[64], 2. hellenistischer Volksglaube[65] bzw. orientalische Religiosität (iranische Gnosis[66], Mysterienreligionen[67]), 3. jüdische Frömmigkeit[68]. Ohne auf die Probleme der verschiedenen Ableitungen näher einzugehen, sei nur so viel zur Erwägung gestellt: Philo steht mit seinem Denken in einer alexandrinisch-jüdischen Tradition, wie SapSal und Aristobul[69] zeigen, wie er aber zuweilen auch selber durch Erwähnung von Vorläufern und Genossen der philosophischen Auslegung verrät[70]. Diese Tradition hat bereits jeweils zu ihrer Zeit auf der Höhe der philosophischen Bildung gestanden. Das gilt für Philo im besonderen Maße und läßt sich vor allem anhand seiner ontologischen und erkenntnistheoretischen Äußerungen zeigen. Viele der Rätsel, aber auch der Widersprüche und Aporien seiner Schriften sind offenbar schon Bestandteil dieser mittelplatonischen und nach-poseidonischen

---

[62] Z.B. *W. Völker*, 10; *J. Jervell*, 52; *B. Schaller*, Diss., 80 f.; vor allem *H. Thyen*, Stil, 7 ff.

[63] Vgl. z.B. *R. Reitzenstein*, in: Reitzenstein/Schaeder, 30 f.; *J. Pascher*, 2 f. Diametral entgegengesetzt dazu: *H.A. Wolfson*, I, 114 f. Eine überzeugende Traditionsgeschichte der anthropogonischen Aspekte bei Philo bietet jetzt *T.H. Tobin* (s. u. S. 170 f. A 226).

[64] So überwiegend in der Forschung des 19. Jahrhunderts, vor allem *Ed. Zeller*, II 2, 385 ff.; ferner *H.A. Wolfson*; *H. Willms*; *H. Schmidt*, 1 f. 8 ff.; *A. Wlosok*, 50 ff.; *P. Boyancé*; *G.D. Farandos*, 115 ff.; *T.H. Tobin*, passim; ferner alle u. S. 114 A 109 Genannten. Innerhalb dieser Philo aus philosophischer Tradition erklärenden Richtung wird entweder die Stoa (so vor allem *H. Leisegang*, PW XX 1, 1–50) oder der Platonismus, überwiegend der pythagoreisch beeinflußte Mittelplatonismus (so die u. S. 114 f. A 109 u. 111 Genannten), als maßgebend angesehen.

[65] *H. Leisegang*, Der Heilige Geist.

[66] Z.B. *R. Reitzenstein*, Erlösungsmysterium, 104 f.; *ders.*, in: Reitzenstein/Schaeder, 24 f. 30 f.; *ders.*, Mysterienreligionen, 271 ff. 317 ff.; *J. Pascher*; *E.R. Goodenough*; *H. Lewy*; *H. Jonas*; *H. Thyen*; *J. Jervell*.

[67] Z.B. *E. Bréhier*; *J. Pascher*; *E.R. Goodenough*.

[68] So vor allem *W. Völker*; in etwa auch *H. Hegermann*, 6 ff. Zur Forschungsgeschichte: *W. Völker*, 1–47 (bis 1938); *H. Thyen*, ThR 23 (bis 1955); *G.D. Farandos*, 80–149; *S. Sandmel*, 165 ff.

[69] *N. Walter*, Aristobulos, 58 ff. 141 ff. bes. 144.

[70] Dazu *W. Bousset*, Schulbetrieb, 8–14; *E. Stein*, 26 ff.; *N. Walter*, Aristobulos, 144 ff.; *T.H. Tobin*, passim.

Philosophie[71]. Einflüsse der Mysterienreligionen sind einerseits lediglich als literarische Topik anzusehen[72], andererseits schon philosophisch adaptiert[73]. Iranisch-gnostische Einflüsse schließlich sind völlig auszuschließen – wenn auch das Problem Philo und der Gnostizismus noch einer Erörterung bedarf (s. u. S. 202 ff.). Schwierig ist eine Verhältnisbestimmung von Griechischem und Jüdischem bei Philo. Auf den ersten Blick überwiegt total das Philosophische: Fast alles bei Philo hat irgendwelche *stoischen, platonischen, neupythagoreischen* oder *skeptischen* Wurzeln. Philo beherrschte wahrscheinlich auch die hebräische Sprache nicht[74]. Doch wir werden noch sehen, daß seine ganzheitliche Anthropologie, die im ambivalenten νοῦς-Begriff zum Ausdruck kommt, weisheitliche, letztlich alttestamentliche Wurzeln hat. Auch die Spitze seiner mystischen Gotteslehre mit ihrer total passiven Auffassung von der Gotteserkenntnis (als χάρις) wurzelt in seiner jüdischen Frömmigkeit – mag seine Theologie auch philosophisch so weit wie nur möglich begründet sein.

Die hellenistisch-jüdische Tradition, in der Philo steht und deren führender Vertreter seiner Zeit er ist, stellt selber schon ein synkretistisches Phänomen dar. Vor allem das hier wichtige Urmenschmotiv in seiner dualistischen Fassung und in seiner Verbindung mit einer besonderen Auslegung von Gen 2, 7 gehört in diese Tradition, deren zentraler theologischer Begriff die Sophia ist[75]. Daß dieser Begriff (und nicht der bei Philo selbst im Vordergrund stehende Logos) in Korinth eine Rolle spielt (1 Kor 1–4), deutet darauf hin, daß nicht Philo selbst, wohl aber die in seinen Werken am deutlichsten erkennbare alexandrinisch-jüdische Weisheitstradition das theologische Rüstzeug der Korinther ab-

---

[71] So *J. M. Dillon*, Middle Platonists, 182. Zur Philosophie dieser Zeit außerdem: *W. Theiler*, Vorbereitung, 1–60; *H. Willms*, 24 ff.; *A. Wlosok*, 50–60; *H. Dörrie*, Erneuerung; *ders.*, Platonismus; *H. J. Krämer*, passim, bes. 264 ff.; *G. D. Farandos*, 133 ff.; *A. H. Armstrong*, 94 ff.; *T. H. Tobin*. passim; und s. u. S. 114 f. Zu Poseidonios: *K. Reinhardt*, PW XXII, 558–826; *ders.*, Kosmos und Sympathie; *J. M. Dillon*, Middle Platonists, 106 ff.; gegen die Behauptung eines Einflusses von Poseidonios auf den Mittelplatonismus: *T. H. Tobin*, 12 A 36. – *H. A. Wolfson*, passim, hat versucht, Philo ein einheitliches, widerspruchsfreies System zuzuschreiben (vgl. I 114 f.). Dagegen zu Recht *K. Bormann*; vgl. auch *Tobin*, 167 f.

[72] Das zeigt deutlich Cher 40 ff.; dazu *H. Hegermann*, 9 ff. Den gleichen Sachverhalt hat *D. Sänger*, 148 ff., für JosAs nachgewiesen (vgl. ebd. 190 A 121).

[73] Mysterienhafte Elemente sind im korinthischen Christentum bedeutend massiver anzutreffen (*H.-J. Klauck*, 254 ff.; vgl. als ein Beispiel 1 Kor 15, 29). Auch hier sind sie allerdings vermutlich vollständig durch das hellenistische Judentum vermittelt.

[74] *V. Nikiprowetzky*, 50 ff. 81; *Y. Amir*, 68 f. (gegen *H. A. Wolfson*, I, 88); *S. Sandmel*, Studia Philonica 5, 1978, 107–112.

[75] Die These einer weisheitlichen Auslegungstradition von Gen 2, 7 hinter 1 Kor 15, 45 f. und Philo (z. B. All I 32) scheint sich allmählich durchzusetzen: *B. A. Pearson*, Pneumatikos, 17 ff.; *K.-G. Sandelin*, 26 ff.; *W.-D. Hauschild*, 256 ff. Zur weisheitlichen Tradition Philos allgemein: *B. L. Mack*, 108 ff.; *E. Brandenburger*, Fleisch, 119 ff.; *T. H. Tobin*, 140 ff..

gibt. Dabei sind die philosophischen Elemente, die bei Philo deutlich zutage treten, bereits in dieser Weisheitstradition verarbeitet und integriert. Daß auch 1 Kor 15, 45 f. ohne diesen philosophischen Hintergrund (mit der ihm eigentümlichen Verbindung von Ontologie, Erkenntnistheorie und Soteriologie) nicht klar zu verstehen ist, wird deutlich werden.

Läßt sich nun die Frage nach den originalen Elementen innerhalb des philonischen Werkes kaum beantworten, so noch weniger die nach einer möglichen Entwicklung. Wichtig ist jedoch die Gruppierung der Einzelschriften zu größeren Gesamtwerken bzw. zu Schriftkomplexen[76]:

1. Philosophische Traktate und Einzelschriften (Prob, Vit cont, Aet, Prov)
2. Historisch-apologetische Schriften (Flacc, Leg Gai)
3. Eine Mose-Aretalogie (Mos I–II)
4. Das Werk über die mosaische Gesetzgebung (Op, Abr, Jos, Dec, Spec I–IV, Virt, Praem)
5. Der Allegorische Genesiskommentar (All I–III, Cher, Sacr, Det, Post, Gig, Imm, Agr, Plant, Ebr, Sobr, Conf, Migr, Her, Congr, Fug, Mut, Som I–II)
6. Quaestiones et Solutiones (QGn, QEx).

Die Quaestiones entsprechen in ihrer Tendenz weitgehend dem Allegorischen Kommentar und sind als Ergänzung zu ihm heranzuziehen. Abgesehen von einigen griechischen Fragmenten sind die vorhandenen Bücher der Quaestiones nur armenisch überliefert[77]. Im folgenden wird der Text von Cohn/Wendland zugrundegelegt (für QGn und QEx, soweit keine griech. Fragmente vorhanden, die engl. Übersetzung von R. Marcus). Die Übersetzung der griech. Philo-Texte basiert in der Regel auf: Philo deutsch, I–VII. Gelegentlich wird davon jedoch stillschweigend selbständig abgewichen, wo mir jene Übersetzung fehlerhaft oder mißverständlich zu sein scheint.

Das Motiv von der doppelten Menschenschöpfung begegnet sowohl im (überwiegend unallegorischen) Gesetzgebungswerk (dort in Op) wie im Allegorischen Kommentar, bezeichnenderweise jedoch sehr unterschiedlich. Dadurch, daß man die unterschiedliche Ausrichtung beider Urmenschaussagen übersieht und bei der Behandlung von 1 Kor 15, 45 fast immer von Op statt von All I ausgeht, ergibt sich von vornherein eine verhängnisvolle Weichenstellung, die eine Lösung der mit 1 Kor

---

[76] Dazu: Gesch. d. griech. Lit. II 1, S. 625 ff.; *S. Sandmel*, 29 ff.; Grundlegend: *L. Cohn*, Einteilung.

[77] Die beste Übersetzung ist die englische von *R. Marcus* (Loeb, Philo, Suppl. I u. II); griech. Fragmente bei *R. Marcus* und *F. Petit*.

15,45 zusammenhängenden Probleme verbaut. In Op 134 f. kommt
Philo auf Gen 2,7 zu sprechen. Erst hier führt er die Unterscheidung
zweier erster Menschen ein: In Gen 1,27 handelte es sich um die Idee
des Menschen (Prototyp), in 2,7 um den ersten sinnlich wahrnehmbaren Menschen Adam (Protoplast)[78]. Der Unterschied zur Urmenschlehre im Allegorischen Kommentar besteht darin, daß es keine soteriologische Beziehung vom Idee-Menschen zu Adam gibt. Jener bleibt
Muster und Idee. Aus Gen 2,7 allein wird nun eine doppelte Natur des
Menschen abgeleitet: Hinsichtlich des Körpers ist der Mensch sterblich,
hinsichtlich der Seele, die Gott als πνεῦμα θεῖον einhauchte, ist er prinzipiell unsterblich (Op 135). Die Soteriologie, um die es im Allegorischen Kommentar beinahe ausschließlich geht, wird hier ganz ausgespart. Wenn wir uns nur an Op halten, könnte das Urteil von J. Jervell
zutreffen, daß Philos Lehre von zwei Anthropoi nichts mit 1 Kor 15,45
zu tun hat[79].

Das gilt erst recht von der folgenden Schilderung des Protoplasten
Adam (Op 136 ff.). Adam ist als Urvater der an Leib und Seele vollkommenste Mensch. Erst durch seinen Sündenfall und eine allgemeine De-
pravation der folgenden Menschheit kamen Sterblichkeit und Schlechtigkeit der Menschen. Adam ist von Natur weise, ja, er hat die Würde,
die im Allegorischen Kommentar der himmlische Urmensch hat (vgl.
Virt 199–205, wo das gleiche Adammotiv wie Op 136 ff. vorliegt). Dieses Adam-Motiv ist völlig undualistisch. Mit 1 Kor 15,45 f. hat es nichts
zu tun. Auch Christus als Antityp Adams ist nicht mit dem Herrlich-
keits-Adam in Beziehung zu bringen[80]. 1 Kor 15,45 f. setzt vielmehr

---

[78] Der eigentliche Grund für dieses Motiv der doppelten Menschenschöpfung ist nach *T.
H. Tobin*, 112 ff., im alexandrinischen Mittelplatonismus um die Zeitwende zu sehen. Alexandrinische Juden schon vor Philo haben die biblische Weltschöpfung nach dem Modell von Platos Timaios erklärt: Die sinnlich wahrnehmbare Welt ist Abbild des Ideen-Kosmos. Über Plato
hinaus ist dabei auch schon mit einer Idee, einem Paradigma des Menschen gerechnet worden
(Arius Didymus bei Euseb PraepEv XI 23). Es lag also für die alexandrinischen jüdischen Genesis-Ausleger nahe, den Menschen von Gen 1,27 dem Ideen-Kosmos, den von Gen 2,7 dem sinnlich wahrnehmbaren Kosmos zuzuteilen. Dagegen sperrte sich dann allerdings die Tatsache,
daß man zugleich in Gen 1,27 den platonisch verstandenen εἰκών-Begriff (Abbild eines Urbil-
des) fand. Die Anfangskapitel von Op verraten noch, daß der Mensch von Gen 1,27 ursprünglich dem κόσμος αἰσθητός zugerechnet wurde (und folglich Gen 1,27 und 2,7 auf
die Schöpfung ein und desselben Menschen bezogen wurden), denn Philo bezieht in Op
15–36 nur den ersten Schöpfungstag (Gen 1,1–5) auf die Schöpfung der Ideen. In Op 129
erfolgt dann aber ein eklatanter Bruch: Jetzt wird Gen 1,27 in die Schöpfung der Ideen-
welt mit einbezogen, und die Schöpfung der sinnlich wahrnehmbaren Welt beginnt erst
mit Gen 2,5 (dies gilt dann durchgehend auch für All I–II). Nach Op 134 f. ist der Mensch
von Gen 1,27 lediglich das Muster des wirklichen Menschen (Gen 2,7). Zu den fehlge-
schlagenen Versuchen, den Widerspruch zwischen Op 15–36 und Op 129 ff. zu harmoni-
sieren, s. *Tobin*, 167 ff.

[79] *J. Jervell*, 259 (s. o. S. 94).

[80] Häufig verweist man auf die von Philo in Op 136 ff. aufgegriffene rabbinische Mo-

eine Urmenschlehre voraus, nach der Adam schon von seiner Schöpfung her der negativ gezeichnete Protoplast ist[81]. Das aber trifft für die Urmenschlehre des Allegorischen Kommentars zu[82]. Hier ist Adam allegorisch (schon von seiner Etymologie her) der „erdhafte" νοῦς.

Die Erklärung dieser Widersprüche zwischen Op und Allegorischem Kommentar ist nicht einfach[83]. Einen Ansatz dazu bietet erstmals die

---

tiv von Adams urständlicher Herrlichkeit als traditionsgeschichtlichen Hintergrund der ganzen Adam-Christus-Typologie (*R. Scroggs*, 31. 121 ff.; vgl. *K. A. Bauer*, 99). Aber in diesem Motivkreis fehlt der Dualismus vollständig. Genau im Gegensatz zur Meinung von Scroggs ist nicht dieses alte Motiv vom kosmischen Adam-Riesen der Urzeit (Adams Größe, Schönheit und Weisheit vor dem Fall: *L. Ginzberg*, I, S. 59–62; V, S. 80 A 24; S. 112–114 A 104 u. 105) Hintergrund der paulinischen Adam-Christus-Typologie, sondern die Gegenüberstellung von „heavenly man" und „first man", von Prototyp und Protoplast (gegen *R. Scroggs*, 115 ff., der eine solche Antithetik als Hintergrund bestreitet: S. 122). Auch bei Scroggs liegt der Fehler darin, daß er von Op ausgeht und die Urmenschlehre des Allegorischen Kommentars nicht in ihrer Besonderheit berücksichtigt. – Völlig abwegig ist es, wenn man Christus als den letzten Adam gar von einer in Urzeit und Endzeit begegnenden Adam-Erlöser-Gestalt her zu deuten versucht. Weder die Religionsgeschichtliche Schule allgemein noch speziell *B. Murmelstein* haben dafür überzeugende Belege beibringen können: so zu Recht *R. Scroggs*, X ff., und ausführlich *N. Oswald*, 203–240. Die Methode derartiger religionsgeschichtlicher Forschung karikiert *Oswald*, 129, treffend: „Wir kennen mittlerweile das innere Gesetz einer Denkstruktur, die sich nicht zuletzt in einer bestimmten Weise der *Zitation* von religionsgeschichtlichen Quellen ausdrückt und die ... etwa folgendermaßen funktioniert: Für das rabbinische Judentum wird das Vorhandensein einer bestimmten Vorstellung *postuliert*, der *Beweis* wird aus Tertullian erbracht, und natürlich hatten auch die Apokalyptiker und Philo davon ‚Kenntnis'; und was bei allen zusammen nicht auffindbar, aber nichtsdestoweniger bei allen ‚vorauszusetzen' ist, wird u. U. aus mittelalterlich-kabbalistischen Texten belegt." (Zu Murmelstein vgl. auch o. S. 90 f. A 46). Auch *U. Bianchi* (o. A 46) möchte die Adam Christus-Typologie von der Adam-Sage, und zwar aus VitAdEv und ApokMos, herleiten. Auch dort fehlt jedoch das Element der dualistischen Antithetik.

[81] Zwar nennt Paulus Adam den πρῶτος ἄνθρωπος (wie Philo es Op 148 – im Zuge der undualistischen Adam-Sage – tut), aber das impliziert gerade nicht dessen Würde und ist erst Produkt der paulinischen Umkehrung. Im Allegorischen Kommentar ist Adam der δεύτερος ἄνθρωπος (All II 5), und der mit dem Logos verwandte pneumatische Himmelsmensch der πρῶτος.

[82] Bezeichnend für den undualistischen Charakter der Adam-Motivik in Op ist Op 137: Gott nimmt für Adams Leib den besten Staub der Erde. Einzig hier (und Praem 120) wird bei Philo der *Leib* als „Wohnung" und „heiliger Tempel für die vernünftige Seele" gewürdigt (s. o. S. 58 f.). Das widerspricht der sonst durchgängigen negativen Sicht von σῶμα und paßt eher zur paulinischen Kritik an den Korinthern (vgl. 1 Kor 6,19). Überhaupt kommt in Op manches der paulinischen Sicht näher (vgl. 1 Kor 15,40 ff.: Leiblichkeit der Gestirne; dazu s. u. S. 218 ff.). Dagegen weht in Korinth völlig der Geist des Allegorischen Kommentars. Zu stoischen Motiven in Op 136 ff.: *W. Theiler*, Timaeus, 60 ff.

[83] Die Annahme, daß die Schriften des Gesetzgebungswerkes älter seien als der Allegorische Kommentar, ist nicht haltbar, da Philo innerhalb des Gesetzgebungswerkes gelegentlich auf Teile des Allegorischen Kommentars (und die Quaestiones) verweist. In Virt 52 (vgl. Praem 53) wird die Schrift Vita Mosis erwähnt; dort aber (Mos II 215) wird wiederum auf Spec II 61 Bezug genommen – d. h. Mos entstand während der Abfassung des Gesetzgebungswerkes (zwischen Spec und Virt). Die Konsequenz ist unvermeidlich,

traditionsgeschichtliche Analyse der diversen anthropogonischen Motive in Philos Schriften durch T. H. Tobin[84]. Tobin sieht Philo in einer Tradition hauptsächlich mittelplatonisch beeinflußter Genesis-Ausleger stehen, deren verschiedene Modelle Philo treu tradiert, dann aber durch sein eigenes Modell von der „Allegorie der Seele" überlagert hätte. Während die Vorläufer die Aussagen von Gen 1 und 2 prinzipiell kosmologisch und unallegorisch (wenn auch mittelplatonisch oder stoisch) gedeutet hätten, habe Philo seinerseits den diversen kosmologischen Deutungen eine soteriologische auf höherer Ebene hinzugefügt und möglichst alle Aussagen auf die Seele, vor allem den νοῦς und seinen Aufstieg zur Transzendenz, bezogen. Tobins Analyse trifft weitgehend auf den Allegorischen Kommentar und die Quaestiones (mit ihrem Nebeneinander von wörtlicher und allegorischer Auslegung) zu. Im Gesetzgebungswerk (und in Vita Mosis) tritt die Allegorese jedoch (abgesehen von De Abrahamo) auffällig zurück. Das gilt ganz besonders von De Opificio mundi. Diese Schrift ist kosmologisch angelegt. Der Allegorische Kommentar ist dagegen durchweg soteriologisch ausgerichtet. – Wir halten uns im folgenden zunächst an die ersten Bücher des Allegorischen Kommentars (All I–III).

β) Anthropologie: die Urmenschlehre in All I–III

Op 135 wird der irdische Urmensch Adam als Mittleres aus Körper und Seele dargestellt. Aufgrund dieser Mischung hat er die Wahl zwischen irdischer und geistiger Existenz. Der himmlische Urmensch bleibt davon ganz abgehoben. In den ersten Büchern des Allegorischen Kommentars dagegen ist die geistige Existenz des Menschen selber ambivalent. Nicht schon der νοῦς als solcher ist Abbild des Logos (so in Op 69). Vielmehr ist der Nous aufgespalten in einen irdischen und einen himmlischen. Beide sind mit je einem der beiden Urmenschen identifiziert: Der irdische Nous ist Adam (der irdische Mensch), der himmlische ist der Himmelsmensch von Gen 1, 27. Hier wird deutlich, daß beide Urmenschen Symbole der jeweiligen Existenzverwirklichung sind.

Der Kommentar setzt ein mit Gen 2, 1: Himmel und Erde sind allegorisch Nous und Sinnlichkeit (All I 1). Später steht dann Adam für Nous (All I 32 u. ö.) und Eva für Sinnlichkeit (All II 5 ff.). Zugleich ist Adam

---

daß Philo seine großen Schriftkomplexe über längere Zeiträume, mit Unterbrechungen und vor allem parallel und mit zeitlichen Überschneidungen verfaßt hat. Vgl. zu diesen Einleitungsfragen: *L. Cohn*, Einleitung; Gesch. d. gr. Lit. II 1, S. 625 ff.; *H. Leisegang*, PW XX 1, Sp. 6 ff. Zu weit geht m. E. *V. Nikiprowetzki*, wenn er Gesetzgebungswerk und Allegorischen Kommentar als unterschiedslose Teile einer einheitlichen Pentateuchauslegung betrachtet (vgl. dort die Zusammenfassung S. 202).

[84] *T. H. Tobin*, 135 ff. (s. u. S. 170 f. A 226).

schon etymologisch mit der Erde verbunden. Darum ist „Adam" der erdhafte, vergängliche Nous (All I 90). Damit ist der Nous-Begriff aufgespalten in einem himmlischen und einen irdischen. Der Nous hat folglich zwei
Symbole. In den ersten Büchern des Allegorischen Kommentars geht es
Philo darum, gerade die geistige Existenz des Menschen als Ursprung der
Schlechtigkeit zu zeichnen. Die Materie ist jenseits von Gut und Böse –
erst der Nous, der sich dem Gewordenen und Vergänglichen anheimgibt
(und der Sinnlichkeit [= Eva] gehorchend der Lust [= Schlange] verfällt),
ja der das Gewordene oder gar sich selbst als Gott verehrt (Hybris), ist der
negative, gottlose, sterbliche, ja schon (geistig) gestorbene Mensch. Der
Nous aber, der sich dem Himmel, den Ideen, dem Sein (= Gott) zuwendet
und die Erde flieht, ist der himmlische Nous, der himmlische Mensch, der
Idee-Mensch. Da Adam selbst aber auch wiederum zwischen Himmel und
Erde steht, das heißt frei ist zur Wahl von Gut und Böse, kann er der „mittlere Nous" genannt werden (All I 95). Dieser Nous ist noch „nackt", d.h.
noch nicht an den Körper gebunden, d.h. noch nicht dem Sinnlichen verfallen (All II 22. 53 ff.).

All I 31 wird die Ambivalenz des menschlichen Nous nun zunächst ähnlich wie in Op 134 f. bei der Behandlung von Gen 2,7 unter Rückgriff auf
Gen 1,27 eingeführt. Gen 1,27 schildert die Entstehung des himmlischen
Nous. Durchgehend unterscheidet Philo nun den Menschen von Gen 1,27
von dem von Gen 2,7. Der erste ist οὐράνιος, „gemacht" (ποιηθείς: All I
88) [85], „geworden" (γεγονώς, γέννημα), „geprägt" (τετυπῶσθαι) nach
dem Ebenbilde Gottes (κατ᾽ εἰκόνα θεοῦ). Der zweite ist γήϊνος, „gebildet" (πλάσμα) „aus Staub". In All I 31 klingt bei Philo noch die alte
Auffassung als Tradition an, wonach der Mensch von Gen 2,7 her als
sterblicher „Staubmensch" aufgefaßt wird. Erst die eingehauchte πνοή
(= πνεῦμα) Gottes erweckt den Erdenkloß Adam zum Leben. Beim
Tode weicht dieses Pneuma wieder, und der Mensch zerfällt in seine
erdhaften Bestandteile (Gen 3,19 – vgl. dazu All III 252 f.; Koh 3,19 f.;
12,7) [86]. So beschreibt Gen 2,7 bei Philo zunächst die Schöpfung des irdischen, vergänglichen Menschen. Erst zusätzlich kommt diesem Gebilde der Geist Gottes zu (oder kann ihm zukommen), was ebenfalls
aus Gen 2,7 herauszulesen ist. Philo setzt also mit seiner Verwendung
von Gen 2,7 die Adam-Golem-Vorstellung voraus (s. o. S. 87 f.).

---

[85] Gen 1,27 LXX steht ἐποίησεν, Gen 2,7 LXX ἔπλασεν. Gen 2,15 liest Philo in All I
53. 88 ebenfalls ἐποίησε (gegen LXX: ἔπλασεν).

[86] In diesem Sinne klingt Gen 2,7 in 1 QH I 21; III 21. 24 ff.; IV 29; X 3 ff.; XI 3;
XII 24 ff.; XIII 15; XV 21 (vgl. 1 QS XI 27; Sap 7,1) in der Chiffre „Staubgebilde" für die
natürliche Nichtigkeit des Menschen an (vgl. *J. Jervell*, 59 A 126; *E. Brandenburger*,
Fleisch, 86 ff., bes. 93 f.).

Was den himmlischen Menschen betrifft, so ist es nicht mehr gerechtfertigt, ihn einfach als „Idee-Menschen" zu bezeichnen[87]. All I 31 wird die Unterscheidung beider Menschen eingeführt mit den Worten: διττὰ ἀνθρώπων γένη. Es geht nach diesem Satz um zwei existierende Menschenklassen. Dann kann aber nicht mehr die eine die „Idee" der anderen sein, bzw. kann nicht eine der beiden die „Gattung" sein. Beide sind vielmehr dualistisch geschieden. Es handelt sich bei den nun geschilderten beiden „Menschen" um *Typen* der existierenden Menschen (nicht mehr besagt also der Ausdruck „*Urmensch*"). Was Op 134 f. als doppelte Veranlagung in einem Menschen mit Hilfe von Gen 2,7 ausdrückte, wird hier in Typen zum Ausdruck gebracht. Der eine ist οὐράνιος, der andere γήϊνος (diese Prädikate fehlen in Op vollständig!)[88]. Daß Philo in All allein von der Vorstellung eines platonischen Ideemenschen nicht zu verstehen ist, zeigt vor allem ein wesentlicher Unterschied: Während in Op der urbildliche Mensch selber als *ἰδέα τις* (ἢ γένος ἢ σφραγίς) bezeichnet wird, heißt er in All I 33. 42. 53 ἄνθρωπος (53) bzw. νοῦς (33. 42) ... *κατὰ τὴν εἰκόνα καὶ τὴν ἰδέαν*. Er selber ist also nicht die Idee (die nun der εἰκών und damit dem Logos gleichgestellt wird), sondern *nach* der Idee geschaffen. Das hängt damit zusammen, daß beide ἄνθρωποι nun mit νοῦς wiedergegeben werden. „Idee" des Menschen ist nun der Logos (= εἰκών). Der himmlische Mensch heißt deshalb νοῦς, weil nur im νοῦς als bestem Teil der Seele Gott-Abbildlichkeit überhaupt möglich ist (Op 69).

Aber auch der irdische Anthropos wird νοῦς genannt. In All I 32 nimmt nämlich die Schilderung eine merkwürdige Wendung: Der irdische Anthropos ist nicht einfach das noch unbelebte Staubgebilde. Er

---

[87] Gegen *J. Jervell*, 65 (vgl. *K.-G. Sandelin*, 45. 166 A 191; *L. Schottroff*, 128). J. Jervell möchte zwei Traditionen streng unterscheiden: eine gnostische, wo sowohl Gen 1,27 wie 2,7 auf den pneumatischen, Logos-ebenbildlichen Charakter des irdischen Menschen bezogen sind, und eine platonische, wo es um den Ideemenschen als Gattung und Muster und den irdischen Menschen als materialisiertes Abbild geht (S. 53 ff.). Diese Trennung wird aber den Ausführungen in All I überhaupt nicht gerecht. So behauptet Jervell auch in Bezug auf All I: „Der Idee-Mensch ist Modell; er ist passiv, und er ist niemals – im Gegensatz zum Logos – Vermittler zwischen Gott und Mensch." (S. 65; anders: *F.-W. Eltester*, 39 ff.; *E. Brandenburger*, Adam, 118; *H.-M. Schenke*, Gott „Mensch", 121 ff.; *T. H. Tobin*, 139 ff.). Der Fehler liegt bei J. Jervell darin, daß er auch die doppelte Menschenschöpfung von All I im Sinne der Ideenlehre von Op versteht. Obwohl in All beide Urmenschen (der von Gen 1,27 und der von Gen 2,7) unterschieden werden, ist der himmlische, erste Urmensch nicht mehr ausschließlich als Idee im Sinne eines passiven Modells zu verstehen: vgl. *R. A. Horsley*, Pneumatikos, 277 A 22; *ders.*, How Can Some of You Say ..., 217 mit A 31, warnt zu Recht davor, Op (134 ff.) zum Ausgangspunkt der philonischen Anthropologie zu nehmen.
[88] Vgl. 1 Kor 15,47 f., wo die Wortwahl jedoch etwas abweicht. Paulus gebraucht χοϊκός und ἐπουράνιος. Das zeigt aber nur, daß Philo ihm nicht direkte Vorlage ist. χοϊκός bezieht sich ebenfalls auf den Wortlaut von Gen 2,7 (χοῦν λαβὼν ἀπὸ τῆς γῆς).

wird vielmehr allegorisch auf den menschlichen Nous gedeutet, ist also nun der irdische, „erdgeborene und den Körper liebende" νοῦς (33), und zwar im Zustand, wo er noch nicht in den bereitliegenden Körper eingeführt worden ist[89]. νοῦς ist nun aber in platonischer Tradition der wertvollste Teil der Seele. Dieser Nous bleibt erdhaft und vergänglich, sofern Gott ihm nicht zusätzlich „Kraft wahren Lebens" einhaucht. Erst dann wird er zur ψυχὴ νοερὰ καὶ ζῶσα. Die Pneuma-Einhauchung von Gen 2,7 ist also nun ein zweiter Akt nach der bereits erfolgten Schaffung eines lebendigen (allerdings sterblichen) geistigen Wesens. Das heißt: Die Pneuma-Einhauchung ist (allegorisch) nicht mehr einfach Belebung, sondern Verleihung der Unsterblichkeit. Philo betont freilich, daß der Nous dabei noch körperlos ist. Die nun (potentiell) unsterblich gemachte Seele wird also erst nachträglich in den Körper eingeführt. Nun denkt Philo hier nicht daran, daß der sterbliche Nous von anderen Wesen als Gott selbst bereitet wurde; er deutet dies nicht einmal als häretische These an (so daß hier die Möglichkeit einer gnostischen Herkunft des Motivs durch nichts nahegelegt wird). Was soll diese komplizierte Vorstellung aber dann?

Vielleicht findet diese Frage in einer zweiten Beobachtung ihre Antwort. Der entscheidende Satz ist: ὁ δὲ νοῦς οὗτος γεώδης ἐστὶ τῷ ὄντι καὶ φθαρτός, εἰ μὴ θεὸς ἐμπνεύσειεν αὐτῷ δύναμιν ἀληθινῆς ζωῆς (All I 32). Die auffällige Konstruktion (Indikativ Präsens im Hauptsatz, εἰ mit Optativ des Aorist im bedingenden Satz) ist zu beachten: Es handelt sich um einen Potentialis[90]. Das heißt aber: Philo spricht hier eigentlich gar nicht oder nicht nur vom vergangenen Schöpfungsakt, son-

---

[89] T. H. Tobin, 108 ff., rechnet All I 31 f. (zusammen mit Op 134 f.) noch zur vorphilonischen, unallegorischen Tradition von der doppelten Menschenschöpfung, weil er der Meinung ist, Philo führe seine „Allegorie der Seele" erstmals in All I 55 (anläßlich von Gen 2,8) ein. Dabei wird All I 32 zum Problem, denn schon hier deutet Philo den „Menschen" als νοῦς. Tobin spielt die soteriologische Bedeutung dieser Stelle herab, indem er den νοῦς hier als mit dem Körper vermischt („mingled with ... body") versteht, also vom körperlichen Adam die Rede sein läßt. Das aber ist eine Fehlinterpretation. εἰσκρινόμενον σώματι, οὔπω δ᾽ εἰσκεκριμένον übersetzt Tobin (mit Colson/Whitaker in Loeb, Philo I) fälschlich mit „(a mind) mingled with, but not completely blended with, body" (111). Es muß aber sinngemäß heißen: „der Nous, der gerade in den Körper eingeführt wird, aber noch nicht eingeführt ist." Die Pointe ist gerade, daß dieser Nous noch nicht mit dem Körper verbunden ist. Nur der nackte, d. h. vom Körper freie (allegorisch: der sich vom Körperlichen distanzierende) Nous ist fähig, durch das Pneuma erlöst zu werden.

[90] R. Kühner/B. Gerth, II 2, S. 478 (§ 576b). I. Heinemann in Philo deutsch III, S. 27, übersetzte den Satz fälschlich im irrealen Sinn: „Dieser Geist wäre ... vergänglich, wenn Gott ihm nicht die Fähigkeit wahren Lebens einhauchte" – was ins Positive gewendet heißen würde: Adams Nous ist unsterblich. Der Sinn ist aber vielmehr: Der Nous ist nur dann unsterblich, wenn Gott ihm die Kraft wahren Lebens eingehaucht hat. Die Rede von der ἀληθινὴ ζωή zeigt überdies, daß es um ein höheres Leben als das kreatürliche geht, daß es sich also um die soteriologische Inspiration handelt.

dern von einer jeweils möglichen Inspiration, also von einem soteriologischen Vorgang[91]. Das zeigt auch die Fortsetzung: τότε γὰϱ γίνεται, οὐϰέτι πλάττεται, εἰς ψυχήν ... νοεϱὰν ϰαὶ ζῶσαν ὄντως. – γεγονώς ist aber Prädikat des himmlischen Urmenschen. Unsterblich ist der Mensch (genauer: der Nous) nur, sofern er vom Pneuma inspiriert ist, und das heißt: als Pneumatiker. Deshalb spricht Philo auch vom Nous als Objekt der Pneuma-Einblasung, da dieser das Sinnesorgan für das Himmlische (das Pneuma, das wahre Sein) ist. Gen 2,7 wird hier zu einer Art urzeitlichen Modells, zu einem Paradigma der Erlösung. Zu recht kann man diese besondere Verwendung von Gen 2,7 als „weisheitlich" bezeichnen, insofern hier die soteriologische Vorstellung von Sap 6 ff. vorliegt[92]. Von All I 32 her wird aber auch verständlich, wie es zu einer negativen Wertung der ψυχή (wie sie sich in ψυχιϰός 1 Kor 15, 46 ausspricht) kommen kann. Ohne Pneuma ist selbst der Nous (als bester Teil der Seele) sterblich. Philo vermeidet es freilich, den ψυχή-Begriff aus Gen 2,7 selber negativ aufzufassen (vgl. dagegen Paulus in 1 Kor 15, 45 und Justin[93]), indem er als Produkt der Pneuma-Inspiration angibt: τότε γὰϱ γίνεται, οὐϰέτι πλάττεται, εἰς *ψυχήν*, οὐϰ ἀϱγὸν ϰαὶ ἀδιατύπωτον, ἀλλ᾿ εἰς νοεϱὰν ϰαὶ *ζῶσαν ὄντως*. Das heißt: die „wirklich" lebende Seele ist die unsterbliche. (Der Nous erhält ja δύναμις ἀληϑινῆς ζωῆς). Sie ist dies aber nur dann, wenn sie vom unsterbliches Leben spendenden Pneuma angehaucht wird. ψυχή (νοῦς) ist also nach dieser Vorstellung ein ambivalenter Begriff. Nur *mit dem Pneuma* ist sie unsterblich, als ψυχή allein, als natürliche Seele (oder Nous) ist sie irdisch und sterblich. Es bedeutet sachlich keinen Unterschied, wenn im Anschluß daran in Korinth (wie in Jak 3, 15) ψυχιϰός den irdischen, unpneumatischen Menschen bezeichnet, wie man 1 Kor 2, 14 und 15, 44. 46 entnehmen kann (s. u. S. 181 ff.).

---

[91] *J. Pascher*, 127: „Die Perikope ist eine seltsame Mischung von Schöpfungs- und Erlösungslehre" (vgl. auch *K.-G. Sandelin*, 34 ff.). Das entspricht der in hellenistisch-jüdischer Tradition auffälligen Tatsache, daß Schöpfungsaussagen in erster Linie oder gar ausschließlich soteriologische Bedeutung haben (s. o. S. 85 f.). Der Grund ist die zeitlos-ontologische Denkstruktur hinter solchen Motiven. Entsprechend sind Schöpfungsaussagen als *mythologische* Rede ja nicht Aussagen über etwas Vergangenes oder gar historisch gemeint, sondern Beschreibungen und implizit Erklärungen des So-Seins von Mensch und Welt. In diesem Sinne ist Philos Urmensch-Lehre überhaupt Mythologie. „*Mythos*" könnte man definieren als Aussage über das Sein von Mensch und Welt im Gewand der Erzählung (im historischen, d. h. narrativen Tempus). Von *Mythologie* könnte man dann je nach dem Grad der Reflektiertheit des Verhältnisses von Aussage und narrativer Gestalt reden. Die Mythen des Gnostizismus sind entsprechend Mythologie, ja es handelt sich zumeist um Kunst-Mythen, die bewußt im Sinne des gnostischen Daseins-Verständnisses eingesetzt werden.

[92] *K.-G. Sandelin*, 26 ff.

[93] Zu JustinDial 6, 2, s. o. S. 84 f.

Schließlich ist noch eine weitere Beobachtung zu machen: Der vom Pneuma inspirierte Mensch (also das Endprodukt von Gen 2,7) erhält nicht mehr das Prädikat πλάσμα, sondern das Prädikat γέννημα (γίνεται, οὐκέτι πλάττεται). Das aber ist das Prädikat, das nach All I 31 dem Himmelsmenschen zukommt. Die Pneuma-Inspiration macht den Erdmenschen (Typ des Sterblichen) zum Himmelsmenschen (Typ des Unsterblichen). Die Urmenschlehre in All ist also soteriologisch angelegt. Himmelsmensch und Erdmensch sind nicht bloß Idee (Form) und Verkörperung, sondern zwei gegensätzliche Existenzweisen[94].

Allerdings entsteht nun ein Problem: Gen 2,7 ist ja zunächst einmal Schöpfungsaussage. Heißt das nicht, daß *jeder* Mensch von der Schöpfung her unsterblich ist? Im folgenden stellt Philo vier Fragen (All I 33), von denen die erste und die vierte hier wichtig sind: 1. Warum erhält der irdische νοῦς das πνεῦμα θεῖον, nicht aber der nach Gottes Bild geschaffene? 4. Warum heißt es in Gen 2,7 πνοή und nicht πνεῦμα? Die vierte Frage soll indirekt der Erklärung der ersten dienen: die πνοή ist

---

[94] Die Herkunft des Dualismus von zwei Anthropoi/Nous läßt sich vielleicht anhand der merkwürdigen Aussagen in QEx I 23, erklären, wo Philo von zwei „Kräften" (δυνάμεις) spricht, die von Anfang an in jeder Seele vorhanden sind, eine „heilsame" und eine „zerstörerische". Die „Kräfte" sind zugleich Weltprinzipien. Dieser kosmische Dualismus erinnert an die aus den Qumranschriften bekannten miteinander im Streit liegenden „Geister". Die negative Kraft wird, wie Philo berichtet, von den „Leuten" auch ἄπειρον genannt. Das aber verweist in den Neupythagoreismus, der im Mittelplatonismus dieser Zeit (und besonders auch in Philos Ontologie) eine Rolle spielte (s. u. S. 114 ff.; vgl. dazu A. Wlosok, 52 ff.; J. M. Dillon, Middle Platonists, 117 ff. 143 ff. 155 ff. 173 f. 182 f. u. ö.; H. Dörrie, Erneuerung, 160 f.; ders., Platonismus, 175 ff.; A. H. Armstrong, 94 ff.). ἄπειρον ist dort eine Bezeichnung für die Zweiheit, die in negativer Opposition zur Monade steht (über beiden aber steht die oberste Einheit, Gott): vgl. besonders A. Wlosok, 107–111. Die Lehre von zwei dualistischen Anthropoi taucht zeitlich nach Philo mythologisch angereichert in der Hermetik auf (Poimandres: CH I 12–15), und dann schließlich in philosophisch reinerer Form bei Plotin VI 7, 2 ff.: Plotin unterscheidet den ἄνθρωπος der oberen Welt, den ἄνθρωπος ἐκεῖνος (πρῶτος, βελτίω, ἐν νῷ), von seinem Abbild (ὁ τῇδε ἄνθρωπος, αἰσθητικός, ὕστερος ἄνθρωπος). Der oberste ἄνθρωπος ist eine „bewegende Idee" (εἶδος δὲ ὂν κινοῦν). Die Idee ist ein ποιοῦν (VI 7,11). – Der Grundgedanke des Anthroposmythos in CH I 12 ff. entspricht dem auch bei Philo (vor allem Op 134 f.) vorliegenden platonischen Motiv – I 15: ... διπλοῦς ἐστιν ὁ ἄνθρωπος, θνητὸς μὲν διὰ τὸ σῶμα, ἀθάνατος δὲ διὰ τὸν οὐσιώδη ἄνθρωπον (vgl. Op 135, ferner das platonische Motiv von der Mann-Weiblichkeit [=Geschlechtslosigkeit] CH I 15 und Op 134). Das alles spricht dafür, daß das Motiv vom doppelten Urmenschen auf den neupythagoreisch beeinflußten Mittelplatonismus (wahrscheinlich Alexandrias) zurückgeht. Diese ontologisch-soteriologische Philosophie wurde vom alexandrinischen Judentum adaptiert (vgl. die Aufnahme der pythagoreischen Siebenzahl-Spekulation schon bei Aristobul: s. u. S. 115 f.) und wohl auch zum Teil mit weiterentwickelt. Die Urmenschspekulation ging dann als eins der tragenden Motive in den Gnostizismus ein, wobei sie mythologisch weiter ausgestaltet wurde. Bedeutsam ist bei dieser Entwicklung aber die Tatsache, daß CH I (Poimandres) selbst nicht ohne jüdischen Einfluß ist, wie B. A. Pearson, Jewish Elements in CH I, gezeigt hat.

nur ein schwacher Abglanz des πνεῦμα. Der himmlische Nous hat Anteil am vollen πνεῦμα, der irdische erhält nur πνοή (All I 42). Entsprechend wird die erste Frage beantwortet: Auch den Nicht-Vollkommenen (τοῖς μὴ τελείοις) bietet Gott das Gute (ewiges Leben), um sie zum
Besitz der Tugend einzuladen. Das heißt aber: Das *Schöpfungsprodukt*
von Gen 2,7 ist nicht der vollkommene Mensch, sondern der „mittlere,
der weder schlecht noch gut ist" (All I 95) [95]. Der himmlische Mensch
dagegen ist eine Gestalt, die von der Soteriologie her zu verstehen ist:
der erlöste, vergeistigte Mensch, dessen Nous da weilt, wo seine Heimat
ist: im Himmel. Die τέλειοι, die Pneumatiker, verkörpern den himmlischen Menschen [96]. Der irdische Nous (dessen Symbol Adam ist) ist
aber selber noch neutral. Philo deutet in diesem Sinne später (All II 22.
53 ff.) Adams (und Evas) Nacktheit im Paradies als eine solche Naivi-
tät, die noch offen für gut und böse ist. Dieser Nous ist noch nicht an
den Körper gebunden (so wird in All II 22. 53 ff. die Nacktheit gedeutet) [97]. In dieser Körperlosigkeit erhält er den Keim wahren Lebens, den
Hauch des unsterblich machenden Pneumas, die πνοή. Damit ist die Erlösungs*möglichkeit* des sterblichen Menschen angedeutet. Der Nous
(als der eigentliche, der wahre, der denkende, der geistige, der „innere" [98] – aber noch nicht pneumatische Mensch) ist an sich unfähig zur
Gotteserkenntnis. Erst Pneuma-Inspiration ermöglicht diese. Bei der
Beantwortung einer weiteren Frage (Was bedeutet ἐνεφύσησε?: I 33)
heißt es in I 37 f.: Die Einblasung des πνεῦμα (nicht πνοή! – eigentlich
inkonsequent) in den Nous dient als „Vermittlung", damit der Mensch
„eine Vorstellung von Gott" (ἔννοια θεοῦ) [99] empfange (I 37; vgl. Det

---

[95] Irenaeus, Haer V 12, 2 f. (Fr. gr. 11), deutet bei seiner Auslegung von 1 Kor 15, 45–50
Gen 2,7 genau in diesem Sinne (ohne daß der Paulus-Text dazu Anlaß gibt – d. h. Irenaeus kennt die philonische Tradition!): ἕτερόν ἐστι πνοὴ ζωῆς ἡ καὶ ψυχικὸν ἀπεργαζο-
μένη τὸν ἄνθρωπον, καὶ ἕτερον πνεῦμα ζῳοποιοῦν τὸ καὶ πνευματικὸν αὐτὸν ἀποτελοῦν.
[96] Die Identität der τέλειοι mit dem himmlischen Anthropos hat vor allem *R. A. Horsley*, How Can Some of You Say ..., 207 ff. 216 ff.; *ders.*, Pneumatikos, 257 ff., betont.
[97] Um diese Nacktheit = Körperlosigkeit (vgl. vor allem Gig 53) geht es 2 Kor 5, 1 ff.
(V. 3): vgl. dazu *H. Kaiser*, 70 f. 73–75. 89. 130 ff. u. ö.
[98] Vgl. den Begriff ἔσω ἄνθρωπος (Röm 7, 22; 2 Kor 4, 16! Eph 3, 16).
[99] An dieser Stelle geht es nur um die Möglichkeit der Gotteserkenntnis, die in einer
γνῶσις θεοῦ erst zur Realisierung kommt. ἔννοια θεοῦ ist also das natürliche Gottesbild.
γνῶσις und ἀγνωσία θεοῦ werden dadurch zur Verwirklichung bzw. Verfehlung der
Menschennatur. Philo vermeidet jedoch möglichst den Begriff γνῶσις und verwendet
stattdessen ἐπιστήμη (s. u. S. 121 A 130). In gewisser Weise hängt der ἔννοια-Begriff mit der
Frage der natürlichen Gotteserkenntnis zusammen, insofern er dem denkenden Heiden eine
kosmologische Gotteserkenntnis (Schluß von den Werken auf ihren Ursprung Gott) ermöglicht. Das wird aber von der mystischen Gotteserkenntnis als minderwertig abgehoben (s. u. S. 121 ff.). In der späteren Gnosis spielt dieser schöpfungstheologische ἔννοια-Begriff in Verbindung mit dem der εἰκών eine hervorragende Rolle: als gefallener und in
Materie gefangener Lichtfunke, der die den Dualismus im Letzten überbrückende Bin-

86). All I 38: „Denn wie könnte die Seele Gott erkennen, wenn nicht Gott selbst in sie einbliese (ἐνέπνευσε) und sie berührte … So hoch hätte sich ja der Menschengeist (ὁ ἀνθρώπινος νοῦς) nicht zu versteigen gewagt, um Gottes Wesen zu erfassen, wenn nicht Gott selbst ihn zu sich hinaufgezogen, soweit eben der menschliche Geist hinaufgezogen werden kann, und ihn geprägt hätte" (ἐτύπωσε – wieder ein Prädikat, das nach I 31 der himmlische, ebenbildhafte Mensch bzw. Nous erhält). Auch hier wird Gen 2,7 im Sinne einer soteriologischen Inspiration verstanden [100]. Offenbar gibt es für den irdischen Nous eine Übergangsmöglichkeit zum himmlischen. Als *Schöpfungsaussage* freilich bleibt die Erlösung nur potentiell: Der Adam-Nous hat nur Spuren von dem, was der himmlische Nous im Vollmaß besitzt. Er hat keine „Erkenntnis" Gottes, sondern nur die Möglichkeit einer solchen: ἔννοια θεοῦ. Adam ist potentiell unsterblich, aber doch erlösungsbedürftig.

Eine Frage zu All I 32 ist noch zu klären: Warum ist es der *noch nicht in den Körper eingeführte* Nous, der die πνοή empfängt? Zunächst gilt, daß Gott den Nous zuerst geschaffen hat (vgl. All II 5 f.) [101]. Damit ist freilich noch nicht beantwortet, wieso der Nous bereits im Stadium der Körperlosigkeit die πνοή erhielt. Auch diese Frage läßt sich vom soteriologischen Interesse Philos her beantworten. Der Leib *behindert* den Nous bei seinem Weg zum Pneuma. So heißt es, daß Gott den Nous zu sich emporhebt (I 38), um ihm die Anlage pneumatischer Erkenntnis zu vermitteln. Nur der dem Körperlichen entwichene Nous kann erlöst werden. Die schöpfungsmäßige Ausstattung mit pneumatischer Kraft ist ja Paradigma der Erlösung, die ein Emporschweben des menschlichen Geistes über die vergängliche Welt und den Körper darstellt. Diese Entweltlichung, diese Ekstase, diesen Enthusiasmus [102], den Höhenflug der Seele, der im Tod endgültig sein wird, wird Philo im Allegorischen Kommentar nicht müde zu schildern. Der irdische Nous ist also nach All I 32 als ein solcher mit πνοή erfüllt, der noch nicht vom Körper gebunden ist. Er ist noch frei, sich dem Himmel oder der Erde anheimzugeben. Läßt er das Irdische hinter sich, wird er zum πρῶτος

---

dung des inneren Menschen an die Transzendenz darstellt. Eine solche letzte Konsubstantialität von Mensch und Transzendenz gilt für Philo und die Weisheit gerade nicht: Trotz ἔννοια θεοῦ ist der Mensch als ganzer *einschließlich seines Nous* diesseitig. Erst Pneuma macht ihn zum unsterblichen Wesen.

[100] Das ist die besondere weisheitliche Erkenntnistheorie, die Paulus in 1 Kor 2,10–16 voraussetzt (s. u. S.124 A133). Gott, Pneuma und menschlicher Nous geraten durch Gottes Offenbarung und Gnade in eine Beziehung, so daß der Mensch pneumatisch wird, um Pneumatisches erkennen zu können. Vgl. dazu G. *Sellin*, „Geheimnis", 86 ff.

[101] Daß die Seele älter als der Körper ist, geht auf Plato zurück (Leges X 896 C; Phaidros 245 C ff.).

[102] Nur in diesem wörtlichen Sinne (ἐνθουσιᾶν – z.B. Op 71) kann man auch bei den Korinthern von Enthusiasmus reden (s. o. S. 30 A 58).

ἄνθρωπος, der des vollen πνεῦμα (nicht nur der schwächeren πνοή) teilhaftig ist.

Nach All I 31–42 kommt Philo in I 53–55 wiederum auf die zwei Menschen zu sprechen. Aus Gen 2, 8 und 2, 15 folgert er, daß beide Menschen in den Garten Eden gesetzt wurden, weil einmal vom „gebildeten" (ὃν ἔπλασεν), dann vom „gemachten" (ὃν ἐποίησε) die Rede ist. Der „geschaffene" (Gen 1, 27) bearbeitete den Garten (= Tugend) als Hüter und Bearbeiter der Tugend (All I 64 f. ist „Eden" die „Weisheit Gottes", von welcher die Tugend ausgeht. Die „Weisheit" ist zugleich der „Logos" Gottes). Der „gebildete" (Gen 2, 7) sitzt nur im Garten, vergißt die Tugend (Sündenfall) und wird aus dem Garten vertrieben. Hier werden beide Urmenschen paränetisch auf die Typen des Vollkommenen und des Sündhaften, Weltlichen, Fleischlichen bezogen [103]. Es wird deutlich, daß beide zwei gegensätzliche ethische Prinzipien sind. Der Mensch von Gen 2, 7 ist also nach beiden Seiten hin ausdeutbar: Hier ist er derjenige, der seiner πνοή verlustig geht; er ist nur noch irdischer Nous. In All I 32 kam dagegen seine Erlösungsmöglichkeit in den Blick, so daß er potentiell schon zum himmlischen Menschen aufgewertet wurde (γίνεται οὐκέτι πλάττεται). Adam (= zweiter Urmensch) ist also eine ambivalente Gestalt, die sich zu entscheiden hat zwischen einer Existenz gemäß der Tugend oder der Schlechtigkeit [104]. Freilich, verweigert sich der Nous dem Körper, wird er (obwohl Philo das nicht ausspricht) zum himmlischen Nous. Die reine Verwirklichung des himmlischen Menschen ist der „Vollkommene", der bildlich seinen Körper verläßt, in „nüchterner Trunkenheit" sich dem wahrhaften Sein hingibt, dessen Nous sich also im Himmel aufhält. All I 82–84 wird Juda als „stoffloser und körperloser Bekenner" vorgestellt, während Isaschar nur der Typ des sich um Tugend Bemühenden ist (Asket, προκόπτων: dazu s. u. S. 156 ff.). Vollkommen ist der Nous, wenn er „aus sich heraustritt und sich Gott darbringt wie der lachende Isaak …". Isaak ist überhaupt der Typ des vollkommenen Weisen (s. u. S. 138. 148. 152). Der himmlische Nous hält sich eben im Himmel auf. Der Himmel selber wiederum ist Bild des Geistes, des zeitlosen Seins, während die Erde Bild der Sinnlichkeit ist (All I 1. 21).

All I 88 ff. kommt Philo zu Gen 2, 15, einer Stelle, die er zu Gen 2, 8 (All I 53–55) schon heranzog. Der „gebildete" Nous ist „mehr erdhaft", der „gemachte" „mehr stofflos, ohne Anteil an dem vergänglichen

---

[103] Der himmlische Anthropos ist also keineswegs eine passive Idee, wie *J. Jervell*, 65, meint, sondern wird ethisch aktiv (vgl. *K.-G. Sandelin*, 167 A 192). Wir werden sehen, daß er sogar soteriologisch aktiv sein kann (s. u. S. 165 ff.).

[104] Vgl. All I 62: Das ἡγεμονικόν (der Nous) ist vergleichbar einer Wachstafel, die durch Gutes oder Schlechtes geprägt werden kann.

Stoff, von reinerer und fleckenloserer Zusammensetzung" (I 88). Der gebildete, erdhafte ist Adam: „Wenn du also das Wort Adam hörst, so verstehe darunter den erdhaften und vergänglichen Nous; denn der im Ebenbild Gottes ist ja nicht erdhaft, sondern himmlisch." (I 90). Der irdische Mensch, Adam, erhält das Verbot, vom Baum der Erkenntnis zu essen. Der Vollkommene bedarf weder des Verbotes, noch des Gebotes, noch der Ermahnung (94). All I 95 wird der erdhafte Nous (Adam) als „weder gut noch schlecht, sondern einstweilen noch von mittlerer Sinnesart" beschrieben. Darin ist wieder berücksichtigt, daß Adam ja die πνοή erhalten hat. Adam ist zwar nicht der Himmelsmensch, und Gen 2,7 wird ganz auf den Erdmenschen bezogen. Aber Adams Nous hätte die Möglichkeit, himmlischer Nous zu werden. Nach All II 22. 64 ist die Nacktheit Adams als Körperlosigkeit in dem Sinne gedeutet, daß Adam sich noch im unschuldigen Zustand befindet. Körperlosigkeit in diesem Stadium bedeutet die offene Möglichkeit des Nous zur Tugend.

All II 4 erwähnt Philo noch einmal die zwei Menschenarten: die nach Gottes Ebenbild „gewordenen" Menschen und die aus Erde „gebildeten". Der ebenbildhafte Mensch „strebt nach dem Ebenbild (ἐφίεται γὰρ τῆς εἰκόνος)". „Denn Gottes Ebenbild ist Vorbild für andere (ἀρχέτυπος ἄλλων – vgl. All III 96). Jede Nachbildung (μίμημα) strebt aber nach dem, dessen Nachbildung sie ist, und stellt sich neben es." Der himmlische Mensch strebt also nach seinem Vorbild, dem Logos. Verwirklicht der Mensch κατ' εἰκόνα sein Streben zur εἰκών, dann stellt er sich mit dieser (= dem Logos) auf eine Stufe. Vom Rang her wird er dem Logos gleich (s. u. S. 165 ff.). All II 5 nennt Philo den irdischen Menschen, den Protoplasten, δεύτερος ἄνθρωπος (vgl. 1 Kor 15,47) [105].

Im folgenden begegnet das Urmenschmotiv nicht mehr explizit, implizit wird es aber vorausgesetzt, auch wenn hier zunächst nur noch von dem einen Nous des Menschen die Rede ist. Dieser Nous kann aber zur Vollendung gelangen, freilich nicht durch Streben (das ist der kleinere Weg der Nicht-Vollendeten), sondern durch Gabe Gottes. All III 29 ff. schildert den soteriologischen Vorgang: Es gibt zweierlei Nous, den All-Nous (das ist Gott bzw. sein Logos) und den menschlichen Nous (hier sind also mit den zwei Nous nicht die zwei Anthropoi gemeint). Der gute menschliche Nous flieht sich selber und wendet sich hin zu Gottes Nous (Logos), der schlechte vertraut auf sich selber und schreibt Gott nichts zu. Der irdisch-vergängliche Nous kann und soll sich seiner selbst entäußern. Nach III 39 ff. ist Gott es, der den Nous herausführt, und zwar nicht nur aus dem Körper, sondern dieser Nous entäußert sich *seiner selbst* (41. 43. 48). Der Nous gehört also mit zum irdischen Bereich. Wenn er nun körperlos und seiner selbst entäußert

---

[105] S. o. S. 78 A 16. Paulus dreht die Reihenfolge um.

und so mit Gott zusammen ist, kann er nicht mehr „irdischer Nous"
sein. Wer so entweltlicht lebt, ist vollkommen (τέλειος: All III 100 u. ö.).
Der Typ der τέλειοι ist aber der himmlische Urmensch, der himmlische
Nous (All I 90 ff.). „Wenn (der Nous) sich gänzlich von dem Niedrigen
und zur Erde Herabziehenden befreit, zur Höhe schwebt ... und noch
weiter hinaufschreitend die Gottheit und ihr Wesen in ungestilltem
Wissendurst erforscht (ἐρευνᾷ – vgl. 1 Kor 2, 10), dann kann er nicht bei
seinen früheren Grundsätzen bleiben, sondern sucht, da er selbst besser
wird, eine bessere Heimat." (All III 84). Später (III 172) wird dieser Exi-
stenzwechsel des Nous geschildert als Begegnung mit dem Logos: „Wir
machen aber mit diesem Logos eine eigenartige Erfahrung: Wenn er
nämlich die Seele zu sich ruft, bringt er alles Erdhafte, Körperliche und
Sinnliche zum Erstarren ...". Der Nous kann sich aus der Sterblichkeit
erheben (All III 186).

All III 100 wird der himmlische Nous wieder erwähnt: „Es gibt aber
noch einen vollkommeneren (τελεώτερος) und reineren Nous, der in
die großen Geheimnisse eingeweiht ist (τὰ μεγάλα μυστήρια μυηθείς).
Dieser erkennt nicht aus den gewordenen Dingen die Ursache wie aus
dem Schatten das Bleibende, sondern er überspringt das Gewordene
und empfängt (λαμβάνει) einen deutlichen Eindruck von dem Ungewordenen, so daß er von diesem sowohl ihn selbst wie seinen Schatten,
das heißt den Logos und diese Welt begreifen (καταλαμβάνειν) kann."
Dieser Nous (z. B. der prophetische Geist des Mose) schaut die Ideen
selber. Auch wenn es hier scheinbar um eine dritte Art von Mensch
geht (dazu s. u. S. 156 ff.), steht dieser gesteigerte Nous nicht im Gegensatz zum Himmelsmenschen. Er ist der ebenbildliche Mensch, der
Pneumatiker, der πρῶτος ἄνθρωπος, d. h. der dem Sein nach wahre
Mensch – und insofern Idee-Mensch.

All III 104 schließlich klingt wie eine abschließende Zusammenfassung der Ausführungen über die beiden Nous: „So finden wir nun zwei
Naturen (φύσεις) als gewordene und gebildete (γενομένας καὶ πλαττομένας) und von Gott scharf geschnitzte, die eine aus sich selbst schädlich, fehlerhaft und fluchwürdig, die andere nützlich und lobenswert,
die eine von unechtem, die andere von echtem Gepräge (ἔχουσαν ... δό-
κιμον χαρακτῆρα) ..."[106].

---

[106] γενομένας und πλαττομένας läßt die Unterscheidung beider Urmenschen aus All I
31 f. wieder anklingen. φύσεις sind nach All III 75 Lebewesen. Gemeint sind die gegensätzlichen Typen, die die beiden gegensätzlichen Prinzipien und Klassen vertreten. (Die
Übersetzung von φύσεις mit „Eigenschaften" in Philo deutsch III, S. 109, ist falsch). Bezeichnend ist der Gebrauch des Präge-Motivs. Im Sinne der Ideenlehre kann nur der
himmlische Mensch geprägt sein, da der Logos prägt. Nun kommt bei Philo aber ein Dualismus hinzu, wonach das Schlechte und Böse dem Guten widerstreitet. Ausgleichend
wird diese Prägung als „unechte" Münze erklärt. Daß es bei Philos beiden Menschen-

In den folgenden Partien des Allegorischen Kommentars werden die zwei Urmenschen (= Menschentypen hinsichtlich ihres Ursprungs) bzw. die zwei Nous (als Wesenskerne der beiden Menschen) nur noch selten explizit erwähnt. Wir verfolgen daher die Aussagen des Allegorischen Kommentars nicht weiter, sondern fassen zusammen:

1. Anlaß für die Rede von zwei Anthropoi ist die Erwähnung der doppelten Menschenschöpfung: Gen 1,27; 2,7. Durchgehend ist Adam der irdische, „zweite" Anthropos.

2. Die Schöpfung von zwei Anthropoi wird allegorisch auf zwei Nous gedeutet. Der Nous ist für Philo der eigentliche Mensch. Der himmlische Nous kann nur ausschließlich Nous sein, weil nur im Geistigen Gottebenbildlichkeit möglich ist. Nun erhält aber der zweite, irdische Mensch nach Gen 2,7 πνεῦμα bzw. πνοή. Das aber kann wiederum nur der Nous empfangen. Für Philo stehen sich das Geistige und das Körperliche dualistisch gegenüber. „Fleisch" kann niemals Pneuma erhalten.

3. Adam ist ein Mischwesen aus νοῦς und σῶμα. Sein Nous ist der eigentliche, innere Mensch. Dieser Nous ist nun aber nicht identisch mit dem himmlischen Nous, obwohl er als Nous ja eigentlich ein geistiges Wesen ist. Hier gerät Philo mit seiner Anthropologie nun in Schwierigkeiten. Er muß jetzt von einem vergänglichen Nous reden, der sozusagen das geistige Prinzip des Irdischen verkörpert (erdhafter, den Körper liebender Geist – eigentlich ein Widerspruch in sich). Der natürliche irdische Nous ist also sterblich, eigentlich gar kein geistiges Wesen. Adam ist Symbol dieses irdischen Nous (wie Eva das der Sinnlichkeit: z.B. All III 185). Zugleich ist der Nous (Adam) Ursprung der Sinnlichkeit (Eva entstammt Adams Rippe). Dahinter steckt ein anthropologisches Interesse: Der menschliche Geist selbst ist noch nicht das ewige, gute Prinzip, sondern kann ja auch völlig vom Bösen beherrscht werden. Hier schlägt das ganzheitliche biblische Denken bei Philo durch: Der Mensch ist als ganzer, mit Geist und Seele, entweder gut oder schlecht. Das Körperliche hat seine eigene „geistige" Triebkraft. Der Nous kann Gefangener des Irdischen werden. Diese Rede vom vergänglichen Nous ist der Hintergrund der negativen Sicht von ψυχή, wie sie in 1 Kor 15,45 f. erkennbar wird. All I 32 verrät dabei weisheitliche Tradition.

4. Prinzip des wahren Lebens ist allein das Pneuma. Der vom Pneuma beherrschte Nous hält sich im Himmel auf (All I 1. 21: sein Symbol ist der Himmel), ist also himmlischer Nous. Der Himmelsmensch ist der pneumatische Mensch, der πρῶτος ἄνθρωπος ist nichts

---

klassen nicht um prädestinatianisch-statische Größen geht, zeigt Sacr 137: Der Nous wechselt dauernd das „Gepräge".

anderes als der Pneumatiker[107]. Wenn der menschliche Nous sich vom Körper abwendet, in Ekstase, in „nüchterner Trunkenheit", in geistiger Schau zum Himmel wandert, ist er eigentlich kein irdischer Nous mehr. Philo sagt freilich nur selten, daß ein und derselbe Nous vom irdischen zum himmlischen werden kann. Aber die Deutung von Gen 2,7 in All I 32 impliziert dies: Wie Adam (der irdische Nous) πνοή (substantiell = πνεῦμα θεοῦ) erhielt und dadurch potentiell zu einem wahren lebendigen Wesen wurde, so kann der irdische Mensch durch das Pneuma unsterblich werden. Als *Schöpfungsaussage* ist dies *potentiell* gemeint, als *soteriologische* Aussage *aktuell*. Ausgeführt wird das in All III 29 ff. 39 ff. 81 ff.

5. Weil es um eine soteriologische Aussage geht, ist der Nous von Gen 2,7 noch körperlos. Nur der Nous kann das Pneuma empfangen. Der Körper aber behindert den Nous bei seiner Erlösung. Erlösung geschieht deshalb ganz pneumatisch und bedeutet zugleich Loslösung des Nous vom Körper, ja von sich selbst: Der irdische Nous entäußert sich seiner selbst und wird zum himmlischen. Dies geschieht vorläufig in der geistigen Schau, durch Weisheit, endgültig im Tode des Leibes. Bleibt der Nous jedoch irdisch, verkümmert seine pneumatische Veranlagung, vergeht auch er selber schon zu Lebzeiten – der Körper stirbt dann sowieso (Lehre vom doppelten Tod: All I 105–107; s. u. S. 135 f.).

6. Beide Nous kennzeichnen zwei Arten von Menschen: den dem Körper und der Lust verfallenen Menschen und den, dessen Nous Gott schaut, der sich mit der Wissenschaft befaßt, der die Ideen schaut, ja der Nous, der sich seiner selbst entäußert und sich ganz vom Logos, vom Pneuma oder von Gott selbst bestimmen läßt. Der himmlische Nous steht für die Vollkommenen. Diese sind über das Körperliche und Irdische erhaben, während andere (die Asketen) noch mit dem Sinnlich-Irdischen zu kämpfen haben.

7. Der himmlische Anthropos/Nous bleibt aber eine transzendente Größe. Hier wirkt nach, daß er zugleich der Idee-Mensch ist[108]. Als Gattung der Frommen, Weisen, der Pneumatiker ist er zugleich eine Dynamis, die den irdischen Menschen „prägt", ihn zum wahren (idealen) Menschen erst macht. Ja, als Idee wohnt er in Gottes Logos. So liegt es nahe, daß er nicht nur als Urbild des Erlösten gelten kann, sondern als Quelle und Mittel der Erlösung selber. (Der Logos als Schöp-

---

[107] Zu Unrecht behauptet E. *Schweizer*, Artikel πνεῦμα, 391 A 363, erst in der Gnosis werde der πνευματικὸς ἄνθρωπος mit Philos erstem Menschen identifiziert (unter Hinweis auf IrenHaer I 18,2 und HippolRef V 26,36).

[108] Idee-Mensch und Himmelsmensch sind für Philo also identisch. Das zeigt allein schon die Parallelität von Op 134 f. und All I 31 f: gegen *J. Jervell*, 53 ff. u. ö. Gegen Jervell wird man auch mit einer engen Beziehung zwischen Himmels/Idee-Mensch und Logos zu rechnen haben (s. u. S. 165 ff.).

fungsmittler ist ja zugleich der Erlösungsmittler). So kann er, dies sei hier vorwegnehmend angedeutet, nicht nur als der Pneumatiker, sondern zugleich auch als πνεῦμα ζῳοποιοῦν verstanden werden (s. u. S. 165 ff.).

Eine der größten Schwierigkeiten besteht nun darin, daß Philo einmal ontologisch redet (das Geistige, Ideelle als Seiendes und damit allem Weltlichen vorrangig) – zum anderen soteriologisch (Selbstentäußerung des Nous). Wir müssen deshalb zunächst auf die ontologischen Züge seines Denkens näher eingehen – um dann die Soteriologie zu betrachten.

γ) Ontologie

1. Philos philosophische Bildung wird gewöhnlich als Eklektizismus bezeichnet. Dieses Urteil könnte den Eindruck hervorrufen, als würde Philo je nach seinem Anliegen Gedankensplitter der zahlreichen philosophischen Systeme aufgreifen und frei verwenden (vorwiegend Platonisches und Stoisches, daneben Skeptizistisches und Pythagoreisches). Wahrscheinlich ist diese Ansicht aber zu revidieren. Das philosophische Denken dieser Zeit (als dessen Metropole man Alexandrien annehmen darf) stand selber schon unter der Tendenz, die verschiedenen Schulen zu einem System zu integrieren, das man bei Plato angelegt fand. Dieser sogenannte Mittelplatonismus (der schließlich in Plotins Neuplatonismus gipfelte) verband Peripatetisches und Stoisches mit Platons Lehren – wobei vor allem der Timaios und der Phaidros im Mittelpunkt des Interesses standen. Entscheidend ist nun, daß dabei zunehmend pythagoreische Lehren in den Vordergrund rückten. Nachweisbar ist das vor allem bei Eudoros – und dieser Platoniker wirkte gut ein Menschenalter vor Philo in Alexandrien[109]. Während man vor Jahrzehnten noch überwiegend Poseidonios (der seinerseits als universaler Denker die Stoa platonisierte) als wesentliche Quelle philonischer Gedanken betrachtete[110], werden heute stärker neupythagoreische Einflüsse ver-

---

[109] *J. M. Dillon*, Middle Platonists, 114 ff.; *ders.*, Eudoros, 3 ff.; *A. Wlosok*, 50 ff.; *W. Theiler*, Beginn; *ders.*, Timaeus; *H. Dörrie*, Erneuerung, 160 f.; *ders.*, Platonismus, 175 ff.; *ders.*, Eudoros; *P. Boyancé*, 38; *H. J. Krämer*, 277; vgl. auch *A. H. Armstrong*, 94 ff.; *T. H. Tobin*, 13 ff. Nach *H. Dörrie*, Eudoros, ist der Alexandriner Eudoros die entscheidende Gestalt in der Entwicklung des Platonismus zum Neuplatonismus. Vgl. dazu 309: „und vielleicht fällt von hier aus Licht auf die Tatsache, daß Philon, gleichfalls aus Alexandreia, dem Neuplatonismus manches vorwegnimmt." Skeptisch gegen solche Einschätzung des Eudoros aber *P. M. Fraser*, II, 709 A 103. – Neben Eudoros sind vor allem Arius Didymus (Euseb PraepEv XI 23, 3–6) und Timaios Lokros zu nennen (vgl. *Tobin*, 11 ff.). Auch Ammonios, der Lehrer Plutarchs, stammt wahrscheinlich aus Alexandrien (*Tobin*, 152 mit A 39).

[110] Z. B. noch *H. Leisegang*, Heilige Geist, 76 A 2. 101 ff. u. ö.; L. Cohn, in: Philo

mutet[111]. Zwei Dinge vor allem lassen sich in der Tat dadurch besser erklären: die philonische Ontologie mit ihrer Zahlenlehre und zugleich der dominante soteriologisch-esoterische Zug. Aber auch das Ineinander von Monistischem und Dualistischem, das Denken in Urbild-Abbild-Ketten, Seinspyramiden und dyadischen Diairesen (s. u. S. 118 ff.) ist nicht nur vom ursprünglichen Platonismus her zu verstehen, sondern von einem Platonismus, dessen pythagoreische Elemente hervorgehoben werden. Auch die totale Transzendierung Gottes, aus der sich seine ontologisch begründete Nicht-Erkennbarkeit ergibt, wird verständlicher durch einen pythagoreisch eingefärbten Platonismus[112]. Schließlich ist auch der philonische Soma-Begriff und die Darstellung des Heils als Entweltlichung pythagoreischen Ursprungs (s. u. S. 130 ff. 137 ff.).

2. Nun läßt sich zeigen, daß Philo nicht der erste Jude in Alexandrien war, bei dem pythagoreische Gedanken eine wichtige Rolle spielen. Aristobul war nicht nur ein Vorläufer Philos in der philosophischen Auslegung des AT (Fragment 2[113]), sondern er bezeichnete neben Plato auch Pythagoras als Schüler des Mose (Fragment 3 und 4). Von besonderem Interesse ist aber Fragment 5 über den siebenten Tag als Ruhetag[114]. Der ἕβδομος λόγος ist das Weltgesetz. Die Sieben ist die Zahl der Ruhe, der Vollendung, der Überwindung des Werdens und Vergehens (und damit der Erlösung), der Rückkehr zur Eins (= Sein, Gott): Der siebente Tag könnte „im eigentlichen Sinne auch erster genannt werden". An ihm entstand das Licht und dadurch die Erkenntnisquelle (12,9). Die Sieben ist so auch die Zahl der Weisheit, die dem Leben Unerschütterlichkeit (d. h. Stehen im Sein) verschafft (12,10). Die

deutsch, I, 14 f. Vgl. dagegen *H. Willms*, 30 A 74; *J. M. Dillon*, Middle Platonists, 106 ff.; *ders.*, Eudoros, 4. Aufgrund der ungünstigen Quellenlage läßt sich schwer sagen, wieviel auf Poseidonios zurückgeht – am ehesten noch die stoischen Aussagen über Pneuma und Materie, die Gestirne, die Erkenntnislehre („Gleiches durch Gleiches"), über die Mantik und über die Beziehung von Kosmos und Anthropos (vgl. *K. Reinhardt*, Kosmos und Sympathie, 5 ff. 68 ff. 187 ff. u. ö.) – also viel Gemeinbildung der philonischen Zeit.

[111] Z. B. *H. Willms*, 34; *A. Wlosok*, 50 ff. 107 ff.; *E. Brandenburger*, Fleisch, 159 f.; *H. J. Krämer*, 264 ff.; *J. M Dillon*, Middle Platonists, 139 ff.; *ders.*, Eudoros, 6 ff.; *G. D. Farandos*, 145 ff.; vgl. o. S. 114 A 109.

[112] Nebenbei sei bemerkt, daß Philo sogar eine verlorenes Werk περὶ ἀριθμῶν verfaßt hatte (Op 52; Mos II 115; QGn III 49; IV 110. 151), und die Tatsache, daß er bei ClemAlex Strom I 72,4; II 100,3 und Euseb HE II 4,3 als Pythagoreer galt. Das Urteil des Clemens ist um so wertvoller, als dieser als Alexandriner in direkter Tradition zu Philo steht.

[113] Die 5 Fragmente des Aristobul sind überliefert bei Euseb HE VII 32,16–18 (F 1), und PraepEv VIII 10 (F 2) und XIII 12 (Text: *A.-M. Denis*, 217 ff.; Übersetzung mit Erläuterungen: *N. Walter* in: JSHRZ III 2, 261 ff.).

[114] Dazu *N. Walter*, Aristobulos, 65–81. 150–171; *M. Hengel*, Judentum, 295–307 (301 ff.); bereits *E. R. Goodenough*, 277 ff. *T. H. Tobin*, 50 ff., sieht in Aristobul allerdings nur einen stoisierenden Ausleger des AT.

Weisheit ist präexistent (12,11). Die Sieben ist so wie die Eins Zahl des Seins (vor dem Werden). Die Sechs ist Zahl der Schöpfung, die durch die folgende Sieben ihre unerschütterliche Ordnung erhält (12,12). Die darauf folgenden Dichterzitate[115] belegen dann, daß die Sieben Zahl des Sonnenlichtes ist, also Zahl der Erkenntnis (= Erlösung), und dann Zahl der „Vollendung" und mit der Einheit identisch (ἑβδόμη ἐν πρώτοισι καὶ ἑβδόμη ἐστὶ τελείη). Der siebente Tag ist der Geburtstag der Welt (vgl. Mos I 207). Entscheidend ist dabei die Verbindung von Ontologie und Soteriologie: Erlösung als Erkenntnis des Seins. „Aber am siebenten Morgen verließen wir Acherons Fluten[116], womit er [Homer – bzw. Pseudo-Homer] folgendes meint: (damit wir) von der seelischen Vergeßlichkeit und Bosheit los(kommen), wird gemäß der der (göttlichen) Wahrheit entsprechenden Siebenergesetzmäßigkeit das Vorgenannte (von uns) preisgegeben, und wir empfangen (statt dessen) Erkenntnis der Wahrheit (γνῶσιν ἀληθείας λαμβάνομεν) ..." (12,14 f.).

3. Solche pythagoreischen Gedanken begegnen bei Philo systematischer ausgebaut wieder: Op 13–19 (die Sechs); Op 89–128 (die Sieben)[117]; Dec 102 ff.; Spec II 56; Mos II 210; All I 7–20; Post 64; Her 170. 216; QGn II 12 u. ö. Die Sieben ist jungfräulich, ohne Mutter, nur aus der Eins (= Gott): Her 170. 216; Mos II 210. Ja, die Sieben ist identisch mit der Eins (Imm 11). Post 64: „Deshalb ist auch der siebente Tag der Ordnung nach wohl ein Nachkomme der Sechs, dem Wesen nach aber älter als jede Zahl, in nichts von der Eins verschieden." Im Kontext geht es darum, daß das Geistige dem Wesen nach älter ist als das Körperli-

---

[115] *N. Walter*, Artistobulos, 150–171, vermutet ein schon jüdisch überarbeitetes pythagoreisches Florilegium. S. 157 A 4 rechnet er mit einem jüdischen Vorläufer des Aristobul, der sich mit dem Pythagoreismus beschäftigte. Daß die 7 die Zahl des Lichtes und der Vernunft sei, ist trotz der Zuschreibung dieser Meinung an Philolaos (*H. Diels*, I, 400) wohl erst *neu*pythagoreischen Ursprungs (vgl. *H. Diels*, I, 416, wo der Bezug von Philo, Op 100, auf Philolaos bezweifelt wird), wobei wahrscheinlich die jüdische Tradition (Aristobul, Philo) selber das Ihre dazugetan hat. Man muß überhaupt damit rechnen, daß bei dem Verhältnis zwischen alexandrinischem Judentum und neupythagoreischem Mittelplatonismus das Jüdische nicht nur empfangender Teil war, sondern die Entwicklung zum Neuplatonismus hin selber mit beeinflußt hat, wie es ja auch den Gnostizismus und die Hermetik (CH I: s. o. S. 106 A 94) mitprägte.

[116] Motiv der Hadesrückkehr (vgl. *N. Walter*, Aristobulos, 151 ff.).

[117] Op 100 zitiert Philo den Alt-Pythagoreer Philolaos: die Sieben ἔστι γάρ, φησίν, ἡγεμὼν καὶ ἄρχων ἀπάντων, θεός, εἷς, ἀεὶ ὤν, μόνιμος, ἀκίνητος, αὐτὸς αὑτῷ ὅμοιος, ἕτερος τῶν ἄλλων. (*L. Cohn/P. Wendland* trennen θεός und εἷς nicht durch Kommata ab; entsprechend übersetzt Cohn in Philo deutsch I: „Es existiert ein Herrscher und Lenker aller Dinge, ein einziger und ewiger Gott, der ..." Aber es handelt sich um eine Aufzählung von Prädikaten, deren Subjekt die ἑβδομάς ist: Die Siebenzahl „ist ... Gott, Eins, ewig, einzig ..."). Die Herkunft von Philolaos ist jedoch zweifelhaft (s. o. A 115). Es muß sich um ein neupythagoreisches Pseudepigraphon handeln. Für Philolaos war nämlich die *Zehn* die vollkommene Zahl (*H. Diels*, I, 411, fr. 11: ἀρχὰ καὶ ἀγεμών; vgl. I 401, Z. 1: ἔστι δὲ τὰ δέκα τέλειος ..., was erstmals Artistobul von der Sieben sagt: s. o. bei A 115).

che, die Tugend älter als das Laster. „Israel" wird deshalb der „Erstgeborene" genannt, obwohl er der Zeit nach jünger als sein Bruder war (Post 62 ff.). Diese ontologische Ordnung von πρεσβύτερος – νεώτερος findet sich durchgehend bei Philo[118]. Abel ist πρεσβύτερος und πρότερον gegenüber seinem älteren Bruder Kain (Sacr 11 ff.). Kain bevorzugt τὰ δεύτερα, d. h. zieht den Körper der Seele, die γένεσις dem Sein vor. τὰ μὲν οὖν τῇ τάξει πρῶτα sind die natürlichen Dinge des Lebens, das wirklich Erste aber ist die Tugend (Sacr 72 ff.). Abels Opfer (= Tugend) ist gegenüber dem Jüngeren und Zweiten (ἀντὶ δὲ νεωτέρων καὶ δευτερείων) das Ältere und Erste (πρεσβύτερα καὶ πρῶτα: Sacr 88 ff.). Der Weise ist der „Erste des Menschengeschlechts (τῷ γὰρ ὄντι πρῶτος ὁ σοφὸς τοῦ ἀνθρώπων γένους) ... wie auch die Seele im Körper und der Nous in der Seele und wie der Himmel in der Welt und Gott im Himmel" (Abr 272). „Der ‚Ältere' und ‚Erste' (πρεσβύτερος ... καὶ πρῶτος) ist also und soll genannt werden der Weise (ὁ ἀστεῖος), der ‚Jüngere' und ‚Letzte' dagegen (νεώτερος δὲ καὶ ἔσχατος) jeder Unverständige (πᾶς ἄφρων) ..." (Abr 274). Wie die Sieben den Charakter der Eins-heit hat, so ist der τέλειος zugleich der πρῶτος. Das Unvergängliche ist „älter" als das Vergängliche, das „Schaffende" (Pneuma) älter als das „Erzeugte" (Spec II 228), es ist vorzeitig. Die Tugend ist älter als die Schlechtigkeit (Sobr 21 ff.), der Weise (auch wenn jung an Jahren) älter als der Asket (Joseph: Sobr 6 ff.). Das gilt ontologisch: „Älter als die Bewegung ist die Ruhe" (Sobr 47)[119]. Die Ideen sind körperlos, als Gattungen nicht dem Vergehen (wie das körperliche Einzelwesen) unterworfen. Das jüdische Volk ging über das „Gewordene" hinweg und erwählte den Dienst des „Ungewordenen, Ewigen", das „Ältere" (Spec II 166). Jetzt wird verständlich, warum Adam nur der δεύτερος ἄνθρωπος, der Weise dagegen der πρῶτος ἄνθρωπος ist. Genau diese Sicht ist es aber, die Paulus in 1 Kor 15,45 f. umkehrt und chronologisch auffaßt: Hier stößt ein (dem Ursprung nach apokalyptisches) chronologisches Denken[120] auf ein zeitlos ontologisches.

4. Entscheidend für Philos Ontologie ist die pythagoreische Spekulation über die Eins und die Zwei. Beide stehen sich antithetisch gegenüber als das Männliche und Weibliche, als der schaffende aktive Nous und die passive, unendliche (ἄπειρον, d. h. ohne Maß, ungeformte:

---

[118] Die Aussage „Das Ältere ist besser als das Jüngere" findet sich auch Timaios Lokros 94 (Textauszug bei *T. H. Tobin*, 72).

[119] Vgl. auch Post 89; Sobr 21 ff.; Conf 149; Migr 6 (der Logos ist πρεσβύτερος); Her 48. 118 f. (der Logos ist das πρῶτον aller Dinge überhaupt; vgl. Fug 101. 110); Fug 67 (die „jüngeren Güter" sind nicht durch Gott selbst, sondern durch seine Diener entstanden); Som I 160 ff. (Isaak ist „älter" als Abraham, da letzterer erst durch Lernen und Einwanderung zum Seienden gelangte); Abr 218 f.

[120] Entsprechend faßt Paulus πρῶτος immer zeitlich auf (s. u. S. 233).

Spec I 328 f.) Materie (ausführlich: QEx II 33. 46, dazu s. u. S. 140 f.). In
diesem dualistischen Sinne werden nun die ursprünglich stoischen Prinzipien τὸ ποιοῦν (Pneuma, Nous) und τὸ πασχόν (Materie) gewertet.
Die Zwei ist wegen ihrer Teilbarkeit Zahl der Materie, die Eins ist (wie
der Punkt ohne Ausdehnung) Zahl der Unkörperlichkeit (All I 3) [121]. So
wird Spec III 178–180 das Verbot, die Hoden zu berühren (Dt 25, 11 f.),
allegorisch [122] zunächst in dem Sinne gedeutet, daß sich die Seele nicht
dem Werden (Hoden als Zeugungsorgane) hingibt. Zugleich sind die
Hoden (griech.: δίδυμοι – Zwillinge) aber auch eine Zweiheit. Diese ist
Symbol der „leidenden und teilbaren Materie". Wie die Zweiheit an
sich schon für die Mischung (der Materie) steht, so besonders für die
Mischung aus Körper und Seele. Für Mose eröffnet sich mit seinem
Tode der Übergang vom Leben in Zweiheit zu einem „Einheitswesen",
in einen „sonnigen Nous" (Mos II 288). Die „unkörperliche Eins" ist
Abbild Gottes (Spec II 176), „Abbild der ersten Ursache" (Spec III 180).
Aus der Eins werden die möglichen „Prädikate" Gottes hergeleitet: Die
Einheit ist weder vermehrbar noch verminderbar. Während alles andere
nur gemischt ist und durch den Logos als Kitt und Band zusammenge-
halten wird, ist die Eins nur von sich erfüllt und bedarf keiner Zusätze
(Her 188). Einheit, Unvermischtheit, Reinheit, Gleichheit, „Stehen"
(Sacr 8; Post 28; Gig 49; Imm 23; Conf 30; Mut 54; Som I 246; II 218.
227) usw. sind deshalb Gottesprädikate (vgl. All II 2 f.). Zugleich aber
ist die Eins das Prinzip, aus dem alles andere erzeugt wird (Her 190 –
unter explizitem Hinweis auf die Pythagoreer). Selbst ungemischt, un-
gegliedert, stammt doch jede Zahl aus ihr. So ist die Eins zugleich die
Zahl des Seins (das All-Eine). Gott als der Seiende ist unumfaßbar, selber aber alles umfassend (Her 229). Hier wird deutlich, wie die pythagoreische Zahlenlehre auf die Ontologie (im Sinne des Parmenides) bezogen ist [123]. Damit hängt nun die Frage nach der Erkennbarkeit Gottes
zusammen (s. u. S. 121 ff.).

   5. Auch der Logos ist nach der Eins zu denken. Im Sinne der Ideenlehre ist er das allgemeinste Denkbare, d. h. die Idee der Ideen (Migr
103). Das Manna, das nach der Deutung Philos die Israeliten als unde-

---

[121] Kommt die Eins zur Zwei – also der Geist (Form) zur Materie, hat man den Körper. Folglich ist die Drei die Zahl des Körpers (der überdies drei Ausdehnungen hat):
All I 3. Die Sechs als Summe aller drei Zahlen ist die Zahl der materiellen Schöpfung, die
im Bereich des Irdischen vollkommenste Zahl.
[122] Philo beruft sich (Spec III 178) bei dieser allegorischen Deutung auf Vorgänger:
Die folgende Begründung „hörte ich von gottbegnädeten Männern, die den größten Teil
der Gesetzesbestimmungen als sichtbare Symbole des Verborgenen und ausgesprochene
(Andeutungen) des Unausgesprochenen auffassen."
[123] Vgl. die parmenideisch klingende Schilderung des Himmels in Her 229: kreisför-
mig, kugelig, ohne Anteil an Länge und Breite.

finierbares Etwas (τι)[124] bezeichneten, steht für den Logos, der so die Eigenschaft des Eigenschaftseins darstellt („etwas", „der Oberbegriff aller Dinge": All II 86; vgl. III 175; Det 118 u. ö.). Er ist Gottes unkörperliche Vernunft in allen körperlichen Dingen, Gottes aktive Präsenz in der Welt. So steht er[125] an der Spitze der Seinspyramide, die sich nach unten immer weiter in Vielheiten auflöst. Als Spitze und oberstes aussagbares Seiendes (Allgemeinstes) ist er der „Ort" der Ideen, der diese in sich einschließt. In diesem Sinne ist er der λόγος τομεύς, mit dem Gott bei der Schöpfung alles Seiende immer weiter teilte in zwei gegensätzliche[126] Hälften (Her 133–229). Zunächst geht es in Her um die Gleichheit der Teile (wobei oben an der Spitze der Logos zwischen Schöpfer und Geschöpf teilt, selber also als Grenze oder vermittelndes Drittes fungiert): Her 141–206, dann, Her 207 ff., um die Gegensätze. Hier kommt der dualistische Zug dieser Ontologie zum Vorschein, wobei Her 208 f. Gegensätze wie σκότος – φῶς, νύξ – ἡμέρα, σώματα – ἀσώματα, ἔμψυχα – ἄψυχα, λογικά – ἄλογα, θνητά – ἀθάνατα, αἰσθητά – νοητά ... γένεσις – φθορά, ζωή – θάνατος usw. begegnen. – Wie der Logos der Teiler ist, so ist er umgekehrt zugleich das „Band", der „Kitt", das, „was die Welt im Innersten zusammenhält" – (δεσμός: Migr 181), also die stoische Bindekraft (das Pneuma, das alles durchdringt und verbindet: Her 217). Auch dieser an sich stoische Gedanke läßt sich pythagoreisch fundieren: Die Welt als Vielheit wird gebunden durch eine unteilbare Kraft, die als „Einheit" (Migr 220) selber nicht gebunden zu werden braucht und deshalb binden kann (Logos als Bindekraft: Plant 8 ff.; Conf 136; Fug 112; vgl. Imm 35: das Pneuma). Da die Vielheit auf der ontologischen Pyramide nach unten hin zunimmt, bedeutet das undifferenzierte unfaßbare Sein an sich das höchste Gut (Gott), das „Etwas-Sein" darunter den Logos. Die Differenzierungen nehmen dann nach unten hin zu, wobei die zuletzt ausgegliederten Einzeldinge ganz unten stehen. Das „Meinen" (δόξα) bewegt sich im Felde dieser vordergründigen Dinge und ist deshalb wegen seiner „Vielheit" negativ (Migr 152 f.; Migr 28 f.: ποιότης als negativer Wert; vgl. All III 15 f.). Je höher etwas auf der Pyramide steht, desto weniger Prädikate hat es, so daß von Gott nur noch sein Daß-Sein, aber kein Was-Sein mehr ausgesagt werden kann (abgesehen von solchen allgemeinen Prädikaten, wie „Sein", „Ewigkeit", „Ungemischtheit", „Einheit" und „Allheit" usw.), denn jede definierende Aussage würde ja noch etwas außerhalb des Prädikates (wovon des Prädikat abgrenzt) voraussetzen, was vom „Sein" als solchem nicht mehr möglich ist (vgl. All II 1 ff.).

---

[124] Philo faßt das Fragewort τί (für מָה) aus Ex 16,15 als Indefinitum auf.

[125] Nicht Gott! Dazu s. u. S. 123 A 132.

[126] Her 133: „Erörterung über die Zerlegung in gleiche Teile und über Gegensätze." Zum Logos tomeus: G. D. Farandos, 253 ff.

Im Unterschied zur Teilbarkeit bzw. Zusammengebundenheit aller Weltdinge sind der Logos und unser Nous (wie die Eins) unteilbar (wegen ihrer Abbildbeziehung zu Gott), teilen selber aber alles. „Das geschieht wegen ihrer Ähnlichkeit mit dem Schöpfer und Vater des Alls. Denn die Gottheit, die unzusammengesetzt und ungemischt, völlig unteilbar ist, ist für die ganze Welt die bewirkende Ursache der Mischung, Vereinigung, Trennung und Teilbarkeit …“ (Her 236). Schöpfung ist also zahlentheoretisch die Erzeugung der Vielheit aus der Eins oder Teilung des Seins in Vielheiten. Vielheit ist ein Prädikat des Geschaffenen (und darum ein negatives Prädikat). Umgekehrt reduziert der schöpferische Nous des Menschen (wie Gottes Nous, der Logos) im Denken die Vielheiten in Einheiten (Spec I 208–210) und führt so das Gewordene auf das Sein, die Schöpfung auf den Schöpfer zurück. Denken ist umgekehrte Schöpfung. Dabei ist dies der eigentliche dualistische Gegensatz bei Philo: der Schöpfer (Eins-heit) und die Schöpfung (Vielheit, aus dem Prinzip der Zweiheit), oder das Sein und das Werden (γένεσις), die Ruhe (στάσις) und die Bewegung, schließlich zwei gegensätzliche φύσεις – die unsterbliche und die sterbliche[127]. Zwischen diesen beiden Polen steht der Mensch, der durch seinen Nous erst ein bewußt existierendes und verantwortliches Wesen ist: Strebt der Nous seiner ihm wesensgemäßen Einheit zu, hat er seine Heimat im Himmel; verliert er diese Verbindung und fällt selber der Erde, der „bunten“, körperlichen Vielfalt anheim (All III 15; Agr 42; Migr 28), so ist er irdischer, vergänglicher Nous. An diesem Punkt allerdings verläßt Philo im Allegorischen Kommentar das Feld seiner Ontologie. Indem der irdische Mensch nicht einfach mehr das Mischwesen ist (wie Op 134 f.), sondern auf einen „irdischen Nous“ zurückgeführt wird, kommen anthropologische und soteriologische Aspekte ins Spiel, die andere Wurzeln haben. Der „irdische Mensch“ wird zum natürlichen Menschen, der an sich (obwohl er eine ἔννοια Gottes von Schöpfung her hat) gottlos ist – gerade dann, wenn er auf sich als Nous vertraut. Immer wieder wird im Allegorischen Kommentar die Hybris des selbstbewußten Men-

---

[127] Fug 63: Unter Berufung auf Plato, Theät. 176 A–B, wird dabei auch die Unsterblichkeit des Schlechten behauptet, da die Existenz des Guten (τὸ ἀγαθόν) immer zugleich die Existenz des Schlechten (τὰ κακά – Plural!) erfordert. Diese Sicht geht allerdings bei Philo so weit, daß Spannungen mit der Ideenlehre entstehen, insofern nun auch das Schlechte seine Ideen hat und in der Realität abgebildet wird (vgl. All III 105: „Denn es gibt bei Gott Schatzkammern des Bösen ebenso wie des Guten …“ – was in Spannung zu dem Theätet-Zitat in Fug 63 steht). Der Dualismus der zwei φύσεις (symbolisiert durch Himmel und Erde, die beide ihren νοῦς haben – folglich gibt es zwei Urmenschen) geht aber auf pythagoreische Gedanken zurück. Hier ist offenbar das Bild vom Siegel-Abbild dualistisch weitergeführt worden zum Bild von der echten und falschen Münze (z. B. All III 104 f.; vgl. Conf 159; Mut 208; Som II 184; Virt 4 u. ö.). Vgl. dazu A. Wlosok, 62 f. A 7.

schen (Post 35: Kain als Erdmensch betrachtet τὸν ἀνθρώπινον νοῦν „als Maß aller Dinge"; vgl. Spec I 333), der seinen unendlichen Unterschied als Geschöpf zu seinem Schöpfer verkennt, herausgestellt (All II 69. 85. III 29 ff. 42 ff. 81 ff.; Post 35. 175; Mut 54–56 u. ö.). Auch der Nous ist hier Geschöpf, vergänglich, erlösungsbedürftig, auf Gnade Gottes angewiesen. Er wird auf Selbsterkenntnis verwiesen, die ihm zeigt, daß er ohne jede Erkenntnis ist (Migr 134 ff.). Aber gerade diese den Nous vernichtende Selbsterkenntnis (γνῶθι σαυτόν wird als sokratische Erkenntnis gefaßt: „Ich weiß, daß ich nichts weiß"), bedeutet den Schritt von der irdischen zur himmlischen Existenzweise des Nous[128]. Folglich ist der himmlische Nous dann der „fromme" Mensch, der auf Gott vertraut und so die Welt hinter sich läßt und im Unvergänglichen lebt. Allerdings heißt das durchgehend auch immer: Leben in Distanz oder Feindschaft zum Körper. Ja, diese körper-abstinente Haltung ist radikalisiert: der Nous soll sich nicht nur vom Körper, sondern gar *von sich selbst* distanzieren – denn er ist als natürlicher Nous gerade in seiner Selbstbehauptung dem Vergänglichen verfallen: „Wer den eigenen Nous verläßt, bekennt damit, daß die Werke des Menschengeistes nichtig sind, und schreibt alles Gott zu; der andere aber entflieht Gott und erklärt nicht Gott für die Ursache von irgendeinem Ding, sondern sich selbst für die Ursache von allem, was geschieht" (All III 29).

6. Auch wenn sich die eben skizzierte Gedankenreihe nicht direkt aus der Ontologie herleiten läßt, so hängt sie doch mit einem Gedankenkreis zusammen, der selber stark mit der Ontologie zusammengehört. Es geht um Philos Aussagen über Gott und das Problem der Erkennbarkeit Gottes. Hier gibt es die eklatantesten Widersprüche in Philos Äußerungen überhaupt. Hans Jonas[129] hat das am eindrücklichsten dargestellt: Einerseits ist die Schau Gottes Ziel des Königsweges des Weisen, Ziel der γνῶσις θεοῦ (Imm 142 f.)[130]. Aber fast immer wird dann am Ende auch dem Vollendeten die Erkenntnis Gottes bestritten. Gott ist derart in die Transzendenz entrückt, daß er dem menschlichen Nous, der im Seelenflug sonst alles durchfährt, unerreichbar wird. Dabei endet die „theoretische Gotterkenntnis" nur bei der Erkenntnis von der *Existenz* Gottes, erfaßt aber nicht sein Wesen (z. B. Post 168 f.; Conf 137; Fug 141. 165; Spec I 32 ff.; Virt 215 ff.). Darüberhinaus gibt

---

[128] Der gleiche Gedanke findet sich bei Plutarch (dazu: *H. Dörrie*, Spuren, 100 f.).
[129] *H. Jonas*, II 1, 70–121.
[130] Philo vermeidet nach Möglichkeit den Ausdruck γνῶσις θεοῦ (abgesehen von wenigen Ausnahmen: z. B. All III 48. 126; Imm 143; Som I 60; QEx II 67 – vgl. dazu *A. Wlosok*, 79 A 46) und verwendet statt dessen ἐπιστήμη. Das entspricht seiner Neigung, vulgäre Terminologie und Vorstellungen zu vermeiden. Das gilt, wie *H. Leisegang*, Heilige Geist, 81 ff. 121 f., gezeigt hat, tendenziell auch für den Terminus πνεῦμα, den Philo freilich noch weniger gänzlich umgehen konnte als den der γνῶσις.

es zwar eine „mystische Gotterkenntnis" – aber auch diese läßt Gottes
Wesen unerreichbar; selbst Mose wird eine diesbezügliche Bitte abge-
schlagen (Mut 3 ff.; Spec I 41 ff.).

Gottes Existenz ist zunächst aus dem Kosmos erschließbar. Diesen
kosmologischen Existenzbeweis könnten auch die Heiden schließen,
denn sie haben von der Menschenschöpfung her durch die πνοή (Gen
2,7) eine ἔννοια θεοῦ erhalten (Det 86; vgl. All I 37 f.). Aber *was* Gott
ist, ist dem Menschen prinzipiell unfaßbar und wird selbst durch Offenbarung und ekstatisch-enthusiastische Erfahrungen nicht erkannt
(Mut 3 ff.; Spec I 32 ff.; Fug 141. 165). Daran hält Philo durchgehend
fest. Wo in seinen Schriften dennoch einmal die Möglichkeit der
γνῶσις und ἐπιστήμη θεοῦ anklingt (All III 97–103; Imm 143; Migr 185.
195; Her 78; Som I 60; Abr 57–59), kommt eine mystische Tradition zu
Wort, die Philo aber nicht als Widerspruch zu seiner Auffassung vom uner-
forschlichen Gott ansieht, weil er unter dem Ziel des mystischen Weges
selbst nicht eine derartige Erkenntnis des Was-Seins Gottes versteht. Es ist
wieder (auf den ersten Blick) nur die Existenz Gottes (Migr 195; Praem 39;
Post 168 u. ö.), ein Sehen, bei dem die Augen geblendet werden, das sich allerdings vom kosmologischen Gottesbeweis darin unterscheidet, daß es von
oben nach unten in Gang gesetzt wird und dadurch höher zu bewerten ist.
Deutlich wird das Som I 60 und 66, wo beides auf den ersten Blick widersprüchlich nebeneinander steht – 60: „Wer ... von sich selbst abgesehen
hat, der erkennt den Ewigen (γινώσκει τὸν ὄντα)" – 66: Ist der Weise
beim Logos angekommen, „so kann er nicht bis zu dem vordringen, der
seinem Wesen nach Gott ist, sondern er sieht ihn von *ferne*; besser gesagt: er ist nicht einmal imstande, ihn selbst von ferne zu schauen, sondern er sieht nur, daß Gott fern von der ganzen Schöpfung ist und daß
seine Erkenntnis ganz ferne, jeder Menschenvernunft entzogen ist". Es
ist nicht so, daß Philo nur eine theoretische Gotteserkenntnis bestreitet,
als Ausweg stattdessen eine vollständige Gotteserkenntnis durch Offenbarung und Mystik anerkennt [131]. Offenbarung und Mystik lassen nur

---

[131] *H. Jonas* hat wohl recht, daß Philo zwischen theoretischem und mystischem Weg
schwankt (II 1,73. 89 f.). Die Erklärung aber, daß Philo vom verobjektivierenden Denken
nicht loskomme (das Phänomen „schicksalsbedingter philonischer Halbheit"), ist doch
eine Verlegenheitslösung. Jonas verkennt ein wenig das gerade auch aus jüdischer Tradition bedingte Interesse Philos an der unüberbrückbaren Distanz zwischen Gott und
Mensch. Frömmigkeit ist gerade auch das Wissen um diese nie überschreitbare Distanz.
Vor allem aber trifft es nicht zu, daß die mystische Schau der δόξα Gottes, die Mose ge-
währt wird, identisch sei mit dem nur kosmologischen Erkennen der Existenz Gottes (gegen Jonas, II 1,88). Theoretisch gibt es bei Philo drei Stufen: 1. die Erkenntnis der Existenz Gottes aus der Welt, 2. die Schau der δόξα Gottes, die nur dem zuteil wird, dessen
Nous sich des Weltlichen und seiner selbst entäußert, und 3. die Erfassung des Wesens
Gottes, die absolut und für jeden prinzipiell ausgeschlossen bleibt. Die zweite Stufe ist
die spezifische Frömmigkeit des Weisen.

eine passive Gottes*erfahrung* zu, ein volles *Erfaßtwerden* vom Glanze des ewigen Seins, aber nicht ein aktives Erfassen (das ontologisch immer ein Umfassen des Erkannten ist). Deutlich zeigt das der Abschnitt Praem 36–46: Das Schauen Gottes mit dem Auge der Seele ist dem Vollkommenen möglich (36 f.) – wird aber eingeschränkt auf die *Existenz* Gottes (39). Diese Existenz Gottes erfassen aber auch nicht alle „*in der rechten Art*". Durchaus lobenswert ist dabei zwar der „Weg von unten nach oben" (41 f.). „Manche aber besaßen die Fähigkeit, ihn [Gott] aus ihm selbst zu begreifen, ohne daß sie irgend welche anderen Vernunftgründe zu Hilfe zu nehmen brauchten, um zu seinem Anblick zu gelangen …", so „Israel", der „Gott Schauende" (43). Auch Israels Schauen ist auf die Existenz Gottes eingeschränkt. Philos Schilderung zeigt aber, daß es um die Gottes*erfahrung* des Frommen geht. Dies ist die Erkenntnis des Lichtes durch das Licht (46). So gilt also: a) Die Erkenntnis Gottes ist generell ausgeschlossen. b) Es gibt aber eine Begegnung mit Gott, bei der der menschliche Nous passiv, seiner selbst entäußert ist – nur darf das Ziel dieses mystischen Weges (Erkenntnis durch Erleuchtung) nicht mit dem Ziel des theoretischen Weges (Umfassen, κατάληψις) verwechselt werden.

a) Die Begründung für die Unerkennbarkeit Gottes ist im wesentlichen ontologisch: Gotteserkenntnis ist Erkenntnis der „Eins" (Abr 122). Dem Wesen nach bleibt sie jedoch unerreichbar: „Denn jenes Wesen, das besser ist als das Gute, ehrwürdiger als die Einheit und reiner als die Eins, kann unmöglich von einem anderen geschaut werden, weil es nur von sich allein begriffen werden darf" (Praem 40) [132]. Gott ist da-

---

[132] Vgl. dazu Vit Cont 2: Die Therapeuten (eine in ihrer Lebensweise in vielem *pythagoreische* Gemeinschaft) waren von der Natur und heiligen Gesetzen gelehrt, „das Seiende zu verehren, das noch besser als das Gute, reiner als die Eins (ἑνός) und ursprünglicher als die Einheit (μονάδος) ist". A. *Wlosok*, 53 A 18. 110, verweist hierzu auf den Neupythagoreismus, wo der Dualismus von Einheit und Zweiheit überhöht wird durch Postulierung einer über beiden stehenden höchsten Eins, so daß der Dualismus monistisch eingebettet wird. Diese höchste Einheit ist Gott (τὸ ἕν), der über den zwei Prinzipien Nous (Monade) und Materie (Dyade) steht (dazu *J. M. Dillon*, Middle Platonists, 120 ff.; *ders.*, Eudoros, 10 f. 17 ff.; *H. Dörrie*, Eudoros). Das läßt sich mit Philos Logostheologie gut in Einklang bringen:

Gott

Logos (Ideen)   Materie

Zugleich wird so der Logos zu einem „zweiten Gott" (QGn II 62). Gott selbst ist der ontologischen Ideen-Pyramide, deren Spitze der Logos ist, völlig transzendent und daher unerkennbar (zu den neupythagoreisch-mittelplatonischen Wurzeln dieser „negativen Theologie" vgl. *J. M. Dillon*, Eudoros, 17–19). Das verbindet sich bei Philo mit dem alttestamentlich-frühjüdischen Interesse an Jahves Transzendenz (Bilderverbot, Vermeidung des Gottesnamens).

nach sogar über die Eins hinaus transzendiert. Mut 11 ff. wandelt das Problem der Unerkennbarkeit Gottes ganz im Sinne der Ontologie ab auf die Frage der Unbenennbarkeit Gottes. „Das Seiende" kann durch kein Prädikat benannt werden außer dem, daß es „ist" – das ist die Erkenntnis der reinen Existenz (Som I 230 f.). Jeder *Name* bleibt uneigentlich (vgl. Mos I 75). Das „Rumpelstilzchen"-Motiv (das Aussprechen eines Namens verschafft Macht über den Namensträger) wird ontologisch angewendet: Jakob erfährt Gottes Namen nicht und muß sich – obwohl er Israel = Gott-Schauender wird – mit dem Segen begnügen (Mut 14). Was unaussprechbar (ἄρρητον) ist, ist damit undenkbar (ἀπερινόητον) und unerfaßlich (ἀκατάληπτον: Mut 15)[133]. Alle Gottesnamen erfassen nur Aspekte Gottes, sind also Bezeichnungen seiner Kräfte (selbst θεός ist nur eine Kraft: Mos II 99; Abr 121 f.; Conf 137 u. ö.). Mit diesen Kräften als wirkenden Eigenschaften ergreift Gott seinerseits alles (vgl. z. B. Post 20), wird aber nicht „umgriffen" (Conf 182), ja nicht einmal seine Kräfte sind so erfaßbar (Mut 183 ff.). Sie sind die δόξα Gottes, die Mose sieht und die ihn blendet, aber auch sie sind nur erfahrbar, nicht erfaßbar (Spec I 45 ff.; QEx II 45). Nur ihre Abbilder, d. h. ihre Wirkungen, sind der Menschenseele zugänglich (Mut 183; vgl. Post 167–169). Die Kräfte sind Mittler zwischen Welt und Gott. Sie sind die Begriffe der erfahrbaren Wirkungen Gottes (QEx II 37: „He sends the powers, which are indicative of His essence"). Ihnen schreibt Philo vor allem aber auch jene Aktivitäten zu, die zu Gottes Sein, seiner Güte, eigentlich nicht passen: das Strafen

---

[133] Diese Prädikate zeigen, wie das ontologische Argument geradezu geometrisch vorstellbar ist: Das denkende Subjekt kann nur denken, was es selbst umschließt ([ἀ]περινόητον), „umfaßt". Erkennbar ist nur das, dessen Grenzen wir auch von außen kennen (vgl. das Wort „definieren"). In diesem Sinne ist für Philo sogar der menschliche Nous unerfaßlich, da er ja nicht außerhalb seiner selbst sein kannn (All I 91; Mut 10; Som I 30–32). Dieses Theorem wird dann freilich durch ein anderes außer Kraft gesetzt, wonach der menschliche Nous pneumatisch verwandelt werden und sich seiner selbst entäußern kann (s. u. S. 151 ff.). Dazu muß er freilich erst an seine Grenzen stoßen. In diesem Sinne wird das γνῶθι σαυτόν (z. B. Fug 46; Som I 47 f.; Spec I 44; Leg Gai 69) von Philo gebraucht: Der Mensch erkennt seine Nichtigkeit vor Gott; der Nous wird leer und dann mit Pneuma oder dem Logos gefüllt. Für Gott gilt das oben ganannte Theorem übrigens nicht, was mit zu den Aporien und der Undenkbarkeit des höchsten Seienden gehört. Entsprechend ist die Weisheit (sozusagen als Gottes Nous) anders als der menschliche Nous als einzige in der Lage, auch sich selbst zu erkennen (Migr 40 ff.) Der Weise, der am Weisheitspneuma partizipiert, müßte folglich an dieser reflexiven Erkenntnis der Weisheit teilhaben und – eine Konsequenz, die Philo scheut, die Paulus 1 Kor 2, 10 ff. aber ausspricht – Gottes Weisheit schauen, Gottes „Tiefen" erkennen (vgl. dazu G. Sellin, „Geheimnis", 86 ff.). Verräterisch ist aber, daß Philo Migr 40 ff. von der reflexiven Erkenntnisfähigkeit der Weisheit καταλαμβάνειν gebraucht. In der Weisheitstradition war offenbar Wesenserkenntnis Gottes (als γνῶσις θεοῦ) möglich. Wahrscheinlich wurde dort aber gar nicht so weitgehend ontologisch reflektiert.

(Fug 66; Abr 143), die Berührung mit der Materie (Spec I 329), die Schöpfung der nicht-vollkommenen Dinge, aus der das Böse entsteht, so bei der Menschenschöpfung (Op 72 ff.; Conf 179; Fug 68; Mut 30 f.). Grund dafür ist wieder ein ontologischer Satz: Das Schlechte kann nicht auf das Sein zurückgeführt werden, denn das Sein ist schlechthin Güte. Die Kräfte, auf die das Böse der Menschenseele (freilich nur indirekt) zurückgeführt werden kann, sind aber weder widergöttlich noch durch Verhängnis oder usurpatorische Gelüste in ein widergöttliches Stadium abgefallen wie im Gnostizismus (s. u. S. 197 ff.). Sie sind identisch mit Gottes Dienern, den Engeln. Der Dualismus ist nicht auf den Gottesbegriff übertragen. Vielmehr wird der Dualismus (ganz im Sinne des Neupythagoreismus: Der Dualismus von Einheit und Zweiheit ist in einer höheren Einheit aufgehoben) monistisch eingebettet: Das Schlechte geziemt sich zwar nicht für die Gottheit selber. Aber letzten Endes ist es in einer großen heraklitischen coincidentia oppositorum nötig zur Vervollständigung des Guten, zur letzten totalen Harmonie (Her 207 ff.)[134].

b) Wenn auch Gottes Wesen nicht erkannt werden kann, so gibt es dennoch bei Philo eine besondere Erkenntnistheorie, die weder Erfassen (κατάληψις) der Gottheit noch Erschließen der Existenz Gottes „von unten nach oben" ist. Es geht um die mystische Erkenntnis (und dem Inhalt nach schon um Soteriologie: s. u. den nächsten Abschnitt). Grundsatz dieser Erkenntnistheorie ist: Gleiches kann nur durch Gleiches erkannt werden (Gig 9), Licht kann nur von Lichthaftem geschaut werden (Praem 45). So kann das Geistige, z. B. die Lebewesen der Luft – reine Seelen, Engel – nur der Nous „schauen" (Gig 22), da er selber lichthaft ist (vgl. Virt 12). Das Sehen der körperlichen Augen wird so zur Metapher der Erkenntnis. Substanziell ist der Nous folglich verwandt mit den unkörperlichen Ideen, die er ja denken kann. Jedoch ist diese Tatsache für Philo keine Selbstverständlichkeit. Schon im pythagoreisch ausgerichteten Platonismus seiner Zeit bekommt die Philosophie, die Weisheit, esoterische Züge. Die Wahrheit liegt dem Nous nicht offen vor. Alles läuft darauf hinaus, daß rechte Erkenntnis einer Inspiration bedarf. Selbst die schöpfungsmäßige Ausstattung des Menschen mit dem Nous wird mit Hilfe von Gen 2,7 als Inspiration geschildert (All I 32. 38), wobei, wie o. S. 103 ff. gezeigt, Philo mehr den soteriologischen als den Schöpfungsakt im Auge hat. Aber wie sich die Eins

---

[134] Vgl. Her 213 f.: „Denn aus zwei Gegensätzen besteht die Einheit; wird diese geteilt, so werden die Gegensätze erkennbar. Ist dies nicht der Lehrsatz, welchen, wie die Hellenen sagen, der große und bei ihnen gefeierte Heraklit an die Spitze seiner Philosophie gestellt hat ...? Es ist doch eine alte Entdeckung von Moses, daß die Gegensätze aus einem und demselben Ding entstehen und als dessen Teile zu betrachten sind ..."

und die Sieben, Ontologie und Soteriologie entsprechen, so auch
Schöpfung und Erlösung. Die dennoch bestehenden Widersprüche löst
Philo in All I 32 ff., indem er bei der Schöpfung Adams nur von der
πνοή spricht, die lediglich ἔννοια θεοῦ (All I 37) bewirkt, d.h. dem
Menschen einen Eindruck von Gott selbst gibt, der es ihm *ermöglicht*,
Gott zu erkennen (soweit dieser erkannt werden kann). Erst dadurch
wird es möglich, die ἄγνοια[135], ἀγνωσία θεοῦ als Schuld zu bezeichnen. Aber der ganze Zusammenhang von All I 31 ff. zeigt, daß gerade
der natürliche Mensch, der menschliche Nous an sich, sterblich, irdisch
ist. Dieser Nous kann das *Himmlische* nicht erkennen, denn er ist irdisch. Der Satz von der Analogie-Bedingung der Erkenntnis (Gleiches
durch Gleiches) wird bei Philo also *skeptisch* gebraucht[136]. In diesem
Zusammenhang hat die Rede vom „irdischen Nous", vom „irdischen
Menschen" ihren Ort. Hier wird am deutlichsten Philos Abhängigkeit
von der Weisheitstradition und ihrer ambivalenten Auslegung von Gen
2,7 (der Mensch aus Staub)[137]. Erlösende Erkenntnis ist dem *natürlichen* Menschen unmöglich. Daß es dennoch eine erlösende Erkenntnis
für den Menschen gibt, liegt an einem Existenzwandel des natürlichen
Nous, der seine Ursache oben, bei Gott, nicht im Nous selber hat. Erkenntnis gibt es danach aufgrund von Offenbarung, aufgrund von *Erleuchtung*, Pneuma-Verleihung, Inspiration. Dieser Akt stellt erst die
Analogie von Nous und Erkenntnisgegenstand her. Auch das aber wird
Praem 45 f. ontologisch begründet: „Unsere sichtbare Sonne schauen
wir doch durch nichts anderes als durch die Sonne? Ebenso die Sterne
durch nichts anderes als durch die Sterne? Und wird nicht überhaupt
das Licht nur durch das Licht gesehen? Ganz ebenso ist Gott sein eigenes Licht und wird durch sich allein gesehen, ohne daß ein anderer hilft
oder helfen kann zur reinen Erkenntnis seines Daseins. Gute Treffer
sind also die Menschen, die sich bemühen aus der Schöpfung den unge-

---

[135] 1 Kor 15,34: ἀγνωσία ... θεοῦ; vgl. Apg 17,23 (Apg 3,17; 17,30; Eph 4,18; 1 Pet
1,14: ἄγνοια).

[136] Die ältere Akademie war vollständig in einen Skeptizismus geraten (vgl. *A. Wlosok*,
50–52), der seinerzeit schon auf die Skepsis eines Kohelet Einfluß gehabt hat (aber auch
noch auf Philo, vgl. Ebr 167–202). *E. Brandenburger*, Fleisch, 61 f. 93 f. 99 f. 106 ff., hat gezeigt, daß dieser Skeptizismus der jüdischen Weisheitsbewegung zusammen mit dem Dualismus (der Mensch ist nur Staub und sterblich, Gott ist fern und ewig) als eine Voraussetzung der weisheitlichen Erlösungstheologie z.B. der SapSal (Sap 7,1 ff.) angesehen
werden muß.

[137] Vgl. dazu *W.-D. Hauschild*, 260 ff., der eine alexandrinische Tradition der Gen-
2,7-Auslegung annimmt, nach der der Nous des Menschen generell mit dem Pneuma
identisch ist – während Philo selbst dem natürlichen Menschen das Pneuma abspricht.
Aber Philos eigene soteriologische Auffassung von natürlicher Sterblichkeit und nur
möglicher Pneuma-Inspiration ist selber Tradition, wie Sap 7,1 ff. zeigt (*E. Brandenburger*,
Fleisch, passim; *K.-G. Sandelin*, 28 ff.).

schaffenen Schöpfer des Alls zu erkennen, sie handeln ähnlich denen, die aus der Zweiheit die Natur der Einheit erforschen, während man umgekehrt von der Einheit – diese ist ja der Anfang – ausgehen müßte, um die Zweiheit zu betrachten; zur Wahrheit aber gelangen nur *die* Menschen, die die Vorstellung von Gott *durch Gott* gewinnen (φαντασιωθέντες), die Vorstellung vom Licht durch das Licht"[138] (vgl. All III 100 – s. o. S. 111; Abr 119–123). Um selber ganz von der All-Einheit erfaßt, erfüllt zu werden, muß der Nous sich selbst aufheben, leer werden, „sich selbst erkennen" als „*nichtig*" (Imm 161; Migr 134 ff.; Her 30; Mut 54. 186; Som I 57–60. 212; Spec I 10. 44. 263 f.). Nur der seiner selbst entäußerte Nous kann mit Pneuma erfüllt werden. Dieser inspirierte Nous wird prophetisch, der inspirierte Mensch zum Pneumatiker, zum himmlischen Menschen, zum πρῶτος ἄνθρωπος – ja zum ἄνθρωπος θεοῦ.

δ) Soteriologie

Erlösung besteht in Erkenntnis (ἐπιστήμη, γνῶσις), denn diese versetzt den Menschen vom Vergänglichen ins Reich der Unvergänglichkeit, wo alles Geist ist. Geist-Werdung bedeutet Entweltlichung, vor allem Loslösung vom Körper, die der Weise, der Vollkommene, zu Lebzeiten erreichen kann, weil er zum ewigen Sein durchblickt, und die mit dem Tode endgültig sein wird – sofern die Seele des Menschen nicht die Beziehung zum Unvergänglichen verloren hat und dann mit dem Tode vergeht[139]. Unsterblichkeit setzt auf jeden Fall Erlösung voraus. Diese Art der Erlösung, die sich zusammenfassend als *Entweltlichung* bezeichnen läßt, ist das alles beherrschende Thema bei Philo. Aufstieg, Übergang, Rückkehr, Ekstase, Inspiration, Umprägung u. ä. sind die Bilder, die er dabei bevorzugt, um die Lösung des Menschen vom Irdisch-Vergänglichen und die Zuwendung zum Ewig-Seienden, die Wendung von der Welt zu Gott, zum Ausdruck zu bringen. Die vielfältigen Motive, Bilder und Vorstellungen lassen sich dabei kaum zu einem System oder gar zu einem fertig von Philo übernommenen stufenweisen Aufstiegsmysterium[140] verbinden.

---

[138] Um diese Erkenntnistheorie geht es 1 Kor 2, 10–16 (s. o. S. 108 A 100 u. S. 124 A 133).

[139] Dies alles ist nahezu vollständig auf dem Hintergrund eines pythagoreisch gewendeten Platonismus zu verstehen (vgl. *A. Wlosok*, 52 ff., die darüber hinaus Einflüsse der Mysterien betont: 54 ff.; *J. M. Dillon*, Middle Platonists, 139 ff.), für den die Verbindung, ja beinahe Identifizierung von Ontologie und Soteriologie kennzeichnend ist.

[140] Gegen *H. Leisegang*, Heilige Geist, 226; *J. Pascher*, 261 ff. u. ö., zu Recht *A. Wlosok*, 111 ff.

1. Die dualistische Grundstruktur

Der anthropologische Dualismus von νοῦς und σῶμα[141], der für das Verständnis von 1 Kor 15,12 eine wesentliche Rolle spielt, ist selber wiederum nur verständlich, wenn man ihn eingebettet sieht in einen ontologischen Dualismus, der bei Philo in der häufigen Rede von zwei φύσεις[142] zum Ausdruck kommt (z. B. All III 104. 161 f.; Post 173; Fug 62 f.; Abr 55; Dec 101; Spec III 178; Virt 9; Praem 13). Man kann bei Philo beinahe alle jene Antithesen finden, die o. S. 74 aus 1 Kor 15,42 ff. zusammengestellt sind[143]. Am prägnantesten ist dieser Dualismus ausgedrückt in der Antithese „himmlisch" – „irdisch". Ontologisch geht es um das Gegenüber von Sein und Werden. Dieses Gegenüber kann pythagoreisch ausgedrückt werden als der Gegensatz von zwei φύσεις, von Geist und Materie (pythagoreisch: Einheit und Zweiheit). Im Sinne dieses Dualismus ist der Mensch auf den ersten Blick ein Mischwesen aus Geist und Körper (νοῦς – σῶμα), aus der unsterblichen und der sterblichen Natur (Op 135; Praem 13). Erlösung bedeutet dann: Loslösung von der sterblichen und Hinwendung zur unsterblichen Natur. Daneben gibt es aber einen anders gefaßten Dualismus, der offenbar auf eine Allegoristentradition vor Philo zurückgeht (s. u. S. 152 f. 169 ff.). Danach ist der Mensch nicht einfach dichotomisch (als Mittleres aus Materie und Geist) verstanden, sondern ganzheitlich. Der ganze Mensch ist entweder „himmlisch" oder „irdisch". Ja der Nous (der im Sinne der Dichotomie ja die himmlische Natur ausmacht) kann selber ganz irdisch sein, so daß es zwei Urmenschen, zwei Nous gibt. Der „irdische Nous" ist der böse Mensch, der ἀντίθεος νοῦς (Post 37; Conf 88; Congr 118; Som II 184), z. B. Kain (Post 37. 42; Sacr 1 ff.; Det 47 ff. 100), Edom (Imm 144. 180), Bileam (Imm 181 f.), der Pharao (Conf 88; Som II 183), aber vor allem auch Adam (All I 31 ff. 88 ff., bes. 90; III 252 f., u. ö.), der freilich als Urmensch noch die Möglichkeit zur Erlösung hat und insofern der noch ambivalente Nous ist (All II 53 ff. III

---

[141] Dabei geht es nicht nur um eine einfache Dichotomie, wie man etwa aufgrund von Op 135 (der Mensch als Mischwesen) annehmen könnte. Eindeutig werden beide Größen antithetisch bewertet (s. u. S. 130 ff.). Schwieriger ist die Frage zu beantworten, ob der dahinter stehende ontologisch-kosmologische Dualismus auch im Sinne einer feindlichen Antithetik (zwei sich bekriegende Mächte) zu verstehen ist: dazu s. gleich!

[142] Das Wort ist schwer zu übersetzen. Manchmal bedeutet es „Lebewesen" (Geschöpfe – z. B. All III 75 – dazu s. o. S. 111 f. A 106), spezifischer aber sind damit gemeint die beiden dualistischen Seins-Prinzipien. Gewöhnlich ist φύσις in der antiken Philosophie (als ein zentraler Terminus der Stoa) monistisch gefaßt (etwa: das Weltgesetz). Ursprünglich meint das Wort aber „Ursprung", läßt sich also auch im Sinne der pythagoreischen dualistischen Prinzipien verwenden.

[143] S. auch u. S. 220 ff. Selbst das Gegenüber von ἀτιμία und δόξα begegnet indirekt Conf 18, wo ἀδοξία synonym zu ἀτιμία steht (s. aber u. S. 221 A 32). ψυχικός verwendet Philo dagegen aber undualistisch (s. u. S. 185 A 266).

246; Post 170 u. ö.). Zum Ausgleich kommen beide Vorstellungsweisen (die physische und die ethische) dort, wo der irdische Nous als φιλοσώματος νοῦς (All I 33; Imm 111; Abr 103; Jos 152; vgl. Post 61; Migr 22; Som I 138; Conf 70; vgl. Mut 172: ὁ φιλήδονος νοῦς) bezeichnet wird. Hier ist einmal dem substanziellen Dualismus (Geist – Materie), dann aber auch dem ethischen Denken genüge getan, wonach Gut und Böse einen verantwortlichen Willen, eben den Nous, voraussetzen. So ist der ἄφφων νοῦς zugleich von der „erdhaften Materie" (ἀπὸ τῆς γεωδεστέρας ὕλης: All III 252 – vgl dazu QGn I 51). Indem sich der Nous dem Irdischen, und das heißt in erster Linie dem Körper mit seinen Leidenschaften *hingibt* (Agr 25), erweist er, daß er von vergänglicher Substanz ist. So kommt es, daß vom „irdischen Nous" die Rede sein kann (All I 32; Det 100 u. ö.)[144]. Die Rede von zwei Nous drückt also aus, daß den Menschen immer eine der beiden antithetischen Mächte beherrscht. So gibt es einen Nous, der mit dem Körper zusammen vergeht[145]. Symbol für den Körper ist häufig Ägypten (z. B. Post 62), der König von Ägypten ist folglich Symbol des dem Körperlichen verfallenen Nous (Abr 103; Jos 152). Das Ich des Menschen, das Zentrum seines Wollens, ist der Nous. Ihm steht der Körper als Äußeres gegenüber. Aber der Körper kann vom Nous Besitz ergreifen, der Mensch kann dem Körper verfallen und damit der vergänglichen φύσις anheimfallen. Umgekehrt bedeutet Befreiung des Nous vom Körper Erlösung. Dem Dualismus der zwei φύσεις entspricht also nicht nur das Gegenüber von σῶμα und νοῦς, sondern auch die durchgängige Rede von *zwei Nous*. – Der Dualismus von den zwei Nous kann nun aber bei Philo noch gesteigert werden: Der Nous soll nicht nur den Körper fliehen, sondern sogar sich selbst (All I 82: „denn erst, wenn der Nous aus sich selbst heraustritt und sich Gott darbringt ..., dann vollzieht er das Bekenntnis zu dem wahrhaft Seienden"; vgl. All III 29 ff. 41. 43. 48). Wenn das Pneuma vom Menschen Besitz ergreift, dann weicht ihm der Nous und geht unter (Her 68 f. 263 ff.: „Es entfernt sich der Nous in uns bei der Ankunft des göttlichen Pneuma und kommt wieder bei des-

---

[144] Umgekehrt kann in diesem Denken aber niemals von einem „himmlischen Körper" die Rede sein (im Gegensatz zu Paulus: 1 Kor 15, 35 ff.), denn der Körper ist als vergänglicher per definitionem unerlösbar, einer Erlösung nicht wert, ja der Erlösung gerade hinderlich.

[145] Die philonische Lehre von den zwei Urmenschen läßt sich also nicht von den Stellen her erklären, wo Philo eine niedere (Blut-)Seele und eine höhere (Pneuma-)Seele, den Nous, differenziert (Det 80 ff.; Her 54 f.): gegen *B. A. Pearson*, Pneumatikos, 18 ff. (die zentrale Stelle All I 31 ff. wird bei Pearson – abgesehen von der kurzen Bemerkung 97 A 26 – überhaupt nicht herangezogen). Erst dadurch, daß Philo den Nous an diesen Stellen stillschweigend mit dem pneumatisch *inspirierten* Nous gleichsetzt, kommt ein Ausgleich zustande.

sen Entfernung; denn Sterbliches kann füglich nicht mit Unsterblichem zusammenwohnen" [265]; Som I 118 f.: der Nous geht unter, wenn der Logos aufgeht). Hier ist der Nous nicht nur dann, wenn er dem Körper verfällt, irdisch und vergänglich, sondern bereits an sich, als natürlicher Nous. Dies aber klang schon in All I 32 an: Der erdhafte Nous bleibt (auch ohne Verbindung mit dem Körper) sterblich, wenn Gott ihm nicht Pneuma verleiht. Hier handelt es sich um eine Tradition, die den Menschen als leib-seelische Ganzheit versteht, die von der Schöpfung her sterblich ist, durch das Weisheitspneuma aber erlöst, unsterblich werden kann. – Freilich: die Negativität des Leibes steht auch dabei außer Frage. Das σῶμα ist deutliches Zeichen für den entfremdeten Zustand des Ich. Die Radikalisierung besteht nur darin, daß neben dem Körper auch der Nous und damit der ganze Mensch sterblich ist, wenn er nicht durch das Pneuma von außen unsterblich gemacht wird. Diese Auffassung kommt, was die ganzheitliche Anthropologie betrifft, der paulinischen nahe [146]. Was beide unterscheidet, ist das Gegenüber von ontologischer und eschatologischer Sicht: Der Pneumatiker ist nicht mehr „Mensch" im natürlichen Sinne, sondern lebt zeitlos im und vom Pneuma, ist unsterblich. Er ist das, was er eigentlich immer schon war. Für Paulus wird der Mensch erst zum „eigentlichen" Menschen durch Gottes Schöpfermacht: als ein neuer „Leib".

2. σῶμα [147]

Gewöhnlich aber ist bei Philo σῶμα Ausdruck der sterblichen Existenz des Menschen, des Lebens in der „Fremde" (σῶμα = Ägypten: All II 59; Agr 64 f.; Conf 88; Congr 118; Fug 180), aus der der Weise in die „Heimat" zurückkehren muß (Exodus: All II 59; Migr 13; Mut 209). Der Körper ist sogar das Medium, durch das der Mensch (der „innere", eigentliche Mensch, das geistige Ich, der Nous als Subjekt) der gottfeindlichen Sphäre und damit der Vergänglichkeit gänzlich verfallen kann. Freilich ist der Körper an sich als etwas Totes keine aktive erlö-

---

[146] In einigen neueren Arbeiten, die auf diese Tradition im Zusammenhang mit 1 Kor aufmerksam machen (z. B. *E. Brandenburger*, Fleisch, 47 f. 85. 134 ff.; *K.-G. Sandelin*, 26 ff. 44 ff.), wird angenommen, daß es *Paulus selbst* sei, der an diese aus Philo entdeckte Tradition im Gegenzug gegen eine andersartige korinthische Soteriologie angeknüpft habe. In der Tat berührt sich Paulus mit seiner Gen 2,7-Auslegung in 1 Kor 15,45 f. stark mit dieser Tradition. Dennoch ist diese weisheitliche Soteriologie genau die Position der Korinther, wie sich zu 1 Kor 15,46 (s. u. S. 175 f.) genauer zeigen läßt. Wir sahen bereits, wie der Pneumatiker, der Vollkommene, bei Philo ontologisch gesehen der πρῶτος ἄνθρωπος ist. Nicht so sehr *dagegen* wendet sich Paulus, als vielmehr gegen die daraus resultierende Haltung gegenüber Welt, σῶμα und Tod. Die dualistisch-weisheitlichen Voraussetzungen teilt Paulus weitgehend mit den Korinthern.

[147] Dazu *H. Kaiser*, 84–95. 326–340.

sungsfeindliche Macht. Dieser Aspekt wird eher durch den Begriff σάρξ zum Ausdruck gebracht. Aber auch bei der σάρξ geht es um eine Sphäre, in die der Mensch (als Subjekt-Nous) sich verstricken kann, nicht aber um eine dämonische Potenz mit eigenem widergöttlichen Subjekt[148]. Durchgehend (bis auf die eine Ausnahme von Op 137[149]) wird σῶμα bei Philo negativ bewertet. Die dabei verwendeten Bilder und Metaphern haben sehr deutliche Entsprechungen in der aus 1 und 2 Kor erschließbaren korinthischen Theologie: Das σῶμα ist „irdisch", „erdhaft" (All III 161 f.; Agr 22), „vergänglich" (Cher 115; Conf 149), „aus Staub" (All III 252 f.; Migr 2 f.). Es ist „enges Haus" (Agr 25; Migr 189), „Gefäß" (Migr 197), „Muschel" (Virt 76) der Seele. Es ist „Fessel" (All I 107 f.; Her 68. 273; Jos 264; Spec IV 188), „Gefängnis" (All III 42 f.; Gig 65; Migr 9; Her 273 f.; Mut 173), „Grab" (All I 107 f.; Som I 139), „Sarg" (Spec IV 188) der Seele. Es ist selber „tot", eine „Leiche" (All III 69 ff.; Gig 15; Agr 25; Som II 237)[150]. Es ist „Feind der Seele" (All III 69 f.), eine „Fleischeslast", die das Pneuma vertreibt (Gig 29). Lösung vom Körper ist zum Heil notwendig (Det 159. 163 u. ö.) – usw. Die Tradition dieser negativen Sicht des Leibes geht über Plato zurück in den Pythagoreismus und die Orphik. Im neupythagoreisch orientierten Platonismus der Zeit Philos ist sie offenbar verstärkt aufgelebt. Sie ist der nähere Grund für die Zurückweisung der paulinischen Rede von der Auferstehung der Toten in Korinth (1 Kor 15, 12). Für eine Soteriologie, wie wir sie aus Philos Schriften kennen (und für die Korinther in ähnlicher Form vermuten), ist die Vorstellung von der leiblichen Auferweckung geradezu absurd, denn Leiblichkeit ist ja der höchste Ausdruck für Heillosigkeit, und Erlösung bedeutet zu allererst Erlösung von der Leiblichkeit. Anders als für Paulus macht das Soma-Sein nicht das Menschsein aus (so daß der Mensch σῶμα *ist*), sondern das σῶμα ist nach diesem Verständnis immer etwas *am* Menschen, etwas, das der Mensch (als Subjekt = νοῦς) *hat*[151], zu seinem Leidwesen hat (vgl.

---

[148] Anders *E. Brandenburger*, Fleisch, 145. 164 f. 177 ff. 188 ff.; vgl. aber *H. Kaiser*, 90: „trotzdem ist der Machtcharakter der σάρξ nicht wie in gnostischen Spekulationen zu einer Gesamtauffassung der gottfeindlichen ὕλη systematisiert …", und dazu A 51 auf S. 338. Gerade an diesem Punkt bleibt Philos ontologischer Ansatz besonders deutlich: Die allegorische Redeweise von der feindlichen Sarx und ihren Begierden vermeidet auch den Anschein eines mythischen Dualismus. Das schließt freilich nicht aus, daß die Sarx gerade in Verbindung mit ihren „Begierden" durchaus als eine den Menschen (= νοῦς) versklavende Macht angesehen wird – wie auch bei Paulus.

[149] S. o. S. 58 f. und 100 A 82.

[150] Die Beziehung zum Golem-Motiv (s. o. S. 87 f.) ist besonders deutlich Agr 25: „Erdscholle", „künstliche Menschenpuppe", „enges Gehäuse der Seele". In diesem Zusammenhang gehört aber auch das Motiv von der „Fehlgeburt" (s. u. S. 246 ff.).

[151] Vgl. *H. Kaiser*, 95: „Man muß in diesem Fall Bultmanns Diktum über das paulinische σῶμα-Verständnis pointiert für Philo umkehren: Der Mensch ist nicht σῶμα, er hat

All III 69 ff.: Gott weiß, daß „unser Körper schlecht, der Seele feindlich gesinnt, tot und stets abgestorben ist. Denn man bedenke wohl, daß jeder von uns nichts anderes als Leichenträgerdienste tut, da die Seele den an sich toten Körper wachruft und mühelos trägt ..." Der Weise „kümmert sich nur um das wahrhaft Lebende in ihm, die Seele, und nimmt auf den wirklich toten Körper keine Rücksicht, sorgt vielmehr nur dafür, daß das Beste, die Seele, nicht durch den schlechten und toten mit ihr verketteten Gesellen geschädigt werde"). Der Körper ist diesem Menschen entfremdet, Merkmal seines Gefühls der Fremdheit in der Welt überhaupt. Der Mensch dieser Tradition (einer platonisch-pythagoreischen) lebt im Zwiespalt zu seinem eigenen Körper, der ihm als fremd gegenübersteht; er sucht die Selbstentfremdung in Subjekt- und Objektexistenz aufzuheben in einer „eigentlichen" ungespaltenen Existenz (von der Zweiheit zur Einheit) [152]. Hinzu kommt bei Philo bzw. seiner hellenistisch-jüdischen Tradition das Leben in der Diaspora, das das allgemein-metaphysische Fremdheitsgefühl konkret erfahrbar macht, so daß Begriffe wie Ägypten, Exodus, Passa, Heimat, Fremde usw. einerseits anthropologisch metaphorisiert werden, andererseits aber eine ungeheure Konkretion bekommen. Das, was H. Jonas als gnostische Daseinshaltung (Fremdheitsgefühl) herausgestellt hat, könnte gerade darin seinen konkreten Ursprung haben [153].

---

ein σῶμα, und diesem σῶμα kann und soll der eigentliche Mensch als einer fremden und feindlichen Größe gegenübertreten."

[152] *G. D. Farandos*, 203. Das pythagoreische ontologische Prinzip der Einheit versus Zweiheit hält sich so über die Anthropologie bis in die Psychologie (dieser Terminus hier im modernen Sinne) hinein durch: Das Verhältnis zum Körper kann gerade als ein schizophrenes bezeichnet werden, das aufgelöst werden soll zu einem Leben in „eigentlicher" Existenz. Die „Einheit" ist also nicht ein metaphysisches höchstes Gut, sondern geradezu schmerzhafter Wunsch eines, der in Gespaltenheit lebt, nach Leben und Übereinstimmung. Paulus löst das Problem der Uneigentlichkeit anders und wohl grundsätzlicher, weil er die Spannung viel radikaler deutet und länger durchhält und dem Menschen keine Flucht zum körperlosen Sein offen läßt. Dazu hilft ihm freilich sein ganzheitliches Menschenbild. Eine moderne Parallele findet sich bei *Erich Fromm*, 33 Anm.: „Es sei hier zumindest am Rande erwähnt, daß es auch eine am Sein orientierte Beziehung zum Körper gibt, bei der der Körper als lebendig erfahren wird. Man könnte dies durch die Wendung ‚ich bin ein Körper' statt ‚ich habe einen Körper' ausdrücken. Alle Übungen in Körperwahrnehmung streben diese Seinserfahrung des Körpers an."

[153] Vgl. *G. Quispel*, 63: „... the historical Diaspora was the basic presupposition for the philosophical tenet that nature is Spirit in exile ... And it would seem that only the Jewish Diaspora is the historical presupposition for this view. Only in this specific milieu could the awareness arise that the Spirit is in exile in this world." – *W. Schmithals*, Gnosis, 23, stellt neben Jonas' Bestimmung der gnostischen Daseinshaltung als Fremdheitsgefühl das *Überlegenheitsgefühl*, wie es in 1 Kor 6,12; 10,23 (πάντα [μοι] ἔξεστιν) zum Ausruck kommt. In der Tat ergänzt sich beides, insofern der Pneumatiker sich fremd in der Welt, aber zugleich der Welt überlegen fühlt. Da beides genau der Daseinshaltung des philonischen „Weisen" entspricht, Philo aber nicht einfach als Gnostiker anzusehen ist (s. u. S. 202ff.), steht der Jonas-Schmithals'sche Gnosisbegriff hier zur Disposition.

Nimmt man nun ein solches Verständnis von σῶμα auch für die Korinther an, erklärt sich das Problem des schwankenden Verständnisses von σῶμα in 1 Kor 15: Die Frage V. 35 setzt korinthische (= philonische) Kategorien voraus – während Paulus selber auf ein umfassenderes Verständnis von σῶμα hinauswill: σῶμα sein = Gottes Geschöpf sein [154]. Während für Paulus Heil immer leiblich vorstellbar ist (wohingegen es die Sterblichkeit als Zeichen der Sünde ist, welche Erlösung fordert, wobei Paulus – wider alle Ontologie – Sterblichkeit nicht als notwendiges Prädikat von Leiblichkeit versteht) und Erlösung entsprechend als zweite Schöpfung verstanden wird, wird im ontologischen Denken Philos das Heil mit dem Sein an sich identifiziert – und dieses ist eo ipso unkörperlich, geistig, weil nur dort „Einheit" möglich ist. Das σῶμα ist die Zwangsjacke des νοῦς. Folglich ist das Ziel seine „Nacktheit" [155]. Nur „nackt" kann sich der Nous vom Irdischen erheben.

Das Bild von der Nacktheit spielt bei Philo eine große Rolle. All II 53 ff. nennt er drei Deutungen der Nacktheit des Nous: 1. Der Nous ist nackt, der sich vom Körper getrennt hat. 2. Umgekehrt ist der Nous nackt, der sich aller Tugend entblößt; diese Nacktheit ist also eine negative und für Philo weiter ohne Interesse. 3. Die dritte Art der Nacktheit bezieht sich auf den irdischen Nous, der aber noch nicht mit dem Körper verbunden ist (vgl. All I 32; II 22); hierbei geht es um die schöpfungsmäßige Ermöglichung der zuerst genannten Nacktheit (Entkörperlichung des Nous als soteriologischer Akt), auf die es hier ankommt.

---

[154] Während R. Bultmann, Theologie, 195 ff., den Menschen nach Paulus als σῶμα bezeichnet sein läßt, insofern dieser ein Verhältnis zu sich selbst haben kann, betont E. Käsemann, Leib, 118 ff.; ders., Paulinische Perspektiven, 37 ff., stärker den Außen-Aspekt des Menschen als σῶμα: der Mensch als kommunizierendes Weltwesen, das als ganzes von seiner Leiblichkeit her zu verstehen ist und Gott und Welt zum Objekt werden kann. Daß der Mensch ein Verhältnis zu sich selbst haben kann, impliziert freilich auch, daß er ein Verhältnis zum Anderen haben und diesem zum Gegenüber werden kann. Die Ich-Du-Relation ist in der Selbstrelation (Personalität) angelegt. Die Kategorie der Schöpfung impliziert schon die Kategorie der Personalität. Neuerdings wird Bultmanns Diktum vom „Soma-Sein" überhaupt bestritten von R. H. Gundry: Soma bezeichne prinzipiell nicht den ganzen Menschen als Person, sondern immer nur den Menschen unter physischem Aspekt. – In der Tat ist σῶμα an sich kein ganzheitlicher Begriff, und immer hat σῶμα eine physische Bedeutungskomponente. Aber Paulus selber denkt ganzheitlich, indem er den Menschen als Geschöpf Gottes versteht (vgl. auch K. A. Bauer, 103 ff.). Darum kann der Mensch sich nicht von seinem Leib distanzieren (σῶμα als Geschöpflichkeit: bereits E. Käsemann, Leib, 123), und darum kann der Mensch nur als neues Geschöpf die Schöpfung überdauern. Folglich kann Paulus mit σῶμα den ganzen Menschen (als ethisches Subjekt oder soteriologisches Objekt: Sklave Christi oder der Weltmächte) bezeichnen. Der andere, ursprüngliche Gebrauch von σῶμα („Körper") spielt freilich in 1 Kor 15 immer wieder herein, weil er zur korinthischen Anthropologie gehört. Ähnliches gilt auch für 1 Kor 6, 12 ff. (s. o. S. 49 ff.).

[155] γυμνός und ἀσώματος sind synonym: H. Kaiser, 130 ff.

Dabei wird immer wieder Ex 33,7 (Mose schlägt sein Zelt außerhalb des Lagers auf) auf die Distanzierung der Seele vom Körper gedeutet (All I 54; III 45 f.; Det 160; Gig 53; Ebr 99 u. ö.). Dieses Nacktsein des Nous ist innerweltlich möglich – als Hinwendung zur Tugend (All II 54), aber auch als Überschreitung des Irdischen in der Ekstase (Ebr 99), in der Hinwendung zum Seienden (All III 45–48), im Seelenflug des Nous (Migr 190–192), aber auch einfach in der inneren Distanzierung vom Körperlichen (Migr 7 ff.). Vor allem für die Inspiration mit Pneuma ist es notwendig, daß der Nous nackt ist (All I 32 – s. o. S. 108 f.). Denn Leib und Fleisch hindern das Pneuma am Bleiben (Gig 29. 53 f.: „So ,verbleibt' demnach in den Vielen, d. h. in denen, die sich viele Ziele des Lebens gesetzt haben [156], ,der göttliche Geist nicht', wenn er sich auch für kurze Zeit aufhielt, bei der einzigen Art von Menschen aber stellt er sich ein, die sich aller irdischen Dinge und der äußersten Decke und Hülle der Meinung [157] entkleidet hat und im Geiste entblößt und nackt zu Gott kommt"). Das Sterbliche und das Unsterbliche schließen sich gegenseitig aus (Abr 76. 243; Her 265), so daß das Pneuma nur zum vom sterblichen σῶμα befreiten Nous kommen kann. Was in diesem Leben, in der Zeit der Kettung an den Körper, nur zeitweilig oder nur wenigen, den Weisen, ständig möglich ist, wird nach dem Tode ewig sein (Spec II 262), freilich nur bei dem, dessen Seele nicht durch Untugend gestorben, mit dem Körper vergangen ist (Cher 115): die Existenz als reiner (Congr 132), nackter Nous (Virt 76; Mos II 288; vgl. Praem 166), während sich der Körper in seine Elemente auflöst (Her 283; Virt 76). Es ist diese Nacktheits- bzw. Gewand-Metaphorik [158], die den Hintergrund für das Verständnis von 2 Kor 5, 1–10 abgibt [159]. Entscheidend ist dabei wieder der ontologische Grundsatz der Eliminierung der Zeit: Die Seele, die überdauern und nicht mit dem σῶμα vergehen will, muß schon zu Lebzeiten dem Körper entfremdet sein. Der Weise vergeht nicht mit der Zeit, er ist in seiner Distanz von der Vergänglichkeit immer schon beim Sein. Der Tod bedeutet deshalb für ihn keine Veränderung. Da er zu Lebzeiten (wie nach dem Tod) beim Sein weilt, ist er selber „vorzeitig", der πρῶτος ἄνθρωπος, ein „körperloser Gedanke" (Mut 32 ff.) – was ähnlich von Mose nach seinem Tode gesagt wird (Mos II 288). Der Tod ändert auch nichts für den Gottlosen, denn dieser ist dem Sein schon durch seinen Abfall zur Untugend abge-

---

[156] Philo deutet das ontologische Malum „Vielheit" hier psychologisch im Sinne der Zerrissenheit der menschlichen Existenz: Leben in Uneigentlichkeit (vgl. o. S. 132 A 152).

[157] Diese Stelle ist für das Verständnis von 2 Kor 3, 14 ff. heranzuziehen.

[158] Der Körper als Kleid: Gig 53; Her 54; Fug 110; QGn I 53; „Ausziehen" des Körpers: All II 55. 80; Som I 43.

[159] Dazu: *H. Kaiser*, 1 ff., bes. 6 f. 70–73. 88 f. 130 ff.

storben[160]. Der Tod besiegelt am Körper nur das, was an der Seele schon geschah.

3. Der Tod[161]

So bedeutet der Tod nie einen Bruch, sondern eher einen kontinuierlichen „Übergang" (Virt 67. 76), was an Philos ontologischem Denken liegt. Der eigentliche Umbruch, nämlich der „Übergang" von einer φύσις zur anderen, findet schon zu Lebzeiten des Menschen statt: die Abkehr vom Körper zum Ewigen, der soteriologische Akt. So hat der Tod eigentlich keine einschneidende Bedeutung für den Weisen. Der Weise stirbt nicht im Tod, sondern er ist nur „weggehend" – ἀπερχόμενος (Her 276). Das „ewige Leben" führt er schon vorher während seiner Verbindung mit dem Körper (Spec II 262). Der Tod markiert lediglich kontinuierliche Fortsetzung des Seins beim Ewigen. Wenn er überhaupt etwas Besonderes bedeutet, dann nur Positives: endgültige Befreiung der unsterblichen Seele vom wertlosen Körper, von dem sich der Weise ja längst distanziert hat[162]. Der Tod ist nicht Anlaß zur Trauer, da er kein Auslöschen der Seele, sondern Trennung vom Körper bedeutet (Abr 258).

Zugleich aber ist der Tod andererseits das Merkmal der Vergänglichkeit, der niederen Physis (θνητός und φθαρτός sind ja im Dualismus die wichtigsten Prädikate der negativen Physis). Freilich ist die Rede vom personifizierten θάνατος als Übel die Ausnahme (Abr 55: „... der Ewigkeit verwandt ist die Unvergänglichkeit, ihr Feind ist der Tod"). Der Tod ist sonst durchgehend ein an sich neutraler Vorgang am Individuum und betrifft nur das, was von seiner Physis her „wert" ist, „daß es zugrunde geht". So vertritt Philo überall, wo er auf den Tod zu sprechen kommt, eine Lehre vom „doppelten Tod"[163], z. B. All I 105–108: „Es gibt einen doppelten Tod, für den Menschen im allgemeinen und für die Seele im besonderen; der des Menschen besteht in der Trennung

---

[160] Hier ist Philo konsequenter als z. B. Sap (vgl. Sap 3, 10 ff.; 5, 1 ff. u. ö.), was an der ontologischen Denkweise liegt.   [161] Dazu H. Kaiser, 73–83.

[162] Diesem Todesverständnis setzt Paulus in 1 Kor 15, 20–28 ein anderes entgegen: s. u. S. 272 ff.

[163] Die Vorstellung vom doppelten Tod findet sich z. B. bei Plutarch, De facie in orbe lunae (Moralia XII, S. 197 ff.): Ein erster Tod trennt Leib und Seele, ein zweiter trennt bei guten Seelen den Nous von der niederen Seele. Der zweite Tod ist das erwünschte Ziel der guten Seele. Umgekehrt ist es Apk 2, 11; 20, 6. 14: Der zweite Tod ist der ewige Tod der im Gericht Verdammten. Ganz anders verhält es sich bei Philo. Seine Vorstellung ist eine Art Kombination: Mit Plutarch versteht er den Tod an sich als Befreiung (Trennung des Geistigen vom Leiblichen). Den endgültigen Tod der zeitlich denkenden Apokalyptik zieht er jedoch vor als Tod der tugendhaften Seele bei Lebzeiten im Leibe. Das aber hängt wieder mit der Vorstellung vom „toten Leben" (Golem-Motiv) der Weisheitstradition zusammen.

der Seele vom Körper, der Tod der Seele bedeutet die Vernichtung der Tugend und die Aneignung der Schlechtigkeit … Und dieser Tod bedeutet nahezu den äußersten Gegensatz zu jenem: jener besteht in der Auflösung der Vereinigung von Körper und Seele, dieser vielmehr in einer Vereinigung beider, bei welcher der schlechtere Teil, der Körper, die Oberhand gewinnt und der bessere, die Seele, unterliegt." Der erstgenannte ist der „natürliche Tod", der zweite der „Tod als Strafe" (107; vgl. Praem 70). Die Strafe ist dabei nicht erst das Ende des Lebens (so in Sap), sondern bereits das Leben in Schlechtigkeit selber (Her 292: der Schlechte ist „fortwährend sterbend, oder vielmehr dem tugendhaften Leben bereits abgestorben"; vgl. Spec I 345; dazu Röm 1,24 ff.). Philo hat ganz konsequent das Lohn-Strafe-Denken „entmythologisiert", und zwar im Sinne seiner Ontologie: Das Fortgehen des Nous vom Sein (die Hingabe an das Negative, Vergängliche) ist schon das Ende der Existenz des Nous. „Ewiges Leben" und „ewiger Tod" hängen nicht mit dem natürlichen Tod zusammen (Post 39). Die Seele, die die Tugend umbringt, bringt sich selber um (Det 49 f.). Kain, der Abel ermordete, hat in Wahrheit sich selber getötet (obwohl er dem Schein nach weiter lebt, ja ein *ewig* [164] totes Leben lebt: Det 178), Abel aber lebt ewig (Det 47 ff.). Der natürliche Tod ist letztlich nur *Schein*, der wahre Tod ist die Verfehlung des Heils. Das Leben in Schlechtigkeit ist dementsprechend auch nur ein Schein-Leben. So heißt es, „daß manche, die noch leben, schon tot sind, andere noch nach dem Tod leben …" (Fug 55). Mutter der Lebenden, die in Wahrheit tot sind, ist Eva (= Leben), während die „in Wahrheit Lebenden" (vgl. All I 32: o. S. 104 ff.) die *Weisheit* zur Mutter haben (Her 53). Der Tugendliebende ist daher immer πρεσβύτερος und πρῶτος (s. o. S. 116 f.), während die Schlechten in ihrem langen Leben immer nur „langlebige Kinder" bleiben, νεώτεροι … καὶ ἔσχατοι (Abr 271–274). Es ist deutlich, welche Rolle die Ontologie auch in der Lehre über den Tod spielt. So beginnt das Leben erst, indem der Mensch sich dem Sein zukehrt und sich vom „toten Leben" abwendet, wie Abraham, der „vom toten Leben und der Gruft aufstand" (ἀναστὰς ἀπὸ τοῦ νεκροῦ βίου – so deutet Philo in Conf 78 f. Gen 23, 3: Abraham erhob sich von Saras Leiche [165]). Die schlechte Seele gebiert nur Totes, ἀμβλωθρίδια … καὶ ἐκτρώματα, was „seelischer Tod" bedeutet (All I 76; vgl. Mut 96). Wie das natürliche Leben nur Totsein ist (die natürliche Geburt eine „Totgeburt" darstellt [166]), so kann es auch als „Traum" bezeichnet werden (Jos 126 ff.) [167].

---

[164] Auch das Schlechte ist unsterblich: Fug 63 (dazu s. o. S. 120 A 127).

[165] Dagegen legt Philo die gleiche Stelle in Abr 258 wörtlich aus.

[166] S. u. S. 246 ff.

[167] Das Motiv vom Leben als Traum geht auf die platonische Skepsis zurück (vgl. L. Cohn in Philo deutsch I, S. 183 A 1).

4. Heil als Entweltlichung

a) Metaphern des Übergangs und Bleibens

Der natürliche Tod ändert an Sein oder Nichtsein nichts. Es kommt einzig auf das soteriologische Geschehen an, das überwiegend mit einer Metapher des Ortswechsels bezeichnet wird. Dabei geht es nicht nur um so etwas wie Bekehrung, sondern eher um eine allgemeine Ausrichtung des Lebens „nach oben". Die häufigsten Begriffe in diesem Zusammenhang sind μετανάστασις[168] (z. B. Sacr 10; Post 173; Gig 61; Migr 189; Her 265. 274; Mut 38. 76; Spec III 207; IV 49; Virt 77), μετοικία (z. B. Mut 38; Spec III 207), ἀποικία (z. B. Conf 77; Virt 77; Praem 16 f.), ferner ἀποδημία (Her 276), ἀπέρχεσθαι (Her 276), ἐξοικίζειν (Her 265), ἀναχωρεῖν (Migr 190), μεταβάλλειν (Virt 67. 76 ff.), μετεωροπολεῖν (Mos I 190) usw. Vor allem wird Abrahams Wanderung (Migr) als Übergang vom Irdischen zum Himmlischen gedeutet, dann aber auch die ganze Exodus-Motivik. Das Passa, übersetzt mit διάβασις (Sacr 63; Migr 25 u. ö.), wird als „Übergang" mit doppelter Bedeutung ausgelegt: als Wechsel, aber zugleich auch als „Darüberhinausgehen" (Migr 25; Spec II 147 ff. 166)[169]. Die „Hebräer" sind geradezu die διαβαίνοντες (Migr 20)[170]. Es sind die Menschen, die auf das Jenseits ausgerichtet leben. In Som I (115. 133 ff.; vgl. Fug 62 f.; Her 84; All II 89; Migr 169 ff.) geht es um Aufstieg und Abstieg der Seelen: Das Gute strebt nach oben. – Dieser Wechsel ist zugleich aber auch eine Rückkehr. Die Jenseitsausrichtung des Weisen ist ein Sein in der „Heimat" (All III 84: μετοικία; Agr 65: πατρίς). Je nach der Ausrichtung des Lebens ist so die φύσις des Menschen bestimmt: als Himmelsmensch oder Erdenmensch. Der Himmelsmensch fühlt sich auf der Erde, im Körper,

---

[168] Für die Darstellung der Lehre Philos bei *G. D. Farandos* ist μετανάστασις der Grundbegriff (177 ff. 203 ff.). Es ist der „Weg von den Polla zum Hen, von der Dyas zur Monas ..." (203). – Bei diesem terminus spielt die Auferweckungsvorstellung (etwa im Anklang an ἀνάστασις), überhaupt keine Rolle (das gilt ebenfalls für das ἀναστάς in Conf 78 f.; vgl. ferner Post 170: ἐξανίστασθαι). Auch ἐγείρειν ist durchgehend metaphorisch gemeint, ohne daß eine schon vorliegende realistische Auferweckungsvorstellung damit erst nachträglich spiritualisiert worden wäre. Es meint immer das geistige Erwecken oder Erwachen im Sinne der Zuwendung zum körperlosen Sein (z. B. Mut 209; Som I 150; Spec I 266). Anders ist das in der deuteropaulinischen Tradition, wo bereits eine apokalyptische Festlegung der Metaphern vorliegt, die dann *nachträglich* spiritualisiert wurde. Das Bindeglied ist Paulus selbst, der die metaphorische Rede vom Wachsein und Schlafen mit der apokalyptischen Auferweckungsvorstellung verbindet, und so z. B. in 1 Thess 4,13–5,11 mit einer *doppelten* Metaphorik arbeitet (4,13; 5,6 f. 10): s. o. S. 38 A 2. Zu νήφειν (1 Thess 5,6–8) s. u. S. 287 ff.

[169] Diese Passa-Deutung ist schon eine vorphilonische Tradition.

[170] Die Selbstbezeichnung der gegnerischen Apostel in 2 Kor 11,22 als „Hebräer" muß also keineswegs auf Palästina-Juden weisen (dazu *D. Georgi*, Gegner, 51 ff.: darin klingt weisheitlicher Anspruch mit; vgl. Abr 251).

nur als „Fremdling" (Her 267), im Himmel als „Bürger" (Gig 61), „Bei-
sasse Gottes" (πάροικοι θεοῦ: Cher 120). Agr 65: τῷ γὰρ ὄντι πᾶσα
ψυχὴ σοφοῦ πατρίδα μὲν οὐρανόν, ξένην δὲ γῆν ἔλαχε, καὶ νομίζει τὸν
μὲν σοφίας οἶκον ἴδιον, τὸν δὲ σώματος ὀθνεῖον, ᾧ καὶ παρεπιδημεῖν
οἴεται (vgl. Conf 77 f.). Wieder erklärt sich das aus Philos ontologischem Denken: Der Erlöste ist zugleich der „erste", der „eigentlich",
d. h. im Sein, lebt. Der, der „hinübergegangen" ist, der „umsiedelte",
hält sich in der „Ruhe" (ἀνάπαυσις[171]: Fug 174) auf, er stellt sich (oder
wird gestellt) neben den Seienden (Som II 223 ff.) und „Stehenden"
(Som II 227 ff.; QEx II 27 ff.) und ist jeder Veränderung, dem körperlichen „Wirbel" entrückt. So kann Philo sagen, daß der Weise der Welt
geradezu entschwunden ist. In diesem Sinne wird die Entrückung He-
nochs gedeutet (Mut 33–38): Der Weise ist selber nicht mehr faßbar,
wird selber zur Idee, zur körperlosen Wesenheit (Mut 33: die Weisen
„werden"[172] zu ἀσώματοι διάνοιαι – also nicht nur zum Nous, sondern
zum „Gedanken", vgl. Mos I 162: Mose wird selber zum „Gesetz") .
Som I 71 ist Mose sogar der Logos, der in die Seelen der Frommen
kommt[173]. So sind auch die Erzväter als Typen der Vollkommenen zugleich Ideen der Tugenden. Während Abraham und Jakob aber noch einen „Übergang" vollziehen mußten (sie werden umbenannt: Mut 60 ff.
81 ff.), ist Isaak der Typ des Weisen, der weder durch Lernen, durch
Wissenschaft (Abraham), noch durch Übung, Askese (Jakob) zur Vollkommenheit gelangt, sondern von Natur, von sich selbst, von Anfang
an vollkommen ist (z. B. Mut 88). Neben Mose ist Isaak höchstes Men-
schenideal, der πρεσβύτερος, πρῶτος, τέλειος. Diese rätselhafte Theorie
hat nichts mit Prädestination zu tun, sondern hängt mit der Motivik
der Weisheitsinspiration zusammen: Isaak ist der Typ des pneumatisch
Begnadeten, dessen, der Weisheit von Gott selbst geschenkt bekommt
(Mut 130 ff.), der weder lernen noch üben muß, der durch die Weisheit
von oben alle Stufen auf einmal überspringt. Isaaks Opferung bedeutet
allegorisch: die Rückführung der geistigen Vollkommenheit auf Gott
(Migr 139–143). Isaak ist der Mensch, der „findet", ohne gesucht zu haben: die Weisheit, die ihn tränkt, die Erkenntnis, die Gott gibt (Fug
166 ff.). Hier kommt zur Metaphorik der Aufwärtsbewegung (ἀνάβασις) hinzu die Abwärtsbewegung (κατάβασις des Pneuma, des Logos,
der Sophia) im Motiv von der Weisheitsinspiration. Die Metaphorik
der ἀνάβασις bedient sich einer anderen Tradition: des Motivs vom
Seelenflug, von der Himmelswanderung des Nous.

---

[171] Der im Hebr häufige Begriff κατάπαυσις findet sich in gleicher Bedeutung in
JosAs 8,9; 22,13 (Chr. Burchard; M. Philonenko: 8,11; 22,9).

[172] Das γίνεσθαι spielt, wie wir o. S. 102 sahen, bei der Schöpfung des Himmelsmenschen eine Rolle.

[173] Dazu s. u. S. 165 ff.

b) Die Himmelsreise des Nous und das Aufstiegsmysterium

Die Himmelsreise der Seele ist (neben der Hadesfahrt, der Nekya) wohl eins der am weitesten verbreiteten Motive antiker Religiosität und Philosophie. Eine Variante davon ist die apokalyptische zeitweilige Entrückung, bei der dem Entrückten Gottes Plan („Geheimnis") im Himmel gezeigt wird [174]. Bei Philo begegnet das Motiv in seiner spiritualistischen Form: als Himmelsschau des Nous [175]. Fast immer wird dabei an das Motiv vom „Seelenflug" aus Platos Phaidros (246 A–260 C) angeknüpft: Der menschliche Nous hat (im Gegensatz zum Körper) die Fähigkeit, die Welt zu durchwandern und sich bei den Ideen aufzuhalten, die er schauen kann [176]. Der Fromme wandelt oben im Aether (Spec I 207: αἰθεροβατεῖν), schwingt sich von der Erde hinauf zum Himmel und wandelt in Harmonie mit den Gestirnen (ebd.). Soweit ist der Nous als *aktiv* geschildert. Meistens geht es dann aber noch einen entscheidenden Schritt weiter: Der Gedanke der natürlichen Fähigkeit zum Höhenflug des Geistes ist immer nur ein Anknüpfungspunkt für weiterführende *esoterische* Motive: Es handelt sich beim Nous, der das Gewordene verlassen kann, um die Seele des Weisen. Dieser Nous muß von Gott „emporgerufen" sein (Plant 23 ff.; All III 101 f.; QEx II 40), seine Eindrücke der Schau „empfangen" (All III 100 ff.), „vom Pneuma er-

---

[174] Zu diesem apokalyptischen Motiv s. *G. Bornkamm*, ThWNT IV, 821 f. Philo hat das Entrückungsmotiv (bei dem der Entrückte *körperlich* der Erde enthoben ist) vollständig spiritualisiert: der Vollkommene wird zur Idee. Allerdings geht es dabei um das Motiv der *endgültigen* Entrückung (Henoch).

[175] Von dieser doppelten Ausgestaltung des Motivs erklärt sich in 2 Kor 12, 2–4 die zweimalige Parenthese „ob im Leibe ... oder außerhalb des Leibes, weiß ich nicht ...". Paulus will sagen: Ob es sich um eine leibliche (apokalyptische) Entrückung oder eine Himmelswanderung nur der Seele handelt, bleibt offen. Paulus steht hier genau zwischen spiritualistischer Anschauung (die die Korinther vertreten) und apokalyptischer (die ihm sonst näherliegt). Zwei Dinge sind in 2 Kor 12, 1 ff. noch auffällig: 1. das Hören unaussprechlicher Worte hat eine Beziehung zum Phänomen der Glossolalie aus 1 Kor 12–14. 2. Paulus differenziert zwischen dem ἄνθρωπος, der entrückt wurde, und seiner eigenen Person (12, 5), obwohl er mit dem Entrückten, dessen er sich rühmt, sich doch wohl selber meint. Das setzt einen Bruch in der Identität voraus, der sich aus einer ganz bestimmten Ekstasen-Tradition herleitet (s. u. S. 151 ff.). Nebenbei sei noch erwähnt, daß der dritte Himmel nach mittelplatonischem Weltbild, wie es sich durchweg bei Philo findet, die Sphäre Gottes selbst ist, der über dem Ideenhimmel und dem darunterliegenden Himmel der Gestirne thront (vgl. dazu *J. Pascher*, 15 f.; *A. Wlosok*, 66 mit A 18).

[176] Zur Herkunft des Motivs aus griechischer Mysterienreligion: *H. Kaiser*, 138 ff. Eine wesentliche Rollte spielt es auch im Isis-Mysterium (Apuleius, Plutarch). Der neupythagoreisch gefärbte Mittelplatonismus knüpft seinerseits an den Phaidros-Mythos aus Plato, Phaidros 246 ff., an. Vor allem bei Philo läßt sich gerade an den für seine Soteriologie wesentlichen Stellen die Anknüpfung an den Phaidros bis in den Wortlaut hinein nachweisen. Die Schau der Ideen bedeutet dabei zugleich die Einreihung in den Reigen der untergeordneten Götter (bei Philo der Kräfte Gottes) und die Verwandlung des Nous in ein reines Geistwesen (s. u. S. 121 ff.).

füllt" werden (Plant 23 ff.; Mos II 69 f.; QEx II 29. 33), ist auf Offenbarung angewiesen (All III 101; Post 13 ff.; Mut 8; Abr 79 f.; Spec I 41), seine Geistesaugen müssen geöffnet werden (Post 18), kurz: Gott zieht ihn empor (Abr 59). Hier ist der Nous bei der Erkenntnis *passiv* (Abr 102: der Nous ist „weiblich"). Der emporgerufene, aus den Fesseln des Körpers befreite Nous kann nun nach oben steigen, nachdem er sich unten, in der Fremde, bewährt hat; er kehrt in die Heimat zurück, wobei er als „Reisegepäck" und Wegzehrung die in der Bewährung der Tugend und in der Liebe zur Wissenschaft erworbene „Bildung" mitführt (Her 273 f.). Das esoterische Moment wird in diesen Zusammenhängen jeweils dadurch unterstrichen, daß Philo die *Terminologie der Mysterien* aufgreift („Myste", Mose als „Hierophant": z. B. Gig 54 f., usw.).

Eine zentrale Stelle nimmt hierbei das Sinai-Mysterium des Mose ein (Mose wird von Gott „heraufgerufen": Ex 24, 1; Lev 1, 1; All III 101; Plant 23. 26; Mos II 70), neben den schon erwähnten Stellen (All III 95–103; Plant 18–27; Mos II 69–71) vor allem in QEx II 27–46 [177]. Dieser Text schildert mit der Sinaibesteigung des Mose die „Geburt" des Pneumatikers, die „Wiedergeburt", die den Berufenen neben den „Stehenden" (Gott) stellt: ein Gewordener (bei der mit Fleisch vermischten ersten Geburt) wird bei der zweiten Geburt zu einem Seienden (erster Mensch = Pneumatiker). Das Wiedergeborene ist „an unmixed and simple soul of the sovereign being changed from a productive to an unproductive form, which has no mother but only a father, who is (the Father) of all." (QEx II 46) [178]. Deutlich ist die pythagoreische Ontologie. Zuvor ging es in QEx II 46 um die Sechs-Zahl, es folgt die Erklärung der Sieben: ἑβδόμη δὲ ἀνακαλεῖται ἡμέρα, ταύτῃ διαφέρων τοῦ πρωτοπλάστου [Adam] ὅτι ἐκεῖνος μὲν ἐκ γῆς καὶ μετὰ σώματος συνίστατο· οὗτος δὲ ἄνευ σώματος· διὸ τῷ μὲν γηγενεῖ ἀριθμὸς οἰκεῖος ἀπενεμήθη ἑξάς· τούτῳ δὲ ἡ ἱερωτάτη φύσις τῆς ἑβδομάδος (46). Das ganze „Mysterium" (vgl. Abr 122!) ist die pythagoreische Verbindung von Ontologie und Soteriologie, von Schöpfung und Wiedergeburt: Wie aus der Sechs (Vergängliches) die Sieben (Unvergängliches) wird. Dieses ontologisch-soteriologische Sinaimysterium in seiner pythagoreischen Fassung ist aller Wahrscheinlichkeit nach vorphilonische alexandrinisch-jüdische Tradition [179]. Mose ist in diesem Mysterium gedeutet als der „gottliebende" Nous (27). Er ist zugleich als der „prophetische Nous" vollkommen und darf sich als einziger Gott nähern (29). Es geht

---

[177] Dazu *J. Pascher*, 239 ff.; *A. Wlosok*, 72 f.; *H. Hegermann*, 26 ff.
[178] Übersetzung von *R. Marcus*; „soule of the Sovereign" ist nach Meinung von Marcus der Nous, das ἡγεμονικόν der Seele.
[179] Vgl. u. a. *H. Hegermann*, 26 ff.

also um den pneumatisch Inspirierten, der durch die Inspiration verwandt mit der μονάς wird (29; vgl. 33). Die Verwandlung, Vergöttlichung, Angleichung an Gott usw. (29. 46) bedeutet also das Werden des Pneumatikers. Das Bestreichen des Altars mit Blut (Ex 24,6) deutet symbolisch an „that (men) may be inspired to receive the holy [180] spirit" (33). Es folgt die pythagoreische Zahlenspekulation über gerade und ungerade Zahlen mit der dazugehörigen Kosmologie. Die Besprengung der Menge mit Blut bedeutet die Herstellung geistiger Vereinigung der durch ihre Körper getrennten Menge (35) – ebenfalls ein inspiratorischer Vorgang. Die so geschaffene seelische Verwandtschaft der einzelnen hat ihren Ursprung in der „Weisheit" (36). Das „erwählte Geschlecht" ist in Wahrheit das Unsterbliche in der Seele, zu dem die Weisheit mit den Tugenden, voran der Frömmigkeit (εὐσέβεια), gekommen ist (38). Die dadurch ermöglichte Schau Gottes ist „Nahrung der Seele" (die der Logos gibt), und daraus resultiert unsterbliches Leben (39).

Das Sinai-Mysterium bietet den Schlüssel zum Verständnis der ganzen Soteriologie Philos. Das verborgene Schema, das dahinter steht, ist der Mythos aus Platons Phaidros (246 A–250 C) in seiner mittelplatonisch-pythagoreischen Fassung, der schon vor Philo mit dem Sinai-Aufstieg des Mose (Ex 19 ff.) verbunden worden war. Eine Auslegung der Sinai-Tradition durch Philo ist nur in QEx erhalten (dort die entscheidende Auslegung von Ex 24,1–16 in dem erwähnten Komplex QEx II 27–46), doch tauchen die tragenden Motive im Allegorischen Genesiskommentar immer wieder auf. Die Terminologie der allegorischen Deutung in QEx II 27–46 (soweit sie sich – z. T. mit Hilfe der griechischen Fragmente – ins Griechische zurückverfolgen läßt) ist nun ganz eindeutig von Phaidros 246 A–250 C bestimmt:

1. „Mose is the most pure and God-loving mind" (QEx II 27): Das Sein ist sichtbar nur dem Nous (Phaidros 247 C). Die διάνοια (Gottes wie) jeder Seele nährt sich von der Schau des Seins (247 D). Bei dieser Schau waren [181] die Seelen „rein" (καθαροί) und unbeschwert vom σῶμα, das die Seele nun gefangen hält wie eine Schale die Muschel (250 C; vgl. Philo, Virt 76; vgl. o. S. 131).

2. Der prophetische Nous wird verzückt und inspiriert (ἐνθουσιᾶ καὶ θεοφορεῖται: QEx II 29). Plato nennt als vierte Art der μανία die Schau des Seins (vgl. die vierte Ekstase bei Philo, Her 249. 263–265). Der wahre Philosoph ist „begeistert" (ἐνθουσιάζων): 249 D. Er ist in

---

[180] R. Marcus, 74 b, merkt an, daß vielleicht ein ursprüngliches θεῖον πνεῦμα, wie Philo geläufig, im Armenischen schon im Sinne des christlichen ἅγιον πνεῦμα wiedergegeben sein könnte.

[181] Für Plato ist die Schau des Seins nur als Erinnerung gegenwärtig.

das höchste Mysterium „eingeweiht" und als solcher „vollkommen" (τε-
λέους ἀεὶ τελετὰς τελούμενος, τέλεος ὄντως μόνος γίγνεται: 249 C) [182].

3. Mose kommt mit seinen Begleitern an den τόπος, wo sie „essen
und trinken" (Ex 24,11b). Der τόπος ist für Philo der Logos. Von hier
aus sehen sie Gott. Diese Schau ist Nahrung der Seele und Ursache der
Unsterblichkeit (QEx II 39). Der Aufstieg zu diesem τόπος aber führt
zu einer Gegend „above the heavens": Plato läßt die reinsten Seelen mit
den Göttern an einen „überhimmlischen Ort" (ὑπερουράνιος τόπος) gelangen (247 B–C). Die Schau an diesem τόπος ist die Nahrung der Götter und reinen Seelen. – Philo bezeichnet sowohl Gott selbst wie den
Logos als τόπος [183]. Es besteht kein Zweifel, daß das letztlich durch das
„überhimmlischen Ort" aus dem Phaidros-Mythos bedingt ist. Warum
aber identifiziert er ihn zugleich mit dem Logos? Der Logos ist für
Philo eine hierarchische Seinsstufe direkt unter Gott, der Platz, von wo
aus man Gott sehen kann. Das ist einerseits ontologisch bedingt: Der
Logos ist das „Sein" unter Gott, das „Etwas-Sein". Wer diesen Rang erreicht, ist eine Art Halbgott, identisch mit dem Logos (s.u. S.158f.
165ff.). Es kommt jedoch maßgeblich ein Beleg aus der Sinai-Tradition
hinzu: Ex 33,21 LXX. Mose will Gott schauen und wird dann auf einen
„Platz" (τόπος) gestellt, von wo er Gott nachschauen kann. Der τόπος
= Logos ist ja der Platz, von wo aus man Gott (wenn auch von ferne)
sieht [184].

4. Die Abstufung der Menschen in Klassen (QEx II 29) sowie die Erwähnung der abstürzenden Seelen (QEx II 40) sind veranlaßt durch
Phaidros 248 A ff. (vgl. QEx II 29: „the turbulent characters of the
people" – θόρυβος Phaidros 248 B).

5. Im Allegorischen Kommentar zitiert Philo gelegentlich den „geflügelten Wagen" aus Phaidros 246 E (Her 301; Som II 294) und den
„göttlichen Reigen" (Ebr 31; Conf 174; Her 241; Fug 62; Virt 74), aus
dem laut Phaidros 247 A „der Neid ausgeschlossen ist" (All I 61; III 7.
242; Spec II 249; Prob 13). Auf Phaidros 247 A geht auch der merkwürdige Gebrauch von κοσμεῖσθαι („sich einreihen" in den Reigen) in
Det 5; Imm 11; Mut 13; Praem 110 und vor allem Conf 146 (s.u. S.158f.
165ff.) zurück. Schließlich taucht eine Reihe ausgefallener Vokabeln aus
Phaidros 246ff. an den entsprechenden Stellen bei Philo auf: ἁψίς
(Phaidros247 B; Philo Op 71; Cher 23; Det 84; Mut 179 f.) [185], μετεωρίζειν

---

[182] Vgl. z.B. Gig 54 f. Philo verwendet wie Plato die Mysterienterminologie bereits
philosophisch adaptiert.
[183] Gott: Op 44; All III 4. 6; Cher 98; Post 14; Sobr 63; Conf 96; Fug 77; Som I 64. 67.
127. 182. Logos: Op 20; Som I 66. 116–119 (229 f.).
[184] Leider sind Erklärungen Philos von Ex 33 und 34 nicht vorhanden (QEx bricht mit
Ex 29 ab).
[185] Dazu W. Theiler, Beginn, 199 ff.; ders., Phaedrus, 60.

(Phaidros 246 D; Philo All III 186; Her 241), βρίθειν (Plant 25; Spec IV 114), βαρύνειν (Gig 31), ἀναφής (Som II 232), γλίχεσθαι (Op 71; Cher 31; Det 89; Post 18). –

Das von Phaidros herstammende Seelenflug-Motiv ist der Schlüssel für Philos merkwürdige Lehre vom Pneumatiker als ἄνθρωπος θεοῦ (s. u. S. 156 ff.). Es ist das Modell seiner Erlösungsvorstellung[186].

c) Pneumatische Inspiration

Die Deutung des Sinaimysteriums in QEx II 27–46 (ein Komplex, der eigentlich die gesamte von Philo gebotene hellenistisch-jüdische Lehre wie in nuce enthält) zeigte schon, wie Aufstiegsmotivik (aktiver Nous) und Inpirationsgedanke (passiver Nous) verbunden werden. Der Motivkomplex der Pneuma- oder Sophia-Inspiration ist nun der entscheidende für die ganze mit 1 Kor 15, 45 f. zusammenhängende hellenistisch-jüdische Urmenschlehre. Wir sahen bereits, wie Gen 2, 7 bei Philo letzten Endes nicht in erster Linie die Schöpfung des Protoplasten beschreibt, sondern zugleich ein soteriologisches Geschehen im Auge hat: die Pneumaverleihung, die erst den „gebildeten" Menschen (Protoplasten) zum „gewordenen Menschen" (d. h. zum ebenbildlichen Menschen von Gen 1, 27) macht. Die zentrale Stelle dafür ist All I 32 (s. o. S. 103 ff.). Soviel steht heute in der Philo-Forschung fest, daß diese Motivik ihrem Ursprung nach vorphilonisch ist und auf die hellenistisch-jüdische Weisheitsliteratur – vor allem vertreten durch SapSal 6–9 – zurückgeht[187]. Daß allerdings die mantische Inspiration als solche sehr viel älter ist und nahezu überall woanders auch begegnet[188], braucht nicht ei-

---

[186] Zur Rolle des Phaidros-Mythos bei Philo: *P. Boyancé*. – Über das hellenistische Judentum vor Philo oder über Philo selbst hat der Phaidros-Mythos zugleich die spätere esoterische Merkabah-Spekulation der jüdischen Mystik entscheidend beeinflußt (vgl. nur das Motiv vom geflügelten Götterwagen). Diese Mystik ist kaum als Produkt einer frühen jüdischen Gnosis anzusehen, wie *G. Scholem* (Jüdische Mystik, 43–86. 389–402; *ders.*, Jewish Gnosticism, 20–30. 36–42; *ders.*, in: Eranos-Jahrbuch 29, 1960, 144–164; *ders.*, Ursprung und Anfänge der Kabbalah, 13–20) meinte, oder umgekehrt als deren Wurzelboden. Die Anfänge reichen nur ins 2. Jahrhundert. Davor existiert jüdische Mystik neben apokalyptischen Traditionen nur im *hellenistischen* Judentum (neupythagoreisch-platonisch, Philo). Der Pythagoreismus hat sich dabei bis in die Kabbalah erkennbar durchgehalten. Zur problematischen Einschätzung der Merkabah-Esoterik durch G. Scholem vgl. auch *D. J. Halperin*, bes. 179 ff.; *I. Gruenwald*, Problem, bes. 189 (gegen gnostische Elemente in der Merkabah-Tradition und antignostische Polemik der rabbinischen Minim-Passagen [vgl. u. S. 199 f. A 21]; zur Merkabah-Mystik vgl. *ders.*, Apocalyptic).
[187] Z. B. *B. L. Mack*, 108 ff. u. ö.; *E. Brandenburger*, Fleisch, 123 ff. u. ö.; *K.-G. Sandelin*, 26 ff.; *W.-D. Hauschild*, 256 ff.; *H. Kaiser*, 100 ff. 114 ff. 176 ff.
[188] *H. Leisegang*, Heilige Geist, 119 f., wollte das Phänomen des Enthusiasmus und der Mantik einlinig aus der griechischen Volksreligion herleiten; dagegen *H. Lewy*, 63–66; Lewy schloß sich *R. Reitzenstein* (z. B. Mysterienreligionen, 308 ff.) an, indem er diese Pneumatologie aus der gnostischen Bewegung herzuleiten suchte; dagegen *E. Branden-*

gens belegt zu werden[189]. Dieser Motivkomplex der Pneuma-Inspiration läßt sich untergliedern in eine Anzahl einzelner Motive, deren Herkunft im einzelnen nicht ermittelt zu werden braucht (z. T. handelt es sich auch nur um unterschiedliche Metaphorik). Ein terminologisch relativ gefestigtes Motiv ist die *prophetische Inspiration*: Mose ist der Prophet schlechthin. Der echte Prophet spricht nichts Eigenes, sondern ist Dolmetsch Gottes (Spec IV 49). Der Prophet gerät in Verzückung (ἐνθουσιᾶν: z. B. Mos I 57. 175. 201. 277; II 37. 246. 258), wird „ergriffen", „benommen" (κατέχεσθαι: z. B. Her 260; Mos I 286; II 270. 275. 288; Spec I 65; vgl. 315), „von Gott ergriffen" (θεοφορεῖσθαι: z. B. Mos I 283. II 69. 250. 264. 273; vgl. Mos I 210), mit „Pneuma erfüllt" (καταπνευσθείς: Mos I 175. 201; II 67. 69. 291; Virt 217; Conf 44: von Jeremia) und „weissagt" (θεσπίζειν: Fug 197; Her 260; Spec I 65; Mos I 175. 201. 274. 277; II 187. 190. 250. 288 u. ö.; προφητεύειν: Migr 169; Her 260 f.; Mos I 175. 283; II 37. 291; Spec I 65; II 219). Ebenfalls zu dieser Mantik gehört der Traum (Jos 95), wo der Nous „prophezeit" (Spec I 219; Som I 2). Philo schreibt sich selbst diese prophetische Inspiriertheit zu (Migr 35; Som II 252; Spec III 5). Die ganze Skala der divinatorischen Termini wird aber auch ausgeweitet auf das soteriologische Geschehen schlechthin: Beim „Seelenflug" gerät der Nous in einen „nüchternen Rausch": μέθῃ νηφαλίῳ κατασχεθείς ὥσπερ οἱ κορυβαντιῶντες ἐνθουσιᾶ ... (Op 71). Der Nous, der sich dem Irdischen enthebt, wird „von Gott getragen" (θεοφορηθείς – wörtlich genommen: Ebr 99; Som II 232). Juda, der „Bekenner", ist „besessen" und „gotterfüllt" (κατεχόμενος, θεοφόρητος: Mut 136). Die Seele, die die göttlichen Güter erben will, soll „sich selbst verlassen", ὥσπερ οἱ κατεχόμενοι καὶ κορυβαντιῶντες βακχευθεῖσα καὶ θεοφορηθεῖσα κατά τινα προφητικὸν ἐπιθειασμόν· ἐνθουσιώσης γάρ ... (Her 69). Die menschliche „Lebensart" (ζωῆς γένος) ist ambivalent, bald „himmlisch", bald „ir-

---

burger, Fleisch, 124 ff. – Für die eigentlich ekstatischen Äußerungen Philos, wo der Nous vom Pneuma verdrängt wird (s. u. d), wird man H. Leisegangs Theorie von der Herleitung aus dionysischer Theomanie jedoch nicht so leicht von der Hand weisen können (vgl. *E. Brandenburger*, Fleisch, 123. 127). Das Problem der religionsgeschichtlichen Herleitung braucht hier nicht gelöst zu werden, da die Linien hier weit hinter Philo zurückführen (vgl. nur als ein wesentliches Zwischenglied: Plato, Phaidros, 244 ff.). Wir unterscheiden im folgenden die pneumatische Inspiration, wonach die Seele durch das Pneuma unsterblich wird, der Nous zur Erkenntnis inspiriert wird (hier in Abschnitt c), und die eigentliche ekstatische Tradition, wonach der Nous durch das Pneuma verdrängt wird (d).

[189] *H. Leisegang*, Heilige Geist, 121 ff., hat gezeigt, daß erst Philo in attizistischer Tendenz den Terminus πνεῦμα nach Möglichkeit meidet. Aber das häufige καταπνευσθείς (vgl. *Leisegang*, Index s. v.) verrät noch die Rolle des verdrängten Terminus πνεῦμα. Ebenso ist deutlich, daß Philo den Terminus Sophia gern durch seinen „Logos" ersetzt. Für 1 Kor können wir also nur mit der aus Philo erst zu erhebenden Weisheitstradition rechnen.

disch" (Her 45 f.). Der Nous ist dann himmlisch, wenn er „gotterfüllt"
und „gottbegeistert" ist (θειάζει καὶ θεοφορεῖται: Her 46). Der „Prophet" ist Muster des „Gerechten": „Alle wenigstens, die die Schrift als
‚Gerechte' schildert, läßt sie als Propheten auftreten: Noah ... Isaak ...
Jakob ... Moses" (Her 260 ff.). Hannah gebiert Samuel als den Typ des
Gott-Begeisterten (ἐνθουσιῶντα καὶ κατεχόμενον ἐκ μανίας θεο-
φορήτου: Som I 254). Damit ist nicht nur der Prophet gemeint, sondern der Fromme schlechthin – oder umgekehrt: *Jeder Fromme ist
ein Prophet.*

Dieses Modell der mantischen Frömmigkeit ist folglich übertragen
auf den Schöpfungsgedanken. Das καταπνευσθείς wird in Gen 2, 7 wie-
dergefunden. Her 54–56 gibt diese besondere Auslegung von Gen 2, 7
andeutend wieder. Philo redet auf den ersten Blick scheinbar von der
Natur des Menschen schlechthin: Die niedere Seele des Menschen lebt
durch das Blut, die höhere, der Nous, durch das Pneuma (vgl. Det
80 ff.). Gen 2, 7 und 1, 27 werden auf die Schöpfung des Nous scheinbar
schlechthin bezogen. Dann aber wird deutlich, daß es nur um zwei Le-
bensweisen geht, das dem Nous gemäße und das nur niedere menschliche Leben (57). Wenn es dann Her 64 heißt, daß nur „der von oben inspirierte [190] eines himmlischen und göttlichen Anteils teilhaftige ganz
lautere Nous" (ὁ καταπνευσθεὶς ἄνωθεν, οὐρανίου τε καὶ θείας μοίρας
ἐπιλαχών, ὁ καθαρώτατος νοῦς) der himmlischen Erbschaft würdig ist,
so dringt diese inspiratorisch-soteriologische Anschauung deutlich
durch. Unübersehbar ist sie zuvor in All I 32, wie wir bereits sahen.
Philo redet hier also latent vom inspirierten Nous, dem Himmelsmenschen [191].

Medium der Inspiration ist allgemein das *Pneuma* (neben der Sophia
und dem Logos). Was im mantischen terminus technicus καταπνευσ-

---

[190] *J. Cohn*, Philo deutsch V, 238, übersetzt: „der von oben eingehauchte ... Geist."
Das entspricht zwar der Schöpfungsvorstellung von Gen 2, 7, ist aber ungenau übersetzt.
καταπνευσθείς als t. t. der prophetischen Inspiration heißt „*an*gehaucht" (vgl. das ἐπιλαχών). Passivisches Subjekt ist der Nous.

[191] Noch weniger erkennbar ist das in Det 80 ff., wo dann allerdings die pneumatische
Erkenntnislehre hinzukommt. Philo redet an diesen Stellen vom „himmlischen Nous",
setzt also implizit voraus, daß dieser Nous der inspirierte ist. Das bleibt nur deshalb un-
deutlich, weil Philo seine Soteriologie aufgrund der zugrunde liegenden Ontologie in
doppelter Richtung modellhaft darstellen kann: Einmal ist jeder Nous von der Schöpfung
her unsterblich, er kann jedoch diese Unsterblichkeit verlieren (Modell I: himmlischer
Nous). Im anderen Modell ist der Nous von Natur her sterblich, kann jedoch durch Inspiration unsterblich werden (Modell II: irdischer Nous). Das II. Modell ist jedoch so do-
minant, daß Philo oft implizit voraussetzt, daß der himmlische Nous der inspirierte, erlöste Nous ist. Deshalb kann man generell sagen: *Der Himmelsmensch ist der Pneumatiker.*
Das erklärt sich aufgrund der besonderen Verbindung von Ontologie und Soteriologie:
der Erlöste „wird" zum „ersten" Menschen (wie die Sieben der Eins entspricht: s. o. S.
116 ff.).

θείς nur anklingt, wird Som II 252; Spec IV 49; Virt 217 expliziert: Das göttliche Pneuma vermittelt überirdische Erkenntnis und ist Quelle der prophetischen Rede. Gig 12 ff.[192] wird in aller Ausführlichkeit eine Lehre vom Pneuma entfaltet: Pneuma ist ἡ ἀκήρατος ἐπιστήμη, „an der jeder Weise gebührend Anteil hat" (Gig 22). Es wird wie in Sap 6 ff. mit der Sophia identifiziert (23) und erhält im folgenden ähnliche stoische Pneuma-Prädikate wie Sap 7, 22 ff. die Sophia (27). In biblischer Tradition ist aber das Pneuma der Welt nicht immanent wie in der Stoa, sondern kommt von oben und wirkt von außen auf die Schöpfung. In der Weisheit ist dieser alttestamentliche Gottesgeist sozusagen anthropologisch verengt, indem seine Wirkung ausschließlich auf den menschlichen Geist, den Nous des Weisen, in Betracht kommt. Dabei fallen Weisheit und Prophetie dann zusammen. Die Transzendenz des Pneuma kommt in Gig 12 ff. durch den Dualismus von irdischer Seele (d. h. der Erde verfallener Seele) und Pneuma, von σάρξ und πνεῦμα (29 f.) zum Ausdruck. Die fleischliche Natur des Menschen schließt den reinen Gottesgeist aus, denn sie ist Grund der ἀμαθία und ἄγνοια, also des Ausschlusses von Weisheit. Darum können Pneuma und Weisheit nur besondere Menschen überkommen, und zwar nur die, die sich von den Fesseln des Körpers befreit, sich den Begierden entzogen, sich ihrer Fleischesnatur entfremdet haben. So soll der Mensch aufhören, Unrechtes zu tun, „damit auch der göttliche Geist der Weisheit nicht leicht entweiche und davongehe, sondern eine lange Zeit bei uns bleibe, wie auch bei Moses, dem Weisen" (47). Gig 52–55 wird das dann ontologisch begründet: Das Pneuma kann nur bei der Seele nach der Einheit bleiben. „Dabei verbleibt das göttliche Pneuma auch nicht in den *Vielen*, d. h. in denen, die sich *viele* Ziele des Lebens gesetzt haben ... Nur bei einer *einzigen* Art von Menschen stellt es sich ein, die sich aller irdischen Dinge und des innersten Vorhangs und Verhüllung der Meinung entkleidet hat und *im Geiste* entblößt und *nackt* zu Gott kommt" (53). „Vielheit" ist die Welt nach Erscheinung (δόξα), Einheit das wahre Sein[193]. Diese gegenseitige Ausschließlichkeit von Pneuma und σάρξ wird an anderen Stellen bei Philo noch gesteigert, so daß sich sogar Pneuma und menschlicher Nous gegenseitig ausschließen. Hier ist dann eine religionsgeschichtliche Tradition der „Ekstase" wirksam (s. u. S. 151 ff.).

Bevor wir auf die Tradition der inspirierenden Weisheit näher eingehen, müssen noch einige andere Motive der Inspiration betrachtet werden. Der Vorstellung vom herabkommenden Pneuma verwandt ist das Motiv der *Einwohnung Gottes* in der Seele: z. B. All III 27; Sobr 64;

---

[192] Dazu *H. Leisegang*, Heilige Geist, 22 ff.; *E. Brandenburger*, Fleisch, 140 ff.
[193] *J. Pascher*, 169 f., hat den ontologischen Sinn dieser Stelle verkannt.

Her 46; Som II 251 (Imm 134; Som I 69 vom Logos). Für Philo ist durchgehend die Seele, der Nous, Wohnung, Haus und Tempel Gottes[194]. Dabei kann es um den Zustand des Weiseseins gehen, mehr aber um das Enthusiastische der zeitweiligen „Begeisterung" (so Her 46). Ausgeprägter ist das Motiv der *Erleuchtung*[195]. An dieser Metapher hängt, wie bereits angedeutet wurde, die ganze pneumatische Erkenntnistheorie. Zwar ist der Nous im Sinne der Metapher selber lichthaft (Imm 46). Aber dennoch kann er von sich aus das Göttliche, Pneumatische nicht erkennen, wenn er nicht vom Geist seinerseits erleuchtet wird. Die Analogie für die wahre Erkenntnis muß erst von oben aus hergestellt werden. So kann weise nur sein, wer göttlich erleuchtet ist (All III 7; Imm 2 f.; Migr 35. 76; Congr 47; Praem 25. 37 ff.; Abr 119–123). Nach Spec I 287; III 6 ist Quelle dieses Lichtes die Sophia. Die Erkenntnis muß also offenbart sein. Migr 35 beschreibt Philo seine eigenen zeitweiligen inspiratorischen Erkenntnisse mit den Begriffen der Mantik (ὡς ὑπὸ κατοχῆς ἐνθέου κορυβαντιᾶν) und der Erleuchtung: Der Nous selbst ist leer (κενός), bar allen Erkennens (πάντα ἀγνοεῖν), plötzlich kommt es zu einer „Entdeckung" (εὕρεσις), einem „Lichtgenuß" (φωτὸς ἀπόλαυσις), einer „scharfen Schau". Wieder aber wird dieses an sich psychische Einzelphänomen verallgemeinert auf den Nous überhaupt: Als irdischer Nous ist er blind, ohne Möglichkeit zur Erkenntnis der Wahrheit, die – echt griechisch – immer ein Schauen ist. Abr 119–123 wird dies am deutlichsten: Die drei Männer, die Abraham erblickt (Gen 18), sind zugleich und letztlich eine Einheit. Den Zusammenhang erkennt nur der, der erleuchtet wird: „Wenn nun die Seele … durch Gott erleuchtet wird (θεῷ περιλαμφθῇ) und gänzlich von dem rein geistigen Licht erfüllt ist und die ringsum von ihm ausgehenden Strahlen auffängt, bekommt sie eine dreifache Vorstellung eines einzigen Gegenstandes …" (119). Gemeint sind Gott selbst und seine beiden nächsten Kräfte. Während der natürliche Nous nur die Vorstellung der Dreiheit (als vordergründige δόξα) erfaßt, kann der „im höchsten Grade geläuterte" Nous, der in die „großen Mysterien eingeweiht" ist, die „Einheit", und das heißt „das Seiende aus ihm allein ohne Mithilfe eines andern" erkennen (122)[196]. Diese Erkenntnis der Einheit aus ihr selbst ist nichts anderes als die Weisheit nach der Weise des Isaak (s. o. S. 138), die von oben gewirkte pneumatische Vollkommenheit. Gerade in der Erkenntnislehre ist bei Philo eine zweistufige Soteriologie angelegt: Die Erkenntnis Gottes aus den Schöpfungswerken, d. h. die Stufe der Logoserkenntnis[197], ist nur „zweite Fahrt" (Abr 122). Der *aktive*

---

194 Das gilt sogar für Op 137 (s. o. S. 58 f. u. 100 A 82).
195 Dazu *F.-N. Klein*, 50–61.   196 Dazu *F.-N. Klein*, 57 f.
197 Vgl. All III 97 ff.; Praem 41 ff.; Spec III 187 f. Die Unvollkommenen erreichen nur die Logosstufe (All III 207; Som I 115; II 232; Conf 146); dazu s. u. S. 158 ff.

Nous verkörpert nur die zweite Klasse der Tugend. Die höchste Stufe der Vollkommenheit wird durch den Pneumatiker dargestellt, den Vollkommenen wie Isaak, der „von allein", und das heißt: durch Inspiration weise ist. Die gleichen zwei Stufen findet man in Philos Ethik wieder: Der aktive Nous wird verkörpert von Jakob, dem „Asketen" (solange er noch nicht in „Israel" umbenannt ist) und „Abram", dem Lernenden (solange er noch nicht in Abraham umbenannt ist: Mut 54 ff. 81 ff.; vgl. Gig 60 ff.), dann aber auch von Joseph, dem politischen Nous (s. u. S. 157. 160). Der Vollkommene aber ist über seinen Körper soweit erhaben, daß er Askese schon nicht mehr nötig hat und gänzlich „frei" ist (s. u. S. 155). Was Isaak von Anfang an ist, werden Abraham und Jakob durch Umbenennung (Mut 54 ff. 88 ff.): „vollkommen".

Eine große Rolle spielt in Philos Soteriologie die χάρις. Alles, was Philo mit Hilfe der Inspirationsterminologie (Pneuma) und der Lichtmetaphorik (speziell in der Erkenntnislehre) ausdrücken kann, kann er zusammenfassen im Begriff χάρις (χαρίζεσθαι; auch δωρεά u. ä.): z. B. All III 78. 163; Cher 122 f.; Sacr 10; Post 145; Imm 5; Agr 168; Ebr 145; Migr 46. 53. 73. 183; Congr 38. 127 ff.; Mut 70; Virt 165 u. ö. Geschenk Gottes ist die Erkenntnis, aber auch jede Tugend. Auch diese χάρις-Lehre ist ontologisch fundiert: „Alles" ist χάρις Gottes, weil Gott „Güte" ist und die Schöpfung Ausdruck seiner Güte. Ursache der Schöpfung sind darum ἀγαθότης καὶ χάρις τοῦ θεοῦ. Darum ist die ganze Welt „Geschenk, Wohltat, Gnadengabe Gottes" (δωρεὰ γὰρ καί εὐεργεσία καὶ χάρισμα θεοῦ): All III 78 [198]. Darum ist Gott Geber aller Gaben; die Welt verdankt ihm alles, nichts verdankt der Mensch der Welt, am allerwenigsten seinem eigenen Nous (vgl. All II 69. 85; III 29 ff. 42 ff. 81; Post 35. 175; Mut 54–56). Gott kann nichts empfangen, da er bedürfnislos ist, verschenkt aber alles, da er selber reiner Überfluß ist (vgl. Post 144 f.). „Von den Geschöpfen ist keins imstande, sein Gnadengeschenk (δωρεά) zu erwidern" (Cher 122 f.). Aber in erster Linie ist das *übernatürliche Heilsgeschehen* Gnade: Mose wird durch die Pneuma-Ergriffenheit zum „Gott" über das Körperliche, d. h. zu einer ewigen, unwandelbaren Seele, ein Vorgang, der als χαρίζεσθαι bezeichnet wird. Entsprechend bedeutet die Geburt Abels eine Überhöhung und Überbietung des Nous (= Adam): Sacr 10. Dabei geht es wieder um das ontologische Prinzip, daß etwas „Jüngeres" das „Ältere" = Vollkommene „wird". „Anna" wird allegorisch als „Gabe der Weisheit Gottes" (δώρημα σοφίας) gedeutet: übersetzt heißt „Anna" χάρις αὐτῆς (Imm

---

[198] Diese Gedanken sind nicht ohne Bedeutung für Röm 4, 17 – vgl. Migr 183: Die „Güte" (ἀγαθότης) Gottes erzeugt χάριτας, ... αἷς τὰ μὴ ὄντα εἰς γένεσιν ἄγουσα. Aus dieser auf Plato zurückgehenden Schöpfungsthematik geht hervor, wie ungnostisch Philo denkt.

5). Die Gabe Gottes ist zugleich als Dank an Gott zu erstatten, was als spiritualisiertes Opfer gedeutet wird (Imm 7 ff.). Samuel ist „die der Sieben gleichwertige Einheit" (12 f.), die Gnade der Vollkommenheit. Die ethischen Begabungen des Menschen wie „Lernbegabung, Streben, Vervollkommnung" werden als χάριτες bezeichnet (Agr 168). Ja für die Erlösung überhaupt ist „Gnade" erforderlich: „denn ohne göttliche Gnade ist es unmöglich, die Reihen des Sterblichen zu verlassen oder im Reiche des Unvergänglichen immer zu verharren" (Ebr 145). Diese χάρις macht die Seele „verzückt" und „trunken" (146), wirkt also wie das prophetische Pneuma. Vor allem die „Vollkommenheit" (Migr 73) des Sehergeschlechts (die im Gegensatz zur Askese der „Unmündigen" in der „Weisheit" besteht) ist Begnadung „mit dem größten aller Geschenke" (Migr 46), das in der Erleuchtung besteht (47 ff.). „Nach ihrer Abkehr vom Sterblichen begnadet Gott ... die Seele ... zuerst mit dem Geschenk der Aufzeigung (ἐπίδειξις) und Betrachtung (θεωρία) des Unsterblichen", dann an zweiter Stelle mit der Vervollkommnung in den Tugenden (Migr 53). „Wer ... infolge der glücklichen Beschaffenheit seiner Natur und der Zeugungskraft seiner Seele die Weisheit ohne Mühe und Qual gefunden hat, braucht nicht nach Besserung zu suchen. Denn ihm stehen die vollkommenen Geschenke Gottes, die ihm durch die ehrwürdigen Gnadengaben (χάρισι ταῖς πρεσβυτέραις) eingehaucht werden (ἐπιπνευσθέντα), ständig zur Verfügung" (Congr 37 f.).

Von besonderem Interesse ist der Abschnitt Congr 127–138. Hier geht es um das Gegenüber von λαμβάνειν und ἔχειν: „Denn (die Seelen), die zu besitzen wähnen, schreiben sich voller Prahlerei Erfindung und Entstehung (ihrer Weisheit) selber zu, die sie aber zu empfangen wünschen, gestehen damit ein, daß sie nichts von sich aus besitzen" (130). Die Haltung des ἔχειν ist die des Sophisten (vgl. Post 35: Kain betrachtet den menschlichen Nous als „Maß aller Dinge"), der sich infolgedessen „erhebt" (μετεωρίσας) und „aufbläht" (φυσήσας ἑαυτόν: Congr 127). Ein Beispiel für das λαμβάνειν ist Mose, der selber von seiner Mutter „empfangen" wurde und, als καθαρώτατος νοῦς und ἀστεῖος, zugleich „die gesetzgeberische und die prophetische (Gabe) durch die begeisterte und gottergriffene Weisheit empfangen hat" (ἐνθουσιώσῃ καὶ θεοφορήτῳ σοφίᾳ λαβών: 132)[199]. „So gebären die Seelen, die nicht im Leibe ‚besitzen', sondern ‚empfangen'" (135 – nämlich einen Vollkommenen bzw. Vollkommenes und keine „Fehlgeburt": 129. 137 f.). Die mit der χάρις zusammenhängende Motivik bezieht sich eng auf die Vorstellung der Selbsterkenntnis des Nous, der in der aktiven Schau seine Grenze erfahren, sich als irdisch „erkannt" hat und aus

---

[199] Zu diesem Gegensatz von „haben" und „erhalten" vgl. 1 Kor 4,7 (V. 6: „aufblähen"). 1 Kor 4,8 läßt ebenfalls philonische Thematik anklingen (s. o. S. 24 f. A 38).

dieser neuen demütigen Haltung heraus die „Gabe" der Tugenden und der Erkenntnis, des Pneuma und der Prophetie, „empfängt".

Alle diese Güter können zusammengefaßt werden unter dem Stichwort „*Weisheit*" *(σοφία)*. Die „Gabe der Weisheit" (Imm 5) wird nur Auserwählten zuteil. Es handelt sich um eine esoterische Weisheitslehre, wie sie aus Sap 6 ff. bekannt ist. Der Sophia kommen alle bisher genannten Metaphern als Prädikate zu: Sie ist Pneuma, Licht, χάρις. Ja, Philos Pneumaverständnis ist ganz von der Weisheitsvorstellung her geprägt. Die Weisheitstradition ist denn auch der Ursprungsort dieser charismatisch-inspiratorischen Soteriologie. Ein Problem besteht nun darin, daß bei Philo der Logos als eine Konkurrenzgestalt zur Sophia stärker in den Vordergrund tritt. Eine genaue Abgrenzung beider Größen läßt sich nur schwer vornehmen, doch gibt es genügend Hinweise für eine Differenzierung. Während die Weisheit überwiegend Quelle der Erkenntnis und Zielobjekt der *Vollkommenen* ist, ist der Logos stärker an die Kosmologie gebunden. Auch er ist Prinzip der Erkenntnis, aber nur der von unten nach oben. Die aber ist „zweite Fahrt" (s. o. S. 121 ff.). Erkenntnis durch Weisheit ist die inspiratorische des passiven, Erkenntnis durch den Logos ist die des aktiven Nous. Weisheitserkenntnis und Logoserkenntnis stehen sich als vollkommene und niedere gegenüber wie Mose, der die Urbilder schaute, und Bezaleel, der nur ihre Schatten wahrnahm (All III 95 ff.). Der Schluß von den Werken auf den Schöpfer wird überboten durch die mysterienhafte Erkenntnis, die Mose empfängt (All III 100 ff.; vgl. Plant 26 f.; Som I 206). Hier wird bei Philo ein zweistufiges Schema erkennbar, das sich sowohl auf die Erkenntnislehre wie auf die Ethik bezieht (s. u. S. 155 ff.).

Die Sophia-Tradition ist mit einer Reihe von Metaphern verbunden, die bereits exegetische Topoi vorphilonischer Allegorese darstellen. Die Weisheit ist die *Wolke*, die das Volk beim Exodus führte (Mos I 166. 178). Der Tau bzw. Regen (Congr 36) dieser Wolke benetzte das Volk (ein Bild für die Sophia-Inspiration): Her 203 f. („Auf die tugendhaften Seelen träufelt sie mild Weisheit hinab, die Weisheit, die naturgemäß frei von allem Bösen ist ...". Sie ist der *Fels*: „Denn der hochzackige Felsen ist die Weisheit Gottes, die er als höchste und erste aus seinen Kräften schnitt, aus der er die von Liebe zu Gott erfüllten Seelen tränkt. Wenn sie aber von ihr getrunken haben, so erfüllen sie sich auch mit dem Allgemeinsten, dem Manna ... [dem Logos]" (All II 86). „Mit dem harten und unzerstörbaren Felsen aber deutet er klar auf Gottes Weisheit, die Amme, Pflegerin und Ernährerin derer, die nach unsterblicher Kost begehren. Denn sie, gleichsam zur Mutter aller Dinge in der Welt geworden, bringt ihre Speisen aus sich selbst sogleich den aus ihr Geborenen. Aber nicht alles wurde göttlicher Nahrung für wert befunden, sondern nur die Erzeugten, die sich als ihrer Erzeuger würdig herausstellten ... Den hier erwähnten Fels nennt er an anderer Stelle Manna, den göttlichen Logos ..." (Det 115–118; vgl. noch Som II 221 f.). Aus diesen Stellen geht hervor, daß auch das *Manna* und die Felsen*quelle* bzw. ihr *Wasser* die Weisheit symbolisieren. Es geht hier um *geistliche, himmlische Speise* (z.B. All III 152. 161 ff. 168 f.; Sacr 86 f.; Det 85.; Mut 259; Som I 48 ff.; Praem 122; Mos II 69) und *geistlichen Trank* (All II 87; Det 117; Post 125 ff.; Som I 50; II 221 f. 241 ff.), wobei das Manna allerdings häufig auf den Logos, die Quelle und das Wasser aber fast durchgehend auf die Weisheit bezogen werden (anders Som II 249)[200]. Die Metaphorik von der Weisheit als Fluß, Regen, Quelle, Trank ist dann weitergeführt in der Metaphorik des *Rausches* (des „nüchternen Rausches", da Philo den natürlichen Rausch als Inspirationsmittel ablehnt)[201].

d) Selbstaufgabe des Nous in der Ekstase

Neben der *Himmelsreise des Nous* und der *Inspiration* von Pneuma oder Sophia begegnet als drittes Modell die eigentliche *Ekstase.* Während bei den beiden erstgenannten Vorstellungen der Nous als Subjekt bestehen bleibt (allerdings in der passiven Haltung), schwindet er in der ekstatischen Tradition und wird ganz durch ein himmlisches Subjekt (das Pneuma) ersetzt. Die Vorstellungen lassen sich nicht systematisch ausgleichen. In der ekstatischen Motivik ist der Dualismus am radikalsten durchgehalten. Der Nous ist ganz irdisch, sterblich, körperlich, und muß weichen, wenn das Pneuma kommt, weil Sterbliches nicht mit Unsterblichem zusammensein kann (Her 265). Das Ergebnis der Ekstase ist auch hier der Pneumatiker, der nun jedoch ein ganz anderer geworden und *kein Mensch mehr* ist (Fug 167; Som II 231 ff.)[202]. Diese Aus-

---

[200] Die ganze Reihe dieser aus der allegorischen Exegese gewonnenen Sophia-Metaphern begegnet 1 Kor 10,1 ff. Vgl. *E. R. Goodenough*, Jewish Symbols, Bd. X 134 ff. (vgl. Bd. IV 152; VI 198–216); *H.-J. Klauck*, 254 ff. In Korinth wird diese Sophia-Metaphorik freilich magisch-sakramentalistisch verstanden (feiend gegen die Götzen).

[201] Sowohl „Nüchternheit" wie „Rausch" sind selbständig positive Metaphern. Die Nüchternheit ist dem Wachsein synonym, der Rausch ist der Zustand der mantischen Inspiriertheit. Zur „nüchternen Trunkenheit" bei Philo vgl. *H. Lewy*, 1 ff.; *H. Kaiser*, 163; s. auch o. S. 124 ff. und u. S. 287 ff. – Weitere Quellen für diese Weiheits-Tradition sind neben Philo: JosAs (vgl. *D. Sänger*, 191 ff.) und OdSal 11 (dazu *H. Lewy*, 83 ff. – dessen Herleitung aus der Gnosis aber überholt ist).

[202] Vgl. 1 Kor 3,4 (dazu *E. Brandenburger*, Fleisch, 136). Wenn Paulus die Korinther unter Hinweis auf den Gruppen-Streit (1,10 ff.) fragt: „seid ihr dann nicht Menschen?", so setzt das voraus, daß in Korinth von einigen der Anspruch erhoben wurde, mehr zu sein. In der Tat ist der τέλειος und σοφός nach der aus Philo greifbaren ekstatischen Tradition kein Mensch mehr. Dies ist der stärkste Beleg dafür, daß es in 1 Kor 1–4 um eine in Korinth vertretene Weisheitstheologie nach Art der aus Philo erhebbaren geht. Zu 1 Kor 3,4 vgl. auch Virt 217, wo τέλειος im Gegenüber zu ἄνθρωπος gesteigert wird: Abraham

sage hängt zunächst mit der Auslegung von Lev 16,17 zusammen, wo Philo gegen den wörtlichen Sinn liest: „nicht ein Mensch soll an ihm [den Hohenpriester] sein, wenn er in das Allerheiligste hineingeht, bis er wieder hinausgeht" (Her 84). Som II 189 wird er deutlicher: „Wenn der Hohepriester in das Allerheiligste hineingeht, wird er kein Mensch sein". Das wird allegorisch gedeutet: „Denn der Nous ist, wenn er Gott in Reinheit dient, nicht menschlich (ἀνθρώπινος), sondern göttlich (θεῖος); in dem Augenblick aber, da er irgendeinem menschlichen Anliegen dient, ist er verwandelt, vom Himmel herabgestiegen, oder vielmehr zur Erde gefallen ..." (Her 84; vgl. Som II 189: der himmlische Nous ist ein Mittleres zwischen Gott und Mensch). Auch ohne exegetischen Anlaß trägt Philo den Topos von der Negierung des Menschlichen vor: Isaak als der „selbstlernende und selbstbelehrte Weise" (αὐτομαθὴς καὶ αὐτοδίδακτος σοφός), der die Weisheit vom Himmel empfängt, ist ein Typ, „den die Seele nicht zu verschiedenen Zeiten empfangen und geboren hat; denn es heißt: ‚Sie gebar, indem sie empfing', gleichsam zeitlos. Denn das Erzeugte war nicht ein Mensch, sondern eine vollkommen reine Gesinnung (νόημα καθαρώτατον) ..." (Fug 166 f.). Bei Isaak ist das Menschliche erst gar nicht vorhanden.

Som I 118 f. spricht Philo nun von einer exegetischen Tradition zu Gen 28,11 („Er begegnete einem Orte [τόπος]; denn die Sonne ging unter": Som I 116): „Einige aber vermuteten, Sonne heiße hier symbolisch Sinnlichkeit und Geist (αἴσθησις, νοῦς) ... Ort (τόπος) aber der göttliche Logos, und faßten die Stelle so auf: Es begegnete der Tugendeifrige dem göttlichen Logos, als das sterbliche und menschliche Licht unterging. Solange nämlich der Nous das Geistige und die Sinnlichkeit das Sinnliche fest zu erfassen (καταλαμβάνειν) und oben zu umzingeln (ἄνω περιπολεῖν) glauben, steht der göttliche Logos weit weg; sobald aber beide ihre Ohnmacht eingestanden haben und, gleichsam untergehend, verschwunden sind, kommt alsbald grüßend entgegen der rechte Logos (ὀρθὸς λόγος), der Beistand einer tugendeifrigen Seele (ἀσκητικῆς ψυχῆς), die sich selbst aufgibt, aber den von außen unsichtbar nahenden erwartet." Diese Stelle ist deshalb von besonderer Bedeutung, weil sie verrät, daß das Motiv vom irdischen Nous auf eine allegorische Tradition vor Philo zurückgeht[203]. Schwierig ist sie dadurch, daß vom Logos (nicht, wie man erwarten würde, vom Pneuma oder der So-

---

ist „von einer das Menschliche übersteigenden Vollkommenheit" (τελειοτέρας οὔσης ἢ κατὰ ἄνθρωπον).

[203] Das ist gegen die traditionsgeschichtliche These von H. T. Tobin, 135 ff., vorzubringen, der behauptet, die „Allegorie der Seele" sei Philos eigener Beitrag in der Kette der Motive zum Thema Menschenschöpfung nach Gen 1–2. Man könnte allenfalls sagen, Philo habe hier vorliegende Weisheitstradition seinerseits auch auf Gen 1,27/2,7 angewandt. Som I 118 f. wird von Tobin übergangen.

phia) die Rede ist. Aber τόπος ist für Philo Logos-Prädikat[204]. Weil deshalb nur vom Logos die Rede sein kann, spricht Philo auch nur vom „Asketen" – also nicht vom Vollendeten, vom Weisen. Das hängt mit Philos Stufen-System (dazu s. u. S. 156 ff.) zusammen, wonach der kosmologische Logos (das Ziel der Erkenntnis von unten nach oben) von der Weisheit (dem Ausgangspunkt der Erkenntnis, die von oben kommt) überboten wird. Entsprechend geht es auch nur um Tugend. Aber diese Stelle zeigt, daß auch der Logos selbst von oben helfend eingreifen kann. Der Asket steht an diesem Punkt auf der Schwelle zur Vollkommenheit, indem er sich selbst aufgibt.

Daß es in diesem Zusammenhang aber letztlich um einen Dualismus von Pneuma (Weisheit) und menschlichem, irdischen Nous geht, zeigen die beiden Stellen Her 263–265 und Som II 232 f.[205]. Som II 228–236, wieder einer der Texte, wo Philo sein ganzes soteriologisches „System" in nuce vorträgt, geht es um die Umwandlung vom gewordenen-vergänglichen zu einem göttlichen oder halbgöttlichen Wesen. Wenn der Nous sich beim „Stehenden" befindet, ist er in der „Ruhe" und damit im Sein (228 f.). Der so vollkommene Weise ist erhaben über allen Wechsel des Werdens (Schicksal, Körper): 230. Allerdings vermeidet Philo fast durchgehend die qualitative Gleichsetzung des Weisen mit Gott: Der Weise ist nur ein Mittelwesen zwischen Menschlichem und Göttlichem. Dann folgt wieder des Motiv von Lev 16, 17, das nun folgendermaßen erklärt wird: „Wenn der Nous, von göttlichem Liebesdrang ergriffen, sich bis zum Allerheiligsten hinstreckt ..., hat er, von Gott hingerissen, alles andere vergessen, *hat aber auch sich selber vergessen ...* Wenn aber die Begeisterung zum Stillstand kommt ..., entläuft er dem Göttlichen wieder und wird Mensch, da er auf das Menschliche getroffen ist, das ihm im Vorhof auflauerte ..." (232 f.). – Während hier das Motiv der Selbstausschaltung des Nous mit dem Seelenflug (aus der Phaidros-Tradition) verbunden ist, geht es Her 263–265, der wichtigsten Stelle in diesem Zusammenhang, um die Ausschaltung des Nous durch die Pneumainspiration. Bei der Auslegung von Gen 15, 12 („Gegen Sonnenuntergang fiel eine Ekstase über Abraham") nennt Philo vier Bedeutungen von ἔκστασις (Wahnsinn, Bestürzung, Stille des Nous und mantische Ekstase), von denen die vierte hier gemeint sei. Das Motiv der vier Arten von Ekstase geht wieder auf Phaidros (244 ff.) zurück. Die untergehende Sonne ist Symbol des menschlichen Nous. „Solange noch unser Nous nach allen Seiten hin leuchtet und eindringt, gleichsam Mittagshelle in unsere ganze Seele ergießt, sind

---

[204] Op 20; Som I 66. 117 (229 f.). Dabei stehen Plato, Phaidros 247 C, und Ex 33, 21 LXX gleichermaßen im Hintergrund (s. o. S. 142).
[205] Dazu *E. Brandenburger*, Fleisch, 128 ff. 136.

wir in uns und nicht (von einem anderen) eingenommen (οὐ κατεχό-
μεθα). Sobald er aber ‚untergeht‘, überfällt uns natürlich eine Ekstase,
ein gottbegeistertes Eingenommensein und eine Verzückung (ἔκστασις
καὶ ἡ ἔνθεος ἐπιπίπτει κατοκωχή τε καὶ μανία). Sobald nämlich das
göttliche Licht aufstrahlt, geht das menschliche unter. Sobald jenes untergeht, erhebt sich dieses und geht auf. Das aber ist bei den Propheten
gewöhnlich der Fall. Es entfernt sich der Nous in uns bei der Ankunft
des göttlichen Geistes (τοῦ θείου πνεύματος) und kommt wieder bei
dessen Entfernung; denn Sterbliches kann füglich nicht mit Unsterblichem zusammenwohnen“ (Her 264 f.). Aus Som I 118 f. wissen wir, daß
Philo hier von einer älteren Tradition abhängig ist. Danach sind
Pneuma und Nous sich ausschließende Gegensätze. Der Nous ist also
menschlich-vergänglich gedacht. Insofern der Prophet Modell der Erlösten und Vollkommenen ist, kann man nun sagen, daß Vollkommenheit in der Ausschaltung des Menschlichen überhaupt besteht. Der Erlöste ist nicht mehr Leib und Seele, σῶμα und νοῦς, sondern Pneuma.
Ja, er ist kein Mensch mehr, sondern ein höheres Wesen. Und wenn er
noch Mensch genannt wird, dann in einem höheren Sinne: πνευματικὸς
ἄνθρωπος, πρῶτος ἄνθρωπος, οὐράνιος, ja sogar Logos-Anthropos
(dazu s. u. S. 165 ff.). Der Erlöste wird so zu einer geistigen Größe, zur
Idee, zum Menschen nach der Eins. Wie die Sieben Rückkehr zur Eins
ist, so ist die Erlösung durch das Pneuma die Rückkehr des zeitlichen,
gemischten Wesens zum ursprünglichen, reinen, ungemischten, zeitlosen Wesen. Hier schließt sich der Ring von Ontologie und Soteriologie.
Dabei bleibt die zugrundeliegende Anthropologie ganzheitlich. Der
Mensch ist entweder irdisch, oder er ist ganz Pneuma. Denn auch die
ψυχή, genauer: ihr bester Teil, der νοῦς, ist etwas Irdisches und gehört
auf die Seite der Vergänglichkeit. Unsterblich ist nur das jenseitige
Pneuma. Der Dualismus geht nicht so durch den Menschen, daß dieser
dichotomisch zerfiele. Vielmehr gilt: Der Mensch ist entweder vom
Pneuma her definiert, oder er gehört ganz auf die Seite der irdischen
σάρξ und ist nichts als kreatürlich-vergängliche Leib-Seele. Hier ist zugleich große Übereinstimmung mit Paulus wie schärfster Gegensatz zu
ihm zu konstatieren: Auch Paulus denkt in seiner Anthropologie ganzheitlich. Der Mensch ist entweder ganz vom Pneuma bestimmt – oder
der Welt verfallen. Auch für Paulus stehen sich Pneuma und Welt dualistisch gegenüber. Auch für Paulus ist der Pneumatiker nicht mehr er
selbst, der (alte) Mensch, sondern (neues) Geschöpf von oben. Anders
bei Paulus ist aber die Wertung der irdisch-kreatürlichen Existenz: Sie
ist Grundbefindlichkeit, der auch der Erlöste nicht entgeht, aber nicht
Ausdruck der verfehlten Existenz. So ist der Mensch immer σῶμα, und
als dieses σῶμα kann er vom πνεῦμα oder von σάρξ und Sünde getrieben sein. Der Pneumatiker ist „neue *Kreatur*“, wobei Geschöpf für Pau-

lus immer die Existenz als σῶμα impliziert. So ergibt sich für Paulus aus dem Pneumatiker-Sein gerade eine Hinwendung zur Welt (und dadurch zum Mitmenschen), für Philo aber eine Distanz der pneumatisch inspirierten Seele von der Welt.

e) Ethik

Entsprechend ist auch Philos Ethik bestimmt von der Intention der Entweltlichung. Das Normale in einer Ethik der Vergeistigung und Entweltlichung ist die *Askese*. Die asketischen Tendenzen in Philos Werk brauchen nicht eigens aufgeführt zu werden. Viel wichtiger ist, daß Philo in seiner Ethik die Askese transzendiert. Ja, Philo wendet sich explizit gegen die Askese (Fug 24 ff.). Sie kommt allenfalls den Schwachen zu, denen, die noch nicht vollkommen sind. Der Vollkommene ist über das Irdische erhaben, so daß er nur wenige Bedürfnisse hat (Virt 9). Er arbeitet nicht, sondern lebt eine vita contemplativa (Det 62 ff.). Der Vollkommene ist derart von der Welt der Körper entfernt, daß für ihn gar nicht mehr die Gefahr des Verfalls an die Welt besteht. So ist er der wahrhaft Freie (Post 138 u. ö.). Die leiblich-irdische Existenz des Weisen ist ja nur eine scheinbare. Der Unvollkommene (Philo bezeichnet die Menschenklasse der Unvollkommenen, Fortschreitenden geradezu als die der Asketen: Post 78; Sobr 12 ff. u. ö.) muß sich vor der Welt hüten und mühsam der Tugend nachjagen. Der Weise bleibt vor der Welt unverletzbar. Darum kann er, weil er über der Welt steht, im weltlichen Getriebe seinen Platz behalten. Philo greift hier das stoische Ideal des Weisen auf: Der Weise ist allem überlegen und wird von nichts beherrscht (Migr 7 f.). So kann er getrost an weltlichen Veranstaltungen wie Gelagen teilnehmen, Wein trinken usw.[206], denn er bleibt ja (das wird vorausgesetzt) integer. Er lebt sozusagen in „innerer Emigration" (vgl. Migr 2 ff.). Der Vollkommene ist ja der, der die Weisheit ohne Anstrengung als Geschenk erfahren hat. Dieses Stadium erreicht der Asket nie, es sei denn, er wird von oben ein anderer (so wie Jakob = der Asket umbenannt wird in Israel = der Gott Schauende: vgl. Mut 81 f.). Die Inspirations-Soteriologie erfordert also auch eine besondere Ethik[207].

---

[206] Fug 31: „Und wenn du zu ungemischtem Wein und reichbesetzten Tischen gehst, so gehe getrost …". Vgl. auch Plant 155 ff.

[207] Aus Philos Vollkommenheitsethik selbst läßt sich der korinthische „Libertinismus" nicht direkt herleiten. Dirnenverkehr und Teilnahme an heidnischen Göttermahlen in Korinth (1 Kor 6, 12 ff.; 10, 14 ff) müssen aus zwei Faktoren erklärt werden: aus der heidnischen Vergangenheit der korinthischen Christen und einer dualistischen Pneuma-Soteriologie, die den Leib für soteriologisch irrelevant hält (s. o. S. 54 ff.). Nur letzteres geht auf alexandrinisch-jüdische Theologie à la Philo zurück.

ε) Abstufung von Menschenklassen

Eine der größten Schwierigkeiten, die philonischen Gedanken systematisch zu verstehen, beruht darauf, daß Philo neben dem Dualismus (Himmelsmensch – Erdmensch) noch ein Denken in Hierarchien verrät, das mit dem Dualismus nur schwer vereinbar ist. Wir begegneten diesem Denken in hierarchischen Klassen soeben in der Ethik (Asket, προκόπτων – Vollkommener, Weiser)[208], dann aber schon bei der Gotteserkenntnis (Erkenntnis der Existenz Gottes über den Kosmos – Erkenntnis durch Inspiration). Letztlich entspricht diesen zwei Stufen das Verhältnis von Logos und Sophia, ja von Natur (Schöpfung) und Offenbarung.

1. Nachdem im Allegorischen Kommentar das Gegenüber der zwei Menschen (Nous) wiederholt eindrücklich herausgestellt wurde (All I–III), gerät der Leser, wenn er bei Gig 60 angekommen ist, in Verwirrung. Hier nennt Philo drei Menschenklassen: Erdmenschen, Himmelsmenschen und Gottesmenschen. Die Himmelsmenschen sind nun die „Künstler, Verständigen und Lernbegierigen". Menschen Gottes sind die „Heiligen und Propheten". Verwirrend ist dies deshalb, weil die Bezeichnung „Himmelsmenschen" nicht mehr den Typ des ἄνθρωπος οὐράνιος von All I 31 f. meint. Dieser ist vielmehr nun identisch mit dem ἄνθρωπος θεοῦ, der seine πολιτεία im Reich der körperlosen unvergänglichen Ideen hat (Gig 61). Dies war zuvor aber der Himmelsmensch, der ja zugleich als Idee-Mensch bezeichnet wurde. Philo hat also seine Terminologie differenziert, wobei der Himmelsmensch nun unter der Hand etwas anderes bezeichnet als ursprünglich im Dualismus von All I. Damit trägt Philo einer sachlichen Differenzierung im Weltbild nun auch terminologisch Rechnung: Die Zweiteilung von κόσμος αἰσθητός und κόσμος νοητός wird nun verfeinert durch eine Dreiteilung in Erde – Himmel – Reich der Ideen. Der Bereich des Himmels ist hierbei in eine Ambivalenz geraten: einerseits gehört er, da sichtbar, in den Bereich des κόσμος αἰσθητός. Aber daß der einfache Dualismus von irdisch und himmlisch noch nachwirkt, zeigt sich im Schwanken Philos bei der Erklärung des Wesens der Sterne: Einerseits sind sie körperliche Wesen (Op 27. 73. 144), andererseits sind sie körperlose, göttliche, rein geistige, unsterbliche Größen (All I 1; Gig 8; Conf 176 f.; Her 283; Som I 135)[209]. Der Himmelsmensch ist nun (in Gig) der Mensch, dessen Nous sich in den Himmel emporschwingt, wie Abram, als er noch Chaldäer (und noch nicht umbenannt) war: der Naturphilosoph (Gig 62). Dieser Mensch treibt die propädeutische Wissenschaft, welche

---

[208] Migr 29. 46 (vgl. Congr 19 ff.) werden Asketen und Vollkommene als νήπιοι (die der Milchnahrung bedürfen) und τέλειοι gegenübergestellt (vgl. 1 Kor 2–3).

[209] S. u. S. 218 f.

Voraussetzung der Weisheit ist. Aber von sich aus erlangt er die Stufe
der Weisheit, der Vollkommenheit, niemals (Philosophie als Propädeu-
tik: Congr 1 ff.)[210]. Dieser Mensch ist also der aktive Nous, der sich zu
Gott emporschwingen will. Er ist der Asket, der sich aktiv um Tugend
bemüht. Er ist auch der Politiker (wie Joseph: Sobr 12 ff. nur der προκόπτων), der trotz aller Wertschätzung doch dem Irdischen noch ver-
haftet bleibt. Aber damit wird der ambivalente Charakter dieses Nous
schon deutlich: Wie Philo die aktive Gotteserkenntnis zugleich loben
(als Voraussetzung der Erkenntnis) und tadeln kann (als Vermessen-
heit), so ist der Nous ja einerseits göttlich (als Organ des Geistigen),
andererseits menschlich (als gottlos hybrid). Dieser Mensch (der Asket,
der Naturphilosoph, der Politiker) ist also streng genommen noch diesseits der Erlösung (wenn auch – mit Mk 12, 34 zu reden – „nicht fern
vom Reiche Gottes").

2. Etwas positiver gerät diese mittlere Stufe da, wo Philo sie mit dem
Logos in Verbindung bringt. Der Logos ist bei Philo fast durchgehend
Vermittlungswerkzeug des transzendenten Gottes zur Welt, zum κόσμος αἰσθητός. Er ist gewissermaßen der erfahrbare Arm Gottes im Bereich der Schöpfung. Die kosmologische Gotteserkenntnis (die ja nur
„zweite Fahrt" ist: Abr 123) ist Erkenntnis mittels des Logos. Wir müssen hierzu noch einmal die wichtige Stelle All III 95 ff. betrachten: Im
Zusammenhang geht es um die zwei Arten der Erkenntnis, um zweierlei Gepräge der Seele. Bezaleel steht für die Erkenntnis Gottes aus seinem Schatten, seinem Abbild, dem Logos (96). Dies ist die kosmologische Gotteserkenntnis der Natur-Philosophen (97–99). Darüber steht
die höhere Erkenntnis, welche das Gewordene überspringt und Weisheit aus dem Ungewordenen selbst empfängt (100). Die Erkenntnis
nach Art des Bezaleel wird nun aber ebenfalls positiv gewürdigt: „Es
muß daher gesagt werden, daß Gott auch diese Form der Seele, dem
Gepräge einer echten Münze gleich, aufgedrückt hat" (95). All III 104
werden *beide* Arten der Seele dann im Dualismus auf der positiven
Seite zusammengefaßt[211]. Die Dreiteilung der Menschentypen entsteht

---

[210] Vgl. dazu das Buch von *A. Mendelson*. Sein Versuch, die verschiedenen Klassifika-
tionen der Menschen bei Philo miteinander in Einklang zu bringen (47 ff.), hat mich nicht
überzeugt. Der Dualismus von himmlischen und irdischen Menschen in All I–III wird
übergangen. Auch läßt sich das Schema von Gig 60 ff. (Erdmenschen – Himmelsmenschen – Gottesmenschen) nicht mit mit dem Schema von Her 45 f. (auf das Vergängliche
Schauende – auf Gott Schauende = Engel – Mischwesen, die teils steigen, teils fallen)
zur Deckung bringen.

[211] All III 104 ist Abschluß des ganzen Zusammenhangs von All I 31 an: „So haben wir
denn gefunden, daß es zwei Arten von Wesen (δύο φύσεις) gibt, die von Gott gebildet
und vollkommen ausgestaltet worden sind: die eine an und für sich schädlich, fehlerhaft
und fluchwürdig, die andere nützlich und lobenswert; jene von unechtem, diese von echtem Gepräge." Es ist klar, daß der Bezaleel-Typ nicht mit dem bösen Wesen, der unech-

also durch Aufspaltung des positiven Typs in einen vollkommenen und einen graduell leicht darunter placierten.

3. So gibt es auf der positiven Seite zwei Menschenarten, die als Söhne Gottes und Söhne des Logos bezeichnet werden können: „Wenn aber jemand noch nicht würdig ist, Sohn Gottes zu heißen, so bestrebe er sich, sich zuzuordnen dem Logos, seinem Erstgeborenen, dem Ältesten unter den Engeln, da er Erzengel und vielnamig ist. Er heißt nämlich: Anfang, Name und Wort Gottes, der ebenbildliche Mensch und der Schauende, Israel (κοσμεῖσθαι[212] κατὰ τὸν πρωτόγονον αὐτοῦ λόγον, τὸν ἀγγέλων πρεσβύτατον, ὡς ἂν ἀρχάγγελον, πολυώνυμον ὑπάρχοντα· καὶ γὰρ ἀρχὴ καὶ ὄνομα θεοῦ καὶ λόγος καὶ ὁ κατ᾽ εἰκόνα ἄνθρωπος καὶ ὁ ὁρῶν, Ἰσραήλ, προσαγορεύεται) ... Denn wenn wir auch noch nicht tüchtig (genug) sind, als Söhne Gottes erachtet zu werden, so doch (wenigstens) seines formlosen Abbildes, des hochheiligen Logos (τῆς ἀειδοῦς εἰκόνος αὐτοῦ, λόγου τοῦ ἱερωτάτου); der ehrwürdige Logos ist nämlich das Ebenbild Gottes (θεοῦ γὰρ εἰκὼν λόγος ὁ πρεσβύτατος). An vielen Stellen der Gesetzgebung werden sie eben wiederholt Söhne Israels genannt, die Hörenden als (Söhne) des Schauenden, insofern das Gehör des zweiten Preises nach dem Gesicht gewürdigt wurde und der Lernende den zweiten Platz einnimmt nach dem, der immer ohne Unterweisung klare Eindrücke von den Gegenständen empf...‟ (Conf 146–148). Dieser Passus ist (wegen seiner Identifizierung von ὁ κατ᾽ εἰκόνα ἄνθρωπος und Logos) zugleich einer der umstrittensten in der neueren Philoforschung. Er erklärt sich völlig aus dem hierarchischen Urbild-Abbild-Denken. Die Urbild-Abbild-Kette wird hier durch das Vater-Sohn-Verhältnis zum Ausdruck gebracht:

Gott

|

Sohn Gottes = Logos

|

Söhne des Logos

Da der Vollkommene, der Gott schaut (Israel als Typ des Propheten), zugleich der ἄνθρωπος θεοῦ ist, steht der Vollkommene (der Charisma-

---

ten Prägung, gemeint sein kann. Daß hier der krasse Dualismus von All I 31 wieder durchdringt, zeigt sich dann an der folgenden Wendung von Gottes „Schatzkammern des Übels‟ (105). Das paßt zur platonischen Ontologie nicht, wonach Gott mit dem Bösen nichts zu tun hat. Das Böse ist dann wieder mittelplatonisch-neupythagoreisch als Vielheit charakterisiert.

[212] Das Wort läßt den himmlischen Reigen aus Phaidros 247 anklingen (s. o. S. 142).

tiker) auf der gleichen Stufe wie der Logos (sozusagen ein *Bruder* des „Erstgeborenen", des Logos). So ergibt sich die Kette:

Gott

|

Logos = vollkommener Charismatiker (Schauender)

|

Söhne des Logos (Hörende, Lernende, Asketen usw.).

Der Charismatiker steht demnach zu Gott so unmittelbar wie der Logos. Die Identifizierung von Logos und Charismatiker ist begründet im gleichen Rang der beiden. Nun ist aber, wie wir sahen, der Charismatiker zugleich der Mensch von Gen 1, 27, in der Terminologie von All I: der πρῶτος ἄνθρωπος, der ἄνθρωπος οὐράνιος (identisch mit dem später eingeführten ἄνθρωπος θεοῦ). Dieser Mensch steht mit dem Logos auf der gleichen Stufe unmittelbar unter Gott. So gesehen wird der Charismatiker selber im Akt der Ekstase zur Idee, gerät also an den „Ort", der der Logos ist, ins Reich des Geistes. Er ist „eingereiht" in den Reigen derer, die an den überirdischen „Ort" gelangen (Phaidros). Er ist kein „Mensch" (im Sinne Adams) mehr. Dies gilt prototypisch von Isaak, Abraham, Israel und Mose (als den namhaftesten Typen des Vollkommenen). Zum Rang lediglich unterhalb des Logos dringt der aktive Nous in seiner Himmelsschau. Diesen Platz nehmen die Asketen (Ebr 69 f.: Die den Logos als Vater haben, töten den Leib ab, haben nur den zweiten Rang; Migr 28: Logos = „Vater der Asketen"), die Hörenden, die Vernünftigen unter den Heiden ein, die nur die „kleine" Mysterienweihe erfahren [213].

4. Diese Stufen-Hierarchie bringt Philo nun auch mit der pythagoreischen Zahlen-Ontologie zusammen. Der wichtigste Text ist Imm 11 f.: Die Seele nach der Sieben „läßt die Sechszahl hinter sich, die er [Gott] denen zuwies, die den ersten Preis nicht zu erlangen vermochten und sich daher notgedrungen um den zweiten bemühen müssen". Dem entspricht QEx II 39 ff.: Die Schauenden haben den „Ort" des Logos erreicht, von wo aus sie Gott schauen (39). Etwas später geht es dann um die Sechs- und die Siebenzahl: Die Sechs ist Zahl der Schöpfung,

---

[213] Auch das Gegenüber von Myste und Mystagoge (Hierophant), von „kleinen" und „großen" Mysterien (vgl. Cher 42 ff.; Sacr 62; All III 99) ist nur ein Ausdrucksmittel für dieses Stufen-Denken, kaum aber wird man das Mysterienwesen als Ursprung dieses Denkens anzusehen haben, als läge dem System ursprünglich eine zweistufige Mysterienlehre zugrunde (gegen *J. Pascher*, passim). Schon Plato gebraucht die Mysteriensprache (Phaidros 249 C); vgl. *P. Boyancé*, 39.

die Sieben, die der ruhenden Eins entspricht, die Zahl der Vollendung, die eine δευτέρα γένεσις darstellt (46). Wer auf der Logos-Stufe steht, hat die Ruhe, das Sein, erreicht. Die Sechs ist nun aber nicht nur Zahl des Protoplasten, Adams (QEx II 46 Ende), sondern zugleich auch Zahl der Erwählung des Sehergeschlechtes, denn dieses soll ja auch in Harmonie mit dem Kosmos, in Übereinstimmung mit dem „rechten Gesetz" leben. Nach Op 13 f.; All I 3 f. ist die Sechs die vollkommene Zahl im Bereich des Sinnlichen. Sie ist (wegen der Sechszahl der wöchentlichen Arbeitstage) zugleich die Zahl der Aktivität, der Arbeit für das leibliche Leben, also die Zahl der praktischen Lebenshaltung, die der vita contemplativa (welcher die Sieben entspricht) untergeordnet ist (Dec 97–101). Sie ist die vollkommene Zahl im Bereich des Sterblichen (All I 4 ff.) und dient zur „Besserung der Dinge hienieden" (Praem 65). Spec II 177 wird die Sechs als „zeugungskräftigste Zahl" zugleich „*Anfang* der Vollendung" genannt (wobei die Zahl der Vollendung selber die Sieben ist). Wo das Sein in der Körperlosigkeit (noch) nicht möglich ist, da gilt es, im irdischen Leben das Beste zu erreichen, was freilich nur zur Erlangung des zweiten Preises führt. Entsprechend ist Joseph, den Philo als Staatsmann darstellt, kein Typ des Vollendeten wie die Erzväter Abraham, Isaak und Israel (sowie Mose), sondern nur Typ des im weltlichen Bereich Kundigen und Vorbildlichen (Jos 28 ff.; weit negativer: Det 6 ff.). Er „*folgt* dem gesetzgebenden Logos, Moses, dem Führer" (Migr 23 f.). So ist auch Joseph nur ein Mensch der zweiten Stufe, ein προκόπτων (Sobr 6 ff.) – wie Jakob, der vor seiner Vollendung und Umbenennung Typ des Asketen war.

5. Zwar sind die beiden Größen Logos und Sophia bei Philo nicht klar voneinander abzugrenzen. Dennoch läßt sich zumindest an einigen Stellen eine Tendenz feststellen, beide Größen voneinander abzuheben. Während der Logos als eine Dynamis Gottes *erstens* weltschöpfende, lenkende (welterhaltende: „Schicksal": Imm 176), strafende (Post 182) oder ermahnende (als ἔλεγχος: z. B. Det 146; Imm 125. 135; „Gewissen": Imm 181 f.) Funktionen hat, und *zweitens* dabei Gottes Gedanken (die ja zugleich immer Tat Gottes sind), den „Raum" der Ideen, „Ort" (Som I 62) und „Wurzel" der Welt (Plant 8) darstellt, dabei dann *drittens* das Weltgesetz [214], die Weltharmonie, der „Teiler" (Her) [215] bedeutet, ja überhaupt Mittler zwischen Mensch und Gott und so der Hohepriester (Her 201 ff.), der Prophet, Mose selbst ist, ist die *Sophia* [216] überwiegend eine transzendente und esoterische Größe. Als sol-

---

[214] Der ὀρθὸς λόγος der Stoa; vgl. Sacr 51; Post 68; Imm 50; Agr 51; Ebr 142.
[215] S. o. S. 119; vgl. Det 110; Post 159; Her 130 ff.
[216] Und zwar an Stellen, wo sie nicht als weltliche oder menschliche Weisheit gekennzeichnet ist.

che gehört sie mit dem Pneuma zusammen. Während also der Logos
überwiegend in kosmologischen Zusammenhängen auftaucht, ja überhaupt in der γένεσις waltet, gehört die Sophia überwiegend in den soteriologischen Bereich. Wir sahen bereits, daß hier die Tradition der inspirierenden Weisheit von Sap 6–9 wirksam ist. Während der Logos
Sohn Gottes ist, ist die Sophia Gemahlin Gottes[217], Mutter des Weisen
(Det 116; Her 53). Der Weise ist Sohn Gottes und der Sophia (so vor
allem Isaak: z. B. Mut 137). Hier hat die bei Philo häufig anzutreffende
Geburts-Metaphorik (Geburt, Fehlgeburt usw.: z. B. Det 147) ihren
Platz. So sind auch Logos und Weiser Brüder, der Weise ist selbst ein
Logos. Gott ist Vater, die Sophia ist Mutter des Logos (Fug 109). Und
zugleich sind Gott und Sophia Eltern der Weisen (Mut 137). Entscheidend ist, daß Weiser (Vollkommener) und Logos der ontologischen
Stufe nach identisch sind (z. B. Fug 76). Ein Sohn des Logos ist demnach nur der Schüler des Weisen, einer, der sich um Vollkommenheit
noch abmüht (Asket, προκόπτων, z. B. All III 132 ff.). Der Weise selbst
hat nur noch Gott zum Lehrer (Fug 169), ist selbst ganz entweltlicht,
nur noch Gedanke (Fug 167: Isaak eine Idee; Mut 33 f.), als Gedanke
Idee und Logos Gottes. Wie der Logos ist der Weise, auf der Grenze
stehend zwischen Welt und Gott (Mut 45), ein Mittler wie der Hohepriester, der ja den Logos symbolisiert, und wie Mose, der anderen das
Gut vermittelt (Mut 128). Der Logos als „Ort" ist eine Stufe unmittelbar unter Gott, die der Weise erreichen kann (Som I 66). Ist der Weise
an diesen Ort gelangt (ist er vollkommen), wird er seinerseits für andere zur soteriologischen Größe, ein Mittel Gottes zur Belehrung und
Erlösung der Vielen, ein Logos. So kommt Mose als ein solcher Logos
selbst in die Seelen des Volkes (Som I 71). Diese Vielen sind noch in der
Fremde, im sinnlichen Bereich. Deshalb kommt zu ihnen nur ein Logos.
Der überweltliche Vollkommene steht dagegen direkt Gott, der Sonne,
gegenüber. Wenn die Sonne aufstrahlt, dann verlöschen die Logoi
(Som I 72). Mit den Logoi verlöscht freilich auch der menschliche
Nous, so daß eine (aktive) „Erkenntnis" Gottes auch für den Weisen
ausgeschlossen ist. In ihm strahlt nur noch das Licht der Sonne selber
und macht ihn zum reinen Werkzeug und Mund Gottes (Prophet).
Wenn aber die Strahlen der Sonne die Seele verlassen haben, „geht der
zweite und schwächere Schein der Logoi ... auf" (Som I 116). Dieses
Logos-Licht (das Licht der Begriffe, des vernünftigen Denkens) ist nur
(aber immerhin) das Zweitbeste. Auch dieses Logos-Licht stellt Philo in

---

[217] Hier spielen – wie heute in der Philo-Forschung wohl feststehen dürfte – Einflüsse
der ägyptisch-hellenistischen Isis-Mythologie eine Rolle (vgl. z. B. *J. Pascher*, 53 ff. 60 ff.;
A. Wlosok, 56 f. 59 f. A 103; *H. Conzelmann*, Mutter der Weisheit; *B. L. Mack*, passim, bes.
14 ff. 155 ff.).

Som I 118 f. als Erleuchtung dar: Nun geht der menschliche Nous unter, während das Logos-Licht aufgeht. Wir sahen bereits, daß hier in der Tradition ursprünglich nur von der einen, höchsten Erleuchtung die Rede war. Philo selbst stuft wegen des Logos-Begriffs diese Erleuchtung herab zur zweiten Stufe. Auf diesem Plateau der Logos-Stufe erfolgt dann erst die höchste Erleuchtung: Jakob (der Asket) ruht bei dem Logos aus. Dort aber werden ihm (beim Ringen mit dem Engel = Logos) durch „göttlichen Anhauch" die Ohren (Erkenntnismittel der zweiten Stufe: der „Hörenden") in Augen verwandelt (Vollkommenheitsstufe: der Schauende = Israel): Som I 129. Die Menschen der zweiten Stufe können Gott nur in seinem Abbild, dem Logos, wahrnehmen, die reinen himmlischen Seelen wissen um Gottes reines Sein, seine reine Existenz (vgl. Det 30 f.: Der προκόπτων sieht nur den Logos = Isaak, nicht aber Gott selbst). – Typen dieses Menschen zweiter Stufe sind Abram (der Naturphilosoph und Mensch von der mittleren, propädeutischen Bildung), Jakob (der Asket, der noch mit dem Leibe kämpft), Joseph (der Staatsmann und Pragmatiker, der sich bemüht, aus dem Irdischen das relativ Beste zu machen) und Bezaleel (der nur die Schatten Gottes wahrnimmt).

6. Dieses Stufen-Denken hängt mit dem für Philo typischen Urbild-Abbild-Schema zusammen. Philo denkt in sogenannten ontologischen Ketten: Danach sondert sich das Sein von oben nach unten zunehmend in Spezifica aus, wobei das Allgemeine an Wert immer über dem Besonderen steht. Ganz unten steht das Konkrete, das eine Mischung aus einer Vielfalt von Merkmalen darstellt. Gemischtheit, Vielheit, Buntheit (das ἄπειρον) sind aber das Negative schlechthin, während die All-Einheit das Höchste (Gott als Sein) bedeutet. Das Verhältnis von Urbild und Abbild, τύπος und μίμημα, Urding und Name, Urding und Schatten, Vater und Sohn, Lehrer und Schüler führt nun aber dennoch bei Philo zu einer gewissen Unvereinbarkeit mit dem dualistischen Schema von Himmel und Erde, Idee und Materie, Sein und Werden, Unvergänglichkeit und Vergänglichkeit. Im Schema der zwei Menschen von All I 31 ff. hat die Differenzierung in Gottesmenschen (Vollkommenen) und Fortschreitenden eigentlich keinen Platz. Hier muß man freilich die Ambivalenz der Aussagen in All I 31 ff. beachten: Gen 2,7 dient zugleich als Schöpfungsaussage wie als soteriologische Aussage. Als soteriologische Aussage beschreibt Gen 2,7 die Pneuma-Inspiration, die Geburt des *Pneumatikers* (der ontologisch-präexistent in Gen 1,27 „geschaffen" wurde). Als Schöpfungsaussage beschreibt Gen 2,7 die Schöpfung des *Protoplasten*, des vergänglich-irdischen Menschen. Philo versucht, beides dadurch auszugleichen, daß er das Wort πνοή in Gen 2,7 vom πνεῦμα abhebt (All I 42) und auf die *Anlage* des natürlichen Menschen zur Gotteserkenntnis und Erlösung, auf die ἔννοια θεοῦ be-

zieht (All I 37; vgl. Det 86; dazu s. o. S. 106 ff.). Dieser Gedanke ist von
fundamentaler Bedeutung für die Theologie: Ohne das „Bild" Gottes in
sich wäre Adam für seine Sünde nicht haftbar zu machen. Ohne die *Potentialität* der rechten Erkenntnis gäbe es keine Sünde und Schuld.
Ohne die natürliche Veranlagung zur Gotteserkenntnis (oder die
Kenntnis des ὀρθὸς λόγος, des natürlichen Gesetzes) gäbe es vor allem
keine Schuld der Heiden. So ist Philos Auslegung von Gen 2,7 eine Me-
diatisierung der beiden traditionellen Deutungen, wonach Gen 2,7 entweder die Schöpfung des Staubmenschen oder die Geburt des Pneumatikers beschreibt. Im Sinne der soteriologischen Deutung beschreibt
Gen 2,7 die Wiedergeburt des Gen 1,27 geschaffenen Menschen (des
Himmelsmenschen = Gottes-Menschen). Im Sinne der Deutung auf
den Protoplasten beschreibt Gen 2,7 den natürlichen, aber erlösungs*fä-
higen* Menschen. Die πνοή-Einblasung in den vergänglichen, erdhaften
Nous nach dessen Schöpfung wird nun zum Modell für die Inspiration
des mächtigen πνεῦμα, das diesen Sterblichen erst „wahrhaft lebendig",
d. h. unsterblich macht. Dieser inspirierte Mensch wird so zum „ersten
Menschen", zur Idee von Gen 1,27. Was Gen 1,27 ontologisch sagt,
sagt Gen 2,7 soteriologisch, freilich nur im Modell. – Die Frage ist nun,
ob der natürliche Nous mit seiner durch die πνοή eingegebenen ἔννοια
θεοῦ identisch ist mit dem προκόπτων, dem Naturphilosophen, dem
Logos-Sohn, also dem Menschen der zweiten Stufe. Als Schöpfungsaussage ist Gen 2,7 ja immerhin auf den Logos beziehbar, der für Philo
in erster Linie Mittler zwischen Gott und Schöpfung ist. Dann wäre
Adam, der „mittlere" Nous, identisch mit dem Logos-Sohn, dem (Na-
tur-)Philosophen, dem selbständig erkennenden Nous. Jedoch: Diese
Gleichsetzung ist nicht möglich. Adams Mittelstellung liegt auf einer
völlig anderen Ebene. Adam (vor seinem Sündenfall) steht noch auf
keiner Stufe. Die natürliche Gotteserkenntnis des Logos-Sohnes, der
von der Schöpfung auf den Schöpfer schließt, ist ja schon eine *Verwirklichung* der ἔννοια θεοῦ, wenn auch nur „zweite Fahrt". Umgekehrt
mag man fragen, ob der Mensch von Gen 1,27, der „Himmelsmensch",
mit dem „Himmelsmenschen" von Gig 60 ff., dem Naturphilosophen,
dem Logos-Sohn identisch ist. Dafür spricht nicht nur die Terminologie, sondern auch die Bezeichnung des „erste Menschen" als ἄνθρωπος
κατ᾽ εἰκόνα θεοῦ (All I 31), wobei der Logos εἰκὼν θεοῦ, der Mensch
κατ᾽ εἰκόνα aber Abbild des Logos ist (z. B. All III 96). Aber auch diese
Identifizierung ist letzten Endes nicht möglich, weil der Mensch κατ᾽ εἰκόνα θεοῦ ja in All I 31 ff. der Ideemensch ist, der zugleich soteriologisch gesehen der vollkommene, ganz pneumatische (All I 42) Mensch
ist. Dieser Mensch kann nur identisch sein mit dem späteren Gottes-
Menschen. Das heißt aber, daß im Verlauf des Allegorischen Kommentars eine Kategorienverschiebung vorliegen muß. Während der Idee-

Mensch am Anfang nur *Abbild* des Logos (κατ' εἰκόνα) ist, ist der Vollkommene, der Weise, der Gottesmensch nachher selber ein Logos, und
der Mensch der zweiten Stufe wird zum Sohn oder Abbild des Logos.
Dabei liegt keine Steigerung vor, denn der Idee-Mensch von Gen 1,27
kann nicht mehr gesteigert werden. Die Differenzierung in den Menschen κατ' εἰκόνα und den Menschen *als* εἰκών (Logos) hat Philo also
nicht konsequent durchgehalten.

H. M. Schenke hat versucht, das mit einer doppelten Interpretation
der Wendung κατ' εἰκόνα θεοῦ aus Gen 1,27 zu erklären. Einmal fasse
Philo das κατά als weitere Abbild-Relation auf: Der Mensch ist danach
Abbild des Logos, welcher Abbild (εἰκών) Gottes ist (Op 25. 69; All III
96; Plant 20; Her 231). Vor allem in Op 134 f.; All I 31 ff.; Conf 41 ff.
62 f. sei κατ' εἰκόνα θεοῦ dann aber verstanden als direktes Abbild Gottes mit der Konsequenz, daß hiernach Himmelsmensch und Logos
identisch sind[218]. Sowohl für Op 134 f. wie für Conf (s. o. S. 158 f.) trifft
das zu, jedoch leider nicht für All I 31 ff. All I 33. 42. 53 wird der Himmelsmensch nämlich als ἄνθρωπος bzw. νοῦς *κατὰ τὴν εἰκόνα καὶ τήν
ἰδέαν* bezeichnet (s. o. S. 103). Die Synonymität von εἰκών und ἰδέα aber
zeigt, daß es hier nur um die Logos-Ebenbildlichkeit gehen kann. Der
Grund dafür ist aber wohl der, daß Philo in All I den Himmelsmenschen gerade als Urbild des Pneumatikers darstellen will, ihn also nicht
als passive Idee zeichnet, zugleich aber berücksichtigen muß, daß es um
Schöpfungsaussagen geht. Weil Philo auch in All I 31 ff. von einer Men-
schengruppe redet und zeigen will, daß es nicht um eine abstrakte Idee
geht, hebt er den Himmelsmenschen von εἰκών und ἰδέα ab. Aber im
Prinzip trifft die Erklärung von Schenke durchaus zu: Wo Philo vom
empirischen Menschen spricht, läßt er die Abbildhaftigkeit von menschlichem Nous zu Gott eine nur über den Logos vermittelte sein. Wo er
aber explizit soteriologisch spricht und den Pneumatiker meint, da ver-
schmelzen Logos und (geistiger) Mensch miteinander. Die Unterscheidung von Himmels-Nous und irdischem Nous in All I meint ja zunächst zwei antithetische Prinzipien, wobei der Nous des Himmels
nicht vom All-Nous, dem Logos, unterschieden werden kann. In diesem
Zusammenhang (All I 33. 42. 53) bedeutet κατά nun nicht eine Abstufung, sondern drückt die *Zugehörigkeit* aus: Der Mensch κατὰ τὴν εἰκόνα = Logos ist nun der (tatsächlich existierende) Mensch, der vom
positiven Prinzip, dem Himmels-Nous, beherrscht wird. Ursache dieser
begrifflichen Unschärfe ist die o. schon mehrmals bemerkte Inkompati-
bilität des dualistischen und des hierarchischen Prinzips: Einmal wird
das Urbild-Abbild-Schema in Kettenform weitergeführt, so daß sich ein
Abbild einem Geringeren gegenüber wieder als Vorbild verhalten kann

---

[218] *H.-M. Schenke*, Gott „Mensch", 122 ff.

(vgl. QGn I 4: Gott → Logos → Idee-Mensch → irdischer Mensch). Hier bringt κατά die Abstufung zum Ausdruck. Auf der anderen Steite stehen sich zwei „Geister" gegenüber (s. o. S. 106 A 94). Hier drückt κατά die Zugehörigkeit zu einem der beiden Prinzipien aus. Dies geht offenbar auf die weisheitliche Tradition zurück, so daß wir auch im doppelten Verständnis der Wendung κατὰ τὴν εἰκόνα θεοῦ einen Hinweis auf eine Tradition haben, die in Spannung zu anderen Äußerungen Philos steht. – Wo Philo nun allgemein und undualistisch vom Nous des irdischen Menschen spricht (wie in Op 25. 69 u. ö.), wird der subordinierende Sinn von κατά virulent. Beides verbunden schließlich ist dort, wo Philo innerhalb des Dualismus die Vollkommenen von den Fortschreitenden abhebt. Hier ist der Vollkommene nun *der Hierarchie nach* Abbild und Sohn Gottes, *der Zugehörigkeit nach* Himmelsmensch, nach beidem also: Logos. Der Mensch der Stufe darunter ist „Sohn des Logos" (und „Himmelsmensch" nun in einem gegenüber All I 31 ff. abgewerteten Sinne).

Der Mensch, der in der Vergeistigung zur Idee seiner selbst wird, wird seinerseits anderen zum Logos: zum Instrument der Erlösung und Vergeistigung. Philo verwendet also verschiedene, sich z. T. widersprechende Denkmodelle, um seine Gedanken zum Ausdruck zu bringen. Hier spielt auch die Ambivalenz seines Logos- und Idee-Begriffs eine besondere Rolle. Es handelt sich zugleich um soteriologische und ontologische Größen: Ontologisch ist der Logos der κόσμος νοητός, genauer: die Idee der Ideen, soteriologisch ein Mittler Gottes, eine δύναμις. Eine solche δύναμις können auch Menschen werden: vor allem *Mose* ist eine solche Mittlergestalt. Indem er den Menschen das Gesetz, die Thora, gibt, wirkt er als Mund, Wort Gottes, als λόγος θεοῦ.

ζ) Anthropos und Logos

Im vorigen Abschnitt wurde deutlich, inwiefern der ἄνθρωπος (als Himmelsmensch oder Gottesmensch) selber zum Logos werden kann. Damit ist ein entscheidendes Problem der (neutestamentlichen) Philo-Forschung gelöst. Es geht um die berühmte Frage nach der gnostischen Urmensch-Mythologie, die man bei Philo als Tradition, als ein Relikt, zu finden meinte. An drei Stellen in der Schrift Conf werden Anthropos und Logos explizit identifiziert: Conf 41. 62 und 146 f. Vor allem aus der letztgenannten Stelle wird eine solche Tradition herausgelesen: Hier erhält der Logos u. a. den Titel ἄνθρωπος. Zumeist wird behauptet, damit sei die gnostische Urmenschgestalt gemeint[219]. Diese An-

---

[219] Z. B. *R. Reitzenstein*, Poimandres, 110 ff.; *ders.*, Mysterienreligionen, 347; *J. Pascher*, 115 ff.; *E. Brandenburger*, Adam, 123; *E. Käsemann*, Röm, 137. Zu Recht dagegen:

nahme ist jedoch unhaltbar. Für die Interpretation von Conf 146 f. ist zunächst auf Conf 41 f. zurückzugehen: „Aus diesem Grunde bewundere ich auch die, welche sagen ‚alle sind wir Söhne eines Menschen, wir sind friedliebend‘ (Gen 42, 11), wegen ihrer vollkommenen Übereinstimmung. Denn wie solltet ihr nicht ... den Krieg verabscheuen und den Frieden lieben, die ihr einen und denselben Vater anerkennt, nicht den sterblichen, sondern den unsterblichen, den Menschen Gottes, der als Logos des Ewigen notwendig auch selbst unvergänglich ist? (οὐ θνητὸν ἀλλ᾽ ἀθάνατον, ἄνθρωπον θεοῦ, ὃς τοῦ ἀιδίου λόγος ὢν ἐξ ἀνάγκης καὶ αὐτός ἐστιν ἄφθαρτος)“.

Diesen „Söhnen“ werden dann die gegenübergestellt, die vielen Prinzipien folgen (der ontologische Gegensatz von Einheit und Vielheit). Gemeint sind mit den Söhnen des *einen* Vaters die Söhne Israels, die Israeliten. Israel aber ist Typ des Vollkommenen. Dieser „Gottesmensch“ ist als Idee zugleich Logos. Wir sahen bereits, wie der Vollkommene für Philo auf der gleichen Stufe steht wie der Logos und als solcher anderen zum Heilsmittler wird. Die Söhne Israels, die Israeliten, sind die Söhne des Logos.

Genau darauf bezieht sich Conf 146 f.: Wer nicht selber zum Propheten, Gottmenschen, Vollkommenen werden kann, soll sich wenigstens als „Sohn“ des Gottmenschen erweisen, sich an den Logos halten, sein Schüler werden. Bezeichnenderweise steht unter den Logos-Namen „Israel“ = „der Schauende“ [220]. Dieser wird nun auch mit dem κατ᾽ εἰκόνα ἄνθρωπος identifiziert, also mit dem Ideemenschen von Gen 1, 27. Hier spielt die Differenzierung von εἰκών (= Logos) und ἄνθρωπος κατ᾽ εἰκόνα keine Rolle. Israel ist vielmehr der Mensch, der unmittelbar unter Gott steht und so Gott schaut, der Mensch auf der Stufe der εἰκών Gottes. So ist Israel selbst der Logos, und die „Söhne Israels“ sind die auf der Stufe unter ihm, die auf dem Weg sind zur Vollendung.

H.-M. Schenke, Gott „Mensch“, 123 f.; *H. Hegermann*, 70 ff., bes. 84–87; *U. Früchtel*, 24 f.; *A. J. M. Wedderburn*, Heavenly Man, 315 ff.; *T. H. Tobin*, 102 ff.

[220] Eine interessante Parallele zu Conf 146 enthält das „Gebet Josephs“ (bei Origenes, In Joh., II, 31 [GCS 10, S. 88 f.]; bei *A. M. Denis*, 61; dazu *E. Schürer*, III, 359 f.; *J. Z. Smith*; *M. Hengel*, Sohn Gottes, 76 f. 85): Jakob stellt sich vor als ... Ἰσραὴλ ἄγγελος θεοῦ εἰμι ἐγὼ καὶ πνεῦμα ἀρχικόν ... ἀνὴρ ὁρῶν θεόν, ὅτι ἐγὼ *πρωτόγονος* παντὸς ζῴου ζῳουμένου ὑπὸ θεοῦ ... Ἰσραὴλ *ἀρχάγγελος* δυνάμεως κυρίου καὶ ἀρχιχιλίαρχός εἰμι *ἐν υἱοῖς θεοῦ* ... ὁ ἐν προσώπῳ θεοῦ λειτουργὸς πρῶτος, καὶ ἐπεκαλεσάμην *ἐν ὀνόματι ἀσβέστῳ τὸν θεόν* μου (vgl. den griech. Text von Conf 146 ff. o. S. 158 f.). Israel als der älteste und erste Engel hat hier Funktionen wie der Logos Philos (vgl. zum ganzen Fragment o. S. 62 A 90). Für 1 Kor 15, 45 ist dabei von besonderem Interesse, daß er auch πνεῦμα ἀρχικόν heißt. – Nach *H. Hegermann*, 76 A 2, soll der Logosname „Israel“ auf die LXX-Wendung ὁ θεὸς Ἰσραήλ zurückgehen, wobei Israel dann als δεύτερος θεός im Sinne des Logos verstanden wurde (so bei JustinDial 12, 1 u. ö.). Philo kennt die Ableitung aus der LXX-Wendung aber noch nicht. Sie dürfte *nachträgliche* Erklärung sein.

Schließlich ist in diesem Sinne auch die dritte Stelle, Conf 62[221], zu deuten: Der Mensch mit Namen ἀνατολή (Sach 6, 12) ist der „körperlose Mensch" im Gegensatz zum Menschen aus Fleisch und Blut, also der Idee-Mensch. Dieser wird mit dem göttlichen Ebenbild, dem Logos, identifiziert. Der Logos aber schaute auf die Urbilder und formte die Arten (63). Hier ist daran zu erinnern, daß auch Mose (im Gegensatz zu Bezaleel) die Urbilder selbst schaute. So ist denn auch Mose (neben Israel) zugleich Himmelsmensch bzw. Gottesmensch und Logos: Her 205 ff. 259 ff.; Congr 170; Migr 23 f. (vgl. Migr 129 f.: die Werke des Weisen sind identisch mit „Worten" Gottes); Som I 71. Der Prophet überhaupt ist Logos (Imm 138 ff.). Der Weise ist Hermeneut Gottes, sein tönendes Instrument (Her 259 ff.), sein Mund, sein „Wort". Der Vollkommene wird als Prophet und Gottesmensch zu einer geistigen Größe (Fug 167: νόημα καθαρώτατον; Mut 33: ἀσώματοι διάνοιαι), zum Ideemenschen, ja zu einer Heilsmittlergestalt, kurz: zum Logos.

Dem entspricht es nun, wenn in der Tradition der Ekstase der Inspirierte kein Mensch mehr ist, oder wenn der Weise (ἀστεῖος) als „Grenzwesen" (μεθόριος) bezeichnet wird: „weder ein Gott noch ein Mensch, sondern an beide Extreme heranreichend ..." (Som II 230; vgl. Mut 45). Entsprechend ist der Hohepriester, wenn er ins Allerheiligste geht, kein Mensch mehr (231). Es ist deutlich, wie hier der Weise Prädikate des Logos (Grenzwesen zwischen Gott und Welt, Hoherpriester) erhält. Auch die Rede von der Selbstaufgabe des Nous (im Zuge der Ekstase-Tradition) fügt sich dem ein: Der Nous schwindet, und statt seiner geht der Logos auf, der nun zum Nous, zum Selbst des Propheten wird (Som I 118 f.). Der Logos löst den irdischen Nous ab. Der Mensch ist

---

[221] Zu Conf 41. 62. 146 vg. neben *T. H. Tobin*, 140 f., vor allem *A. J. M. Wedderburn*, Heavenly Man, 315 ff. Bei seinem Bemühen, die im Anschluß an R. Reitzenstein entwickelte These von einem gnostischen Urmenschen hinter Philos Aussagen zu widerlegen, geht Wedderburn im Fall von Conf 146 etwas zu weit, wenn er hier auf den Her 230 ff. vorliegenden doppelten Wortgebrauch von Logos rekurriert, wonach der Logos von Conf 146 der Logos = Nous *im* Menschen sei (322 f.). Gerade Her 230 ist der menschliche Nous (undualistisch) als Abbild des All-Nous verstanden. Entscheidend ist vielmehr, daß Logos als All-Nous, Himmelsmensch, „Israel" identifiziert werden können: Der Weise wird in der Vervollkommnung neben den Logos gestellt, steht also auf der gleichen Stufe der ontologischen Pyramide. Schon das kann im Philonischen Denken mit Hilfe der Identifizierung ausgedrückt werden. Hinzu kommt die soteriologische Funktion des Weisen: Er erhält die Führer- und Mittlerfunktion des Logos. Dies ist ebenfalls als Identifizierung ausgedrückt. – Im übrigen ist Wedderburns These, Philo sei nicht von der Gnosis her zu interpretieren, sondern es gelte umgekehrt, „that Gnosticism may have drawn on the exegesis of men like Philo" (325), nur zuzustimmen. – Ganz und gar nicht zuzustimmen ist Wedderburn aber, wenn er bestreitet, daß 1 Kor 15, 45 f. überhaupt etwas mit Philos Anthropos-Aussagen zu tun habe (301–306); vgl. ders., Body, 93 f. (dazu u. S. 177 A 238).

nun „himmlischer Mensch", weil sein Nous der Himmelsnous, der Logos selbst ist[222].

Es muß hier aber daran erinnert werden, daß Philo daneben zwischen Logos und Himmelsmenschen (Vollkommenen) differenziert (z.B. Som II 237: Gott – Logos – Weiser – Fortschreitender; QGn I 4: Gott – Logos – Idee-Mensch – irdischer Mensch). Dem entspricht ja auch die Differenzierung von εἰκών und ἄνθρωπος κατ' εἰκόνα (s.o. S. 164 f.). Verständlich wird die Identifizierung nur, wenn man das ontologische Denken Philos beachtet: Das Höhere ist jeweils das Allgemeine, die Idee. Der Weise ist in der Vervollkommnung von einem Einzelwesen zum reinen Gedanken geworden, zur Idee und Gattung. Im Bereich der Ideen lassen sich aber keine Individual-Identitäten mehr aufstellen. Darum sind in diesem Denken Identitäten nur noch auszudrücken gewissermaßen als Äquivalenzen oder Isotopien. Was auf gleicher Stufe der Seinshierarchie steht, ist folglich identisch. Wenn der Weise wie Mose emporgehoben wird und neben dem Logos zu stehen kommt (QEx II 39; vgl. Som I 65 f.; II 227 ff.) auf der Stufe der „Kräfte" Gottes (Som II 254), dann ist er wegen des gleichen Ranges mit dem Logos identisch. „Solange er [Abraham] nämlich nicht zur vollkommenen Reife gelangt ist, braucht er als Führer des Weges den göttlichen Logos … Sobald er aber zum Gipfel der Weisheit gelangt ist, kann er in angestrengtem Laufe Schritt mit dem früheren Wegführer halten; denn *beide* werden auf diese Weise Begleiter (ὀπαδοί – vgl. Phaidros 252 C) des allführenden Gottes" (Migr 174 f.). So gesehen ist der Logos „Ort", d.h. ein bestimmter Platz auf der Seinspyramide: der Platz unter Gott. Der vergeistigte Weise reiht sich ein in den Reigen der Kräfte Gottes[223].

Ähnlich sind überhaupt Philos Prädikationen jeweils metaphorisch und funktional, niemals aber als absolute Aussagen aufzufassen. Ein Beispiel mag das noch verdeutlichen: Wir sahen, daß Philo die Sophia als Mutter des Weisen und des Logos bezeichnen kann (s.o. S. 161). An anderer Stelle behauptet er, die Weisheit sei in Wahrheit männlich (Fug 50 ff.), ja der Nous sei „weiblich" (Abr 102). Der Grund ist einfach: Die Weisheit ist das aktiv Gebende, der Nous das passiv Empfan-

---

[222] Daß der Weise, der Pneumatiker, zu einem „Sohn Gottes" wird, diese hellen.-jüd. Vorstellung kennt auch JosAs (dazu *D. Sänger*, 199–204). Zu „Sohn Gottes" als ἄνθρωπος θεοῦ bei Philo s. *M. Hengel*, Sohn Gottes, 82–89.

[223] Damit sind wir noch einmal auf die für Philos Soteriologie grundlegende Bedeutung des Phaidros-Mythos gestoßen. Dieser ist jedoch schon neupythagoreisch interpretiert: Der Nous ist auf die Stufe der Monade unterhalb Gottes gelangt, schaut die Ideen (und sieht Gott in der Ferne) und wird dadurch selber göttlich. Vgl. dazu *H. Dörrie*, Eudoros, 305: „Hier wird … gerade das in den Phaidros hineingetragen, was Eudoros selbst als Lehre der Pythagoreer dargestellt hatte". Anders auch als bei Plato ist der Seelenflug gegenwärtige Realität des entweltlichten, vergeistigten Weisen.

gende. Das Aktive ist im pythagoreischen Denken aber männlich (der Geist), das Passive weiblich (die Materie). Das *System* Philos läßt sich also niemals an solchen Aussagen selbst aufweisen und festmachen. So gibt es bei ihm keine feste „Lehre" über den Logos. Man kann nicht unterscheiden zwischen dem ϑεῖος λόγος als „Wort" Gottes und dem Logos als Dynamis Gottes. Ja, selbst zwischen göttlichem Logos und ὀρϑός λόγος ist nicht zu trennen (vgl. Sacr 8). Auf der Ebene der Sätze ist Philos Denken voller Widersprüche. Doch sollte deutlich geworden sein, daß im Hintergrund dieser widersprüchlichen Aussagen eine gewisse Ordnung herrscht. Philos Allegorese ist nicht einfach chiffrenhaft-symbolisch, sondern metaphorischer Ausdruck[224] einer durch Sehnsucht nach der Transzendenz ausgezeichneten Frömmigkeit.

η) Zur Frage vorphilonischer Traditionen

An keiner Stelle entwickelt Philo ein „System" im Zusammenhang. Aber fast überall nimmt er direkt oder indirekt Bezug auf so etwas wie einen systematischen Gedankenkomplex, aus dem er jeweils Blöcke „zitiert". Die gelegentlichen Erwähnungen von Vorläufern seiner Allegorese oder von anderen Deutungen (z. B. All I 59; Cher 21–25; Plant 74; Her 280 ff.; Mut 141 ff.; Som I 118 f.; Mos II 98; Spec II 147; III 178–180; QGn I 8; III 11. 13; QEx II 71; vgl. auch Migr 89 f.)[225] legen die Vermutung nahe, daß er selber in einer theologischen Tradition steht, als deren ältere Zeugen man SapSal, aber auch die Fragmente Aristobuls annehmen darf. Einige der angegebenen Stellen belegen, daß gerade sehr wesentliche Gedanken schon vorphilonisch sind: Plant 74 ff. und vor allem Spec III 178–180 zeigen, daß die pythagoreische Zahlensymbolik mit ihren ontologischen Implikationen bereits vor Philo in die hellenistisch-jüdische Theologie übernommen wurde, eine Tatsache, die auch durch das 5. Aristobulfragment (s. o. S. 115 f.) belegt ist. Entscheidender ist das durch Som I 118 f. (s. o. S. 152 f.) belegte Faktum, daß die ganze Tradition der Ekstase des Nous, aber auch die Bestimmung des Logos als „Topos", Philo schon vorgegeben ist. Aus Mut 141 ff. geht hervor, daß man bereits vor Philo die Erkenntnis als χάρις, die Tugend als Gabe und Inspiration verstand (was sich uns ja schon wegen Sap 6–9 nahelegte). Und schließlich geht aus QGn I 8 hervor, daß die Gegenüberstellung von Ideemensch und irdischem Men-

---

[224] Vgl. dazu *I. Christiansen*, 16 ff. Zur Differenzierung von Symbol und Metapher: *G. Sellin*, Allegorie und „Gleichnis", 289 ff. 300 ff.

[225] Dazu *E. Stein*, 26–32 (dort aber einige falsche Stellenangaben); zum ganzen: *E. R. Goodenough*, 265 ff.; *W. Bousset*, Jüdisch-christlicher Schulbetrieb, 8 ff.; *T. H. Tobin*, bes. 1 ff. 162 ff. 172 ff.

schen vorgegeben ist: „Some, believing Paradise to be a garden, have
said that since the moulded man is senseperceptible, he therefore
rightly goes to a sense-perceptible place. But the man made in His
image is intelligible and invisible, and is in the class of incorporeal spe-
cies ..." (was Philo dann in All I 52 ff. ausbaut). Nach Her 280 ff wurden überdies die „Väter", zu denen Abraham weggehen wird, *in einer
vorphilonischen Auslegungsart* gedeutet als „die Urideen, jene gedachten
und unsichtbaren Vorbilder alles sinnlich Wahrnehmbaren und Sichtbaren, zu denen die denkende Seele des Weisen übersiedelt." Nach
QGn III 1 ist dies aber zugleich Philos eigene Deutung. QEx 45 und
Spec I 45 ff. wird δόξα im Gegensatz zum sonst durchgehenden platonischen Sprachgebrauch bei Philo (δόξα = Meinung) vom Vorhof der
Kräfte Gottes, von der „Aura" Gottes gebraucht (Ex 24,16 LXX). Das
heißt: die ganze Tradition vom Sinai-Mysterium wird Philo schon vorgegeben sein (vgl. zu τόπος und Ex 33,21 LXX noch o. S. 142).– Hinzuweisen ist schließlich noch einmal auf das 5. Aristobul-Fragment, wo
die pneumatische Erkenntnistheorie in der Licht-Metaphorik vorgegeben ist: Die Weisheit ist Quelle des Lichtes.

Aus diesen wenigen Belegen ergibt sich nun die unausweichliche Annahme, daß Philo die in seinen Schriften erkennbare Ontologie und Soteriologie (gerade in jenen Zügen, die wir dargestellt haben) keineswegs
selber entwickelt hat, sondern daß er hier in einer hellenistisch-jüdischen, genauer: alexandrinischen Tradition steht, in der längst vor ihm
neupythagoreische und mittelplatonische Gedanken die Auslegung des
Alten Testaments bestimmen. So ist Philos Werk als Zeugnis einer alexandrinisch-jüdischen Weiheitsschule anzusehen[226]. Wenn Philos

---

[226] Zum zentralen Thema der Menschenschöpfung (Gen 1,27; 2,7) hat jetzt *T. H. Tobin* die vorphilonischen Traditionen genauer untersucht mit dem Ergebnis: Philo setzt in
seinen Äußerungen zur Menschenschöpfung schon verschiedene Stadien philosophischer
Interpretationen der Menschenschöpfung voraus. Die alexandrinisch-jüdischen Exegeten
vollzogen jeweils die Entwicklung der Philosophie im Alexandrien des 1. Jahrhunderts v.
Chr. mit. Die Stadien der Interpretation von Gen 1,27 verlaufen innerhalb eines platonischen Modells (wobei die εἰκών aber bald mit dem stoischen Logos verbunden wird), die
Interpretation von Gen 2,7 ist ursprünglich stoisch (die eingehauchte Menschenseele als
Fragment der Weltseele). In einem späteren Stadium werden beide Modelle kombiniert
als zwei verschiedene Aspekte der Schöpfung des einen Menschen, wobei das platonische
Modell jedoch dominiert. Auf einer nächsten Stufe werden Gen 1,27 und 2,7 sodann auf
die Schöpfungen zweier Menschen bezogen, die sich wie Urbild (Himmelsmensch oder
Logos) und Abbild (Adam) entsprechen. QGn I 8 belegt, daß diese Interpretation noch
vorphilonisch ist. Philo selbst führt dann von sich aus die allegorische Interpretation der
Menschenschöpfung als „Allegorie der Seele" ein. Erst jetzt wird der Genesis-Text auf
zwei Ebenen gedeutet: wörtlich (kosmologisch bzw. anthropogonisch) und allegorisch,
d. h. soteriologisch als Aussage über das Verhältnis der Seele zur Weisheit. Philo erst sei
es, der Gen 1,27 und 2,7 auf zwei unterschiedliche Nous deutet (vgl. die Übersicht über
die gesamte Entwicklung bei *Tobin*, S. 31). – Wenn Tobins traditionsgeschichtliche Re-

Schriften also auch nicht einen philosophisch originalen Entwurf darstellen, so verraten sie dennoch ein imponierendes philosophisch-religiöses Gebäude, das in seiner Wirkung auf das spätere christliche Denken kaum überschätzt werden kann, das aber auch in sich selbst von – oft verkannter – gedanklicher Konsequenz und verführerischem Reiz ist.

d) Herleitung des Motivs aus der alexandrinisch-jüdischen Tradition Philos (Zusammenfassung)

Die ausführliche Darstellung der Grundgedanken Philos war erforderlich für den Nachweis, daß 1 Kor 15, 45 f. ein Reflex philonischer Gedankengänge ist. Nahezu alle Grundzüge des aus Philos Schriften erschlossenen Denkens spielen in 1 Kor eine Rolle, die meisten sogar in Kap 15 – und dort wiederum geballt in V. 45 f. Wir wenden uns zunächst den mehr allgemeinen Übereinstimmungen zu (a–e).

a) Philos (platonischer) *ontologischer* Dualismus von Himmel und Erde, Geist und Leib, unvergänglichem Sein und vergänglichem Werden bildet den Hintergrund für die korinthische Ablehnung der paulinischen Rede von Auferstehung der Toten.

b) *Anthropologisch* manifestiert sich dieser Dualismus in der Antithese von νοῦς und σῶμα. Die orphisch-pythagoreische Einschätzung des σῶμα als „Kerker der Seele" ist einer der Grundzüge in Philos Anthropologie. Die Ambivalenz des σῶμα-Begriffs in 1 Kor 15 (vgl. V. 35) erklärt sich aus dem Gegenüber von korinthischer und paulinischer Einschätzung des σῶμα.

konstruktion zutreffend sein sollte, hieße das, daß die in Korinth vertretene Urmenschlehre nicht von der vorphilonischen Tradition, sondern von Philo selbst (wenn auch indirekt) abhängig wäre. Doch lassen sich gegen Tobins Rekonstruktion der Traditionsgeschichte Bedenken anmelden: Die Haupttexte Op 134 f. und All I 31 f. lassen sich nur mit Mühe gemeinsam in diese Linie einordnen. All I 31 f. ist m. E. auch nicht richtig interpretiert (s. o. S. 104 A 89). Die „Allegorie der Seele" setzt nicht erst mit Gen 2, 8, sondern spätestens mit Gen 2, 7 ein. Eine Stelle wie Som I 118 f. (von Tobin übergangen) zeigt, daß die „Allegorie der Seele" ebenfalls vorphilonisch ist (vgl. die Einschränkung S. 156 f. A 51). Ja, der ganze für den Allegorischen Kommentar entscheidende Zweig der jüdischen Weisheit wird nicht genug berücksichtigt. Aristobul wird allein stoisch eingeordnet, doch lassen seine Fragmente schon pythagoreische und weisheitliche Elemente erkennen. Daß Philo schließlich die sich z. T. widersprechenden älteren kosmologischen Deutungen aus Gründen der Anerkennung der Inspiriertheit dieser älteren Ausleger stehen gelassen hätte (162 ff.), überzeugt kaum. So ist letztlich gegenüber dieser scharfsinnigen Arbeit die Frage zu stellen, ob die Methode der traditionsgeschichtlichen Begriffsanalyse dem sprachlich eigentümlichen Charakter des philonischen Werkes angemessen ist. Philos Terminologie ist zwar ganz den philosophischen Systemen entnommen, doch werden alle Philosophoumena von ihm letztlich metaphorisch gebraucht und so in den Dienst seiner jüdischen, ekstatischen Frömmigkeit gestellt. Nur so läßt sich m. E. das Problem der Widersprüche seines eklektizistischen „Systems" lösen.

c) Dennoch ist weder der Dualismus Philos noch der der Korinther im Anthropologischen konsequent durchgehalten. Vielmehr ist auch diese Anthropologie (ähnlich wie die paulinische) in gewisser Weise *ganzheitlich*. Seele oder Nous des Menschen sind nicht von Natur unsterblich, sondern nur in Verbindung mit Weisheit (Pneuma). Hier macht sich weisheitlicher Einfluß (Sap 6 ff.) bemerkbar. Die Konsequenz daraus ist, daß es (statt einer Teilung des einen Menschen in Leib und Seele) zwei Menschen geben muß: den unsterblichen und den sterblichen. Ebenfalls ist Philos Rede vom *irdisch-sterblichen Nous* Konsequenz dieses ganzheitlichen Ansatzes. In 1 Kor 15,45 f. finden wir diesen Ansatz wieder in der Bezeichnung Adams als ψυχή (dazu s. u. S. 181 ff.).

d) Daraus ergibt sich eine besondere Auffassung vom Tod: Der Tod des Körpers ist ein natürlicher Vorgang im soteriologisch irrelevanten Bereich. Leben und Tod werden ontologisch verstanden: Der Weise lebt kraft des Pneumas schon jetzt das wahre Leben. Sein leiblicher Tod ist nur der (erwünschte) Übergang als reiner Geist. Der Tugendlose ist schon in seinem (biologischen) Leben tot.

e) Eine ganze Reihe von besonderen Zügen, die Paulus bei den Korinthern kritisiert oder zumindest relativiert, lassen sich im philonischen Denken wiederfinden: Ekstatische Erfahrungen, pneumatische Begabungen, Ethik der Vollkommenen, Individualismus, Sakramentalismus, Differenzierung in Vollkommene und „Schwache" usw. Darauf braucht hier nicht eingegangen zu werden. – Die folgenden Punkte (1–9) beziehen sich speziell auf 1 Kor 15,45 f. und sollen beweisen, daß die Rede von den zwei Urmenschen (als Wurzel der sogenannten Adam-Christus-Typologie) völlig aus Philos alexandrinischem Judentum hergeleitet werden kann:

1. Philo und Paulus reden von zwei Urmenschen, zwei Menschenschöpfungen.

2. Auch Philo kommt auf die zwei Urmenschen erst dort zu sprechen, wo er Gen 2,7 behandelt.

3. Philo und Paulus charakterisieren die Urmenschen antithetisch als „himmlisch" und „irdisch".

4. Bei beiden sind die Urmenschen Typen zweier Menschenklassen bzw. zweier Seinsweisen des Menschen.

5. Bei Philo und Paulus gehen Dualismus und Urbild-Abbild-Kette als Denkkategorien zusammen (vgl. das εἰκών-Motiv in 1 Kor 15,49 und vor allem die Genitiv-Beziehungen von Menschen und Urmensch in V. 48).

6. Die Bedeutung, die das γίνεσθαι aus Gen 2,7 bei Philo hat (als Gegensatz zum πλάττεσθαι des Protoplasten), läßt sich in 1 Kor 15,45 wiedererkennen (wobei Paulus damit das Ereignis der Auferweckung Jesu hervorhebt).

Entscheidend für die Lösung des Problems von 1 Kor 15, 45 f. sind nun die folgenden Punkte:

7. Bei Philo und Paulus werden die Urmenschen πρῶτος und δεύτερος (ἄνθρωπος) genannt. Dabei gibt erst der eigentümliche Zusammenhang von Ontologie und Soteriologie bei Philo Aufschluß über den religionsgeschichtlichen Hintergrund von 1 Kor 15, 45 f.: Der „erste" Anthropos ist für Philo zugleich Idee des Menschen und Typ des vollkommenen Weisen. Dabei geht es nicht um eine zeitliche Reihenfolge (vgl. Philos Ausführungen über „jung" und „alt", „erster" und „zweiter" usw.: o. S. 117). Nur auf diesem Hintergrund erklärt sich nämlich V. 46, wo Paulus die Meinung in Korinth voraussetzt, daß „das Pneumatische" das πρῶτον sei. Das ist ontologisch gedacht. Nach diesem ontologischen Grundsatz ist der Pneumatiker „älter" als Adam, der Psychiker[227]. Der Pneumatiker im Sinne Philos ist aber identisch mit dem Vollkommenen, dem Weisen.

8. Jervells traditionsgeschichtliche Differenzierung von Philos Idee-Menschen und gnostischem Logos-Wesen hat sowohl das Verständnis für Philos Denkweise verbaut, als auch die Lösung des exegetischen Problems von 1 Kor 15, 45 f. verhindert[228]. Für Philo sind Idee und Dynamis gerade nicht zu trennen. Es fallen nicht nur Idee des Menschen und Pneumatiker zusammen (das eine ist nur die ontologische Seite, das andere die soteriologische), sondern auch Gottes-Mensch und Logos (s. o. S. 165 ff.). Der Mensch auf seiner höchsten Stufe wird nicht nur etwas zeitlos Seiendes (daher ontologische Begründung), sondern zugleich eine Heilsgestalt, durch die Gott sein Heilswirken vermittelt (wie die ganze Schöpfung durch den Logos ja wirkende Güte Gottes ist). Wie die Eins und die Sieben dem Sein nach identisch sind, so fallen Ontologie und Soteriologie zusammen. Nun aber wird überhaupt erst verständlich, wie der geistliche Anthropos zum πνεῦμα ζῳοποιοῦν, zu einer aktiven Heilsgestalt werden kann. Damit ist zugleich das Rätsel der korinthischen Christologie geklärt: Christus ist als der Weise schlecht-

---

[227] Wenn Paulus die Reihenfolge umgekehrt und dabei den pneumatischen Anthropos zum ἔσχατος erklärt (s. o. S. 93 A 50 und 95 A 60), dann hat er damit das ontologische Denken überhaupt aufgesprengt. Daß Paulus zeitlich argumentiert, Philo aber ontologisch, ist kein Argument gegen die Herleitung von 1 Kor 15, 45 f. von Philo (gegen *R. Scroggs*, Last Adam, 122; *A. J. M. Wedderburn*, Heavenly Man, 301–306). Im Gegenteil: Daß Paulus in Korinth an ein ontologisch ausgerichtetes Heilsverständnis gerät, ist ja gerade die Lösung für die Exegese von 1 Kor 15. Richtig *R. A. Horsley*, How Can Some of You Say …, 218.

[228] Allerdings haben auch die Vertreter der Gegenposition, die für Philo eine Identifizierung von Logos und κατ᾽ εἰκόνα ἄνθρωπος annahmen, wegen der gnostischen Implikationen ihrer These die Lösung nicht gefördert: z. B. *F.-W. Eltester*, 39 ff.; *E. Brandenburger*, Adam, 118.

hin zum Führer der Seinen, zu einem Logos geworden [229]. Als einer, der das Irdisch-Vergängliche überwand, ist er die Idee des Menschen, der wahre, seiende „Mensch" geworden – und damit zugleich Heilbringer für die übrigen Menschen. Kurz: die philonische Verbindung von pneumatischem Anthropos und Logos steht hier im Hintergrund [230].

9. Wenn auch die Terminologie von πνευματικός und ψυχικός in der spezifischen Bedeutung von 1 Kor 15, 45 f. bei Philo nicht zu belegen ist, ist sie doch zumindest bei ihm angelegt. Wenn Philo vom irdisch-vergänglichen νοῦς als Gegenüber des πνεῦμα redet, dann spiegelt das eine Sicht wider, nach der die natürliche Seele sterblich ist (dazu s. u. S. 181 ff.).

Damit dürfte bewiesen sein, daß die Adam-Christus-Typologie in 1 Kor 15, 45 letztlich auf hellenistisch-jüdische Spekulationen, wie sie uns aus Philos Schriften bekannt sind, zurückgeht [231]. Daß Paulus hier

---

[229] Eine ähnliche Vermutung zur Entstehung der (vor-)paulinischen Christologie hat jetzt *Chr. Burchard*, 1 Kor 15, 39–41, 257 f., angesichts der Rolle der Aseneth in JosAs geäußert.

[230] *F.-W. Eltester*, 55, hat immerhin ansatzweise die vielfältigen Aspekte der philonischen Gedanken, nicht aber ihren systematischen Zusammenhalt erkannt, wenn er schreibt: „der κατ᾽ εἰκόνα ἄνθρωπος kann platonisierend als ‚Idee-Mensch‘, stoisierend als ‚vollkommener Weiser‘ und in ‚gnostischer Terminologie‘ als ‚Pneumatiker‘ aufgefaßt werden. Der ‚ebenbildliche Mensch‘ bleibt also nicht ‚Idee-Mensch‘, sondern er stellt zugleich eine menschliche Möglichkeit dar, d. h. eine Stufe des Daseins, die der Mensch als vollkommener Weiser bzw. als Pneumatiker erreichen kann." Vgl. ähnlich *K.-G. Sandelin*, 167 A 192 (gegen *J. Jervell*, 65). Aber das ist nicht genug. Den Ansatz der Identifizierung von Anthropos und Logos darf man nicht in der Schöpfungslehre Philos suchen, sondern in der Soteriologie: Der vollkommene Weise wird als Prophet λόγος θεοῦ – zunächst wörtlich: aus ihm spricht Gott, dann aber auch ontologisch.

[231] Eine andere Herleitung der Adam-Christus-Typologie versucht *M. Black*, 171 f.: QGn II 56 stellt Philo (in Anlehnung an rabbinische Tradition?) Noah als Anfang einer zweiten Menschenschöpfung dem Himmelsmenschen gegenüber. – Dabei ist jedoch verkannt, daß Noah und der erste (himmlische) Urmensch gerade nicht in einem antithetischen, sondern in einem Entsprechungsverhältnis stehen. Zwar wird dabei auch der Protoplast Adam erwähnt, jedoch nicht in eine Beziehung zu Noah gesetzt. Auch an dieser Stelle stehen sich vielmehr – wie durchgehend bei Philo – Himmelsmensch und Protoplast gegenüber. Eine Besonderheit besteht nur darin, daß hier der Himmelsmensch am 6. Tag, der Protoplast am 7. Tag geschaffen wurde, was Philos ontologischen Spekulationen zur 7-Zahl total widerspricht (vgl. *R. Marcus*, Philo Suppl. I [Loeb], 141 Anm. i). Hier wird die Reihenfolge von Gen 1, 27 und 2, 7 rein zeitlich aufgefaßt – eine vorphilonische Tradition zur Erklärung der Doppelheit der Menschenschöpfung (*T. H. Tobin*, 123 ff., zu Op 129 f.; vgl. *L. Ginzberg*, V, S. 79 A 22). Weder mit Paulus noch mit den Korinthern hat diese Tradition etwas zu tun: Die Korinther denken ontologisch (wie Philo) – Paulus kehrt die Reihenfolge beider Menschen total um (setzt dabei freilich seinerseits eine temporale Reihenfolge voraus: V. 46). Sieht man von Philo ab, so könnte die paulinische Redeweise vom ἔσχατος Ἀδάμ möglicherweise indirekt von einer Bezeichnung Noahs als des „zweiten Adam" beeinflußt sein (vgl. *B. Schaller*, EWNT I, Sp. 66). Aber der einzige Beleg dafür ist im samaritanischen Memar Marquah (ca. 2.–4. Jahrh. nach Chr.) enthalten (IV 4). Hier wird in der Vorstellung von zwei Weltperioden gedacht, die durch zwei gegensätzliche „Menschen" /„Adam" eröffnet werden. Jedoch: „Von dem Einfluß einer

aber nicht selbständig aus Philo (oder einer ähnlichen Quelle) schöpft, sondern dieses Motiv als *Gedankengut seiner korinthischen Gesprächspartner* aufgreift, zeigt seine kritische Umakzentuierung:

α) Paulus vertauscht beide Anthropoi und hebt den (nun zweiten) pneumatischen als ἔσχατος hervor. Eine solche Gegenüberstellung von einem ersten und letzten Adam ist in früherer Zeit sonst nirgendwo belegt.

β) Das ἐγένετο bezieht sich bei Christus nun auf seine Auferweckkung, die ihn zum erweckenden Pneuma für die Christen macht. Immer liegt Paulus daran, Aussagen des Kerygmas und soteriologische Wirkung zusammenzubinden.

γ) Adam als Protoplast bestimmt nun die Menschheit vor und abgesehen von Christus. Damit wird der Mensch mit der Welt als Schöpfung ganzheitlich zusammengefaßt.

δ) Gen 2,7 dient auch Paulus als Beleg sowohl für die Schöpfung des psychischen wie des pneumatischen Menschen (im Anschluß an die weisheitliche Deutung, wonach das Pneuma den Pneumatiker erschafft). Nur entsteht der pneumatische Mensch = Christus nun erst am Ende der Zeit. ψυχὴ ζῶσα als Ergebnis der Schöpfung von Gen 2,7 wird auf Adam als irdisches Wesen bezogen und hat folglich (als Gegenüber zu πνεῦμα) negative Bedeutung. Vorgegeben ist auch das in Philos Rede vom „erdhaften Nous".

ε) Paulus hat das ontologische Denken gesprengt. Erlösung ist nun nicht Heimkehr aus der an die Vergänglichkeit verlorenen Welt in die Zeitlosigkeit des geistigen Seins, sondern neue Schöpfung. Christus als πνεῦμα ζῳοποιοῦν *wiederholt* Gottes Schöpfertat am Menschen in der Weise, wie Gott sie an ihm demonstrierte und durch ihn initiiert hat. Diese Schöpfertat aber erfaßt den ganzen Menschen als Leib-Seele-Einheit.

ζ) V. 46 bestätigt die Sicht, daß Paulus eine ontologische Reihenfolge der beiden Urmenschen umkehrt und damit das ontologische Denken der Korinther überhaupt aus den Angeln hebt. Der Auslegung dieses Verses müssen wir uns nun zuwenden.

3. Zur Funktion von V. 46

Eine Schlüsselstellung im Zusammenhang nimmt V. 46 ein. Allerdings ist die Funktion dieses Verses strittig; umstritten sind vor allem zwei Fragen, die zusammengehören:

Lehre vom himmlischen und irdischen Menschen ist an diesen Stellen nichts festzustellen, vielmehr kommt die Gegensätzlichkeit beider aus der heilsgeschichtlichen Periodenlehre." (*J. C. H. Lebram*, VT XV, 201). Ich halte es für unwahrscheinlich, daß Paulus von einer solchen Tradition abhängig ist.

1. Bezieht sich der Vers auf V.44 oder V.45 (unterbricht also V.45 oder V.46 parenthetisch den Zusammenhang)?

2. Was ist sinngemäß zu τὸ πνευματικόν und τὸ ψυχικόν zu ergänzen: σῶμα oder ἄνθρωπος?

a) Es liegt zunächst nahe, wegen des Neutrums σῶμα zu ergänzen. Dann bezöge sich V.46 auf V.44. In diesem Sinne deuten den Vers J. Jeremias und B. Spörlein. J. Jeremias geht davon aus, daß mit der Prädikation des zweiten Adam als πνεῦμα ζῳοποιοῦν der präexistente Christus gemeint sei (in Analogie zu Kol 1,15)[232]. V.46 wäre dann aber eine Gegeninstanz, wenn dort die Priorität des psychischen *Adam* behauptet wäre. Folglich bezieht Jeremias V.46 allein auf das Nacheinander der beiden Leiber des einzelnen Christen, „der zuerst den psychischen Leib trägt, ehe er bei der Parusie den himmlischen erhält"[233]. Danach wäre V.46 gar nicht polemisch zu verstehen.

b) Entsprechend betrachtet Spörlein V.44b als These (Behauptung der *Existenz* eines pneumatischen Leibes), V.45 als Schriftbeweis und V.46 als unpolemische Präzisierung von V.44b: „der Leib, den wir jetzt tragen, das ist noch nicht der pneumatische Leib"[234]. Der ganze Abschnitt V.35 ff. laufe ja darauf hinaus, eine postmortale Existenz überhaupt (= einen pneumatischen Leib) zu beweisen[235]. – Gegen diese Deutung sprechen nun aber so schwerwiegende Bedenken, daß sie aufzugeben ist: 1. Daß der jetzige *Leib* nicht pneumatisch ist, ist ja wohl auch für die Korinther selbstverständlich. V.46 wäre überflüssig oder banal. 2. Die Beobachtung, daß V.45 in V.47 fortgesetzt wird (s.u.S. 189), spricht dafür, V.46 parenthetisch zu verstehen. Dann aber kann V.46 sich *nicht bei Überspringen von V.45* auf V.44 zurückbeziehen. 3. V.45 hat nicht das Ziel, die Existenz des zweiten Adam (und damit womöglich eine pneumatische Existenz) zu „beweisen". Die wird vielmehr vorausgesetzt – und damit eine besondere Auslegungstradition von Gen 2,7. V.46 ist dann nur zu verstehen als *polemische* Erläuterung von V.45.

c) E. Schweizer bezieht V.46 auf V.44 und ergänzt entsprechend σῶμα. Im Unterschied zur Deutung von J. Jeremias, B. Spörlein, R. Scroggs, S. Heine u. a. versteht er jedoch V.46 *polemisch*: Die Korinther hätten eine Anthropologie vertreten, nach der im Menschen ein pneu-

---

[232] *J. Jeremias*, Artikel Ἀδάμ, 143; dagegen s. o. S.79.

[233] A.a.O. Z.19f.; ebenso *R. Scroggs*, Last Adam, 87f.

[234] *B. Spörlein*, 107; *C. Farina*, 167; *H.-H. Schade*, 82. Eine unpolemische Deutung von V.46 erwägen auch *H. Conzelmann*, 1 Kor, 341f., und *A. Vögtle*, Adam-Christus-Typologie, 320.

[235] Ähnlich versteht *S. Heine*, 191ff., den Abschnitt: Paulus schließe – unter der Voraussetzung des Glaubens – vom Natürlichen auf das Geistliche. – Aber ein solcher Transzendentalismus auf Seiten des Paulus sowie ein entsprechender Empirismus auf Seiten der Korinther wären ein eklatanter geistesgeschichtlicher Anachronismus.

matisches σῶμα vorhanden wäre, das „schon unter dem psychischen Leib verborgen ist und nach dem Tod einfach weiterlebt"[236]. Dagegen ist jedoch einzuwenden, daß der σῶμα-Begriff erst von Paulus in polemischer Abzweckung eingeführt wurde: Wenn in Korinth das Pneumatische als σῶμα aufgefaßt worden wäre, wäre die Frage V. 35 überflüssig[237]. Für die Korinther ist die postmortale Existenz offenbar gerade keine leibliche.

d) Im Interesse der These von einem eschatologischen Enthusiasmus der Korinther will auch H. Kaiser den Vers indirekt auf die Reihenfolge der beiden σώματα beziehen. Paulus wolle mit V. 46 sagen: *Noch* sind wir *nicht* dem pneumatischen Anthropos = Christus gleichgestaltet, noch tragen wir nicht seine εἰκών[238]. Dabei ist übersehen, daß Paulus ja schon in V. 45 eine andere Reihenfolge umgekehrt hat. Vor allem aber läßt sich das πρῶτον – ἔπειτα nicht im Sinne eines nur aufzählenden „zunächst – später" verstehen. Die paulinische Umkehrung kann ja unmöglich als Gegenthese eine Reihenfolge „zunächst pneumatische Existenz, später psychische Existenz" voraussetzen, was unsinnig wäre. πρῶτον – ἔπειτα setzt aber, wie ἀλλ' οὐ … ἀλλά zwingend fordert, eine umgekehrte *Reihenfolge* voraus (was Kaiser zu Unrecht bestreitet). Damit aber dürfte feststehen, daß V. 46 auf die in V. 45 genannte Reihenfolge zu beziehen ist. Indem Paulus die Reihenfolge umkehrt, versteht er zugleich implizit die ontologische Rangfolge von Pneuma und weltlicher Existenz rein chronologisch.

e) Die andere Möglichkeit ist die, V. 46 als Erläuterung zu V. 45 zu verstehen. Dann läge es nahe, sinngemäß Adam bzw. ἄνθρωπος zu ergänzen, wie E. Brandenburger annimmt[239]. Ihm geht es darum, bei den Korinthern einen gnostischen Anthropos-Erlöser-Mythos zu postulieren. Merkwürdig wäre es dann allerdings, daß Paulus V. 46 im Neutrum formulierte.

f) Ebenfalls als polemisch (und auf V. 45 bezogen) versteht W. Schmithals den Vers. Er ergänzt allerdings nur ein ἐστίν[240] und er-

---

[236] *E. Schweizer*, Artikel πνεῦμα, 418 Z. 13 f.

[237] *E. Brandenburger*, Adam, 75 A 1; *G. Brakemeier*, 106 mit A 457; *J. Jervell*, 260.

[238] *H. Kaiser*, 242 ff. Die in ihrem Philo-Teil vorzügliche Arbeit bleibt in ihrem III. Teil (Traditionsgeschichtliche Untersuchungen zum Anthroposmotivkreis bei Philo und Paulus: S. 220 ff.) leider sehr unbefriedigend. Der ontologische Hintergrund, auf Grund dessen Schöpfung und Erlösung, aber auch Anthropos und Logos zusammenfallen, wird nicht genügend berücksichtigt. Kaisers Deutung von V. 46 findet sich schon bei *A. J. M. Wedderburn*, Body, 94, und ähnlich jetzt bei *Chr. Burchard*, 1 Kor 15, 39–41, 245 f.

[239] *E. Brandenburger*, Adam, 74 f. – Daß bei einem Bezug von V. 46 auf V. 44 ein explizites σῶμα nicht hätte fehlen dürfen, darauf macht *W. Schmithals*, Gnosis, 159, zu Recht aufmerksam (anders aber *H.-H. Schade*, 82).

[240] Vielleicht ist es noch angemessener, in V. 46 mit *G. Brakemeier*, A 458, ἐγένετο (V. 45!) zu ergänzen (gegen *J. Weiß*, 375, der behauptet hatte, in Gen 2, 7 hätte „keine Auslegung ἐγένετο finden können").

klärt die neutrische Formulierung als konstitutiv für die Deutung: Danach sind das Psychische und das Pneumatische allgemeine anthropologische Kategorien[241]. Gegen E. Brandenburger behauptet er: „Nie begegnet in der Gnosis ein Erlöser-Mythos, bei dem der *Erlöser* als der erste Mensch dargestellt ist."[242] Schmithals' Deutung wird sowohl der Formulierung in V. 46 wie der Einbettung des Verses zwischen V. 45 und V. 47 ff. gerecht. Dennoch hat Brandenburger zunächst insofern Recht, als sachlich damit nichts anderes gemeint ist als der jeweilige Urmensch, der ja nichts anderes als das pneumatische bzw. psychisch-sarkische Prinzip des Menschen ist. So erklärt sich der Wechsel von V. 45 (mythische Personifizierung) zu V. 46 (neutrisch, das Prinzip).

g) Eine *unpolemische* Bezugnahme von V. 46 auf V. 45 vermutet K. G. Sandelin. V. 46 sei „gedankliche Weiterführung von V. 45"; weder sei σῶμα zu ergänzen, noch gehe es um den Gedanken von V. 44. Vielmehr knüpfe erst Paulus selber *positiv* an die weisheitliche Auslegung von Gen 2,7 an. Danach ist das Psychische im Menschen zuerst da: „Zunächst gibt es also etwas Vergängliches, welches dann durch das Wirken der Sophia [die erst das Pneuma vermittelt] unvergänglich wird."[243] Ohne an dieser Stelle noch einmal auf die Frage der religionsgeschichtlichen Herleitung einzugehen, läßt sich soviel sagen, daß dieses positive (unpolemische) Verständnis vom paulinischen Text her nicht nahegelegt wird. Man muß sich dann fragen, warum Paulus V. 46 *negativ* formulierte, wenn nicht Anlaß für eine gegenteilige Ansicht (erst das Pneumatische ...) vorlag. Wäre die Reihenfolge der beiden Adam in V. 45 (auch in der Tradition) selbstverständlich, wäre V. 46 überhaupt überflüssig. Sandelin hat zwar richtig erkannt, daß in der philonischen Gen 2,7-Auslegung das Pneuma zum irdischen νοῦς hinzukommt. Aber darauf kann Paulus im Zusammenhang unmöglich hinauswollen. Das πρῶτον von V. 46 entspricht ja dem πρῶτος ἄνθρωπος von V. 45. *Vor allem aber muß sich das ἔπειτα τὸ πνευματικόν auf den eschatologischen Adam, nämlich Christus, beziehen.* V. 45 meint im Sinne des Paulus mit dem *zweiten* Anthropos ja gar keine *anthropologische* Größe mehr (etwa den vom Pneuma inspirierten Menschen, den Weisen). Paulus hat also das Verhältnis beider Anthropoi *im ganzen* umge-

---

[241] *W. Schmithals*, Gnosis, 133. 159. Vgl. bereits *J. Weiß*, 375; *H. Conzelmann*, 1 Kor, 342; *K.-G. Sandelin*, 46.

[242] *W. Schmithals*, Gnosis, 133.

[243] *K.-G. Sandelin*, 46. Sandelin könnte sich dafür berufen auf die ganz in der weisheitlichen Tradition stehende Auslegung von 1 Kor 15,45 f. bei IrenHaer V 12,2 (lat.): V. 46 wird auf den Schöpfungsvorgang Gen 2,7 bezogen: Oportuerat enim primo plasmari hominem et plasmatum accipere animam, deinde sic communionem Spiritus recipere (folgt Zitat V. 45). Irenaeus kennt aber nicht mehr die ontologische Bedeutung von „primus" und „secundus".

kehrt. Dadurch wird der Logos-Urmensch der ersten Schöpfung zum Mittler der Schöpfung der Endzeit.

Konsequenzen aus a)–g): Berücksichtigt man die Schwierigkeiten der bisher aufgezählten Deutungsversuche von V. 46, liegen folgende Schlüsse nahe: 1. V. 46 bezieht sich nicht auf V. 44, sondern auf V. 45. 2. Zu ergänzen ist auf keinen Fall σῶμα. Sachlich könnte man eher ἄνθρωπος ergänzen, wenn man beachtet, daß der Urmensch nichts anderes als ein anthropologisches Prinzip darstellt, das als Begriff neutrisch formuliert werden kann. Aber V. 46 kehrt nicht nur anthropologische Prinzipien um, sondern *ontologische*. Wir sahen, daß für Philo das Geistige prinzipiell „älter" ist als das „Irdische", und daß die Urmenschen für ihn nur Typen zweier φύσεις sind (s. o. S. 111. 120). 3. Als Verb ist am besten ἐγένετο zu ergänzen (o. S. 177 A 240). 4. V. 46 muß als *polemische* Erläuterung zu V. 45 verstanden werden. – Das bedeutet: Aus V. 45 f. läßt sich eine den Korinthern zumindest geläufige Ansicht erschließen, die Paulus korrigiert. Die Funktion von V 46 besteht darin, eine Reihenfolge der beiden Urmenschen als ganze umzukehren. In Korinth ist danach die uns aus Philos Schriften bekannte Urmenschlehre vertreten worden: πρῶτος ἄνθρωπος ist der vollkommene, entweltlichte, weise Mensch, der ontologisch vor Adam ist. Adam ist als ~~„zweiter Mensch" nur Typ des weltverstrickten, natürlichen, unerlösten~~ Menschen. Das Pneumatische ist „älter" als das Vergängliche, Irdische, Kreatürliche, als die natürliche Schöpfungs-ψυχή, das Psychische. Offenbar ist diese Anschauung sowohl anthropologisch wie christologisch ausgedeutet worden. Der Vollkommene wird ja in der Anschauung Philos selber zu einem Führer, zur Heilsmittlergestalt für die übrigen, zum Logos. Versteht man den Begriff πνεῦμα ζῳοποιοῦν nicht allein schöpfungstheologisch, sondern soteriologisch (s. o. S. 82 ff.), dann bedeutet dies: Der Pneumatiker ist nicht nur (passiv) von pneumatischer Natur, unvergänglich (als einer, der die Welt schon überwunden hat und im Himmel lebt), sondern selber an der erlösenden Aktivität beteiligt. Das Prädikat πνεῦμα ζῳοποιοῦν, das einem Menschen verliehen wird, bedeutet von seiner soteriologischen Funktion her nichts anderes als der Logos-Titel[244]. Was die Korinther *ontologisch* vertraten, wandelt Paulus *eschatologisch* ab[245]. Schon in V. 45 hat er die Reihenfolge vertauscht

---

[244] Zu erinnern ist an die wichtige Philo-Stelle Conf 146 und deren Zusammenhang mit dem „Gebet Josephs" (o. S. 166 A 220): Israel ist der Erzengel und Logos; im „Gebet Josephs" wird er als solcher πνεῦμα ἀρχικόν genannt. Er ist πρωτόγονος πάντος ζῴου ζῳουμένου ὑπὸ θεοῦ. Vgl. auch die Katene zu Joh 1,4 bei Origenes: s. o. S. 85 A 23.

[245] Dabei ergibt sich ein Problem, auf das *Chr. Burchard*, 1 Kor 15,39–41, 254 f., aufmerksam macht: Innerhalb des apokalyptischen Modells gilt, daß nur Gott, nicht Christus, die Toten leiblich auferwecken kann. Der Begriff πνεῦμα ζῳοποιοῦν setzt aber die gegenwärtige bzw. zeitlos mögliche soteriologische „Erweckung" durch den Geist-Chri-

und den pneumatischen Urmenschen zum ἔσχατος Ἀδάμ gemacht.
V. 46 macht gegenüber den Korinthern nachdrücklich darauf aufmerksam.

Eine kleine Beobachtung zum Abschluß unserer Analyse von V. 45 kann die hier versuchte Deutung abrunden und bestätigen: Warum werden in V. 45 die Urmenschen noch zusätzlich beide als Ἀδάμ bezeichnet? Das geht ja über das Zitat Gen 2,7 hinaus. V. 22 zeigt, daß Paulus selbst eigentlich nur einen Urmenschen kennt: Adam – in dem die Kreatürlichkeit (und damit auch Tod und Sünde) mythisch angelegt ist. Das entspricht nun ganz der von Philo bezeugten Tradition, wonach der Name Ἀδάμ gerade etymologisch als „irdischer Nous" gedeutet wird (All I 90 ff.; Plant 46; Her 52 f.). Freilich völlig im Widerspruch zum philonischen Ansatz steht es dann, wenn Paulus nun auch den pneumatischen (nun „letzten") Anthropos Ἀδάμ nennt (woran sich offenbar schon p⁴⁶ störte). Das zeigt aber, daß Paulus *ontologische* Allegorese (zwei Urmenschen) von seinem Denken her in eschatologische *Typologie* (zwei Adam) zu überführen geneigt ist. Weil Christus Anfänger einer neuen Menschheit ist, hat er formal die gleiche Funktion wie Adam²⁴⁶. Die Bedeutung dieser Vertauschung und Verschiebung ist

---

stus als wirkendes Subjekt voraus. Durch seine eschatologische Umkehrung in V. 45 f. macht Paulus nun indirekt Christus zum Subjekt der leiblichen Totenauferweckung bei der Parusie. In der Tat scheint mir dieser Gedanke bei Paulus anzuklingen (was *Burchard* bestreitet): Der auferweckte Christus wird zur *Ursache* oder zum *Instrument* der leiblichen Auferweckung der Christen. Das ergibt sich durch den Leib-Christi-Gedanken (vgl. das δι'ἀνθρώπου ἀνάστασις νεκρῶν und ἐν τῷ Χριστῷ πάντες ζῳοποιηθήσονται in 1 Kor 15,21 f. – dann aber auch schon das διὰ τοῦ Ἰησοῦ in 1 Thess 4,14). Das Verhältnis von Gottes Aktivität und Christi Aktivität wird von Paulus dabei teils zeitlich getrennt aufeinander bezogen (Röm 8,9–11: Gott erweckt am Ende leiblich diejenigen, die zuvor bei Lebzeiten der Geist-Christus soteriologisch, d.h. geistlich „erweckt" hat), teils auch direkt verbunden, so in 1 Kor 15,23–28: Es ist Christus, der im Auftrage Gottes am Ende den *Tod* als widergöttliche Macht endgültig besiegt (15,26). Nun sagt *Burchard* dazu: „Wer den Drachen tötet, macht nicht die wieder lebendig, die er gefressen hat " (254 A 78). Aber wie vernichtet Christus denn anders den Tod als eben dadurch, daß er die Wirkung des Todes aufhebt, indem er die „Gefressenen" wieder lebendig macht? *Das* raubt dem Tod den Sieg (1 Kor 15,54–57) – wobei ich voraussetze, daß in 15,51–57 nicht ausschließlich von der Verwandlung der *Lebenden* die Rede ist.

²⁴⁶ Während Paulus seinen „ersten" Anthropos zur Präzisierung „Adam" nennen *muß*, um (im Gegensatz zur philonischen Konzeption vom „ersten" Anthropos) deutlich zu machen, daß er an erster Stelle vom Protoplasten spricht, bleibt die Bezeichnung des „letzten" Menschen als „Adam" auf den ersten Blick überraschend. Daß Paulus eine Konzeption von Christus als „letztem Adam" religionsgeschichtlich vorgegeben wäre, ist aber unwahrscheinlich, da es für eine Vorstellung von einem (vom „gefallenen" Protoplasten Adam *unterschiedenen*) Erlöser mit Namen Adam keinen von Paulus unabhängigen Beleg gibt (s. o. S. 90 f. A 46). Und ob Paulus die Bezeichnung Noahs als eines „zweiten Adam" kannte, muß zweifelhaft bleiben (s. o. S. 174 f. A 231). Ich vermute, daß Paulus bewußt ἔσχατος Ἀδάμ (statt ἄνθρωπος) schrieb, um den Pneuma-Anthropos nicht als geistiges Prinzip, das von verschiedenen Menschen dargestellt werden konnte (wie der Begriff πνεῦμα ζῳοποιοῦν

fundamental. Der Mensch kann sich nach Paulus nicht von seiner Adam-Existenz distanzieren. Erst als neues Geschöpf (nun in der pneumatischen Schöpfung) wird er der Vergänglichkeit nicht mehr verfallen sein. Das wird in V. 47–50 ausgeführt.

Nachdem wir somit die Funktion von V. 46 geklärt haben, können wir uns dem letzten der drei Motiv-Elemente zuwenden, der Antithese ψυχικός – πνευματικός.

4. ψυχικός – πνευματικός

Daß ψυχή bzw. ψυχικός als negativer Gegenbegriff zu πνεῦμα bzw. πνευματικός erscheint, ist insofern verwunderlich, als man vom hellenistischen Denken her „Leib“ oder „Fleisch“ erwartet. Es gibt dafür zwei Erklärungen:

1. Die erste geht auf R. Reitzenstein zurück und wurde dann (modifiziert) vor allem von H. Jonas, R. Bultmann und U. Wilckens übernommen [247]. Danach erklärt sich dieser Sprachgebrauch aus der Gnosis; ψυχικός sei geradezu gnostischer term. techn. Gerade die Tatsache, daß ψυχικός (und nicht σαρκικός o. ä.) als Gegenbegriff zu πνευματικός auftaucht, sei Beweis für den gnostischen Ursprung dieses bei Paulus 1 Kor 2 und 15 singulären Dualismus: „Ein solcher Gebrauch von ψυχή hat ausschließlich in gnostischer Literatur Parallelen.“ [248] Nun ist unbe-

---

nahelegt), sondern wie den ersten Adam als einmalige individuelle Person zu fassen. In Röm 5, 12 ff. und 1 Kor 15, 21 dient dazu der Christus-Name. – IrenHaer V 12, 2, zitiert 1 Kor 15, 45 „... primus Adam ... secundus Adam ...“, aus dem einfachen Grund, weil für Irenaeus „erster Anthropos“ und „zweiter Anthropos“ vollständig gnostisch okkupierte Begriffe sind (I 1, 1 f.; vor allem I 30, 1 ff., u. ö.). „Adam“ ist dagegen in allen von Irenaeus vorgestellten gnostischen Systemen nur der Protoplast. Es gibt folglich nach dem Referat des Irenaeus keine zwei „Adam“ bei den Gnostikern (gleiches gilt von HippolRef – bis auf die Ausnahme V 8, 9). Anders ist es in einigen Nag-Hammadi-Schriften, wo sowohl sarkischer wie psychischer wie pneumatischer Mensch „Adam“ genannt werden können – so „Vom Ursprung der Welt“ NHC II 5 (108, 21; 111, 7; 117, 28 ff. u. ö.) und ApokrJoh in BG 35, 5; 100, 14; 108, 10: „Licht-Adam“. In der Version des ApokrJoh aus NHC III wird der himmlische Anthropos dagegen „Adamas“ genannt. „Adam“ steht dort ausschließlich für den psychisch-sarkischen Protoplasten. Dies entspricht aber der älteren weisheitlichen dualistischen Fassung des Urmensch-Motivs. Dort hingegen, wo auch der himmlische Urmensch „Adam“ genannt wird, ist der dualistische Aspekt zugunsten des Gedankens der Konsubstantialität von Savator und Salvandus in den Hintergrund getreten. „Adamas“ (wie in NHC III 13, 4) wird der „homo perfectus et verus“ aber auch bei IrenHaer I 29, 3 (und HippolRef V 7, 6 ff) genannt. Irenaeus muß dafür einen Teil des ApokrJoh als Quelle benutzt haben (vgl. *Berliner Arbeitskreis*, 23 f.). „Adamas“ wird dabei etymologisch nicht mit dem Namen „Adam“ verbunden, sondern als „unbezwinglich“ gedeutet (griech.: ἀδάμας = Stahl, wörtlich: unzerbrechlich).

[247] *R. Reitzenstein*, Mysterienreligionen, 70 ff.; *H. Jonas*, I, 145 f. 179 f. 185 f.; *R. Bultmann*, Theologie, 177 f.; *ders.*, Gnosis, 14–16; *U. Wilckens*, Weisheit, 89 f.

[248] *L. Schottroff*, 141 A 4.

streitbar, daß dieser Sprachgebrauch in gnostischen Texten begegnet, obwohl er dort „durchaus nicht die Regel ist."[249] Unbestreitbar ist ebenfalls, daß er für Paulus (1 Kor 2, 14; 15, 44. 46) singulär ist, was zu der Annahme nötigt, daß er Paulus vorgegeben ist, und zwar durch die Korinther. Unlösbar ist er mit deren Anthropos-Lehre verbunden[250]. Die neueren Vertreter dieser gnostischen Ableitungstheorie machen sich aber nicht mehr die Mühe, die *Entstehung* dieser an sich rätselhaften Terminologie zu erklären. Man beruft sich dafür einfach auf die beiden einzigen Entstehungstheorien, die es innerhalb dieser Gnosis-These zu ψυχικός – πνευματικός gibt, die von R. Reitzenstein und die von H. Jonas.

a) Nach R. Reitzenstein ist ψυχή im Hellenismus das menschliche Selbst, dem der göttliche νοῦς gegenübersteht. Im Mysten lebt nicht mehr das menschliche Selbst, sondern der Gott. So schließen sich πνεῦμα (Gott) und ψυχή (Mensch) aus[251]. Reitzenstein hat hier wohl den Kern der Sache getroffen (s. u. S. 187) – nur hat er kaum Belege für seine These anführen können[252]. Vor allem aber ist in der Folgezeit das „Gnostische" ganz anders definiert worden, so daß Reitzensteins Erklärung da, wo man sich im Eifer der Gnosis-Forschung auf ihn berief, leicht verändert wurde. Was Reitzenstein nämlich nicht belegt hat, ist eine Konsubstantialität von göttlichem Pneuma und ursprünglichem Pneuma-Funken im Menschen. Das Pneuma bleibt nach Reitzensteins Erklärung transzendent. Das ist zwar Mystik, aber gerade nicht gnostisch (dazu s. u. S. 195 ff.).

b) Von einer Definition des Gnostischen geht in der Folgezeit die Erklärung von H. Jonas aus. Gnosis bedeutet Entfremdung zwischen „Selbst" und „Welt". „Die Seele selbst ist Funktion des gehaßten, feindseligen Kosmos; im Gnostizismus wird ‚Psyche' zum Terminus für das

---

[249] *L. Schottroff* (Fortsetzung des bei voriger A. gegebenen Zitates); Belege bei *E. Schweizer*, Artikel πνεῦμα, 393 mit A 392 u. 393.

[250] *M. Winter*, 230 f., wertet das schon als Beweis für die gnostische Herkunft dieses Dualismus. Das hängt aber allein daran, daß Winter von der *Voraussetzung* ausgeht, die Anthropos-Lehre sei gnostisch. Dazu genügt ihm aber schon die (richtige) Behauptung, diese Lehre sei vor- bzw. außerchristlich. Winter hat im Grunde nur bewiesen, daß der spätere gnostische Dualismus nicht allein von Paulus abhängig ist (wie *R. Bultmann*, Gnosis, 14 ff., gegen J. Dupont).

[251] *R. Reitzenstein*, Mysterienreligionen, 74.

[252] Der einzige „Beleg" ist die Tatsache, daß im hermetischen Wiedergeburtsmysterium das Wort ψυχή gemieden wird (72). Alles andere ist Konstruktion. Das gilt auch für *U. Wilckens*, Weisheit, der durch Parallelstellung Valentinianischer Aussagen den fragwürdigen Schein erweckte, als ginge es im CH um die ψυχή (89 mit A 2), was nicht zutrifft. Vgl. dazu *B. A. Pearson*, Pneumatikos, 7–9; selbst *M. Winter*, 157, muß das für CH zugeben und weist auf Reitzensteins mehr als dürftige Belegung hin. *R. Bultmann*, Gnosis, 15, vermutete, daß in CH νοῦς (als Gegensatz zu ψυχή) ein ursprüngliches πνεῦμα verdrängt hätte (dagegen aber *E. Schweizer*, Artikel ψυχικός, 662 A 3).

natürliche, weltverstrickte Dasein, das es in der *Erlösung* hinter sich zu lassen gilt." Demgegenüber tritt das alles Welthafte überbietende Pneuma, die jenseitige Macht der Entweltlichung[253]. Aber zugleich „erhebt sich" in der Welt- und Selbstangst „ein letzter Kern als fremd gegenüber der Welt, dem wenigstens hiermit doch positiv eine höhere, göttliche Herkunft und Heimat verbürgt ist"[254]. Auch dies ist keine zureichende *Erklärung*, sondern *Deutung*. Als Erklärung ist es deshalb unzureichend, weil aus diesem Existenzverständnis der negative Sprachgebrauch von ψυχή nicht notwendig hervorgeht, was allein schon daran deutlich wird, daß es ja mindestens genau so viele gnostische Werke gibt, die einen positiven ψυχή-Begriff haben[255]. Das gnostische Existenz- und Weltverständnis – das überdies ein derart globales Kriterium darstellt, daß der Gnosis-Begriff für religionsgeschichtliche Ableitungen unbrauchbar wird und Differenzierungen erforderlich macht – reicht für die Erklärung dieses Sprachgebrauchs also nicht aus.

c) In der Nachfolge von Reitzenstein und Jonas sind eigentlich keine neuen Gesichtspunkte hinzugekommen – abgesehen von einigen berechtigten Argumenten gegen die Verfechter der Theorie, der hier zur Debatte stehende Sprachgebrauch sei genuin paulinisch. So betont R. Jewett im Anschluß an U. Wilckens (Weisheit) und E. Brandenburger (Adam) die Diskrepanz zwischen dem sonstigen paulinischen Gebrauch von ψυχή (positiv, ganzheitlich, jüdisch) und dem negativen Begriff ψυχικός[256]. Das zeigt in der Tat, daß Paulus hier die Terminologie der Gesprächspartner aufgreift[257]. Das zeigt aber noch nicht, daß dieser Sprachgebrauch gnostisch ist. Der hier vorliegende negative ψυχή-Be-

---

[253] *H. Jonas*, I, 145.

[254] Ebd. So z. B. auch *M. Winter*, 231: Die Antithese „ist ursprünglich in der Gnosis zu Hause, wo sie sich aus dem Daseinsverständnis dieser synkretistischen Glaubensrichtung entwickelt hat."

[255] S. o. S. 182 mit A 249. Negativer ψυχή-Begriff in folgenden gnostischen Schriften: Naassenerpredigt (HippolRef V 7, 7 f.; 8, 31–34); Gnostiker Justin; ApokrJoh; „Wesen der Archonten", Titellose Schrift „Vom Ursprung der Welt" (aufgeführt bei *E. Brandenburger*, Adam, 84 f. 88 f. 95 f.). In allen Fällen spielt dabei Gen 2, 7 eine explizite Rolle. Das gilt selbst für die Naassenerpredigt, deren Anthropologie freilich schon trichotomisch ist: Dem himmlischen „Menschen" wird „von oben" die „Seele" gegeben, damit er „leide". Sie ist demnach das Dritte zwischen Logos und σάρξ (bzw. χοῦς). Das „Geben der Seele" läßt dabei Gen 2, 7 anklingen (*B. A. Pearson*, Pneumatikos, 65). Entsprechend den zwei Menschenschöpfungen gibt es die Menschenklassen der λογικοί (V 8, 31) und der ψυχικοί (V 8, 34). Zu „Wesen der Archonten" und Titellose Schrift „Vom Ursprung der Welt" s. u. S. 248 f. Weitere Belege zum negativen ψυχή-Begriff: *A. Dihle*, ThWNT IX, 657 ff.; *K.-W. Tröger*, ebd., 659–661 (neben Rheginos-Brief NHC I 46, 1 und „Der Gedanke unserer großen Kraft" NHC VI 39, 16 f.; 40, 25 ist vor allem „Paraphrase des Sēem" NHC VII 24, 20 zu nennen).

[256] *R. Jewett*, 340–346. 352–354.

[257] *U. Wilckens*, Weisheit, 89 ff.; *E. Brandenburger*, Adam, 157; vgl. *M. Winter*, 230 f.

griff ist vor allem nicht substanzhaft, sondern ganzheitlich. Offenbar stimmt Jewett's Alternative jüdisch – gnostisch nicht.

2. Die zweite Möglichkeit besteht darin, die ψυχικός-πνευματικός-Antithese aus der Verwendung von Gen 2,7 herzuleiten.

a) So hat J. Dupont behauptet, Paulus selbst habe diese Terminologie aus Gen 2,7 erst entwickelt[258]. Paulus polemisiere gegen eine mit Philos Auffassung zumindest verwandte hellenistisch-jüdische Auslegung von Gen 2,7. Dagegen hat R. Bultmann eingewendet, daß der Dualismus nicht aus Gen 2,7 selber entstanden sein könne. Paulus muß in 1 Kor 15,45 die entscheidenden Gedanken in Gen 2,7 erst eintragen[259]. Man muß jedoch damit rechnen, daß es eine dualistische Auslegungstradition von Gen 2,7 im hellenistischen Judentum gegeben hat, wie indirekt Philo beweist. Daß diese vom *gnostischen* Urmensch-Mythos abhängig ist, wie Bultmann behauptete[260], ist aber nicht zu belegen. Außerdem wird fast durchgehend übersehen, daß Gen 2,7 selber die Ausdrücke πνοὴ ζωῆς und ψυχή enthält, die sich für eine Deutung im Sinne des Dualismus anbieten. Gerade 1 Kor 15,45 scheint mir nun zu belegen, daß der negativ gefaßte ψυχικός-Begriff durch das Vorkommen von ψυχή in Gen 2,7 entstanden ist. Das hängt natürlich mit der Lehre von den zwei Urmenschen zusammen.

b) Zu diesem Ergebnis ist auch – offenbar ohne Kenntnis des Buches von Dupont – B. A. Pearson gekommen, wobei dieser deutlicher macht, daß nicht Paulus selbst, sondern die Korinther es sind, die diese Terminologie verwenden, und daß sie dabei von einer hellenistisch-jüdischen Tradition abhängig sind[261]. Pearson erklärt jedoch nicht, wie es zum

---

[258] *J. Dupont*, 172–180. So neuerdings auch *U. Wilckens*, 1 Kor 2, 6–16, 528 ff. Er verkennt in dieser neueren Arbeit den dualistisch-esoterischen Charakter sowohl der korinthischen Weisheit (die mit den ekstatischen Phänomenen von 1 Kor 12–14 nichts zu tun hätte), wie der hellenistisch-jüdischen Tradition Philos, deren inspiratorisch-esoterischer und damit dualistischer Zug unterschlagen wird.

[259] *R. Bultmann*, Gnosis, 16; ebenso *L. Schottroff*, 167 (vgl. *E. Brandenburger*, Adam, 73 f.; *R. Jewett*, 344; *M. Winter*, 227 A 54). *L. Schottroff* räumt aber immerhin ein, daß bei fast allen Vorkommen „von ψυχικός im negativen Sinn christlicher Einfluß nicht auszuschalten ist. Es besteht die Möglichkeit, daß die Bezeichnung des pereundus als ψυχικός in gnostischen Texten paulinische Terminologie direkt oder indirekt aufnimmt." Sie möchte daher den Dualismus abgesehen von der Terminologie auf gnostischen Einfluß zurückzuführen. Ist aber der Dualismus als solcher schon ein Indiz für Gnosis? Hier geht es wieder um eine brauchbare Gnosis-Definition (s. u. S. 195 ff.). – Abhängigkeit von Paulus (1 Kor) könnte man für die beiden einzigen Stellen erwägen, an denen ψυχικός im NT noch vorkommt: Jud 19 und Jak 3,15 (vgl. *Pearson*, Pneumatikos, 13 f.; zu Jud: o. S. 61 f. A 90; zu Jak 3,15: u. S. 187 f. A 272). Möglich ist aber auch eine direkte Verbindung zur hellenistisch-jüdischen Tradition, die sich hinter 1 Kor 15,45 verbirgt. Man muß damit rechnen, daß man hier die Gnosis in statu nascendi vor sich hat, die dann ihren Ausgangspunkt in der hellenistisch-jüdischen Weisheit und ihrer Anthropologie hätte (s. u. S. 206 ff.).   [260] *R. Bultmann*, Gnosis, 16.

[261] *B. A. Pearson*, Pneumatikos, 15 ff.; vgl. *J. Gillmann*, 328 A 62.

negativen Sinn von ψυχικός gekommen ist. Er geht über die Tatsache hinweg, daß es auch im hellenistischen Judentum vor Paulus keinen eindeutigen Beleg für diesen Sprachgebrauch gibt (das gilt freilich genau so für rein hellenistische Texte[262]). Pearson deutet allenfalls vage die Vermutung an, daß hier die platonische Dreiteilung der Seele eine Rolle gespielt haben könne: Für den νοῦς (als wertvollsten Seelenteil) trete das πνεῦμα ein und damit den niederen Seelenteilen gegenüber[263]. Das klingt zwar formal auch bei Philo an, erklärt aber den Dualismus noch nicht. Wir sahen ja, wie von Philo selbst der νοῦς in All I als ursprünglich erdhaft und sterblich angesehen wird. Die Beschränkung des negativen ψυχή-Begriffs auf die niederen Seelenteile liegt also gerade nicht vor[264].

c) Nach allem bisher Ausgeführten muß man Paulus (1 Kor 2; 15) als ältesten Beleg für die ψυχικός-πνευματικός-Terminologie betrachten. Die Vertreter der Gnosis-Hypothese erkannten dabei richtig, daß Paulus aber nicht ihr Erfinder sein kann. Folglich postulierten sie eine Tradition des Gnostizismus, die in die Zeit vor Paulus zurückführen sollte. Dafür gab es nicht einen einzigen Beleg, was jedoch insofern nicht so schwer zu wiegen schien, als auch die Gegenposition keine Belege für jüdischen oder sonstigen nicht-gnostischen Ursprung der Terminologie aufbieten konnte[265]. Auch Philo kennt diese Terminologie nicht[266]. Was aber durchweg übersehen wurde, war die Tatsache, daß Philo sozusagen einen doppelten ψυχή-Begriff hat. Im Vordergrund steht bei ihm eine positive Auffassung von ψυχή, die gewöhnlich als das Un-

---

[262] E. Schweizer, Artikel πνεῦμα, 393. Wenn Schweizer, ebd., behauptet, „Hingegen ist im Judt die Vorstellung von dem Leib u[nd] Seele des Menschen gegenüberstehenden Gottesgeist ein zentraler Gedanke, der auch auf das im Menschen wohnende πνεῦμα übertragen wurde", so konnte er dafür zunächst als Beleg einzig und allein aeth Hen 16, 1 (ebd., A 396) aufbieten. In seinem ψυχικός-Artikel beruft er sich dafür nun auch auf Philo (ThWNT IX, 662). Die Formulierung vom „im Menschen wohnende(n) Pneuma" ist freilich mißverständlich, insofern dies Pneuma nach weisheitlichem Verständnis nicht von Natur bzw. schöpfungsursprünglich im Menschen wohnt. Wir sahen bereits, wie Gen 2,7 in dieser Tradition nur als Modell der Inspiration dient (vgl. E. Schweizer, Artikel χοϊκός, ThWNT IX, 462, Z. 30–463, Z. 10).

[263] B. A. Pearson, Pneumatikos, 9–11.

[264] Hier führen die Arbeiten von R. A. Horsley weiter: Pneumatikos, 276 ff.; ders., How Can Some of You Say …, 216 ff. Horsley geht jedoch nicht auf die Frage der vorphilonischen Weisheitstradition ein, sieht man von Pneumatikos, 278 A 25 (zu Sap 4,1–15) einmal ab.

[265] Das zeigt noch E. Schweizer in seinem πνεῦμα-Artikel (o. A 262); vgl. auch nächste Anm.

[266] K.-G. Sandelin, 202 A 724, verweist (in einer Selbstkorrektur: vgl. ders., Spiritus vivificans, 75) auf das Vorkommen von ψυχικός in 4 Makk 1,32 und bei Philo (Leisegang, Index, s. v.). Dabei ist nun völlig übersehen, daß das Wort bei Philo immer positive oder neutrale Bedeutung hat. Auch 4 Makk 1,32 steht es nicht antithetisch zu πνεῦμα. Negatives ψυχικός ist vor Paulus nirgends belegt.

sterbliche im Menschen angesehen wird. Aber gerade in All I wird
deutlich, daß sie dies erst durch Einhauchung des Pneuma geworden ist
(und wird). Sachlich läuft das auf die Anschauung von Justin Dial 6,2
(s. o. S. 84 f.) hinaus. Wir sahen bereits, wie in All I 32 selbst der νοῦς
nur irdisch ist, bevor er vom πνεῦμα angehaucht wird. Nach All III 247
ist Symbol der ψυχή die verfluchte Erde [267]. E. Brandenburger hat die
Hintergründe dieses Dualismus in seiner zweiten Arbeit näher untersucht [268]. Er führt ihn auf eine weisheitliche Tradition zurück, die er
„dualistische Weisheit" nennt. Der Mensch wird in dieser Tradition
ganzheitlich betrachtet: als irdisches Wesen bleibt er ohne die Inspiration der Weisheit (bzw. des Pneumas) als ganzer vergänglich. Hauptbeleg für eine solche Tradition ist SapSal [269]. Aus dieser Tradition erklärt
sich der negative Gebrauch von ψυχή (schon bei Philo) und ψυχικός,
den Paulus in 1 Kor 2,14 und 15,45 f. voraussetzt. Durchaus im alttestamentlichen Sinne ist ψυχή hier ein ganzheitlicher Begriff (Lebendigkeit,
Kreatürlichkeit); auch Paulus gebraucht ihn so und geht darin konform
mit den Korinthern. Jedoch liest Paulus aus Gen 2,7 nicht die πνεῦμα-
Inspiration heraus. Für ihn ist Gen 2,7 also nicht Modell der zweiten,
pneumatischen Geburt, der Inspiration des Pneumatikers. ψυχὴ ζῶσα
ist das sterbliche Geschöpf, nicht – wie bei Philo anklingend – die
„wahrhaft lebendige Seele". Es ist klar, daß in der Tradition dieser Ge-
nesisauslegung ψυχή aus Gen 2,7 ambivalent bleiben muß, insofern der
Begriff einmal auf die natürliche Seele (Philos „irdischen νοῦς"), zum
anderen schon auf die vom Pneuma inspirierte *„wahrhaft* lebendige
Seele" bezogen werden kann. Diese „Seele" ist dann aber schon mehr
als nur Seele. Wer demgemäß lebt, ist Pneumatiker; die anderen sind
Psychiker, weil sie nichts weiter als kreatürlich (ψυχή) sind [270]. – Es
bleibt zwar dabei: ψυχικός in diesem Sinne ist vor Paulus nicht be-

---

[267] *E. Schweizer*, Artikel ψυχικός (ThWNT IX), 662, Z. 22 ff.; vgl. *ders.*, Artikel χοϊκός
(ebd.), 462, Z. 28 ff.

[268] *E. Brandenburger*, Fleisch, 14 f. 128 ff. 135 f. 140 ff. 193 ff., unter Hinweis auf Her
57. 265; Som I 118 f. (dort explizit negativer ψυχή-Begriff); All I 32 (dazu 150 f.); ferner:
All III 247. Daß Philo damit Belege (und zwar die ältesten) für negativen Psyche-Begriff
bietet, muß nun auch *M. Winter*, 156, zugeben. Trotzdem hält Winter am gnostischen Ursprung der Antithese fest. Vgl. vor allem *R. A. Horsley*, Pneumatikos, 276 ff.; *ders.*, How
Can Some of You Say …, 216 ff., der die Thesen von B. A. Pearson und E. Brandenburger
weiterführt.

[269] *E. Brandenburger*, Fleisch, 106 ff. Für Sap 6–9 setzt er die Anthropologie der Skepsis (Koh) voraus. Für die dualistische Weisheitstradition als Ursprung der philonischen
Urmenschlehre (bzw. als Ursprung einer von Philo tradierten Lehre) tritt jetzt auch *E.
Schweizer*, Artikel χοϊκός (ThWNT IX), 465, Z. 16 ff., ein; vgl. *ders.*, Artikel ψυχικός (a.
a. O.), 662 Z. 12 ff. mit A 3 (s. u. S. 187 A 271); ferner *R. Hoppe*, 65 A 2.

[270] Philo hat hier bezeichnenderweise einen doppelten Seelenbegriff: Sitz des niederen Teiles der Seele ist das Blut, des höheren der νοῦς, in dem der Logos sich abbilden
kann. Hier kommen Philo platonische Theorien über die Teile der Seele entgegen.

legt[271]. Dafür ist aber ψυχή im negativen Sinne im hellenistischen Judentum vor bzw. neben Paulus nachgewiesen (Philo).

d) Auf einen Gesichtspunkt bleibt hinzuweisen, den Reitzenstein gesehen hat. Er hatte das Gegenüber von πνεῦμα und ψυχή als Gegenüber von göttlichem und menschlichem Selbst erklärt, dafür jedoch kaum Belege anführen können. Hier ist auf die schon erwähnte *Tradition der Ekstase* bei Philo hinzuweisen (s. o. S. 151 ff.). Der als Prophet beschriebene ἄνθρωπος θεοῦ wird in einer Ekstase zum λόγος θεοῦ. Sein eigener νοῦς (als beherrschender Teil der ψυχή das Selbst des Menschen) geht unter und wird vom πνεῦμα abgelöst. Er ist kein Mensch mehr, sondern etwas Übermenschliches. Sein Selbst ist ein göttliches geworden. Nur so erklärt sich der Zusammenhang von πνευματικός (Vollkommener, Weiser, Prophet o. ä.) und πνευματικά (ekstatische „Geistesgaben": 1 Kor 12 ff.). Ebenfalls erklärt sich von daher die „pneumatische Erkenntnistheorie" von 1 Kor 2, 10–16: Nur das Pneuma kann sich selbst erkennen. Wird das Ich des Menschen vom Pneuma gebildet, kann dieser Mensch, nun sozusagen in den Zirkel der Selbstreflexion des Pneuma hineingenommen, Gottes μυστήρια erkennen[272].

---

[271] *E. Schweizer*, Artikel ψυχικός, 662, Z. 12 ff., verweist im Zusammenhang von Jak 3, 15 auf die jüdische Weisheit und vermutet näherhin eine jüdische Spekulation, „die Gn 1, 27 auf den pneumatischen, 2, 7 auf den nur psychischen, den sarkischen Menschen bezog" (so *E. Schweizer* bereits in seinem Artikel χοϊκός, 465 Z. 15 ff.). Er schließt sich nun völlig der Interpretation im Sinne Dupont's an (jüdische Spekulationen über Gen 2, 7): 662 A 3. In seinem Artikel πνεῦμα (ThWNT VI, dort bes. 417 ff.) trat er noch für eine Kombination alttestamentlicher mit gnostischen Gedanken ein (dazu *L. Schottroff*, 168 f.).

[272] Die ψυχικός-πνευματικός-Antithetik begegnet noch einmal in 1 Kor 2, 1–3, 4, bezeichnenderweise im Zusammenhang mit der Auseinandersetzung des Paulus mit einer doch wohl in Korinth praktizierten und dort mit der Person des Apollos verbundenen „Weisheitstheologie". Daß in Korinth die Weisheitsverkündigung des Apollos gegen das paulinische Evangelium ausgespielt wurde, ist mir wahrscheinlich. Dann aber liegt es nahe, daß in Korinth der (uns aus Philo bekannte) weisheitstheologische Anspruch, σοφός, τέλειος, (πνευματικός) und mehr als ein ἄνθρωπος zu sein, tatsächlich erhoben wurde. 1 Kor 2, 1–3, 4 ist dann paulinische Apologetik der „Kreuzesverkündigung" gegenüber einer Weisheitsverkündigung. Der „Streit", den Paulus als Beweis für die nur sarkische (σάρκινος, ψυχικός) Existenz der Korinther anführt (3, 1–4; vgl. 2, 14), ist dann eine Folge des weisheitlichen Anspruchs. Aus Philo wissen wir, daß der Anspruch, σοφός zu sein und σοφία zu treiben (und das ist nun unbestreitbar in Korinth der Fall), mit dem Bewußtsein, τέλειος, Pneumatiker, Ekstatiker zu sein, zusammengehört. Ich halte es für unwahrscheinlich, daß erst Paulus diese Dimension einträgt. (Zu 1 Kor 1–4 im ganzen: *G. Sellin*, „Geheimnis"). – Im Neuen Testament begegnet ψυχικός sonst nur noch Jak 3, 15 und Jud 19. An beiden Stellen liegt noch kein spezifisch gnostisches, sondern ein auf hellenistisch-jüdische weisheitliche Wurzeln zurückgehendes Denken vor (genau wie in Korinth). Jud 19 (möglicherweise sogar von 1 Kor 2, 14 direkt abhängig: *B. A. Pearson*, Pneumatikos, 13 f.; *R. Hoppe*, 61) hat zwar eine Parallele in NHC II, 5: 115, 3–5 (s. u. S. 249), doch ist der gnostische Gebrauch der ψυχικός-πνευματικός- Terminologie (zumeist schon trichotomisch erweitert) als solcher völlig vom weisheitlichen abhängig, und das spezifisch Gnostische ist jeweils nur in der Kontextfunktion zu erkennen. Die in Jud be-

5. Zusammenfassung

Der Ausdruck πνεῦμα ζῳοποιοῦν, das Motiv von zwei Urmenschen und die ψυχικός-πνευματικός-Antithetik sind Elemente ein und desselben Motivkomplexes: einer alexandrinisch-jüdischen Weisheitstheologie, in der Gen 2,7 eine dominierende Rolle spielte. Zugrunde liegt ein Dualismus von πνεῦμα und „Erde". Gen 2,7 wird durch Allegorese im doppelten Sinne ausgelegt: Adam ist nur der erdhafte vergängliche Mensch, sofern er nicht durch das Pneuma die ζῳοποίησις, die Erweckung zum ewigen Leben erfährt. Wirkliches Leben gibt es erst durch das überirdische Pneuma, das identisch ist mit der erlösenden Weisheit. ψυχικός und πνευματικός spiegeln den so aus Gen 2,7 herausgelesenen Gegensatz von ψυχή und πνεῦμα noch wider. Den zwei Auslegungsebenen von Gen 2,7 entsprechen zwei Menschen: Als Schöpfungsaussage bezieht sich Gen 2,7 auf Adam, den vergänglichen Menschen, als soteriologische Aussage auf den Pneumatiker, der nun zur *„wahrhaft* lebendigen Seele" (so Philo in All I 32) wird. Gemeint ist damit freilich, wie Philos doppelter νοῦς-Begriff noch zeigt, eine pneumatische Seele, ein Pneuma-Wesen. Das Pneumatische ist aber das wahrhaft Seiende (eine ontologische Kategorie), das gegenüber dem Irdisch-Vergänglichen das πρῶτον ist. Allegorisch bedeutet der Vorgang von Gen 2,7 also den Übergang vom Irdischen (dem „Zweiten") zum Ewigen (dem „Ersten"). Der dieser Soteriologie zugrunde liegende Dualismus hat neupythagoreische Wurzeln (darauf weist nicht nur der Ausdruck ζῳοποιοῦν, sondern auch die πρῶτος-δεύτερος-Dialektik bei Philo hin). Allegorisch beschreibt also Gen 2,7 die „Schöpfung" („Geburt") des Pneumatikers, die „Wiedergeburt". Der vom Weisheitspneuma inspirierte Mensch wird im soteriologischen Akt der Welt, dem Körper, dem Menschlichen enthoben. Er wird selber etwas Pneumatisches (Tradition der Ekstase).

---

kämpften Gegner sind weder Libertinisten (s. o. S. 61 f. A 90) noch Gnostiker, sondern pneumatische Ekstatiker ähnlich wie die Korinther. – Jak 3,15 zeigt geradezu klassisch die weisheitliche Prägung der Terminologie: Die wahre Weisheit kommt von oben, d.h. sie ist pneumatisch inspiriert (vgl. Sap 6–10). Ihr Gegensatz ist das Irdische, Psychische (= Natürlich-Lebendige) und das Dämonische. Es handelt sich um den einfachen Dualismus der hellenistisch-jüdischen Weisheit. Der thematische Zusammenhang von Jak 3,13–18 (Zanksucht – Friede) legt es aber nahe, eine indirekte Polemik gegen exklusive Pneumatiker anzunehmen (vgl. 1 Kor 3,3 f.), die sich einseitig auf Paulus berufen (Jak 2,14 ff.). Die gleichen Leute hat Jud vor Augen (vgl. neben Jud 19 Vers 4: Die Häretiker verkehren die χάρις in ἀσέλγεια), der sich wahrscheinlich deshalb im Präskript an Jak anlehnt. Diese Tradition der Polemik gegen einseitig enthusiastisch-pneumatische Pauliner setzt 2 Petr fort – nun unter ausdrücklicher Nennung des umstrittenen Paulus (2 Petr 3,15 f.) und mit Akzentverlagerung auf die Eschatologie (vgl. 2 Tim 2,14 ff.; 2 Thess 2,1 ff.). – Zum dualistisch-weisheitlichen Charakter von Jak 3,15 vgl. *E. Schweizer* (o. S. 187 A 271) und *R. Hoppe*, 64 ff. (S. 63 beharrt Hoppe jedoch auf gnostischem Sprachgebrauch).

Dadurch wird er aber zugleich zu einer Heilsmittlergestalt – wie Philos
Logos, der mit dem Hohenpriester, mit dem heraufberufenen Mose,
dem Gott-schauenden „Israel" identisch ist, eine Gestalt, die anderen
die ζωοποίησις vermittelt. Von daher erklärt sich, wie ein Mensch
(Christus) zum πνεῦμα ζωοποιοῦν werden kann. Da zu dieser Motivik
der Dualismus von πνεῦμα und σῶμα unabdingbar hinzugehört, ja das
ganze Motiv eigentlich erst konsolidiert, ist die Annahme unumgänglich, daß nicht Paulus selbständig auf diese jüdisch-alexandrinische
Tradition zurückgreift, sondern daß es sich hierbei um das Herzstück
der Theologie der korinthischen Pneumatiker handelt. Insbesondere
V. 46 zeigt, wie Paulus die ontologisch-zeitlose Motivik (Allegorese als
Ausdruck zeitloser Ontologie) chronologisiert (Typologie), wobei er
die nun chronologisch aufgefaßte Reihenfolge πρῶτος-δεύτερος umkehrt zu einer πρῶτος-ἔσχατος-Reihenfolge. Was er daraus für die
Auferstehungs-Thematik gewinnt, läßt sich in der Exegese der Verse
47–50 zeigen.

III Vers 47–50

1. V. 47 f.

V. 46 hat deutlich einen zwischen V. 45 und V. 47 f. bestehenden Zusammenhang unterbrochen: V. 47 setzt die in V. 45 eingeführte Schilderung der beiden Urmenschen fort. Dann ist aber ganz klar, daß V. 46
sich erläuternd auf V. 45 (nicht aber auf V. 44) bezieht: Das Stichwort
πρῶτος muß im Sinne einer Vertauschung der Urmenschen interpretiert
werden. In V. 47 kann nun, nachdem die Verhältnisbestimmung der beiden Anthropoi geklärt ist und der pneumatische Urmensch zum *eschatologischen* Schöpfer-Pneuma erklärt wurde, das neutralere und der uneschatologischen Urmenschlehre gemäße δεύτερος verwendet werden.
Die Prädikate ἐκ γῆς χοϊκός und ἐξ οὐρανοῦ setzen die Reihe der dualistischen Begriffe fort. Den gegensätzlichen σώματα (V. 42–44) entsprechen zwei gegensätzliche ἄνθρωποι. V. 48 verbindet nun das Motiv von
den zwei Urmenschen (V. 45) mit den anthropologischen Ausführungen von V. 42–44: An den beiden Urmenschen partizipieren zwei Menschenklassen. Jedoch sind diese nicht statisch-dualistisch im Sinne einer
Prädestination geschieden, wie V. 49 sofort klar macht: Bei gleichblei-
bendem Subjekt („wir" = die Christen) werden die beiden „Klassen"
nur temporal, durch Vergangenheit (Aorist) und Zukunft (Futur), geschieden[1]. Die beiden Anthropoi sind also zugleich nicht nur Klassen,

---

[1] Dieser Sachverhalt erhellt ein Problem von V. 22: Adam repräsentiert die sterbliche
Schöpfung (πάντες) – Christus ist die Ursache des (neuen) Lebens (ζωοποιηθήσονται ent-

sondern anthropologische Prinzipien. Das erklärt, warum in V. 46 neutrisch (τὸ πνευματικόν – τὸ ψυχικόν) formuliert wurde: Es geht weder um zwei individuelle Gestalten (die beiden Anthropoi als solche: das könnte V. 45 nahelegen), noch aber auch um die σώματα diesseits und jenseits des Todes (das könnte V. 44 nahelegen). Sondern es geht um die *Ermöglichung neuen Lebens für eben diesen Adam-Menschen*. Erst in V. 49 werden aus dem εἰκών-Verhältnis beider Existenzweisen unterschiedliche σώματα abgeleitet.

2. V. 49

V. 49 lenkt zurück auf einen Gedanken, der mit V. 45 zunächst aus dem Blick geriet: Irdische und himmlische Existenzweise sind zwar Pole eines Dualismus, jedoch zeitlich unterschiedliche Befindlichkeiten des prinzipiell gleichen Subjekts. εἰκών entspricht an dieser Stelle zunächst und zum Teil σῶμα aus V. 44[2]. Nach der jeweiligen εἰκών richtet sich das jeweilige σῶμα. Allerdings muß man V. 49 zunächst auf dem Hintergrund der jüdisch-alexandrinischen εἰκών-Lehre, wie wir sie aus Philos Schriften kennen, betrachten. Im platonischen Sinne wird bei Philo die ontologische Hierarchie bevorzugt durch das εἰκών-Verhältnis ausgedrückt (neben der τύπος-Terminologie, der υἱός-Relation oder auch der einfachen Genitiv-Relation): Irdische Daseinsformen sind Abbilder ihres jeweiligen himmlischen, geistigen Vorbildes (Idee). Dabei spielt Gen 1,27 eine besondere Rolle: Nach Philo ist der Himmelsmensch (= Typ des Vollendeten) Abbild des Logos (κατ᾿ εἰκόνα θεοῦ), was substantiell zugleich bedeuten kann: von gleicher Natur wie der Logos. Der Vollkommene kann seinerseits wieder anderen zum Logos (zur εἰκών = zum Urbild[3] werden. In diesem Sinne bedeutet V. 49b: Christus ist Urbild der Seinen, die Christen sind (genauer: werden sein – dazu s. gleich) von gleicher Natur wie ihr Urbild (vgl. 2 Kor 3,18 und

---

spricht dem πνεῦμα ζῳοποιοῦν von V. 45) *für das gleiche Subjekt* (πάντες). So erklärt sich das πάντες in V. 22b (das z. B. *E. Brandenburger*, Adam, 72, als Hinweis auf den unpaulinischen, vorgegebenen Erlöser-Mythos verstehen will). Natürlich meint Paulus, daß nur die Christen in Christus lebendig gemacht werden. Aber wichtiger ist ihm die Entsprechung: wie der Tod *generelles* Merkmal der Geschöpfe ist (Adamsqualität), so ist die Auferstehung *generelles* Kennzeichen der neuen Schöpfung.

[2] *E.Käsemann*, Leib, 166; etwas anders *J.Jervell*, 268 f., der εἰκών als „Wesen", σῶμα als „Erscheinungsform" auffaßt. Aber σῶμα ist viel mehr: Geschöpflichkeit. Qualifiziert wird diese dann durch ihre jeweilige εἰκών.

[3] Bei Plato ist εἰκών generell „Abbild" (dazu *H. Willms*, 1–24). Erst die hellenistisch-jüdische Logos-Spekulation im Zusammenhang mit Gen 1,27 (κατ᾿ εἰκόνα θεοῦ) führte dazu, daß εἰκών gleichzeitig die Bedeutung „Urbild" erhalten konnte.

Röm 8, 29 [4]). Nun enthält V. 49 freilich drei entscheidende Widersprüche zum ontologischen Denken Philos:

1. Paulus spricht vom „Tragen" der εἰκών. φορεῖν setzt die Vorstellung vom Tragen eines Kleides voraus. Das ist für Paulus wichtig, weil er darauf aus ist, auch die pneumatische Existenz der Christen als eine somatische zu verstehen (vgl. 2 Kor 5, 1 ff.: ἐπενδύσασθαι) [5]. Dem entspricht dann in 1 Kor 15, 51 ff. die Kategorie der „Verwandlung". So gerät εἰκών hier in die Bedeutungsnähe von σῶμα. Der Unterschied ist nur der, daß σῶμα der formale Begriff ist, der für Paulus sowohl für die irdische wie für die himmlische Existenz zutrifft, während εἰκών die jeweilige Existenz in einer der beiden antithetischen Sphären *qualifiziert*. Das entspricht generell dem paulinischen Leib-Begriff, wonach σῶμα die Daseinsweise des Menschen bedeutet, insofern er von unterschiedlichen Mächten bestimmt werden kann.

2. Damit hängt der zweite wesentliche Unterschied zum ontologischen Denken zusammen: Bei Philo wird (bis auf wenige Ausnahmen [6]) auf der negativen Seite des Dualismus keine solche Urbild-Abbild-Kette aufgestellt (das Zugehörigkeitsverhältnis der irdischen Menschen zur irdischen Sphäre wird dort folglich zumeist nicht mehr mit der Urmenschtheorie, sondern anders dargestellt [7]). Das ist wohl der gravierendste Unterschied zu 1 Kor 15, 45 ff. Indes ist das kein Argument für eine gnostische Ableitung von 1 Kor 15, denn auch in den späteren, typisch gnostischen Urmenschspekulationen ist das εἰκών-Schema prinzipiell nur auf der positiven Seite durchgeführt (sofern εἰκών nicht als

---

[4] 2 Kor 3, 18 (vgl. 4, 14) zeigt noch am deutlichsten den ursprünglichen uneschatologischen Charakter der hellenistisch-jüdischen bzw. -judenchristlichen (korinthischen) εἰκών-Spekulation. Der Pneumatiker spiegelt die Doxa des verklärten Kyrios (vgl. Mk 9, 2–8) wider und wird dadurch ebenfalls zum Abbild Gottes (zur partiellen Synonymität von εἰκών und δόξα vgl. *H. Schlier*, Doxa, 310). Die εἰκών-Aussage ist sachlich identisch mit der Rede vom „Sohn Gottes", wie aus Röm 8, 29 f. hervorgeht: Die Christen werden durch den gleichen εἰκών-Status wie der erstgeborene Sohn zu Brüdern Christi, zu Verklärten. Der paulinische Kontext von Röm 8, 29 f. macht freilich deutlich, daß für Paulus dieser Zustand nur in der Hoffnung gegenwärtig ist. – Daß Mk 9, 2–8 nur auf dem hier skizzierten hellenistisch-jüdischen Hintergrund verständlich wird, zeigt das im gleichen Sinne nur noch 2 Kor 3, 18 begegnende μεταμορφοῦσθαι, das übrigens sachlich identisch ist mit dem johanneischen δοξάζεσθαι. Hier liegen hellenistisch-jüdische Vorstellungen von Mose als Pneumatiker (2 Kor 3, 7 ff.) und von der hellenisierten Tradition der Sinai-Epiphanie (Mk 9, 2 ff.) zugrunde: vgl. Philo, QEx II 27 (s. o. S. 140 ff.).

[5] Dazu *H. Kaiser*, 1 ff. 58 ff. 73. 86 ff., und s. u. S. 211 ff.

[6] Op 74; All III 105 (s. o. S. 120 A 127). Wir sahen, wie der Dualismus der pythagoreisch beeinflußten Weisheit mit dem ontologischen Hierarchie-Prinzip (Urbild-Abbild-Ketten) bei Philo immer wieder in Spannung gerät. Das verrät sich im Bild der „unechten Münze", das eine Mischung aus zwei semantischen Kategorien darstellt („Prägung" als Bild der ontologischen Kette + „unecht" als dualistischer Wert).

[7] Etwa durch die Unterscheidung von Pneuma-Substanz und Blut-Substanz der Seele: Det 80 f.; Her 57.

„Schatten" ambivalent verstanden wird). Das hat (neben Gen 1, 27) philosophische Gründe: Die Urbild-Abbild-Kette ist ja Ausdruck der Ontologie. Nur das Sein als prinzipiell Gutes kann sich in Ketten mindern. Ontologisch ist das Schlechte nichts anderes als ein Mangel an Gutem, die Vielheit eine Ableitung aus der Einheit. Dieser ontologischen Kette entspricht in der Gnosis dann die Lehre vom Fall. Die Schöpfung selber wird dort überhaupt nicht mehr ontologisch betrachtet; als Produkt des Demiurgen hat sie überhaupt keine εἰκών-Qualität mehr, oder sie ist gerade von verdorbener und verfälschter εἰκών (etwa: vom Demiurgen eingefangenes Spiegelbild). Stattdessen ist es Paulus selber, der das εἰκών-Schema von sich aus auch für die negative Seite im Dualismus durchführt. Wir sahen bereits, daß Paulus in seine Gen 2,7-Auslegung den Namen Adam erst einfügte. Bei Philo ist Adam selbst streng genommen ja gar kein Urmensch, insofern er durch das hinzukommende Pneuma zur „lebendigen Seele" wurde. Urmensch ist stattdessen sein irdischer νοῦς (also der nicht inspirierte oder der des Pneumas verlustig gegangene Adam). Weil Paulus aber das Verhältnis von Himmelsmensch und Adam durch seine Gen 2,7-Exegese umdrehte, kann er den fertigen Adam nun als Typ der unerlösten Menschheit und damit als ein *negatives Urbild* auffassen. Damit hat Paulus das εἰκών-Prädikat nicht mehr im Sinne der Ontologie verwendet, sondern total formalisiert, um es auch auf der negativen Seite verwendbar zu machen (es entspricht jetzt etwa dem semitischen „Sohn"-Begriff – vgl. das Genitiv-Verhältnis in V. 22 und V. 48). Die Konsequenzen sind gewaltig: Die vorfindliche Menschheit wird total von ihren Merkmalen Tod und Sünde her bestimmt (Adam-Ebenbildlichkeit). Damit ist der Dualismus einerseits radikalisiert (auch das Negative erhält die εἰκών-Potenz, also die „zeugende" Kraft, sich abzubilden und „fortzupflanzen"); andererseits aber ist er zugleich aufgehoben und überwunden: Der Mensch wird nach der paulinischen Gen 2,7-Exegese ganzheitlich (und damit im alttestamentlichen Sinne) in die gesamte Schöpfung eingebunden (ψυχὴ ζῶσα = Kreatur). Damit ist er aber als Geschöpf mit dem Schöpfer verbunden. Gottes *Schöpfungstreue* erweist sich nun in der eschatologischen Neuschöpfung, ja hat sich schon in der Auferweckung Christi erwiesen. So kann ein neuer Adam den alten ablösen[8].

3. Folglich sind die Tempora in V. 49 Aorist und Futur[9]. Die Gegenwart ist ausgespart. Da die angesprochenen Christen noch in der

---

[8] Das bestätigt nun aber die weiter oben schon als Vermutung hingestellte These, daß die Adam-Christus-Typologie als ganze genuines Produkt paulinischer Theologie und als solche traditionsgeschichtlich nicht deduzierbar ist.

[9] Insofern ist schon vom Inhalt her die Lesart φορέσομεν (B) trotz besserer Bezeugung von φορέσωμεν (p⁴⁶ ℵ A C D u. a.) vorzuziehen (zur Textkritik vgl. *B. M. Metzger*, Textual Commentary, 569). Es kommt hinzu, daß von V. 50 her notwendig das Futur ge-

Adam-Welt leben, ist die Schöpfung neuer Leiblichkeit für sie selbstverständlich noch zukünftig. Dies widerspricht ebenfalls ontologischem
Denken, das zeitlos ist. Bei Paulus wird dabei mit dem εἰκών-Begriff
sozusagen gespielt, insofern die Beziehung zum σῶμα in ihm anklingt.
Wäre εἰκών nur „Wesen" im Sinne der Zugehörigkeit, müßte Paulus die
Christus-εἰκών-Aussage im Präsens formulieren. Da er aber auf V.
42–44 zurückgreift, wo es darum ging, daß das neue Leben (neue) Leiblichkeit impliziert, redet er nun vom *zukünftigen* „Tragen" der εἰκών.
Zugehörigkeit zu Christus wird sich leiblich ausdrücken, darum als ein
Christus-spezifisches σῶμα erscheinen. Wie sich die Adam-εἰκών in unserem „Körper" (= Personsein) manifestiert, so wird dies auch die
Christus-εἰκών in einem spezifischen „Körper". Der Christ wird auch
im Bereich des Pneumas Person sein, und zwar *Person nach dem Bilde
Christi*[10]. Gott wird ihn neu erschaffen (auferwecken). Es geht hier
nicht in erster Linie um eine Dialektik von Schon und Noch-nicht (womöglich gar in Front gegen eine perfektische Eschatologie). Der Akzent liegt vielmehr darauf, daß die Christen etwas anderes sein werden,
als sie von Natur aus sind. Als Adam-εἰκών sind sie eben kein Pneuma.
Folglich können sie als die, die sie sind (Adam-„Körper"), nicht im Gottesreich existieren (V.50). Sie müssen also verwandelt, neu geschaffen
werden als Christus-„Körper". Genau das wollen die beiden Begriffe
σῶμα ψυχικόν (Adam-Leib) und σῶμα πνευματικόν (Christus-Leib,
d. h. ganz von Christus „geprägte" *Person*) zum Ausdruck bringen. Das
erste ist: Kreatur der vergänglichen Schöpfung, das zweite: Kreatur der
unvergänglichen, endzeitlichen Schöpfung. Bei dem Wechsel von Vergangenheit zur Zukunft geht Paulus so sehr vom Begriff der Schöpfung aus (vgl. das ζῳοποιεῖν), daß er das logische Problem der personalen Identität überhaupt aus dem Blickfeld verliert. Diese Frage dürfte
aber für einen anthropologischen Idealismus (sei es nun im Sinne Phi-

---

fordert wird (*H. Conzelmann*, 1 Kor, 346 A 9). Die Aussage von V. 50 will aber nicht den
Begriff „Reich Gottes" (das selbstverständlich zukünftig ist) einführen, sondern die irdische Leiblichkeit, den „natürlichen" Menschen, den Adam-Sohn, davon ausschließen.
Zwischen Vergangenheit und Zukunft liegt für Paulus ein *Bruch*, während die Korinther
mit einer *Kontinuität* rechnen. So erklärt sich auch, daß Paulus die Gegenwart dabei aus-
sparen kann.
[10] Vgl. *Chr. Burchard,* 1 Kor 15, 39–41, 252: Die Auferweckung der Christen nenne
man „besser weder Neuschöpfung noch Schöpfung, sondern ihre völlige Menschwer-
dung." Gegen Burchards Betonung der (überbietenden) Kontinuität zur (ersten) Schöpfung ist jedoch auf die paulinische Verwendung von Gen 2, 7 in V. 45 zu verweisen, insbesondere dann auf die dualistische Redeweise von V. 47 f. Nach V. 47 f. kann V. 49 nicht
einfach besagen, „daß das σῶμα πνευματικόν nach dem σῶμα ψυχικον kommt", daß das
erstgenannte „unser schöpfungsgemäßes ἴδιον σῶμα (ist), das uns als Menschen vollendet" (247). Dagegen spricht auch die durchgehaltene Antithetik von φθορά und ἀφθαρσία. Zur Überinterpretation von ἴδιον σῶμα (V. 38) durch Burchard s. u. S. 217 A 17.

los oder sei es im Sinne der Gnosis) fundamental gewesen sein. Für
Paulus ist aber der Mensch keine „Konstante", die sich von Ewigkeit zu
Ewigkeit durchhält. Er ist stattdessen Kreatur – und das heißt: nur von
Gott her gewinnt er Identität. *Darum* beharrt Paulus auf dem Prinzip
„Auferstehung". Er tut dies gerade nicht aus Gründen einer Angst vor
der Todesnichtigkeit – dies tut vielmehr der in Korinth vertretene und
von Paulus bekämpfte anthropologische Idealismus (der ja auch in seiner weisheitlichen Spielart im Sinne der Sophia-Inspiration Idealismus
ist) –, sondern weil er das Sein des Menschen so sehr von Gott aus
denkt, daß er auf eine Konstante des Mensch-Seins verzichten[11] und
das „Nichts", den Verlust der Identität zwischen Tod und Neuschöpfung in Kauf nehmen kann. Folglich ist auch der Tod nach Paulus auch
für den Erlösten nicht lediglich Übergang (als letzter Schritt der Entweltlichung) wie bei den Korinthern, sondern existenzvernichtende, die
erste Schöpfung total bestimmende Macht. Er ist damit auch kein bloß
individuelles Phänomen (s. u. zu 15,20 ff.). So denkt Paulus statt von
der Kontinuität von der Diskontinuität aus. Kontinuität ist einzig im
Deus absconditus verborgen.

3. V. 50

Das bestätigt der den Gedankengang zunächst abschließende V. 50. Die
Attribute der „psychischen" Existenz der ersten Schöpfung sind für den
Menschen σὰρξ καὶ αἷμα. Damit ist wieder der ganze Mensch in seiner
Kreatürlichkeit bezeichnet[12]. Als solcher, von Natur, ist er vom Gottes-
reich ausgeschlossen. Merkmal dieser Kreatürlichkeit ist Vergänglich-
keit (V. 50b). *Verwandlung* ist also nötig (V. 51 ff.: s. u. S. 231 ff.).

---

[11] *E. Käsemann*, Leib, 134: „Damit ist gesagt, daß die Frage nach der Kontinuität des
Ichs durch den Tod hindurch nicht einmal als Frage gestellt werden darf ... Nicht der
Mensch, sondern Gott bleibt." *Ders.*, Zur paulinischen Anthropologie, 59 f.: „Was es um
den Menschen wirklich ist, steht noch aus ... Der aus sich selbst nicht definierbare
Mensch wird eschatologisch vom Namen Christi her definiert." Vgl. auch *G. Klein*, Der
Mensch, 338 ff. 343 ff.

[12] Das betont zu Recht *J. Jeremias*, Flesh, 299. Jedoch möchte er weiterhin dann σὰρξ
καὶ αἷμα einerseits (Lebende) und φθορά andererseits (Tote) unterscheiden. Das widerspricht aber dem ganzen Duktus der paulinischen Ausführungen. φθορά ist gerade das,
was „Fleisch und Blut" qualifiziert. Vgl. gegen Jeremias *J. Gillman*, 316 ff. Speziell an die
Lebenden denkt bei V. 50 *Chr. Burchard*, 1 Kor 15,39–41, 248 f., da er V. 50 zu V. 51 zieht
und gleichzeitig die Verwandlung (V. 51 f.) allein auf die Lebenden beschränkt. Aber
V. 50 ist die abschließende Antwort auf die Frage V. 35. Und in V. 51 ff. geht es (wie im
ganzen Kapitel) vorrangig um die Toten (V. 54 f.!).

IV. Das Problem einer korinthischen „Gnosis"

Im Verlauf der bisherigen Darstellung wurden die Bezeichnungen „Gnosis", „Gnostizismus", „gnostisch" usw. nach Möglichkeit bewußt vermieden. Ob man die korinthische Theologie, insbesondere die Anthropologie, gnostisch nennen darf, hängt von zwei Größen ab: einmal von der Struktur der korinthischen Theologie selber (diese sollte in B II ausschnittweise dargestellt sein), sodann aber auch von einer sachgemäßen Definition von „Gnosis" (bzw. „Gnostizismus"). Nun ist aber gerade das Definitionsproblem heute eine der größten Schwierigkeiten der Gnosisforschung. Das hängt mit der ungeklärten Frage der Entstehung der Gnosis zusammen.

1. Das Definitionsproblem

1. Der Name „Gnosis", oder genauer: die Bezeichnung „gnostisch" („Gnostiker", „Gnostizismus") haftet ursprünglich an einem bestimmten historisch, chronologisch, geographisch und in konkreten schriftlichen Zeugnissen belegten Phänomen: den christlichen gnostischen Systemen des 2. Jahrhunderts. Erst bei der Frage nach der Genealogie dieser Systeme entsteht das Problem. Die religionsgeschichtliche Forschung ist sich heute nahezu einig, daß das Vorkommen bestimmter Motive für den Gnosis-Begriff nicht ausreicht. Es ist nämlich eine Eigenart des Gnostizismus, daß er sich sozusagen parasitär und schmarotzend Motive aller möglichen Religionserscheinungen angeeignet hat, der Synkretismus also mit zu seinem Wesen gehört[1]. Stattdessen geht man heute im Anschluß an H. Jonas davon aus, daß der Gnostizismus durch ein spezifisches Daseinsverständnis des gnostischen Menschen bestimmt wird[2]. Besonders bei Neutestamentlern findet dieser hermeneutische Grundsatz fruchtbaren Boden, da man hier das Problem der Polyfunktionalität bzw. Funktionsvariabilität von Motiven, Traditionen und Themen in der methodischen Besinnung der Formgeschichte bereits reflektiert hatte. So dient im Gnostizismus das reiche Arsenal mythischer und philosophischer Motive der verschiedensten Bereiche dazu, ein besonderes Menschen- und Weltverständnis zum Ausdruck zu bringen[3]. Leider führt nun aber eine solche Gnosisdefini-

[1] Vgl. *K. Rudolph*, Randerscheinungen, 774; *H. J. W. Drijvers*, 811 f.
[2] *H. Jonas*, I, 12 ff. 25 ff. 140 ff.; vgl. *W. Schmithals*, Gnosis, 22 ff.; *L. Schottroff*, 1 ff. 171 f. 175 f. u. ö.
[3] Zieht man diesen Ansatz konsequent durch, dann verliert schließlich auch der in der Religionsgeschichtlichen Schule favorisierte gnostische Mythos seine Bedeutung. Es gibt allenfalls noch einen tiefenstrukturellen Grundmythos, der aber in reiner Form nie anzutreffen ist. H. Jonas selber ist m. E. nicht konsequent genug, wenn er immer noch die

tion, wie sie auf Jonas zurückgeht, zu einer anderen Schwierigkeit: Für die religionsgeschichtliche Arbeit ist sie zu allgemein. Ganze Geistesströmungen der Spätantike, Bereiche des Buddhismus, des neuzeitlichen Idealismus, der modernen Literatur geraten in den Strudel dieses weiten Gnosis-Begriffs. Im Grunde ist dieses Dilemma (zwischen der Skylla der Motivanalyse und der Charybdis der Jonas'schen Gnosis-Definition) bis heute ungelöst [4]. Vorläufig kann man nur eine Synthese versuchen, indem man auf das Vorkommen bzw. Fehlen zentraler Motive gleichwohl achtet, dabei jedoch streng ihre Funktion im System bedenkt [5]. An einer Einengung der Definition von Gnosis muß der historischen Arbeit unbedingt gelegen sein.

2. Einer solchen genaueren Definition sollten die terminologischen Vorschläge dienen, die auf dem sog. Messina-Kongress erarbeitet worden sind [6]. Man unterscheidet seitdem zwischen „Gnostizismus" (prägnant; die „klassischen" gnostischen Systeme des 2.Jahrhunderts n. Chr.), „Gnosis" (allgemeiner; das „Wissen um göttliche Geheimnisse, das einer Elite vorbehalten ist"), „Protognostizismus" (die typischen Merkmale des historisch definierten Gnostizismus finden sich womöglich auch vorher und anderswo) und „Prägnostizismus" (bestimmte Motive und Themen des Gnostizismus finden sich schon vorher). Leider hat diese Klärung lediglich dazu geführt, daß man heute „Gnostizismus" nennen muß, was man zuvor „Gnosis" nannte. Die neue erweiterte Definition von „Gnosis" ist unglücklich, da man nun jede Esoterik so nennen dürfte (z.B. auch Mysterienreligionen und Apokalyptik). Die Rede vom „Prägnostizismus" ist ebenfalls wenig hilfreich, da bei der oben beschriebenen Lage der Dinge kaum zu klären ist, welche Motive für den Gnostizismus wesentlich sind. „Protognostizismus" schließlich bedeutet letztlich ein Unterlaufen der historischen Definition (Systeme des 2.Jahrhunderts) von „Gnostizismus" im Sinne der Gnosis-These der Religionsgeschichtlichen Schule: Statt von vorchristlicher Gnosis müßte man nun lediglich von Protognostizismus reden, wobei der Gnostizismus nun eine Spezies des Protognostizismus wäre. [7].

3. Trotz dieser terminologischen Bemühungen herrscht noch heute gerade auf dem Feld neutestamentlich interessierter Gnosisforschung

---

„mythologische Gnosis" favorisiert und wenigstens indirekt von einem historisch zu postulierenden Grundmythos ausgeht. Stattdessen würde ich einer „philosophischen Gnosis" den Vorrang geben: Auch die mythischen Motive werden ia bewußt auf die Schnur eines besonderen Menschenbildes gereiht.

[4] Vgl. den Aufsatz von *H.J. W. Drijvers*.

[5] Vgl. nur *W. Schmithals*, Gnosis, 23–25; *K. Rudolph*, Randerscheinungen, 773.

[6] *C. Colpe*, Vorschläge.

[7] Vgl. die Kritik bei *H.J. W. Drijvers*, 803 ff.; *K. Rudolph*, ThR 36, 1971, 18 f.

eine m. E. unzulässige Weise der Vermengung existential-ontologischer Betrachtungsweise (H. Jonas) und genealogisch-historischer (wie sie in der motivgeschichtlich arbeitenden Religionsgeschichtlichen Schule betrieben wurde)[8]. Bewußt oder unbewußt wird nämlich das von Jonas bestimmte Grundphänomen („Transzendenz des guten Prinzips", „Weltentwertung", „‚inkommensurabler Rest' im menschlichen Selbst")[9] als Mythos verobjektiviert und an den Anfang einer historischen Entwicklung gestellt. Dieser Mythos gewinnt nun den Rang einer Quelle, die Judentum, Christentum, selbst den Hellenismus von außen beeinflußt habe. Stattdessen müßte man m. E. umgekehrt verfahren: Der Gnostizismus ist als Spitzenphänomen einer spätantiken Entwicklung anzusehen und nur als solches historisch greifbar.

4. Will man den Gnostizismus historisch betrachten, muß man ihn folglich etwas enger definieren, als Jonas dies tat. Hilfreich als Ausgangspunkt ist folgende Definition, die K. Rudolph (im Anschluß an H. Jonas, W. Schmithals und W. Foerster) nennt: Gnostizismus wird danach bestimmt durch

  a) einen kosmologischen Dualismus von Transzendenz und Welt,
  b) einen „Mythos" vom Fall der transzendenten Lichtsubstanz (Kosmogonie und Anthropogonie),
  c) eine Erlösungsmöglichkeit[10].

Zwar bedarf der Gnostizismus nicht unbedingt einer Erlösergestalt[11], aber mit W. Foerster[12] ist doch zu betonen, daß die Erlösung von außen kommen muß und nicht in der Potenz des gefallenen Lichtwesens selbst liegt. Konstitutiv ist also der „Ruf"[13]. Damit ist sichergestellt, daß Gnostizismus Religion und nicht Philosophie ist.

5. Mißt man nun die hinter 1 Kor 15, 45 f. erkennbare Anthropologie (sowie die anhand von Gen 2, 7 entwickelte der hellenistisch-jüdischen Weisheit) an dieser Definition von Gnostizismus, so kommt man zu keinem eindeutigen Resultat. Alle drei Punkte bedürfen noch einer Präzisierung.

Zu a): Was den Dualismus betrifft, so wurde auch darüber in Messina verhandelt. Der gnostische Dualismus wird spezifiziert in dem Sinne, daß in ihm „das Böse diese Welt ist [deren finstere Substanz von

---

[8] Vgl. dazu *K. Rudolph*, ThR 36, 1971, 30 ff.; *R. Haardt*, 183 ff.

[9] *K. Rudolph*, ThR 36, 1971, 7 (in Wiedergabe einer Charakterisierung der Jonas'schen Wesensbestimmung der Gnosis durch *H. Blumenberg*, PhR 6, 1958, 112).

[10] *K. Rudolph*, ThR 36, 1971, 7–9.

[11] *W. Schmithals*, Gnosis, 26 A 1. 130 ff.

[12] *W. Foerster*, 450 ff. 457 ff.; vgl. *K. Rudolph*, ThR 36, 1971, 8; *Berliner Arbeitskreis*, 16.

[13] Das widerspricht in gewisser Weise nun doch der Meinung von *W. Schmithals*, Gnosis, 26: Vgl. *K. Rudolph*, ThR 36, 8.

der Gottheit nicht geschaffen wurde]"[14]. Die Welt ist als Schöpfung
Bereich der widergöttlichen Macht. Die Pneumafunken in den menschlichen Seelen sind nicht nur durch den lästigen, „toten" Leib beschwert
(Sap 9,15; Philo, All III 71 f.: o. S. 130 ff.), sondern aufgrund der Schöpfung in der widergöttlichen Sphäre gefangen. Diesen spezifisch gnostischen Dualismus hat nun L. Schottroff bei den Korinthern nachweisen
wollen. Es ist ihr einziger und gewichtiger Beweis für ihre These, daß
die Korinther als Gnostiker verstanden werden müssen: In Korinth
werde die Welt als *feindliche, widergöttliche Macht* (nicht nur als vergänglich oder der Erlösung nicht wert oder ihr hinderlich) verstanden[15]. Sie unterscheidet folglich konsequent zwischen jüdischem Dualismus („dieser Äon" hat seinen Wert als Ort der Bewährung, als Bereich des Nomos) und gnostischem Dualismus (die Welt als totaler Un-
heilsbereich, aus dem der Mensch erlöst werden muß)[16]. Geht man einmal über die Problematik der Generalisierung der Antithese jüdisch –
gnostisch hinweg (Allegorese kann zum Beispiel den Nomos gerade als
Weg zur Entweltlichung deuten; es gibt also Zwischenglieder – vgl.
Philo; auch Paulus paßt nicht in das Schema), so läßt sich immerhin der
korinthische Dualismus, soweit wir ihn erschließen können, an dieser
Definition von gnostischem Dualismus messen. Die Fragestellung ist
also sinnvoll – nur wird sie m. E. von L. Schottroff falsch beantwortet.
Diese Welt wird von den Korinthern keineswegs als Bereich aktiver
gottfeindlicher Mächtigkeit, als Sphäre aktiven Unheils verstanden. Beweis dafür ist die Tatsache, daß eine dualistische Begründung der Askese, wonach der Körper (wie in den gnostischen Schriften) als Produkt der Dämonen verstanden wird, fehlt[17]. Ja, die Korinther „wissen"
gerade, daß die Welt keine feindlichen Potenzen mehr birgt; darin besteht ihre „Gnosis" (1 Kor 8)[18]. Zwar gilt dies nur für den Weisen, während der erdverwandte Mensch mit der Welt vergehen wird. Aber die-

---

[14] *C. Colpe*, Vorschläge, 132. Der Zusatz in eckigen Klammern geht auf U. Bianchi
zurück. M. E. müßte er noch dahingehend radikalisiert werden, daß diese Welt *überhaupt
nicht* von der Gottheit geschaffen wurde. Gnostisch betrachtet ist die Schöpfung eine
vom höchsten Gott nicht gewollte Panne.

[15] *L. Schottroff*, 166 f.: „Auf einen Dualismus, für den der Leib und der Bereich der
Materie zwar minderwertig, aber nicht feindlich und mächtig ist, trifft die paulinische Polemik nicht zu. Erst die Mächtigkeit des Kosmischen in der Gnosis und die daraus resultierende gnostische Bemühung um Distanzierung von der feindlichen Welt erklärt die
paulinische Polemik."

[16] *L. Schottroff*, 173 f.; vgl. 174: Der gnostische Dualismus schließt „einen Nomos-ge-
mäßen Heilsweg" aus.

[17] S. o. S. 33 f. mit A 78–80.

[18] Der Ausdruck γνῶσις ist noch kein Anzeichen dafür, daß es hier um Gnostizismus
geht (vgl. *S. Arai*, 437; *B. A. Pearson*, Philo, 74). Er entstammt vielmehr der hellenistisch-
jüdischen Aufklärung (dazu: *W. Bousset*, Studien, 236 f. 261 ff.).

ser Zug ist schon typisch für die esoterische Weisheit (vgl. Sap 1–5), so daß es sich nicht um einen spezifisch gnostischen Gedanken handelt. Daß die Korinther Gnostiker sind, hat L. Schottroff also gerade nicht zeigen können.

Zu b): Zwar kennt die esoterische Weisheit in ihrer Anthropologie einen Urmensch-„Mythos"[19]. Aber dennoch ist der Mensch Geschöpf Gottes. Die Existenz des pneumatischen, himmlischen νοῦς im Bereich der vergänglichen Materie ist nicht Ergebnis eines urzeitlichen Falls, sondern Ergebnis einer doppelten Schöpfung des einen Gottes (Gen 1,27; 2,7) und einer erlösenden Inspiration. Ensprechend ist auch der Gottesbegriff noch nicht dualistisch aufgespalten in den transzendenten Lichtgott und den Demiurgen. Allerdings finden sich bei Philo Motive, die eine solche Dualisierung des Gottesbegriffs gewissermaßen vorbereiten. Es handelt sich um das ontologische Problem „unde malum". Philo kommt darauf zumeist im Zusammenhang von Gen 1,26 zu sprechen: Der Plural „Laßt uns einen Menschen machen …" deutet darauf hin, daß neben Gott andere Schöpferwesen beteiligt waren[20]. Philo erklärt das damit, daß sich die Schöpfung der schlechten Wesen für Gott nicht geziemt. Gott ist nur Urheber des Guten. Allein schuf er die tugendhaften Wesen, bei den gemischten Wesen halfen ihm untergebene Helfer (Op 72–75; Fug 69–72). Diese Helfer sind weder widergöttliche Mächte noch gefallene Engelwesen, sondern letzten Endes göttliche Kräfte (ϑεῖαι δυνάμεις: Fug 69). Dabei setzt Philo keine gnostische, sondern einfach die allgemein-jüdische Engellehre voraus[21].

---

[19] Nach der o. S. 105 A 91 gegebenen Definition von Mythos ist jede Aussage über die Natur des Menschen, die in Gestalt einer Anthropogonie begegnet, ein Urmensch-Mythos. In der Gnosis-Forschung versteht man darunter aber etwas anderes: die Geschichte vom Fall eines Lichtwesens, dessen Elemente als Lichtfunken zerstreut in den Einzelseelen und Körpern gefangen sind. *Dieser* Mythos ist in so früher Zeit nirgends belegt (s. o. S. 59 f. mit A 84).   [20] Anlaß ist Plato, Timaios 41 A ff.

[21] *B. Schaller*, Diss., 85 ff., möchte Philos Auslegung von Gen 1,26 auf eine gnostische Tradition zurückführen, nach der Gott die Seele, die Engel den Leib erschufen. Aber diese Form findet sich nirgends. Wogegen gelegentlich die Rabbinen als eine häretische Deutung der „Minim" polemisieren (*Schaller*, 177 ff.), ist ganz einfach die auch von Philo vertretene Anschauung, daß Engel bei der Schöpfung geholfen haben. Die rabbinische Orthodoxie betont die alleinige Schöpfertat des einen Gottes, so daß die Auslegung, wie Philo sie vertritt, als häretisch erklärt wird (wenn es sich nicht schon um antichristliche Polemik handelt: so *I. Gruenwald*, Problem, 187 f.). Daß Philo von den Rabbinen als Häretiker betrachtet werden mußte (vgl. dazu *Y. Amir*, 134 ff.), erklärt wohl, daß sein Werk in der Tradition des Judentums verloren ging und nur von den Christen tradiert wurde. „Minim" sind also zunächst einfach „Häretiker". Seit *M. Friedländer*, 64 ff., versteht man darunter häufig einseitig Gnostiker, wogegen schon *E. Schürer*, ThLZ 24, 1899, 167–170, zu Felde zog; vgl. vor allem: *K. G. Kuhn*, 36 f. Die rabbinischen Minim-Vorstellungen tragen zur Frage eines vorchristlichen Gnostizismus nichts aus (gegen *K. Rudolph*, Randerscheinungen, 786; auch *B. A. Pearson*, Friedländer Revisited, 30 ff.), da hier vom alleinigen Standpunkt der pharisäischen Orthodoxie *alle* Abweichungen der Lehre als häretisch er-

Gottes Aktivitäten, vor allem, so weit sie anthropomorphen Charakter haben oder sich auf Negatives beziehen, werden im Judentum dieser Zeit zunehmend durch Engel oder Hypostasen durchgeführt. Das hängt zusammen mit einer im Judentum jener Zeit immer mehr erkennbaren Transzendierung Gottes. Die Einheit des Gottesbegriffs ist bei Philo also bewahrt. Ebenso ist die materielle Welt nicht Produkt eines Falls (wie ja die ganze Motivik vom Fall noch nicht vorkommt). Die Materie ist als Unbeseeltes, Ungeordnetes vor der Schöpfung vorhanden (Philo kennt also keine creatio ex nihilo). Durch die wirkende Ursache des Weltgeistes wird sie bewegt und beseelt und so zum „vollendeten" Werk der plastischen Welt (Op 7–9). – Für eine Definition von Gnostizismus müßten aber diese Gesichtspunkte als Präzisierung von Punkt b hinzukommen:

> Die Welt (und der Mensch als irdisches Wesen) ist die Schöpfung eines aus der Lichtwelt gefallenen Wesens (Demiurg) und damit Produkt widergöttlicher Macht.

Dabei läßt sich nicht nur zeigen, daß Philo in seiner Auffassung der Weltschöpfung (noch) nicht zum Gnostizismus zu zählen ist. Auch die Korinther können nicht Gnostiker sein. B. A. Pearson hat dies anhand eines Vergleichs der Verwendung von Gen 2,7 in 1 Kor 15,45 und bei den Gnostikern gezeigt: In den gnostischen Texten ist Gen 2,7 insofern anders als in 1 Kor 15 verwendet, als hier durchgehend die pneumatische Natur des Menschen vom Schöpfergott getrennt wird und die psychische Natur des Menschen nun Produkt eines niederen, gefallenen Schöpferwesens ist, das in Feindschaft zu oder Unkenntnis von Gott handelte [22].

Ebenfalls setzt Punkt b der Definition für den Gnostizismus eine ursprüngliche Konsubstantialität von Erlöser und zu Erlösenden voraus („Salvator salvandus"). Auch dieses Motiv, das im späteren Gnostizismus seine volle Ausprägung erhielt, ist bei Philo nicht anzutreffen. Dem steht gerade die weisheitliche dualistische Erlösungslehre, nach der der ganze Mensch (mit σῶμα und νοῦς) irdisch ist, entgegen. Zwar

---

klärt werden. Gegen die auf Friedländer zurückgehende These, die rabbinischen Minim-Stellen bezögen sich auf jüdisch-häretische Kreise, vor allem auf gnostisierende Juden, vgl. jetzt *I. Gruenwald*, Problem, bes. 188.

[22] *B. A. Pearson*, Pneumatikos, 51–82, und das Ergebnis S. 83; vgl. *ders.*, Philo, 78 ff. Da Pearson alle wichtigen gnostischen Texte behandelt hat, erübrigt sich ein detailliertes Eingehen auf die Beziehungen von 1 Kor 15,45 f. zu den gnostischen Texten (vgl. aber die Heranziehung der gnostischen Texte bei *E. Brandenburger*, Adam, 77 ff., und *L. Schottroff*, 115 ff.; s. o. S. 35 A 89; S. 183 A 255). Das entscheidende Material ist zusammengestellt bei *K. Rudolph*, Grundtyp. Was Rudolph als „Grundschema" der gnostischen Texte und der rabbinischen Golem-Vorstellung herausstellt, ist die in zwei Akten verlaufende Schöpfung Adams (S. 18), also die weisheitliche Urform des Adam-Golem-Motivs.

kann Philo von der Verwandtschaft zwischen menschlichem Nous und göttlichem Logos reden, aber das hat stoische Wurzeln und wird als *philosophischer* Topos ohne jeden Rückgriff auf einen Mythos benutzt. Daß der Pneumatiker bei seiner Erlösung an seine transzendente Herkunft erinnert werde, wird bei Philo ebenfalls nicht ausgedrückt – geschweige denn, daß der Erlöste sich als Teil eines pneumatischen All-Anthropos erfahre. „Gnosis" ist bei Philo eben nicht Ruf, der an die Herkunft erinnert, sondern – eher im Sinne der Mysterien[23] – Verwirklichung ontologisch wahren – und das heißt geistigen – Lebens. Pythagoreisch ausgedrückt: Der Mensch wird durch die Sieben (Erlösung) aus einem Wesen nach der Sechs zu einem Wesen nach der Eins (s. o. S. 116 f. 140 f.). Wenn man das mythologisch *erzählt*, könnte daraus ein gnostischer Mythos werden: Ursprung – Fall – Erlösung. Aber wir sahen bereits: Bei Philo ist die Schöpfung noch kein Fall.

Zu c): Mit dem Salvator-salvandus-Motiv hängt die Problematik des dritten Punktes der Definition zusammen. Im Gnostizismus gilt beides: daß der Mensch der Erlösung von außen bedarf („Ruf", Erlöser), und daß er einen transzendenten pneumatischen Wesenskern hat, also letztlich transzendenten Ursprungs ist. Dies wird auch mit Hilfe von Gen 1, 27 und 2, 7 ausgedrückt, wobei die Anknüpfung an die dualistische Weisheitstradition unverkennbar ist. Anders jedoch als in der Weisheit liegt auch die Pneumagabe schon in der Menschenschöpfung beschlossen. Der Mensch entsteht auf Initiative der widergöttlichen Kräfte, wäre aber als solcher niemals mächtig zur Unsterblichkeit, wenn ihm nicht durch Irrtum der Archonten oder ihre Überlistung o. ä. ein Pneumafunke tatsächlich innewohnte. Dieser muß jedoch (etwa, weil er zu schwach wurde) durch den erlösenden Ruf wieder entfacht werden. Das entspricht weder der Weisheitstradition zu Gen 2, 7 (wo Gen 2, 7 allegorisch nur den soteriologischen Vorgang meint), noch Philo, der in All I 31 ff. Gen 2, 7 zwar sowohl als soteriologischen wie als Schöpfungsvorgang versteht, indem er πνοή und πνεῦμα differenziert. Nicht das Motiv jedoch, sondern die Begründung ist entscheidend: Bei Philo ist die πνοή-Gabe Mitteilung von Gottes „Güte", wie ja die ganze Schöpfung im Sinne Platos Ausbreitung der Güte Gottes ist. Im Gnostizismus dient das Motiv dazu, die Distanz zwischen Gott und Mensch einerseits und Welt andererseits zum Ausdruck zu bringen. Die Schöpfung ist eine Panne, durch die etwas Göttliches in die Fesseln der widergöttlichen Materie geriet. Erlösung bedeutet Rückgängigmachen der Schöpfung. Die weisheitliche Dialektik von πρῶτος und δεύτερος dagegen, ihre Verknüpfung von Ontologie und Soteriologie, darf mit der

---

[23] Auf den Unterschied von Gnosis und Mysterien weisen vor allem *H.-M. Schenke*, Hauptprobleme, 117, und *H.-G. Gaffron*, 88 ff. 283 ff., hin; vgl. *K. Rudolph*, ThR 36, 24.

gnostischen Verhältnisbestimmung von Pneuma-Ursprung und erlösendem „Ruf" nicht verwechselt werden. Weisheitliche Erlösung ist in erster Linie keine Rückkehr. Sie bezieht sich vor allem nicht auf Erkenntnis des Selbst, Erinnerung an die Herkunft, sondern auf die Vervollkommnung, die in der Vergeistigung besteht. Das wird besonders deutlich in der Ekstase-Tradition, wo gerade der νοῦς als Wesenskern des Menschen vernichtet wird durch das πνεῦμα. Erlösung macht aus dem Menschen etwas, das er zuvor nicht war. – Noch deutlicher ist das aber in Korinth: Allein schon die Tatsache des Vorhandenseins von massivem Sakramentalismus zeigt, daß der Mensch durch Pneumagabe geändert wird und, solange er im Leibe lebt, auf sie angewiesen bleibt. Zwar ist Christus identisch mit dem Pneuma, aber der Pneuma-Christus ist nicht identisch mit dem Selbst des Erlösten. Der Pneumatiker ist nicht jemand, der seine pneumatische Herkunft kennt, sondern einer, der mit dem Christus-Pneuma auf gleiche pneumatische Stufe gestellt wird. Erlösung ist kein „Ruf", der an die Herkunft des Selbst erinnert. Auch wenn der Pneumatiker zum πρῶτος ἄνθρωπος wird, bedeutet dies keine Rückkehr im dinglichen Sinne. – Kurz: Der Gnostizismus stellt schon eine Weiterentwicklung des weisheitlichen Pneumatikertums dar[24].

2. Philo als Quelle für einen frühen Gnostizismus?

Vor allem in der Religionsgeschichtlichen Schule galt Philo als indirekter Zeuge für einen älteren gnostischen Mythos – sei es, daß man annahm, Philo selber sei in seinen Spekulationen von einem Gnostizismus abhängig, sei es, daß man ihn als unbewußten Tradenten einzelner aus einem älteren Gnostizismus stammender Motive verstand, oder sei es, daß man in einzelnen von Philo attackierten Gegnern, die man als jüdische Häretiker verstand, die Ur-Gnostiker sah.

1. Die zuletzt genannte Meinung geht hauptsächlich auf M. Friedländer zurück und wird heute von B.A. Pearson, ähnlich auch von B. Schaller und K. Rudolph vertreten[25]. Friedländer sah in den Migr 89–93 attackierten Hyper-Allegoristen die gnostischen Häretiker. Außerdem vermutete er bei Philo Anspielungen auf Gruppen wie die späteren Kainiten, Ophiten, Sethianer und Melchisedekianer[26]. Aber Philos Äuße-

---

[24] Das wird u.a. auch daran deutlich, daß der Dualismus durch eine trichotomische Anthropologie abgewandelt wird: sarkisch – psychisch – pneumatisch. Zu Philo als *Vorläufer* der späteren gnostischen Bewegung: *R. Mc. L. Wilson*, Philo; *B.A. Pearson*, Philo.
[25] S.o. S.199f. A21.
[26] *M. Friedländer*, 4ff. 19ff. 31ff. 52ff. Vgl. *B.A. Pearson*, Friedländer Revisited, 24ff. Auch *E. Brandenburger*, Adam, 126f. 130f., rechnet mit philonischen Hinweisen auf helle-

rungen über Kain und Melchisedek sind allegorisch und nicht polemisch [27]. Die Hyperallegoriker lassen – anders als Philo – neben dem allegorischen keinen wörtlichen Sinn des Gesetzes mehr zu. Insofern ist
dies ein Hinweis auf eine antinomistische Interpretation des Alten Testamentes. Über die allegorischen Spekulationen dieser Allegoristen erfahren wir leider überhaupt nichts. Wertvoll ist dieser Hinweis von
Friedländer und Pearson aber deshalb, weil wir hier ein indirektes
Zeugnis für eine innerjüdische Separation vom jüdischen Gesetz und
damit eine Wurzel für einen Umschlag jüdischer Spekulationen in einen möglichen Antijudaismus vor uns haben (vgl. noch Conf 2 f., wo
von jüdischen Apostaten die Rede ist). Hier läßt sich in der Tat ein Ansatz für das Rätsel des Gnostizismus finden, welches darin besteht, daß
jüdische Motive antijüdisch verwendet werden (s. u. 3.). Jedoch erfahren wir aus Philo selbst überhaupt nichts über die Spekulationen dieser
Allegoristen. Radikale Allegorese ist als solche noch kein Gnostizismus [28]. So bleibt das Problem, daß einerseits Philo selbst in seiner eigenen Spekulation die Grundmotive des späteren Gnostizismus bezeugt
(jedoch ohne „gnostisches" Weltverständnis: s. u. S. 205), andererseits
aber in Bezug auf die erwähnten Häretiker nichts von den bei Philo
noch fehlenden gnostischen Spezifika (Fall, Demiurg) erwähnt wird. –
Im ganzen fragwürdig ist dann die Minim-These (s. o. S. 199 f. A 21) [29].

2. Die Vertreter der älteren Religionsgeschichtlichen Schule sahen
hinter Philos Urmenschlehre den Einfluß des gnostischen Urmensch-

---

nistisch-jüdische Gruppen, die eine Frühform des Gnostizismus darstellen; vgl. auch *K.
Rudolph*, Randerscheinungen, 780. 787; *Chr. Elsas*, 218 f.

[27] So findet denn M. Friedländer in diesem Punkte heute keine Gefolgschaft mehr
(vgl. *B. A. Pearson*, Friedländer Revisited, 30 ff.; *K. Rudolph*, Randerscheinungen, 780.
787).

[28] Während Philo neben dem allegorischen den wörtlichen Sinn bestehen läßt und damit Institutionen (z. B. den Tempel und seinen Kult), Riten (z. B. die Beschneidung) und
Gesetze (z. B. das Sabbatgebot) ausdrücklich bestätigt, lehren offenbar andere alexandrinische Juden nur noch den allegorischen, spirituellen Sinn (dazu *T. H. Tobin,* 155 ff.). Es
ist zu erwägen, ob eine solche radikale AT-Allegorese nicht auch am Anfang der hellenistisch-judenchristlichen Stephanus-Gemeinde mit ihrer Ablehnung von Tempelkult und
Gesetzespraxis steht. Ein wichtiges Indiz für alexandrinische Schriftallegorese in Korinth
ist 2 Kor 3, 6 ff. Interessant sind auch die Gründe, die Philo gegen diese einseitigen Allegoristen anführt: Sie lehren so, „als wären sie in der Einsamkeit für sich, oder als wären sie
körperlose Seelen geworden, als wüßten sie nichts von … menschlicher Gesellschaft …
und suchen die nackte Wahrheit für sich allein zu erforschen" (Migr 90). Diese Leute
scheinen den Korinthern noch mehr zu gleichen als Philo selbst. Spezifisch Gnostisches
ist dabei aber nicht erkennbar.

[29] Im Gegensatz zu dieser auf M. Friedländer zurückgehenden Theorie vermutet *G.
Scholem* (s. o. S. 143 A 186) eine Entstehung der jüdischen Gnosis in esoterischen Kreisen des
orthodoxen Judentums (Merkabah-Mystik). Dieser Mystik fehlt jedoch der den Gnostizismus mitkonstituierende Dualismus.

mythos vom „Erlösten Erlöser"[30]. In der neueren Gnosisforschung hat sich aber die Annahme weitgehend durchgesetzt, daß es einen solchen kompletten Mythos (etwa: ein Gottwesen zerfällt in einzelne Funken, die durch eine im Himmel verbliebene Lichtgestalt reintegriert und damit erlöst werden) in früherer Zeit nicht gegeben hat[31]. Selbst aber, wenn diese Ansicht nicht berechtigt sein sollte, so läßt Philo an keiner Stelle eine Andeutung erkennen, wonach im Menschen ein Kern vorhanden wäre, der vom Ursprung her die *gleiche Substanz* mit der Gottheit besitzt und durch einen *Fall* in die Sphäre der Materie geraten ist. Es wurde o. S. 101 ff. 169 ff. ausführlich begründet, daß Philos Urmenschlehre 1. keine Konsubstantialität von Gottheit und Anthropos-Nous aussagt, und 2. gerade in dieser Form vorphilonische Tradition ist. Philos Urmenschlehre geht deshalb nicht auf einen gnostischen Anthropos-Mythos zurück, sondern auf die dualistische Weisheit[32]. Auch die Verbindung von Anthropos und Logos-Titel in Conf 41. 62. 146 f. bezeugt keinen gnostischen Urmenschmythos, wie vor allem H.-M. Schenke und H. Hegermann gezeigt haben[33].

---

[30] Z. B. *R. Reitzenstein*, Poimandres, 41 ff. 110 f.; *ders.*, Erlösungsmysterium, 49 A 2. 104 ff.; *ders.*, Mysterienreligionen, 271 ff. 347; *ders.*, Vorgeschichte, 103 ff. (bes. 115 ff.). 127 ff.; *ders.*, in: Reitzenstein/Schaeder, 30; *W. Bousset*, Hauptprobleme, 195; *J. Pascher*, 105 ff. 126 ff. 137 ff. 142 f. 209 ff. 227 f. u. ö.; *H. Lewy*, 73 ff.; *H. Willms*, 44 ff.; *E. Käsemann*, Wanderndes Gottesvolk, 125. 133 ff.; *ders.*, Taufliturgie (EVB I), 40 (dazu *C. Colpe*, Schule, 63 A 1); *K. Rudolph*, Grundtyp, 17. 19; *J. Jervell*, 52 ff.; *E. Brandenburger*, Adam, 117 ff.; *P. Schwanz*, 26. Vgl. zum ganzen: *C. Colpe*, Schule, 9 ff.

[31] S. o. S. 59 f. A 84. Das ist vor allem das Verdienst der Werke von *C. Colpe*, Schule, und *H.-M. Schenke*, Gott „Mensch". Vgl. auch *C. Colpe*, New Testament and Gnostic Christology, 235 f.; *A. Böhlig*, New Testament; *T. H. Tobin*, 102 ff.

[32] Das ist der entscheidende Unterschied von E. Brandenburgers Buch „Fleisch und Geist" zu seiner älteren Arbeit „Adam und Christus". Die „dualistische Weisheit" ist eben keine Gnosis – oder man müßte den Gnosis-Begriff total umstrukturieren und erweitern. Allerdings bestehen genealogische Bezüge von der hellenistisch-jüdischen Weisheit zum Gnostizismus (s. u. S. 206 ff.). Die Unterschiede der gnostischen Gen 2,7-Exegese zur hellenistisch-jüdischen haben vor allem *B. A. Pearson*, Pneumatikos, 51 ff. 82; *ders.*, Philo; *K.-G. Sandelin*, Spiritus vivificans, und *W.-D. Hauschild*, 263 ff., aufgezeigt. Nach *B. A. Pearson* besteht zwischen der hellenistisch-jüdischen Anthropologie (anhand der Auslegung von Gen 2,7) und dem Gnostizismus zwar eine Kontinuität, aber der erstgenannten (und der korinthischen Anschauung) fehlt noch der Bruch zwischen Schöpfer und Pneuma-Gott, die Auffassung der Schöpfung als Produkt eines gefallenen Wesens (zusammenfassend S. 83). Damit zusammen hängt der Bruch des Gnostizismus mit dem Judentum (S. 84).

[33] *H.-M. Schenke*, Gott „Mensch", 121 ff.; *H. Hegermann*, 67 ff., bes. 84–87; vgl. auch *A. J. M. Wedderburn*, Heavenly Man, 315 ff., und *T. H. Tobin*, 102 ff. 140 f.; anders z. B. *E. Käsemann*, Taufliturgie (EVB I), 40; vgl. *ders.*, Röm, 137 (Conf 146 sei eine Kombination aus Anthropos-Mythos und Sophia-Spekulation); *J. Jervell*, 52 ff.; *W. Schmithals*, ThLZ 1963, 592 f. H.-M. Schenke hat nachgewiesen, daß der Anthropos-Titel in diesem Zusammenhang aus Gen 1,27 herrührt: Der Logos als εἰκών Gottes heißt hier ἄνθρωπος. Die Vorstellung von einem Makro-Anthropos (All-Gott) dagegen ist erst im Gnostizis-

3. Damit ist im Grunde auch schon die Frage erledigt, ob Philos
Werk als ganzes gnostische Wurzeln hat, Philo also selber in eine schon
bestehende Tradition eines Gnostizismus hineingehört. In der Tat sind
die Lieblingsmotive des Gnostizismus bei Philo zum großen Teil schon
da (radikale Transzendenz Gottes, Zwischenmächte, Dualismus, Spekulation zu Gen 1, 26, Spekulation zu Gen 1, 27 + Gen 2, 7, Belebung
Adams als Erlösung usw.). Aber bei allem Dualismus ist der monotheis-
tische Schöpfergedanke an keiner Stelle eingeschränkt. Auch die Helfer
bei der Menschenschöpfung (zu Gen 1, 26) sind keine widergöttlichen
oder gefallenen Wesen. Dazu werden sie erst im (späteren) Gnostizismus. Dabei führt Philo gerade diese Gedanken an keiner Stelle polemisch vor, so daß eine anderslautende Motivverwendung (im Sinne der
Schöpfung durch Fall und Demiurg) nicht erschlossen werden kann.
Die Richtung geht ausschließlich von Philo zur Gnosis – und nicht umgekehrt[34]. Die Motive der Gnostiker finden sich also schon bei Philo.
Doch sind sie noch nicht im Sinne des Gnostizismus verwendet. Philo
hält an der Einheit von transzendentem Gott und Schöpfung fest – und
dies nicht in Reaktion gegen eine womöglich schon bestehende andere
Anschauung. Die Tendenz, den Menschen und die materielle Schöpfung auseinanderzureißen, ist aber schon erkennbar. Das liegt an den
pythagoreischen Zügen der alexandrinisch-jüdischen Religionsphiloso-
phie.

---

mus später (manichäischer) Form pneumatisiert worden (dazu s. o. S. 59 f. A 84). Oben (S.
164 ff.) wurde zu zeigen versucht, daß Philo Gen 1, 27 sowohl auf den Logos wie auf den vorbildlichen Himmelsmenschen beziehen kann und daß beide Titel auch soteriologisch inein-
andergehen können. Das ganze „System" Philos, nicht aber ein versprengter, tradierter Mythos, steht hinter Conf 146 ff. Wenn sich bei Philo überhaupt die Allgott-Vorstellung findet,
dann in der stoischen (Poseidonios?) Mikro-Makro-Anthropos-Entsprechung. Die besagt
aber nur, daß *Kosmos* und Mensch sich einander proportional entsprechen. Der
Logos selber ist bei Philo auf keinen Fall in dem Sinne Anthropos, daß er die *Summe* der
Seelen ausmacht (vgl. *U. Früchtel*, 35 A 1: gegen E. Käsemann). Der Anthropos-Mythos
der Religionsgeschichtlichen Schule erweist sich zunehmend als ein später gnostischer
„Kunst-Mythos". Vgl. ferner *U. Früchtel*, 31 A 4. 32 ff. Zur Bezeichnung des gnostischen
Mythos als „Kunst-Mythos" vgl. *H. Blumenberg*, Arbeit am Mythos, 1979, 138; zum Begriff „Kunst-Mythos": *A. Jolles*, Einfache Formen, Studienausgabe der 4. Aufl., 1972,
108 ff.
   [34] Vgl. *M. Simon*; *J. E. Menard*, Les Origines, 37 f. *Ders.*, Erkenntnis, 64, spricht in diesem Sinne bei Philo von einem „Vorgnostizismus". Ähnlich *R. McL. Wilson*, Gnostic Origins, 209 ff.; *ders.*, Gnostic Origins Again, 110; *ders.*, Philo; *U. Früchtel*, 32; *Chr. Elsas*,
218 ff.; *B. A. Pearson*, Philo. Vgl. das Resümee bei *S. Sandmel*, 138 f.: „I doubt that there
was in Philo's time enough of a gnostic entity that could be called a movement. And if
there had been such, I doubt that he would have been part of it. That as early as Philo
there existed tendencies that eventuated in gnosticism seems possible."

3. Erwägungen zur Frage nach dem Ursprung des Gnostizismus

1. Gerade die neuentdeckten Nag-Hammadi-Schriften unterstützen ein gutes Stück weit die Meinung, daß der Gnostizismus jüdischen Ursprungs sein könnte[35]. So gewinnt denn auch die These vom jüdischen Ursprung zunehmend an Boden[36]. Was die Motive der gnostischen Spekulationen betrifft, so ist diese Ableitung überzeugend.

2. Dennoch hat sie heftigen Widerspruch hervorgerufen. In einem seiner letzten Beiträge zum Problem hat W. C. van Unnik noch einmal auf die Schwierigkeiten einer solchen Ableitung hingewiesen[37]. Das Wesen des Gnostizismus, wie man es heute im Anschluß an H. Jonas bestimmt, und das jüdische Selbstverständnis schließen sich nach van Unniks Meinung aus. Häufig schon hat man darauf hingewiesen, daß der Gnostizismus im Grunde antijüdisch ist. Da, wo Gnostiker das Alte Testament (überwiegend Gen 1–9) exegesieren, handelte es sich um „Protestexegese"[38]. Man muß nun freilich unterscheiden: Da, wo der jüdisch-monotheistische Schöpferglaube bekämpft wird, mag man mit Recht jüdisches Weltverständnis bestreiten. Eine andere Frage ist es, ob ein solches a- oder anti-jüdisches Weltverständnis selber aber jüdische Wurzeln haben kann. Auch das bestritt van Unnik. Ja, mehr noch: Der Gnostizismus verrate nicht einmal Polemik gegen das Judentum: „Die Gnostiker, die wir hören, kämpfen nicht gegen ihre Vergangenheit oder gegen eine Religion; sie legen ihre Lehren thetisch dar ..."[39]

3. W. C. van Unnik ließ die Fragen nach dem Ursprung des Gnostizismus offen. Indirekt könnte sein Beitrag jedoch für eine Herleitung aus hellenistischer Philosophie sprechen. Und dabei käme in erster Linie der pythagoreisch geprägte Platonismus jener Zeit in Frage. Dabei haben wir es ja in der Tat mit einem kosmologisch-anthropologischen Dualismus zu tun, den wir im alexandrinischen Judentum bei und vor Philo gefunden haben, der nun aber am Judentum, an Philo vorbei sich zum Gnostizismus herausgebildet haben könnte. Diese Hypothese hat

---

[35] Z. B. *A. Böhlig*, Hintergrund; *O. Betz*; *B. A. Pearson*, Philo, 78 ff.; *ders.*, Jewish Elements in Gnosticism.

[36] Im von K. Rudolph herausgegebenen Band „Gnosis und Gnostizismus" die Beiträge von *G. Kretschmar*, *P. Pokorny* und *K. Rudolph* (Randerscheinungen); ferner als Beispiele für viele: *H.-M. Schenke*, Problem; *Berliner Arbeitskreis*, 16–18; *G. Quispel*; vgl. zum ganzen: *K. Rudolph*, ThR 36, 89 ff.

[37] *W. C. van Unnik*; vgl. auch *H. J. Schoeps*, 474; *H. Jonas*, Abgrenzung, 641 f.; *J. Maier*, 256 ff.

[38] *K. Rudolph*, Randerscheinungen, 789.

[39] *W. C. van Unnik*, 85. Dagegen aber *B. A. Pearson*, Jewish Elements in Gnosticism: eine jüdische Bewegung, die ihrem Ursprung jedoch feindlich und revoltierend gegenübersteht und ihr Judentum hinter sich gelassen hat. Dagegen wiederum *G. Quispel*, 59–61: Die Gnostiker wären Juden geblieben.

A. H. Armstrong in seinem Beitrag der Festschrift für Hans Jonas überprüft – mit negativem Ergebnis: Zwar komme der pythagoreische Platonismus (vor allem der des zweiten Jahrhunderts) dem Gnostizismus
noch am nächsten, doch seien beide in ihrem Dualismus weit voneinander geschieden. Die Einflüsse seine letztlich peripher (also wieder nur
auf Motive beschränkt). Gnostizismus schränkt Armstrong dabei auf
das pessimistische, kosmosfeindliche Selbst- und Weltverständnis ein
(im Sinne einer etwas engeren Definition als die von Jonas, wobei der
„Geist der Spätantike" als ein zu allgemeines Kriterium zurückgewiesen
wird). Dabei scheidet dann sehr vieles aus, z.B. die optimistische Hermetik, aber gerade auch Jüdisches. Armstrong verweist andeutend auf
den iranischen Dualismus[40].

4. Es ist klar, daß damit wiederum viele Wege versperrt sind, eine
frühe (zeitlich vorchristliche) Entstehung des Gnostizismus zu begründen. Zugleich bedeutet dies eine zunächst nützliche Engführung des
Begriffs von Gnostizismus, die pauschale Hypothesen von Einflüssen
verwehrt – und nun leider (nach dem Stand der Forschung und bisher
möglichen Erkenntnis) eine Ursprungsbestimmung des Gnostizismus
für die nächste Zeit verhindert[41].

5. Indes mag diese Engführung aber auch überspitzt sein. Wenn man
damit rechnen darf, daß sich innerhalb von umrissenen Traditionen[42]
Innovationen, Brüche, oder so etwas wie ein Umschlagen ereignen können[43], dann bleibt die Herleitung des Gnostizismus aus dem hellenistischen Judentum, etwa der alexandrinischen Weisheit, immer noch am
plausibelsten. Der reine Gnostizismus ist ja doch auch nur ein Grenzbe-
griff, wie die verschiedenen Grade von Gnostisierung innerhalb der
Nag-Hammadi-Schriften zeigen. Es sei an M. Friedländers und B. A.
Pearsons Hinweis auf die Allegoristen neben Philo (Migr 89–93) erinnert[44]. Hier, am Rande des Judentums[45], wurde ein Schritt vollzogen
ähnlich dem des paulinischen Christentums, das unvermittelt an einer
Stelle sein jüdisches Selbstverständnis verlor – so daß man mit 1 Joh
2, 19 im Hinblick auf Gnostizismus und Judentum sagen könnte: „Sie
sind von uns ausgegangen, aber sie gehören nicht zu uns."

---

[40] A. H. Armstrong, 123.

[41] Vgl. die Skepsis von H. J. W. Drijvers, bes. 835 ff.; W. C. van Unnik, 71; J. Maier,
256 ff.; K.-W. Tröger, Gnosis und Judentum.

[42] Damit meine ich im Unterschied zu Motiven, die unterschiedlich und gar gegen-
sätzlich verwendet werden können, tradierte und auch institutionell gebundene „Weltver-
ständnisse" (etwa eine „Schule").

[43] Man vergleiche z.B. nur die Entwicklung von Paulus zu den Deuteropaulinen
(etwa über den Kol zum Eph) oder die Entwicklung innerhalb der johanneischen Schule.

[44] S. o. S. 202 f.

[45] Vgl. H. M. Schenke, Problem, 133: „Die Grenze zwischen Judentum und Nichtju-
dentum war fließend."

6. Für das Ziel dieser Arbeit mag das aber alles offen bleiben. Es genügt gezeigt zu haben, daß weder die Korinther noch Philo im wesentlichen Punkt der Definition dem Gnostizismus entsprechen: Der Gott der Schöpfung ist noch nicht zum abgefallenen Demiurgen geworden. Die Schöpfung ist nicht widergöttlich. Dennoch: Bei beiden (bei Philo und den Korinthern) beginnen Erlösung und Kosmos, Seele und Körper, Mensch (sofern er erlösungswert und pneumatisch erlöst ist) und Welt auseinanderzufallen[46].

7. Wenn man davon ausgeht, daß im weisheitlich-dualistischen Denken, wie Philo und die Korinther es vertreten, eine der Hauptwurzeln des Gnostizismus vorliegt, wird das Nebeneinander von christlichem und außerchristlichem Gnostizismus verständlich. Wie die korinthische Theologie zeigt, sind die den Gnostizismus vorbereitenden Gedanken im Christentum ziemlich früh mit angelegt. Dabei schwankt diese gnostisierende Richtung im Christentum der neutestamentlichen Zeit zwischen Häresie und Orthodoxie, die ja noch nicht definitiv getrennt und zu trennen sind. Der ausgebildete christliche Gnostizismus des 2. Jahrhunderts beruft sich gerade auf Paulus – und nicht auf die Korinther oder andere Paulus-„Gegner"[47]. Ja, die Auferstehungsleugner von 1 Kor 15 können z. B von den Valentinianern gerade unter Berufung auf Paulus selbst deklassiert werden[48]. Hinzu kommt dabei freilich eine bereits erfolgte Spiritualisierung des Auferstehungsbegriffs[49], deren Entwicklung erst nach Paulus einsetzt. Hier besteht nun ein wesentlicher Bruch in der Kontinuität vom hellenistisch-jüdischen Dualismus der Korinther, die eine spiritualisierte Auferstehungslehre noch nicht vertreten haben, zum ausgeprägten christlichen Gnostizismus. Ebenfalls gefördert wurde durch das frühe Christentum die antinomistische und anti-judaistische Tendenz des Gnostizismus, so daß es immer noch er-

---

[46] Für die Antike bis hin zur Stoa, auch für das Alte Testament, war es geradezu bezeichnend, daß der Mensch sich als ein Stück Welt verstand (vgl. *H. Jonas*, I, 140 ff.: „Weltheimischkeit"). Diese Einheit von Mensch und Natur zerbricht im pythagoreisch ausgerichteten Mittelplatonismus und dem von ihm beeinflußten alexandrinischen Judentum. Der Gnostizismus stellt den Extrempunkt dieser Entwicklung dar (der Neuplatonismus Plotins ist schon eine Gegenbewegung). Mir scheint nun gerade in der jüdischen Diaspora-Existenz die Entfremdung, der „Akosmismus", einen konkreten Anhaltspunkt gefunden zu haben (s. o. S. 132 mit A 153).

[47] Das zeigt gerade anhand von 1 Kor 15 *E. H. Pagels*; vgl. auch *H.-Fr. Weiss*, bes. 119 ff.; *A. Arai*, 437.

[48] *E. H. Pagels*, 279 ff.

[49] Das geht ebenfalls aus dem Aufsatz von *E. H. Pagels* hervor. Sie zeigt, daß die Gnostiker keineswegs die Auferstehung überhaupt ablehnen (gegen *W. Schmithals*), was nun aber die Korinther tun, wenn unsere Auslegung von 15,12 (s. o. S. 30 ff.) zutrifft (mit *W. Schmithals*). Der gnostische Auferstehungsbegriff bedeutet dabei eine spätere Uminterpretation.

wägenswert bleibt, einen direkten oder indirekten Einfluß des Christentums selber auf den ausgeprägten Gnostizismus als konstitutiv anzunehmen[50]. Schematisch könnte man sich die Entwicklung so vorstellen, daß der Gnostizismus in der hellenistisch-jüdischen Diaspora und im Christentum parallel entstand, wobei sich beide sehr bald gegenseitig beeinflußten. Die Wurzel aber ist für beide Zweige die dualistische weisheitliche Anthropologie[51], die dann sowohl im Bereich des hellenistischen Judentums (jüdische, aber sich vom Judentum emanzipierende und schließlich „antijudaistische" Gnosis) wie im Christentum zum Gnostizismus wurde, und zwar unter gegenseitiger Beeinflussung. Dies stellt lediglich eine Hypothese dar, die bereits über den Rahmen dieser Studie hinausgeht.

Mit den Ergebnissen dieses religionsgeschichtlichen Teiles können wir uns nun der Exegese von 1 Kor 15 zuwenden. Als Ergebnis der bisherigen Untersuchung ist festzuhalten: Die korinthischen Auferstehungsleugner sind Pneumatiker alexandrinisch-jüdischer Provenienz. Nicht eine Gnosis (die so früh nirgends belegt ist), sondern hellenistisch-jüdische Weisheitstheologie ist der Ursprungsort der korinthischen Theologie und Religiosität. Ihr philosophisches Rüstzeug hat sie aus der neupythagoreischen Färbung der alexandrinischen Weisheitstheologie mit übernommen. – Wie nützlich diese religionsgeschichtliche Hypothese für die Exegese des ganzen Kapitels ist, wird sich im folgenden Hauptteil erweisen.

---

[50] Vgl. *U. Bianchi*, Some Reflections, 44: Der Gnostizismus des 2. Jahrhunderts setzt bereits die christliche Soteriologie neben einem orphischen Dualismus voraus. – Statt als „orphisch" sollte man diesen Dualismus aber wohl besser als „neupythagoreisch" bezeichnen.

[51] Es ist bezeichnend, daß bei den Valentinianern keineswegs durchgehend die Unsterblichkeit der Seele angenommen wird, sondern – ganz im Sinne der inspiratorischen Weisheit und ihres Gebrauchs von ψυχή und πνεῦμα bzw. ψυχικός und πνευματικός – die Seele nur die Potentialität der *bereits hier erreichbaren* Unsterblichkeit hat (vgl. *E. H. Pagels*, 277). Allerdings ist dies ein sozusagen bewahrter, aber eigentlich noch vorgnostischer Grundzug. Der Unterschied zwischen Pneumatikern und Psychikern ist der, daß die Pneumatiker schon jetzt (pneumatisch) auferstehen, die Psychiker aber (nur) eine künftige Auferstehung erlangen können.

C Die paulinische Argumentation in 1 Kor 15 (Exegese)

Bevor das Schwergewicht der folgenden Exegese auf V. 1–34 gelegt werden soll, muß zunächst die im heuristischen Teil B als Voraussetzung zur Erhebung der korinthischen Anthropologie unumgängliche Exegese von V. 35 ff. zu Ende geführt werden – nun (im Zirkel) unter der Voraussetzung der zuvor gewonnenen Hypothese. Dabei können wir V. 44 b–50 auslassen.

I 15,35–58: Auferweckung als neue Schöpfung

Nachdem Paulus in V. 35 den Einwand der dualistischen Anthropologie vorgebracht hat, versucht er, darauf eingehend seine These von der noch ausstehenden leiblichen Auferweckung durch ein *Gleichnis* plausibel zu machen (V. 36–44a). Darauf folgt ein *Schriftbeleg*, genauer: eine Exegese der für die weisheitliche Anthropologie zentralen Schriftstelle Gen 2,7 (V. 44b–50). Diese Exegese führt Paulus polemisch gegen die ontologisch-spiritualistische Interpretation dieser Stelle durch. Daran anschließend beschreibt Paulus in einem „*Mysterium*" die endzeitliche leibliche Auferweckung der Christen als Verwandlung und als ein Ereignis von total-kosmischer Dimension (V. 51–57). Dieser letzte Teil ist von V. 35–50 insofern abgehoben, als er nicht nur den Gedanken von V. 35 ff. zu Ende führt, sondern sozusagen auch die Schlußkoda des ganzen Kapitels bildet.

1. Das Gleichnis von den Körpern (V. 36–44a)

a) Gliederung

Mit οὕτως καί wird in V. 42 die Anwendung (Sachhälfte) eingeführt. Die Bildhälfte selber (V. 36–41) ist nicht einheitlich. V. 38 Ende leitet mit dem Stichwort ἴδιον σῶμα einen neuen Gesichtspunkt ein: Es gibt unterschiedliche Arten von σάρξ, σῶμα, δόξα . Dieser Gedanke kommt aber in der Sachhälfte nicht explizit zum Tragen. Vielmehr wird hier nur der Gegensatz von Samen und Pflanze im Gegensatz von σπείρεται

– ἐγείρεται aufgegriffen. Das gleiche gilt von dem Gedanken des notwendigen Sterbens zwischen der Existenz als Same und der Existenz als Pflanze (V. 36). Das Gleichnis hat also selber noch Aspekte, die in die Sachhälfte nur implizit eingegangen sind. Seine Argumentationsfunktion erschließt sich nicht einfach von der Sachhälfte her, die in V. 42–44a genannt wird. Es ergibt sich folgende Sequenz:

V. 36–38: 1. Pointe
V. 39–41: 2. Pointe
V. 42–44a: Anwendung

b) V. 36–38

1. Das Saatgleichnis selbst ist schon ein komplexes Gebilde, bei dem man nicht einfach ein tertium comparationis erheben kann. Paulus hebt verschiedene Aspekte hervor. Dabei bedient er sich spezifischer traditioneller Motivik. V. 36 ist mit Joh 12, 24 verwandt, obwohl eine direkte Beziehung ausgeschlossen werden kann. V. 37 geht auf eine Tradition zurück, deren Ausläufer uns in einem überlieferten rabbinischen Gleichnis erhalten sind. V. 38 schließlich hebt einen Gedanken hervor, dessen Funktion nicht ohne weiteres aus der Anwendung V. 42–44a erkennbar wird.

2. Als Einstieg kann am besten V. 37 dienen. Hier werden einige Eigentümlichkeiten sofort klar, wenn man die rabbinische Tradition heranzieht[1]. Die Übereinstimmungen gehen dabei bis in die Begrifflichkeit. 1. Das Saatgleichnis gehört genuin in eine Auseinandersetzung über die Lehre der Auferstehung der Toten. 2. Es ist vom *Weizen*korn die Rede (vgl. 1 Kor 15, 37, wo die Erwähnung des Weizens eigentlich überflüssig ist). 3. Es geht um das „*nackte*" Korn. 4. Das tertium comparationis ist: Das Korn kommt nackt in die Erde und in vielen Bekleidungen heraus. Das Bild der Bekleidung findet sich bei Paulus, metaphorisch verwendet und schon übersetzt, im σῶμα-Begriff. 5. Im rabbi-

---

[1] Die Texte sind zitiert und ausführlich behandelt bei *C. Farina*, 53–66. Die Fassung aus Baraitha de Rabbi Eliezer (= Pirqe Eliezer) 33 (zweite Generation der Tannaiten) sei hier wiedergegeben: „Rabbi Eliezer sagte: Alle Toten werden bei der Wiederbelebung der Toten auferstehen und in ihren Kleidern herauf*kommen*. Woher lernst du das? Vom Samen der Erde durch einen Schluß vom Geringeren auf das Größere, vom Weizenkorn aus. Wenn das *Weizenkorn*, das *nackt* in die Erde kommt, in vielen Bekleidungen herauskommt, um wieviel mehr gilt dann von den Gerechten, daß sie in ihren Kleidern auferstehen werden." Die anderen Stellen sind bSanh 90b; bKeth 111b (*Billerbeck*, III, 475) und der von Farina eingebrachte Beleg QohR zu 5, 10. Die Texte selbst sind alle sehr jung. Alt ist lediglich die Person des Eliezer als Autorität. Das Gleichnis selbst ist jedoch nicht von Paulus abhängig und reicht möglicherweise motivgeschichtlich in frühe apokalyptische Zeit zurück.

nischen Gleichnis ist von *vielen* Bekleidungen die Rede. Das klingt bei Paulus ebenfalls nach in V. 37 Ende und V. 38. – 6. Im rabbinischen Gleichnis ist vom „Herauskommen" die Rede (die Pflanze aus der Erde – die Toten). Von daher erklärt sich das ἔρχονται in V. 35[2]. – Diese Übereinstimmungen lassen den Schluß zu, daß Paulus möglicherweise eine Vorform der rabbinischen Verwendung des Saatgleichnisses kennt und hier aufgreift. Der Gedanke der Kleider ist bei Paulus bereits übertragen: Die Toten werden ein σῶμα erhalten (V. 38). Dadurch erhält nun aber der Begriff, der in der Tradition den Kleidern antithetisch entspricht, „nackt", metaphorische Bedeutung. Das bedeutet, daß das Gleichnis auf eine anthropologische Ebene verlagert ist.

3. Deutlicher am Bild orientiert ist 2 Kor 5, 1 ff., wo γυμνός und die Bekleidungsterminologie (V. 2: ἐπενδύσασθαι; V. 3: ἐκδυσάμενοι, γυμνός) noch auf der Bildhälfte erhalten geblieben sind. Dabei geht es genau wie in 1 Kor 15, 35 ff. um die Frage des σῶμα. Bevor Paulus in 2 Kor 5, 6 ff. den Gedanken der Leiblichkeit als „Ferne vom Herrn" aufgreift, hat er in V. 1–5 dafür gesorgt, daß das erhoffte Sein beim Herrn nicht als „Nacktheit" zu verstehen ist. γυμνός sein ist für ihn ein negativer Zustand. In 2 Kor 5, 1–10 wird deutlicher, wovon Paulus seine Vorstellung vom postmortalen Heil abhebt. Aus Philo kennen wir die Vorstellung, daß das erwartete Heil als rein pneumatische Existenz gerade als ekstatischer γυμνός-Zustand beschrieben wird. Das ἐκδύσασθαι des σῶμα ist das begehrte Ziel. Dagegen setzt Paulus in 2 Kor 5 das Bild vom ἐπενδύσασθαι. Ein Leib-Pneuma-Dualismus, wie Philo ihn am krassesten vertritt, steht also im Hintergrund[3].

4. Aufgrund dieser anthropologischen Bedeutung der Gegenüberstellung von „nackt" und „bekleidet" hat J. Weiß 1 Kor 15, 37 im Sinne einer Lehre vom leiblosen „Zwischenzustand" zwischen Tod und Auferstehung aufgefaßt[4]. Aber diese Deutung läßt V. 37 nicht zu: Mit γυμνὸς κόκκος ist ja nicht das gestorbene Korn gemeint. Das Korn ist nur „nackt" im Vergleich zum herrlichen „Kleid" der späteren Pflanze[5].

5. Wenn Paulus hier das Saatkorn als „nackt" bezeichnet, dann hat das zunächst seine Ursache in der Tradition des rabbinischen Gleichnisses. Aber der ganze Kontext ist ein anderer. Besonders V. 42–44a macht deutlich, daß es um einen Dualismus von pneumatischer und irdischer Existenz geht. Von dieser dualistischen Struktur her ist auch

---

[2] Das πῶς in V. 35 („wie werden die Toten auferweckt?") bezieht sich dabei auf die Antwort: mit einem neuen Leib. Beide Fragen in V. 35 sind also synonym (s. o. S. 72. 75). Das ἔρχεσθαι gehört nachweislich schon in die apokalyptische Tradition: vgl. syrBar 50, 3 (dazu u. S. 224 A 38).

[3] Das hat *H. Kaiser* in seiner Dissertation ausführlich nachgewiesen.

[4] *J. Weiß*, 368 ff.

[5] So zu Recht gegen *J. Weiß P. Hoffmann*, 249; vgl. auch *C. Farina*, 39 f.

V. 37 zu interpretieren. Das Saatkorn steht dann für die irdische Existenz, die Pflanze für die postmortale. Wenn Paulus nun in diesem dualistischen Schema die Bezeichnung γυμνός für das Saatkorn beibehält, ergibt sich geradezu eine Antithetik gegen das Verständnis vom Heil als pneumatischer Nacktheit und Leiblosigkeit, wie wir es aus Philo kennen. „Nackt" wird nun Prädikat der irdischen, σῶμα Prädikat der postmortalen Existenzweise. Dies ist nicht einfach die Sicht der rabbinischen Vorlage (dort hat es nur seinen terminologischen Anhalt). Aber deutlich ist dies eine Antithese zu einem anthropologischen Dualismus mit seiner prinzipiellen negativen Wertung des Leibes.

6. Noch ein weiteres Mißverständnis ist auszuschließen. Aus der Kombination des rabbinischen Gleichnisses mit dem Leibproblem entsteht der Eindruck, daß σῶμα an dieser Stelle – bedingt durch das Bild des Kleides – im unpaulinischen Sinne zu verstehen sei: als etwas Äußerliches am Menschen, nicht aber im sonst für Paulus typischen Sinne als ganzer Mensch[6]. Doch trifft das nicht zu. Gerade weil das γυμνός-Prädikat auf die irdische Existenz diesseits des Todes überhaupt bezogen wird, bleibt auch der σῶμα-Begriff ganzheitlich. Vor allem V. 36 macht deutlich, daß das neue σῶμα (im Bild: der Pflanze) eine Neuschöpfung ist. Die Pointe liegt gerade darin, daß es keine Kontinuität vom Dasein als „Saatkorn" zum Dasein als „Pflanze" gibt.

7. Das hat in V. 37 noch einen weiteren Aspekt. Die Formulierung zu Versanfang ist merkwürdig: „Was du säst – nicht den künftigen Leib säst du ...". Wozu wird diese Selbstverständlichkeit betont? Wenn es, wie C. Farina meint, nur darum ginge, daß am Pflanzengleichnis gezeigt werden sollte: der Gedanke, daß Tote auferstehen können, ist denkbar[7], so wäre diese Formulierung abwegig. Die Pointe ist ja der Gegensatz von künftigem σῶμα-Kleid zum jetzigen „Nacktsein". Daß auf das Verschwinden des Samens in der Erde noch etwas folgen müsse, steht überhaupt nicht in Frage. Nun hat Farina selber auf die Beziehung von V. 37 zu V. 46 hingewiesen – wobei er jedoch zu Unrecht V. 46 als „nochmalige Geltendmachung" von V. 36 f. auffaßt[8]. Die Formulierung von V. 37 ergibt aber allein auf der Bildhälfte keinen Sinn (wenn sie auch dem Bild nicht widerspricht). Vielmehr ist V. 37 in Hinsicht auf den entscheidenden V. 46 formuliert. Dort geht es darum, daß das

---

[6] So hat R. Bultmann, Theologie, 193 (vgl. ders., GuV I, 60 f.), gemeint, Paulus wäre hier der Sprache der Korinther mit ihrem σῶμα-Begriff erlegen. Dagegen aber zu Recht G. Brakemeier, 95 f.; L. Schottroff, 137 f. 144.

[7] So C. Farina, 18. 41. 50 f. 68 u.ö.: Niemand zweifle angesichts des sterblichen Kornes an der Realität der künftigen Pflanze. Ähnlich B. Spörlein, 100 ff. Dazu paßt das ganze Saatgleichnis nicht: Daß etwas Totes wieder belebt werden *kann*, ist nicht die Pointe.

[8] C. Farina, 165 (ff.).

pneumatische Sein nicht protologisch immerwährende Möglichkeit ist, sondern erst durch den eschatologischen Anthropos Christus ermöglicht wurde (s. o. S. 175 ff.). Entsprechend betont Paulus schon im Saatgleichnis, daß die Existenz diesseits des Todes nur „nackte Saat", und das heißt in der Anwendung V. 42–44a: irdisch-vergängliches Dasein ist. Was man sät, steht in negativem Kontrast zu dem, was dann wächst. Vollendung gibt es erst nach dem Tod. Zwischen beiden Existenzweisen liegt *erstens* das Sterben und *zweitens* die Belebung, ein Schöpfungsakt Gottes von leiblicher Dimension. Genau diese beiden Ereignisse entsprechen aber dem christologischen Kerygma. Immer wieder betont Paulus diese Entsprechung.

8. V. 38 führt das Gleichnis im Sinne der Schöpfertätigkeit Gottes aus. Dieser Gedanke ist nicht in der rabbinischen Tradition des Gleichnisses enthalten, könnte aber dort im Motiv der „vielen Bekleidungen" einen Anknüpfungspunkt gefunden haben. V. 37 Ende hat Paulus bereits durch die Verallgemeinerung des vorgegebenen Stichwortes „Weizen" im Sinne einer Vielfalt von Pflanzenarten diesen Gedanken vorbereitet. V. 38 hebt dabei zweierlei hervor: erstens das eschatologische Schöpferhandeln Gottes (worauf es im bisherigen Gedankengang ankommt), zweitens den Gedanken von der Vielfalt der Lebewesenarten, worum es in V. 39–41 geht. Es wird noch zu fragen sein, was dieses Motiv der unterschiedlichen σώματα für eine Funktion hat.

9. Bevor Paulus das traditionelle Saatgleichnis heranzieht, stellt er in V. 36 die Weichen für das rechte Verständnis. Dieser Vers enthält ebenfalls Tradition, wie die Parallele Joh 12, 24 zeigt. In beiden Fälle ist die Pointe der Gedanke der Notwendigkeit des Todes für die Entstehung der Frucht (die dann in beiden Fällen unterschiedlich bestimmt wird)[9]. Hier aber geht es prinzipiell um den Tod als Akt der Diskontinuität, der die beiden konträren Existenzweisen zeitlich trennt. Dieses Saatgleichnis setzt eine antike Naturvorstellung voraus, wonach Leben und Sterben als „Kreislauf von Stirb und Werde" angesehen werden[10]. Entscheidend ist an dieser Stelle dabei der Gedanke der Diskontinuität. Das Verhältnis von Saat und Pflanze wird gerade nicht im Sinne der Entwicklung, im Sinne des Keim-Begriffs verstanden, sondern als eine Neuschöpfung Gottes im Sinne eines Wunders[11]. Der Ton liegt auf

---

[9] *H. Riesenfeld*, bes. 47.

[10] *H. Conzelmann*, 1 Kor, 333; vor allem *H. Braun*, Stirb und Werde, 140 ff.

[11] Das haben vor allem *H. Riesenfeld*, 47; *H. Braun*, Stirb und Werde, 143 ff.; *H. Schwantes*, 58 f.; *G. Brakemeier*, 85 ff. 95 f.; *H. Conzelmann*, 1 Kor, 333 f.; *L. Schottroff*, 136 f.; *H. H. Schade*, 204 f.; *J. Gillman*, 325 ff., herausgestellt. Dagegen behauptet *R. J. Sider*, Conception, 431 ff., es liege der Gedanke der Kontinuität und Identität von Saat und Pflanze vor: Paulus habe den Gedanken biologischer „organic continuity" gekannt (438). Die Verwandlung, die Paulus im Sinn hat, ist nach R. J. Sider nur ein Auswechseln des

dem ἐὰν μὴ ἀποθάνῃ [12]. Dabei darf man den Tod nicht als akzidentielles Ereignis verstehen, sondern durchaus als Vernichtung, so daß die Schöpfung der neuen Existenz nicht weniger als ein καλεῖν τὰ μὴ ὄντα ὡς ὄντα (Röm 4, 17) ist. Was „auferweckt" wird, ist etwas anderes als das, was „gesät" wird – so ist nun V. 37 zu verstehen. Der Gedanke an ein kontinuierliches identisches Subjekt fehlt bei Paulus nicht nur, er wird hier sogar sabotiert. Das aber spricht alles dafür, daß Paulus sich mit einer Anthropologie auseinandersetzt, nach deren Meinung sich der pneumatische Wesenskern des (pneumatischen) Menschen über den Tod hinaus durchhält. Für Paulus dagegen hat der Tod einschneidende Bedeutung als das, was Gottes Schöpfung vernichtet (vgl. dagegen Philos Anschauung vom Tod: s.o. S. 135 f.). Während der Dualismus der Korinther ontologisch ausgerichtet ist, so daß man dort dem Pneumatiker schon diesseits des Todes ἀφθαρσία, δόξα, δύναμις, ἀθανασία attestiert, wandelt Paulus den Dualismus eschatologisch um und bezieht die somatische Existenz mit ein. Für ihn gibt es keinen Wesenskern des Menschen, der die Kontinuität garantiert. Menschsein wird gerade durch die leibliche Dimension konstituiert und damit durch das Sein zum Tode.

10. Um den paulinischen Gedankengang zu verstehen, ist eine Eigenart des ganzen Kapitels zu berücksichtigen, die bisher noch nicht in den Blick kommen konnte, weil unsere Exegese mit dem zweiten Teil (V. 35 ff.) einsetzte: Paulus denkt von einer engen Verbindung von christologischem Kerygma und anthropologisch-soteriologischer Deutung des Menschen aus. Darum setzt er mit dem Kerygma ein (15, 1–11). V. 36 hat zugleich auch christologische Bedeutung. Das legt nicht nur die auffällige Parallele Joh 12, 24 nahe. Wie Christus zuvor gestorben ist und auferweckt wurde, so geschieht es mit den Christen. Nur durch den Tod hindurch gibt es Überwindung des Todes, unvergängliches Leben. In Röm 6 deutet Paulus die Taufe als „Mitsterben". 1 Kor 15, 29 kann er nur deshalb den korinthischen Brauch der Taufe für die Toten als Argument für sich verbuchen, weil er die Taufe implizit im Sinne von Röm 6 versteht (dazu s. u. S. 283 f.). Dieses paulinische Denken kann man zu recht mysterienhaft bezeichnen: Der Myste erlangt seine unsterbliche Existenz nicht, wenn er nicht zuvor gestorben ist (Hadesfahrt) und im Tod seine alte Existenz verlor [13]. Für Paulus geht es an

---

σῶμα ψυχικόν gegen ein σῶμα πνευματικόν am identischen Individuum (ähnlich B. Spörlein, 102; C. Farina, 98 ff). Das widerspräche dann völlig dem paulinischen ganzheitlichen σῶμα-Begriff. Vgl. E. Käsemann (o. S. 194 A 11).

[12] H. Riesenfeld, 47.

[13] Auf diese Zusammenhänge hat H. Braun, Stirb und Werde, 145 ff., vor allem unter Hinweis auf das Isis-Mysterium aufmerksam gemacht. Die christologische Implikation von 1 Kor 15, 36 hebt H. Riesenfeld, 45, hervor.

dieser Stelle darum, den Einschnitt zwischen alt und neu so tief wie möglich zu machen. Ohne Tod gibt es keine Neuschöpfung, keine „neue Kreatur". Ohne Tod wäre Christi Auferweckung nicht die Eröffnung neuen Lebens.

11. Das Mitsterben des Christen ist für Paulus nun aber ein gegenwärtiges Geschehen, das sich nach Röm 6 aus der Taufe ergibt. Der Christ ist im neuen Wandel des Glaubens für die Sünde gestorben (Röm 6, 2 ff.), ist schon jetzt „neue Schöpfung" (2 Kor 5, 17), ja als „Sohn des Tages" lebt er schon jetzt im Licht (1 Thess 5, 1–11)[14]. Wenn nun aber unsere Auslegung von 1 Kor 15, 35 ff. im Sinne einer Bestimmung der (künftigen leiblichen) Auferstehung als neuer Schöpfung zutrifft, ergibt sich der schwierige Befund, daß Paulus die Kategorie der eschatologischen Neuschöpfung auf zweierlei Weise gebraucht: einmal für den gegenwärtigen Existenzwandel des Glaubenden – dann aber auch für die zukünftige leibliche Auferweckung[15]. Wie Paulus beides aufeinander bezieht, zeigt Röm 8, 9–11: Wenn Christus (= der Geist Gottes) im Menschen ist, ist der Sündenleib (σῶμα) tot (im Sinne von Röm 6, 2 ff.), der Geist aber ist das Leben aufgrund der Rechtfertigung (V. 10). „Wenn aber der Geist dessen, der Jesus aus Toten auferweckt hat, in euch wohnt, wird er, der Christus aus Toten auferweckt hat, auch eure sterblichen Leiber (τὰ θνητὰ σώματα) lebendig machen (ζωοποιήσει) durch seinen in euch wohnenden Geist" (V. 11). Gegenwart ist das Pneuma, das – nun im Sinne von 1 Kor 15, 35 ff. – in der Zukunft die sterblichen σώματα zu pneumatischen (vgl. σῶμα πνευματικόν) machen wird. Unüberhörbar ist in Röm 8, 11 der Anklang des christologischen Credos nach Art von 1 Thess 4, 14 und 1 Kor 6, 14. Die Gegenwart und künftige Dauer des Pneuma ist auch für die korinthischen Ekstatiker selbstverständlich. Was sie nicht voraussetzen und von ihren Voraussetzungen her ablehnen, ist der Gedanke von der künftigen Leibschöpfung des πνεῦμα ζῳοποιοῦν, das nun durch Paulus zum eschatologischen Schöpfergeist wird. Was Paulus in 1 Kor 15, 35 ff. treffen will, ist folglich der Gedanke der ontologischen Kontinuität der pneumatischen Daseinsweise des erlösten Menschen. Für Paulus ist das neue Leben neue Schöpfung (darum bezieht er Gen 2, 7 ganz auf Adam), ein Werk Gottes, der das Nicht-Seiende ins Dasein ruft. Nach dieser Schöpfungskategorie versteht Paulus sowohl die Rechtfertigung

---

[14] Die präsentische Zuspitzung apokalyptisch-eschatologischer Topik ist also keineswegs erst ein Phänomen theologischer Entwicklung in den späteren Briefen des Paulus (2 Kor; Röm), auch wenn es hier mehr in den Vordergrund tritt.

[15] Das würde übrigens auch gelten, wenn 1 Kor 15, 35 ff. nur als Apologetik der Auferstehungsvorstellung aufzufassen wäre. Die Auferstehung wird hier ja doch in jedem Falle als Verleihung eines σῶμα πνευματικόν und die gegenwärtige Existenz als Dasein eines vergänglichen σῶμα ψυχικόν aufgefaßt.

(Röm 4, 17) wie das postmortale Heil, sofern dieses Verwandlung und
Verleihung eines unvergänglichen Leibes bedeutet. Auch die Geretteten, die die ἀπαρχή des Geistes haben, seufzen noch mit der vergänglichen Kreatur (Röm 8, 21) und erwarten noch die „Erlösung des Leibes"
(Röm 8, 23). So sicher sich diese aus der ἀπαρχή des Pneuma ergibt[16],
so sehr bleibt sie aber auch Gottes eschatologischer Schöpfertätigkeit
vorbehalten und setzt auf jeden Fall die Todesunterworfenheit der Geschöpfe voraus (Röm 8, 20), so daß das Leben anwesend ist in der Hoffnung. Das paulinische Interesse an der Auferstehung als Verwandlung
und Neuschöpfung hängt also mit seiner Auffassung von Leiblichkeit
und Tod zusammen. Gerade hinter 1 Kor 15, 35 ff. läßt sich die korinthische Gegenposition mit ihrer Verachtung von Leib und Tod am
deutlichsten erkennen.

c) V. 39–41

1. Was Paulus den Korinthern plausibel machen will, ist der σῶμα-Begriff als zentrale Kategorie der Anthropologie. Dabei hebt er aus dem
Gleichnis nun eine zweite Pointe hervor. Auf den ersten Blick ist dieser
Gedanke, der sich in V. 38 Ende ankündigt (jeder Gattung gibt Gott ein
ihr eigenes σῶμα)[17] nicht leicht verständlich. Was soll diese Betonung
verschiedener Arten und Klassen? Der Sinn ergibt sich aus V. 40: es gibt
himmlische und *irdische* σώματα. Hier findet sich also der dualistische
Leitgedanke wieder. Beide haben verschiedene δόξα. Aber nun werden
die verschiedenen himmlischen σώματα wiederum differenziert in verschiedene Arten von δόξα (V. 41), so wie die irdischen σώματα nach der
Art ihrer σάρξ differenziert werden (V. 39). Diese weitere Differenzierung in Klassen von verschiedener σάρξ und verschiedener δόξα geht

---

[16] G. *Klein*, Eschatologie, 284 f.
[17] Diese zweite Pointe kündigt sich sogar schon in V. 37 an, wo bei der Saat differenziert wird: εἰ τύχοι σίτου ἤ τινος τῶν λοιπῶν. *J. Gillman*, 326, möchte V. 38b (ἴδιον σῶμα)
den Gedanken der Identität von Samen und Pflanze entnehmen. V. 39–42 behandelt er
nicht. ἑκάστῳ ... ἴδιον σῶμα macht *Chr. Burchard*, 1 Kor 15, 39–41, 237 ff., zum Angel-
punkt einer neuen Interpretation von 1 Kor 15, 35 ff.: Paulus wolle „nicht darauf hinaus,
daß ... die Auferweckten ... als Leib existieren werden statt unleiblich oder gar nicht ...
Sondern er will sagen, daß der Leib, als der gestorbene Christen auferweckt werden, der
von Gott bei der Schöpfung für sie bestimmte und ihnen eigentümliche Leib ist ..." (239).
Aber weder die Wendung ἴδιον σῶμα noch die Aufzählung der Leib-Arten in V. 39–41
spricht für diese Interpretation. ἴδιον σῶμα ist indeterminiert und bedeutet nicht „seinen
(spezifischen ihm) eigentümlichen Leib", sondern nur *„einen eigenen"* Leib (vgl. dagegen
das determinierte ἴδιον in 15, 23). Diese Leiber sind zwar die arteigenen, und καθώς
ἠθέλησεν spielt gewiß auf die Schöpfung der Arten an (S. 237), doch ist dabei nicht die
Spezifizität betont, sondern die Unterschiedlichkeit (V. 39–41). Vollends nicht kann der
Auferstehungsleib ein schon von der Schöpfung her bestimmter sein, was durch den Gegensatz von φθορά und ἀφθαρσία (V. 42) ausgeschlossen ist.

über die Anwendung V. 42–44 hinaus. Dabei ist auffällig, daß δόξα auch von den „irdischen Leibern" gebraucht wird, nicht bloß von den Gestirnen. σάρξ dient zunächst dazu, die Lebewesen in ihrer mannigfaltigen Lebensform zu differenzieren, ist also nicht Substanz, Materie, sondern im alttestamentlichen Sinne (πᾶσα σάρξ) lebendige, aber vergängliche Kreatur[18]. Beim Übergang zu den himmlischen Lebewesen ist die Bezeichnung σάρξ nicht mehr zu gebrauchen, so daß Paulus den Begriff durch δόξα ersetzt, der nun einerseits speziell für die Gestirne paßt, aber auch eine gewisse Synonymität zu σάρξ erhält, insofern auch die irdischen Lebewesen eine δόξα (im Sinne von „Gestalt", „Aussehen") haben (V. 40b).

2. Der Begriff δόξα ist nun aber schon in Hinsicht auf die Beschreibung der Auferstehungsleiber („Herrlichkeitsleiber") gewählt[19]. Ja, man kann vermuten, daß es Paulus auf den Übergang von den irdischen zu den himmlischen Lebewesen ankommt: So wie Gott bei seiner Schöpfung neben den irdischen auch davon unterschiedene himmlische σώματα zur Verfügung hatte, wird er bei der Auferstehung auch Auferstehungs-σώματα (analog den himmlischen) zur Verfügung haben. Schöpfung ist generell „Leibgebung" Gottes. Wenn die Auferweckung eine Schöpfertat Gottes ist, dann ist sie eine neue „Verleiblichung". Diese Aussage des Paulus ist wieder Gegenthese zur korinthischen Anschauung von der Kontinuität des leiblosen Pneuma[20].

3. Daß Paulus hierbei von den irdischen Lebewesen (ausgehend von dem Gleichnis von Saat und Pflanze) auf die Gestirne zu sprechen kommt, hat noch eine besondere Bedeutung. Die Gestirne sind hier als himmlische Lebewesen vorgestellt[21]. Ihre δόξα entspricht formal der σάρξ der irdischen Lebewesen. Damit setzt Paulus voraus, daß die Gestirne „Leiber" haben. Die Gestirne sind so ein Beleg für die Existenz von δόξα-Leibern, von σώματα ἐπουράνια. Der ganze Abschnitt wird noch verständlicher auf dem Hintergrund des hellenistischen Weltbildes, mit dem Paulus hier auffällig vertraut ist. Schon die Aufzählung der Klassen von Lebewesen erinnert an die stoische Physik nach Poseidonios. Der ganze Kosmos ist mit Lebewesen erfüllt, auch der Äther, dessen Lebewesen die Gestirne sind. Die Klassen richten sich dabei

---

[18] E. Schweizer, Artikel σάρξ (ThWNT VII), 124; A. Sand, 128 f.; K.-A. Bauer, 94 f.

[19] Vgl. H. Kittel, 222 f.; R. Scroggs, Last Adam, 85. Zum δόξα-Begriff bei Paulus: H. Schlier, Doxa.

[20] Implizit ist damit zugleich der Bezug zum ersten Teil des Kapitels (V. 1–34) herausgestellt: Wird „das Verständnis von Erlösung als ein Neuerschaffenwerden von Gott" aufgegeben, „wären Christi Tod und Auferweckung ihrer Bedeutung beraubt" (G. Brakemeier, 98).

[21] Das entspricht der stoischen Physik: Vgl. SVF II, S. 200 f.; Philo, Op 27. 73. 144; Spec I 17. Nach K. Reinhard, Kosmos und Sympathie, 68 ff., geht diese Ansicht auf Poseidonios zurück.

nach den Elementen[22]. An dieser Stelle muß nun an das merkwürdige
Schwanken Philos in Bezug auf die Natur der Gestirne erinnert werden: In Op 27. 144; Spec I 17 hat Philo sie ganz im stoischen Sinne als
Lebewesen mit Körpern vorgestellt (s. o. S. 156)[23]. Aber zugleich sind
sie für ihn von reiner Tugendhaftigkeit, ohne Anteil an Schlechtigkeit,
ja reine Vernunft (Op 73). Die reine Vernunft, die keinen Anteil an
Schlechtigkeit hat, ist nun aber für Philo notwenig körperlos, denn erst
da, wo Materie und Vernunft zusammengeraten, gibt es Schlechtigkeit
(die reine Unvernunft z. B. der Pflanzen und Tiere ist dagegen schuldlos). So sind die Gestirne nach Gig 8 „Seelen, durch und durch rein und
göttlich ... jeder (Stern) ist ganz reiner Geist (νοῦς)" (vgl. All I 1; Conf
176 f.; Her 283; Som I 135). Philo stellt sie in Gig 7 ff. noch über die
Seelen der Luft (Dämonen). Wenn er nun unterscheidet zwischen Seelen, die nie in Körper hinabstiegen, und solchen, die in Körper hinabstiegen, aber wieder hinaufflogen („dies sind die Seelen der echten Philosophen, die von Anfang bis zum Ende danach strebten, dem körperlichen Leben abzusterben, damit sie das unkörperliche und unvergängliche Leben in der Nähe des Ewigen und Unvergänglichen erlangten",
Gig 14), und schließlich solchen, die in den Körpern ertranken – dann
ist für die Aussage einer Körperlichkeit der göttlichen Gestirne kein
Platz mehr[24]. So überwiegt bei Philo die pythagoreisch-dualistische
Sicht von DiogLaert VIII 24 ff.

---

[22] Zu den vier Elementen in der Stoa: SVF II, S. 136 ff. Vgl. dazu *K. Reinhard*, Kosmos
und Sympathie, 74 ff., bes. S. 79 das Zitat aus Achill: „Es gibt Lebewesen auf der Erde, im
Wasser, in der Luft; daraus folgt: es gibt sie auch im Himmel und Äther." Dazu Philo,
Gig 7 f.; Plant 12; Som I 135 ff. Zurück geht das auf Plato, Timaios 40 A. – Die Aufzählung in V. 39 entspricht dabei der von Gen 1, 20 ff. (28) in umgekehrter Reihenfolge (*C.
Farina*, 73 ff.), zugleich aber der stoischen Rangfolge der Lebewesen oberhalb der Pflanzen (vgl. Philo, Op 66 f.: Fische – Vögel – Landtiere – Mensch).
[23] Die Gestirne als sinnlich wahrnehmbare Götter (vgl. Prov II 84) – dies Motiv geht
auf Plato, Timaios 40 A–41 B, zurück. Nach stoischer Auffassung hat auch das Licht ein
σῶμα: SVF II, 127. 142. In Aet 45 ff. bekämpft Philo die stoische Physik mit ihrem Mate-
rialismus, insbesondere ihre Lehre vom Weltenbrand, wonach Himmel und Fixsterne zerstört werden, „dieses so große Heer von sichtbaren Gottheiten, das von alters her für
glücklich gehalten wurde. Das bedeutet doch wohl nichts anderes als anzunehmen, daß
Götter zerstörbar sind ... diejenigen, welche den Brand und die Neuentstehung (τὰς ἐκ-
πυρώσεις καὶ τὰς παλιγγενεσίας) der Welt lehren, glauben und erklären, die Sterne seien
Gottheiten; und sie schämen sich nicht, sie in ihrer Theorie zu zerstören. Entweder nämlich müßten sie die Sterne für glühende Metallklumpen ausgeben ... oder sie müßten sie
für göttliche und übermenschliche Naturen (φύσεις) halten und ihnen auch die Göttern
zukommende Unsterblichkeit (ἀφθαρσίαν) zugestehen." Zur neupythagoreischen Physik
als Gegenstück der stoischen vgl. DiogLaert VIII 24 ff. (bei *H. Diels*, I, 448 ff.).
[24] Vgl. auch Som I 135 ff. Nach Imm 46 ist die Seele aus der Substanz der „göttlichen
Wesen" = Gestirne geschaffen (Äther). Das setzt ihre Körperlosigkeit voraus. Die Engel
sind dagegen Seelen der Luft (Dämonen): Wie der Logos und die Dynameis stehen sie als
Mittler der Erde näher.

4. Dabei wird freilich graduell abgestuft: Der Mond (als Grenze zwischen Erde und Himmel) stellt noch keine so reine Verdichtung des Äthers dar wie die Gestirne (Som I 145)[25]. Die Reinheit nimmt nach oben hin zu. Dieser Gedanke ist der Hintergrund für die Differenzierung in 1 Kor 15, 41: ἄλλη δόξα ἡλίου, καὶ ἄλλη δόξα σελήνης, καὶ ἄλλη δόξα ἀστέρων· ἀστὴρ γὰρ ἀστέρος διαφέρει ἐν δόξῃ[26]. Paulus nutzt die Doppeldeutigkeit des Wortes δόξα für seine Argumentation aus: Die δόξα der Gestirne ist einerseits Zeichen dafür, daß diese σώματα haben (sie sind sichtbar: vgl. Op 27. 144; Spec I 17), wie ja auch die σώματα ἐπίγεια eine δόξα (= Gestalt, Aussehen) haben (V. 40b), andererseits aber ist δόξα Begriff der Aura Gottes (V. 43: ἐγείρεται ἐν δόξῃ). Das ganze ist ein Argument gegen die Vorstellung des postmortalen Heils als Entkörperlichung der Seelen, wie Philo sie im Allegorischen Kommentar vertritt. Paulus beruft sich dazu auf die stoische Astralphysik[27]. Für ihn hat auch das Dasein in der Aura Gottes die Dimension der Leiblichkeit. Dabei will Paulus nicht die Auferstehung „beweisen"[28], sondern eine Vorstellung von einem leiblosen postmortalen Heil überwinden durch ein Verständnis von leiblicher Auferweckung als Neuschöpfung nach dem den ganzen Menschen vernichtenden Tod.

d) V. 42–44a

Saat-Pflanze-Gleichnis und Exkurs in die stoische Physik gelangen nun auf der Sachhälfte zur Anwendung. Dabei taucht aus dem zweiten Teil das Stichwort δόξα auf der positiven Seite der Antithesen wieder auf. Überdies läßt φθορά (auf der negativen Seite) das Sterben des Saatkorns anklingen. Dabei ist das Saatgleichnis im Grunde verlassen. σπείρειν steht nur noch formal da, ist aber nun, wie das ein zu erwartendes „ernten" ersetzende ἐγείρεσθαι zeigt, völlig von der Sachaussage überformt. Dieser Leib entspricht dem nackten Saatkorn, das stirbt. Als[29] dieser irdische Leib (vergänglich, wertlos, schwach) müssen wir sterben

---

[25] Vgl. SVF II, 198 ff.

[26] *C. Farina*, 89 ff., findet auch hier wieder die Klassifikation von Gen 1 (V. 14–18). Entscheidend ist aber der Gedanke der Differenzierung nach der jeweiligen δόξα.

[27] Natürlich hat Paulus wohl kaum Philos widersprüchliche Auffassung von den Gestirnen gekannt. Es geht vielmehr um Allgemeinplätze der hellenistischen Physik.

[28] So vor allem *C. Farina*, 79 ff. (vgl. o. S. 213 A 7). *B. Spörlein*, 102 mit A 3, beschränkt sich dabei zu V. 38–43 auf den Hinweis, es gehe um Gottes Allmacht, die viele Möglichkeiten für andersgeartete σώματα biete. Mit einem Hinweis auf Gottes Schöpfungsreichtum begnügt sich auch *A. Sand*, 128 f. Das wird dem Passus aber nicht gerecht.

[29] ἐν bezeichnet in V. 42 f. nicht einfach den Modus, sondern die beiden dualistisch geschiedenen Bereiche überhaupt (vgl. *C. Farina*, 103). Entsprechend ist mit σπείρεται nicht das Begrabenwerden gemeint, sondern die Existenz diesseits des Todes. Das gilt ja schon für das Gleichnis V. 37 (anders beim traditionellen rabbinischen Gleichnis).

– als neue Kreatur (unvergänglich, herrlich, mächtig) wird Gott uns erschaffen. Die antithetischen Begriffspaare (φθορά – ἀφθαρσία; ἀτιμία – δόξα; ἀσθένεια – δύμανις) werden zunächst in V. 45 f. mit ψυχικός – πνευματικός, dann in V. 47–49 mit χοϊκός – ἐπουράνιος fortgesetzt. In V. 50 taucht das erste Begriffspaar φθορά – ἀφθαρσία wieder auf (in synonymer Position zu σὰρξ καὶ αἷμα – βασιλεία θεοῦ). V. 53 f. schließlich greift Paulus noch einmal φθαρτός – ἀφθαρσία auf und fügt hinzu θνητός – ἀθανασία. Bis auf die Ausnahmen von ἀτιμία – δόξα, ψυχικός – πνευματικός und σὰρξ καὶ αἷμα – βασιλεία θεοῦ tauchen die antithetischen Begriffe auffallend häufig bei Philo auf, vor allem die Paare φθαρτός – ἄφθαρτος und θνητός – ἀθάνατος, häufig sogar parallel und in synonymem Austausch[30]. Der Gegensatz χοϊκός – ἐπουράνιος erscheint All III 168 in der Gestalt γήϊνος – ἐπουράνιος. Der Gegensatz von γῆ und οὐρανός steht Her 240 und Mos II 194 synonym zu φθορά – ἀθανασία, ἀφθαρσία[31]. Auch der Gegensatz von ἀσθένεια und δύναμις begegnet in dieser dualistischen Verwendung bei Philo: Cher 90 (Gott ist frei von ἀσθένεια); Abr 105 f. (ἀσθενής – δύναμις; dabei auch ἀδοξία); Abr 243 f. (δύναμις im Zusammenhang von φθαρτός – ἄφθαρτος); Virt 167 f. wird dem „Weisen" δύναμις im Gegensatz zur ἀσθένεια zugesprochen. Nur der Gegensatz ἀτιμία – δόξα in V. 43 hat keine direkte Entsprechung bei Philo. Immerhin gehören aber τιμή und δόξα eng zusammen, bei Philo häufig in der Aufzählung der weltlichen Güter[32]. Für die paulinische Verwendung des Gegensatzpaares in V. 43 ist jedoch die Nachwirkung des δόξα-Begriffs aus V. 40 f. entscheidend. Dieses Wort hat in V. 40–43 ein breites Bedeutungsspektrum: In V. 40 wird es auch auf die σώματα ἐπίγεια bezogen im Sinne von „Aussehen", „Gestalt", und löst so die vorherige Bezeichnung σάρξ ab. Vermittelt ist das dadurch, daß der „Glanz" der Sterne (δόξα) deren Lichtleib meint. Nun sahen wir schon, daß die Differenzierung der Gestirne nach ihrer δόξα auf eine Abstufung und Hierarchie zurückgeht, wonach Gott (wie der Sonne) der höchste und reinste Glanz zukommt. Die primäre Ursa-

---

[30] Op 119 (chiastisch: θνητός – ἄφθαρτος / φθαρτός – ἀθάνατος; vgl dazu *J. Gillman*, 317); Post 134 (θνητός – ἀδιάφθορος); Her 265 (θνητός – ἀθάνατος; vgl. Her 77. 209; Congr 97; Mut 104; Som II 72; Prob 137; Vit Cont 6; Flacc 124; Leg Gai 84); Mut 122 (θνητός – ἄφθαρτος, entsprechend πάσχον, ἀτελές – ἐνεργοῦν, τέλειον); Abr 55 (φθαρτός – ἄφθαρτος / ἄφθαρτος – θνητός / ἀφθαρσία – θάνατος); Praem 1 (ἄφθαρτος – θνητός / ἀθάνατος – θνητός); Prob 46 (θνητός, φθαρτός – ἀθάνατος, ἄφθαρτος); Aet 46 (θνητός – ἀθανασία / φθείρεσθαι – ἀφθαρσία).

[31] Her 240: οὐρανός – γῆ / φθορά – ἀθανασία; Mos II 194: οὐρανός – γῆ / σκότος – φῶς / νύξ – ἡμέρα / φθορά – ἀφθαρσία / θνητός – θεός.

[32] Z.B. All II 117; Cher 17; Post 117; Det 122; Conf 18; Abr 264; Praem 107 (vgl. 2 Kor 6, 8). Ebr 110 begegnet aber immerhin die dualistische Wendung τιμὴ τῶν ἀφθάρτων; vgl. auch Imm 111: ἀτιμίας ἀδοξότερος.– Für die paulinische Verwendung von δόξα vgl. im folgenden: *H. Schlier*, Doxa.

che dafür ist, daß der alttestamentliche Begriff כָּבוֹד von LXX generell mit δόξα wiedergegeben wird. Philo, der δόξα fast durchgehend entweder im philosophischen Sinne als „Meinung" oder aber als „Ruhm" (ein weltliches Gut) versteht, verrät an zwei Stellen noch eine Tradition, wonach die δόξα θεοῦ (LXX – für כָּבוֹד) zugleich als unmittelbare Umgebung Gottes der Ort der δυνάμεις θεοῦ (der Eigenschaften und Kräfte Gottes, z. B. des Logos) ist. Es handelt sich um die bereits erwähnten Stellen Spec I 45 und QEx II 45 (s. o. S. 124). Spec I 45 geht es um das Schauen der δόξα θεοῦ als Gottes Aura, als seine ihn umgebenden Kräfte (vgl. 2 Kor 3, 18; 4, 6; Joh 11, 40; 12, 41; 17, 24; Apg 7, 55). QEx II 45 spricht von Gottes herabsteigender δόξα, vergleichbar der δύναμις στρατιωτική eines Königs[33]. Im Sinne dieser Tradition ist es nicht zufällig, daß δόξα und δύναμις in V. 43 zusammenstehen. Entsprechend können bei Paulus, der selber diese Tradition übernimmt und darin mit den Korinthern übereinstimmt, sonst sowohl δόξα wie δύναμις θεοῦ Ursache der Auferweckung sein (Röm 6, 4: δόξα; Röm 1, 4; 1 Kor 6, 14; 2 Kor 13, 4; Phil 3, 10: δύναμις), und entsprechend kann Christus als Gottes δύναμις (1 Kor 1, 18. 24) bezeichnet werden. 1 Kor 11, 7 zeigt, daß δόξα sogar synonym zu εἰκών stehen kann. Entsprechend stehen dann aber auch δόξα und ἀφθαρσία (Röm 1, 23; 2, 7), δόξα und τιμή (Röm 2, 7: δόξα, τιμή, ἀφθαρσία; vgl. 2, 10) zusammen (vgl. noch Joh 11, 4: θάνατος – δόξα als Antithese)[34]. δόξα und δύναμις in V. 43 lassen dabei neben ihrer Grundbedeutung im Sinne von „Aura Gottes" noch anklingen, daß sie zugleich aktive Kräfte sind (vgl. Röm 6, 4; 1 Kor 6, 14; 2 Kor 13, 4). Dadurch erhält das ἐν sogar instrumentalen Charakter (vgl. 1 Kor 15, 22! s. u. S. 263 A 124). Vorbereitet wird damit der Begriff πνεῦμα in V. 45, der am deutlichsten zeigt, wie die im Dualismus positive Sphäre (πνεῦμα als Gegenüber zu σάρξ) zugleich wirkende Ursache der Erlösung ist. Das ganze läuft je auf die gegensätzlichen ἄνθρωποι (V. 45 ff.) hinaus. In V. 44a setzt Paulus die Antithesen fort: Jetzt sind wir sterbliche Kreatur (σῶμα ψυχικόν), dann „geistliches Geschöpf" (σῶμα πνευματικόν). Damit ist er bei den beiden Zentralbegriffen angelangt, die er im folgenden „Schriftbeweis" von den zwei „Urmenschen" herleitet. ψυχικός und πνευματικός sind ihm aus der Weisheitstradition der Korinther vorgegeben. Was nicht vorgegeben ist, ist das Substantiv σῶμα. Ein σῶμα πνευματικόν wäre für einen dualistischen Pneumatiker eine Absurdität. Mit diesem Stichwort hat Paulus die Frage V. 35 beantwortet: Auch das Sein in der Nähe Gottes (πνευ-

---

[33] R. Marcus, II, S. 250 f.; F. Petit, 267.
[34] 1 Tim 1, 17; Hebr 2, 7. 9; Apk 4, 9. 11; 5, 12 f.; 7, 12; 21, 26 verraten noch einen apokalyptischen Hintergrund, in den die in Kult und Liturgie beheimatete Verbindung von τιμή und δόξα (vgl. LXX Ps 28, 1; 95, 7) geraten ist: Dan (LXX) 2, 37; 4, 27; Hiob (LXX) 37, 22.

ματικός – als Fortsetzung der Reihe ἀφθαρσία, δόξα, δύναμις) wird ein leibliches sein (σῶμα), weil der Mensch dort neue Kreatur sein wird. Neu geschaffen muß er deshalb werden, weil es keine Kontinuität vom alten zum neuen Menschen gibt. Weil es um Neuschöpfung geht, muß Paulus sich nun (V.44b–50) mit einer Auslegung der Menschenschöpfung (Gen 2,7) auseinandersetzen, die eine andere Anthropologie voraussetzt. Es geht um die alexandrinisch-weisheitliche Auslegung von Gen 2,7, wie wir sie oben kennengelernt haben. Dieser Abschnitt wurde bereits o. S.72 ff. exegesiert.

2. Das „Mysterium" der Verwandlung (V.51–58)

Was in Christus angefangen hat, erfordert noch seinen ihm gemäßen Abschluß. V.44b–50 läuft darauf hinaus, daß es zwischen Adam-Existenz und Christus-Pneuma-Existenz keine Kontinuität gibt, keine anthropologische Konstante (s. o. S. 193 f. 214 f.). „Fleisch und Blut", d. h. der natürliche Mensch (ψυχή), sind vom „Gottesreich" ausgeschlossen (V.50). Deshalb ist Verwandlung, neue Leiblichkeit erforderlich. Der Abschluß V.51–58 löst die dualistischen Antithesen hellenistischer Prägung (Philo – s.o. S.221 A 30 f.) auf. Was im ontologischen Denken als Schein und Sein nebeneinandersteht, wird hier zeitlich geordnet, wobei die positive Seite die negative „verschlingen" wird. Entsprechend endet die Dualität in einem „Sieg" über die negative kosmische Macht, den Tod. So knüpft V.51 ff. an V.20–28 an (s.u. S.261 ff.).

a) V.51 f.

In V.51 f. führt Paulus den Ausblick auf die Zukunft als ein „Mysterium" ein. V.51 stellt die These voran mit dem Stichwort „verwandeln". V.52 veranschaulicht das narrativ [35], wobei in V.52b wieder „verwandeln" den Ton trägt. Wir sahen bereits, daß hier eine Verschiebung gegenüber 1 Thess 4,13 ff. vorliegt: Während dort das Erleben der Parusie der Normalfall ist und die Toten als Ausnahme dem Kreis der Überlebenden angeglichen werden müssen, ist es hier umgekehrt. Die *Verwandlung* ist nun die zentrale Aussage, die sich auf Lebende und Tote bezieht [36]. Als Erklärung dieser kategorialen Verschiebung gegenüber 1 Thess 4,13 ff. reicht der Hinweis auf weitere Todesfälle nicht aus (s.o. S.48 f.), denn dazu wäre die Einführung der Kategorie Verwandlung

---

[35] Zur narrativen Funktion des Futurs: *E. Güttgemanns*, LingBibl 25/26, 1973, 68. Zur enumerativen Parataxe s.o. S.47.

[36] S.o. S.46 f.

nicht unbedingt erforderlich gewesen. Wie die den ganzen vorherigen Kontext durchziehenden dualistischen Antithesen von „sterblich" und „unsterblich" zeigen, muß für diese Verschiebung die dualistische Anthropologie der Korinther eine wesentliche Rolle gespielt haben. Zwar ist V. 51 ff. nicht polemisch. Mit dem μυστήριον wird vielmehr Information eingeleitet [37]. Aber Paulus führt hier Gedanken zu Ende, die bereits in 15, 20–28 anklangen, dort im Anschluß an Polemik (V. 12–19; vgl. V. 29–34). Überdies halten sich die dualistischen Zentralbegriffe φθαρτός – ἀφθαρσία bis in V. 54 durch, und das Ergebnis der Auferweckung wird in V. 52 mit ἄφθαρτοι bezeichnet. So liegt V. 51 ff. durchaus auf der Linie der Aussagen, welche zuvor die Diskontinuität zwischen neuer und alter Schöpfung betonten. Entsprechend läuft alles auf den Gedanken der Vernichtung der Todesmacht zu, die erst darin besteht, daß das Sterbliche in Unsterbliches verwandelt wird. Verwandlung ist die paulinische Alternative [38] zu einem (philonischen) „Hinüber-

---

[37] So zu Recht G. Klein, Naherwartung, 254. Zum Gebrauch von μυστήριον vgl. 1 Kor 2, 7; Röm 11, 25. Der Begriff entstammt in diesen Zusammenhängen der Apokalyptik und bezieht sich auf den Plan Gottes. Deutlich wird das in 1 Kor 2, 7, wo Gottes Weisheit im Christus-Ereignis besteht (vgl. G. Sellin, „Geheimnis", 83 ff.). Gegen J. Bekker, Auferstehung, 100 ff., ist aber festzuhalten, daß es beim Mysterium nicht um ein Herrenwort geht (S. 102: 1 Kor 15, 51 biete als Mysterium ein kontextunabhängiges Herrenwort; vgl. J. Baumgarten, 107: „Prophetenspruch"; dagegen zu Recht H. Conzelmann, 1 Kor, 346 f.: „eigene Mitteilung des Paulus"). Vgl. dagegen 1 Thess 4, 15 ff., wo bezeichnenderweise der Ausdruck μυστήριον nicht auftaucht.

[38] Vgl. L. Schottroff, 146; J. Becker, Auferstehung, 104. „Verwandlung" ist eine Kategorie apokalyptischer Auferstehungshoffnung: vor allem in syrBar 49–51 (dazu H. Kaiser, 46–49). In der Terminologie gibt es einige Berührungspunkte zu Paulus: „In welcher Gestalt werden wohl die leben, die an deinem Tag am Leben sind? (vgl. 1 Kor 15, 35). Oder wie kann ihr nachheriger Glanz (vgl. 1 Kor 15, 40 ff.: δόξα) alsdann andauern? Werden sie alsdann die jetzige Gestalt anziehen und bekleidet sein ...? Oder verwandelst du etwa die, die in der Welt gewesen sind ...?" (49; vgl. 50, 3: „Kommen" der Toten [1 Kor 15, 35]; 51, 1 ff.: „Aussehen", „herrliche Erscheinung", "Glanz"). Die Guten werden „verwandelt werden ... zum Glanz der Engel ... denn in den Höhen jener Welt werden sie wohnen und den Engeln gleichen und den Sternen vergleichbar sein. Und sie werden verwandelt werden zu allen möglichen Gestalten ... von der Schönheit bis zur Pracht und von dem Lichte bis zum Glanze der Herrlichkeit ..." (51, 5 ff.). – Der entscheidende Unterschied zu Paulus besteht aber darin, daß dem Herrlichkeitsleib der Gerechten ein Schandleib der Gottlosen gegenübersteht. Dabei hält sich das Wesen des einzelnen Menschen durch und findet Ausdruck in seinem neuen Leib (L. Schottroff, 146). Überdies sind Verwandlung und Totenauferweckung zwei verschiedene Vorgänge: Die Toten auferstehen in dem Leib und Aussehen, mit dem sie starben (50). Danach erfolgt die Verwandlung als Gericht (51). Für Paulus gibt es dagegen nur eine Auferstehung der Christen (weil Auferstehung an das christologische Kerygma gebunden ist), und die Auferstehung ist identisch mit der Verwandlung. Die Verwandlung ist Wechsel von einem Pol des Dualismus zum anderen (sterblich – unsterblich), ein „Verschlingen" nicht nur des Sterblichen, sondern sogar des Todes. Paulus radikalisiert nicht nur den hellenistisch-jüdischen Dualismus, sondern auch den apokalyptischen. So trifft der Satz von L. Schottroff, 146, zu: „Die Verwandlung bei der Parusie ist eine originale paulinische Konstruktion ..."

gehen", zur Leibablegung und Entweltlichung. Weil Paulus nun auf eine Anthropologie trifft, die die leibliche Dimension aus der Soteriologie ausschließt und dabei den Tod zum kontinuierlichen Übergang verharmlost, stellt er hier das „Sein zum Tode" als Normalfall und den Gedanken der Auferweckung als Verwandlung als notwendig vor. So zeigen gerade die Verse 51 ff., daß man 1 Kor 15 als Antwort auf einen anthropologischen Dualismus verstehen muß. Das erklärt am besten den Unterschied von 1 Kor 15 zu 1 Thess 4,13 ff. Was dort im Bildfeld der Parusie kein Problem war (die Ganzheit des Menschen als Kreatur), muß nun von Paulus theologisch verteidigt werden: Tod und Auferstehung der Christen werden zum Thema.

b) V. 53–54a

Der ganze Passus von V. 51–57 wird durchzogen von einer bestimmten Terminologie, die sich auf eine besondere semantische Kategorie zurückführen läßt: „verwandelt werden" (ἀλλαγῆναι), „anziehen" (ἐνδύσασθαι), „verschlungen werden" (καταπίνεσθαι εἰς …), „Sieg" (νῖκος). Alle diese Begriffe beziehen sich auf die Überwindung eines Zustands, seine Überführung in einen gegensätzlichen. Dabei wird der frühere Zustand beseitigt (Verwandlung, Sieg). Das bedeutet die Auflösung der dualistischen Antithesen. Das gilt freilich für ἐνδύσασθαι in V. 53 f. nur mit Vorbehalt. V. 53–54a ist eine Erläuterung des „Mysterions" V. 51 f. (δεῖ γάρ). Inhaltlich meint das „Bekleiden" des φθαρτόν mit ἀφθαρσία natürlich nichts anderes als einen Wechsel von einer Physis in ihr Gegenteil. Der Ausdruck ἐνδύσασθαι selber ist dafür freilich nicht recht passend. Daß er hier erscheint, hat wieder seinen Grund in der korinthischen Anthropologie – genauer nun zunächst in einer Bezugnahme auf V. 37. Dort wurde im Zusammenhang deutlich, daß die psychische (irdische) Existenzweise des Menschen von Paulus als Nacktheit erklärt wird. Das ergibt nur Sinn auf dem Hintergrund der Auffassung von Erlösung als Nacktheit, als „Ausziehen" des Leibes (Philo). Paulus kehrt die Metaphorik um: Jetzt als Sterbliche sind wir nackt. Die Neuschöpfung als Leibgebung ist daher ein Ankleiden. Diese ganze Terminologie taucht ebenfalls in 2 Kor 5,1 ff. auf (ἐπενδύσασθαι[39], ἐκδύσασθαι, γυμνός, τὸ θνητόν). Dort aber begegnet auch das καταπίνεσθαι aus dem Zitat in 1 Kor 15,54b.

---

[39] Dazu *L. Schottroff*, 149: „… ἐνδύσασθαι ist noch zu mißverständlich im Sinne einer dualistischen Anthropologie, als habe der Mensch die Möglichkeit, sich von seiner irdischen Bindung zu distanzieren, als gäbe es einen Menschen abgesehen von seinem alten irdischen Kleid …".

c) V. 54b–55

Der apokalyptische Ausblick mündet in ein Zitat zum Stichwort θάνατος. Wie in V. 20–28 geht es Paulus darum, den Tod als eine Macht zu
verstehen. Was hier vom Tod als Macht, wird 2 Kor 5, 4 von der Ablösung des Sterblichen durch die ζωή gesagt. Der Pneumabesitz ist nach
2 Kor 5, 5 entsprechend „Gutschein" für diese ζωή. Dem entspricht wiederum 1 Kor 15, 20 Christi Auferweckung als ἀπαρχή (s. u. S. 263. 267.
270). An allen drei Stellen geht es nicht um die Betonung der Ausständigkeit („noch nicht"), sondern gerade um die Zusammengehörigkeit von Anfang (Christi Auferweckung) und Vollendung der neuen Schöpfung
(sozusagen um die Gültigkeit des „Gutscheins"). Das Zitat in 1 Kor
15, 54b–55 ist eine Kombination aus Jes 25, 8 und Hos 13, 14. Jes 25, 8 ist
weder nach LXX noch nach dem hebräischen Text wiedergegeben.
Aquila und Theodotion haben wie Paulus εἰς νῖκος. Entscheidend ist
aber, daß κατεπόθη nur in einer Handschrift Theodotions (Cod
March) auftaucht. A. Rahlfs hat bestritten, daß diese Variante überhaupt auf Theodotion zurückgeht[40]. Möglich ist die Annahme, daß erst
Paulus κατεπόθη in das Zitat eintrug[41]. Sicher hat er dann aber δίκη
aus Hos 13, 14 LXX durch das ihm aus Jes 25, 8 (Aquila, Theodotion)
vorgegebene νῖκος ersetzt. Auf jeden Fall entspricht diese Textfassung
bestens dem auch 15, 26 begegnenden Gedanken von der Notwendigkeit der Vernichtung des Todes (κατεπόθη – 15, 26: καταργεῖται; νῖκος
– 15, 27: ὑποτάσσειν)[42]. Die textlichen Besonderheiten der Zitation wären selbst dann, wenn sie durch eine besondere Textform („vortheodo-
tianisch"?) vorgegeben sein sollten, Indizien für die Aussageintention
des Paulus. Wenn Paulus nicht eigenständig umgebildet hat, so hätte er
doch eine Textform gesucht oder aus verschiedenen Übersetzungen
eine Form kompiliert, die genau seine Argumentation trägt[43]. So bringt
das Zitat zum Ausdruck, daß das in Christi Auferweckung begonnene
Heil den Widerspruch in der Schöpfung (das ist der Tod als schöp-
fungsfeindliche Macht) total überwinden muß und den Menschen nicht
abgesehen von seiner Weltverhaftung und an dieser vorbei erlösen
kann. Damit ist zum Abschluß noch einmal der zentrale Abschnitt
15, 20–28 (s. u. S. 261 ff.) zur Geltung gekommen.

---

[40] Übersicht über die griech. Übersetzungsvarianten bei *H. Conzelmann*, 1 Kor, 349.
A. Rahlfs, 183 f., hält κατέπιεν (so LXX) ὁ θάνατος εἰς νῖκος (Syrohexapla) für die Lesart
Theodotions. κατεπόθη sei durch den Paulustext eingedrungen. εἰς νῖκος sei dadurch entstanden, daß נצח aramäisch „siegen" bedeutet (189). *H. Conzelmann* hält dagegen an der
Annahme einer „vortheodotianische(n)" Textfassung bei Paulus fest.
[41] Damit rechnet *Schottroff*, 149; vgl. *A. Rahlfs* (vorige A).
[42] Vgl. *H. Conzelmann*, 1 Kor, 349.
[43] Vgl. *E. E. Ellis*, Paul's Use, 140. 145.

d) V. 56

V. 56 ist eine belehrende Erläuterung des Schlußgedankens zum im Zitat vorgegebenen Stichwort κέντρον. Er enthält paulinische Gedanken, die explizit erst im Röm entfaltet werden, so daß man den Vers gelegentlich als Glosse angesehen hat[44]. Dabei ist die Beziehung von θάνατος und ἁμαρτία noch implizit im Kontext angelegt, doch für das Stichwort νόμος gilt das nicht offensichtlich. Was ist mit κέντρον (auf der Bildhälfte) gemeint: Treibstachel? Mittel der Unterdrückung und Qual (Knute, Peitsche)? Giftstachel des Skorpions?[45] Aufgrund von V. 55, insbesondere der Parallelität von κέντρον zu νῖκος, paßt am besten die zweite Bedeutung[46]. Es geht um das Ende der Unterdrückungsmacht des Todes. Dem entspricht V. 56 mit der Parallelität von κέντρον und δύναμις. Die Sünde ist danach das Mittel, mit dem der Tod seine Macht durchsetzt. Wiederum ist das Gesetz das Mittel, das die Sünde stark macht. Der Mensch ist durch die Sünde, der er nicht entgeht, der Herrschaft des Todes ausgeliefert. Das Gesetz ermächtigt die Sünde insofern zur Todesmacht, als es den Menschen schuldig spricht. Ohne das Gesetz wäre Sünde keine Sünde (Röm 7, 7 ff.)[47]. So gehört das Stichwort νόμος für Paulus notwendig dazu, wenn er zum Thema Tod den Gedanken der Sünde einbringt. Der Gedanke der Verbindung von Tod und Sünde ist aber verborgen schon vorher da. Zwar begegnet ἁμαρτία singularisch in 1 Kor 15 sonst gar nicht, im Plural lediglich in der Bekenntnisformel V. 3 sowie, bewußt daran anschließend, in V. 17 (s. u. S. 258 A 111)[48]. Implizit ist aber der Sündengedanke im Adam-Christus-Schema (V. 44b–50) enthalten. Dabei spielt Adams Sündenfall in 1 Kor 15 (anders als in Röm 5)[49] keine Rolle, weil hier der Dualismus von Vergänglichkeit und Unvergänglichkeit im Hintergrund steht. Adam ist schlecht von Natur, weshalb seine Sünde nicht erwähnt zu werden braucht. Sterblichkeit und Sünde gehören zusammen[50]. Wäh-

---

[44] Z. B. *J. Weiß*, 380.

[45] *W. Bauer*, 847; *L. Schmid*, ThWNT III, 667.

[46] Vgl. Apg 26, 14, wo ein griechisches Sprichwort vorliegt, und vor allem Philo, Som II 294: Gott hält als Wagenlenker die Zügel der Welt und erinnert sie μάστιξι καί κέντροις an seine δεσποτικὴ ἐξουσία (vgl. *L. Schmid*, ThWNT III, 665, Z. 23 ff.).

[47] Vgl. *G. Klein*, Sündenverständnis, 261 ff.: Es geht nicht lediglich um Erkenntnis der Sünde, sondern um die Machtergreifung der Sünde durch das Gesetz. Im Hintergrund steht der uns häufig bei Philo begegnende Gedanke, daß der sündigende Mensch ohne das Gesetz schuldlos wäre.

[48] Nicht diese beiden Verse bereiten V. 56 „sachlich" vor (mit *H.-H. Schade*, 210, gegen *H. Conzelmann*, 1 Kor, 350 A 43).

[49] Das Sündenfallmotiv ist bei Philo in Op 151 ff. aufgenommen in Verbindung mit dem Mythos von Adams urständlicher Herrlichkeit (Op 136 ff.).

[50] *L. Schottroff*, 140, überschreibt den Abschnitt V. 44b–50: „Eine dualistische Version der iustificatio impii".

rend aber die Sünde (wie das Gesetz) für den Gerechtfertigten entmachtet ist und nicht mehr „in eurem sterblichen Leibe herrschen soll"
(Röm 6, 12), kann dies für den Tod so nicht gelten (1 Kor 15, 24–26),
denn „dieser Leib" aus „Fleisch und Blut" (1 Kor 15, 50) ist sterblich,
dem Tod unterworfen, der neue unvergängliche Leib aber noch nicht
geschaffen, wenn auch das „Leben wie aus Toten" (Röm 6, 13) schon
anwesend ist im alten Leibe: im Geist, im geistlichen Wandel. Doch
darf man nicht übersehen, daß der Sieg über den Tod erst am Ende
ausgeführt wird (V. 54 f.: τότε γενήσεται). – So läßt sich V. 56 durchaus
als integraler Bestandteil von 1 Kor 15 verstehen[51].

e) V. 57

Abgeschlossen wird der Schlußteil V. 51 ff. durch eine Danksagung.
Das Stichwort νῖκος ist noch einmal aufgegriffen. Die Aussage ist präsentisch. Der Sieg ist schon verbürgt, bewirkt „durch Jesus Christus",
d. h. aber im Zusammenhang: durch seine Auferweckung. Daß die futurische Redeweise insbesondere von V. 51–54a verlassen ist, fällt auf. Die
Wirkung des Kerygmas, das Leben, ist schon jetzt Wirklichkeit. V. 57
ist eine formale und inhaltliche Entsprechung zu Röm 7, 25a. Das
spricht nicht nur dafür, daß auch V. 56 ursprünglich dazugehört, sondern gibt vor allem Hilfen für die Interpretation von 1 Kor 15. Zwar
muß man mit der Heranziehung späterer Paulus-Briefe zur Erklärung
von Fragen früherer Schreiben des Paulus vorsichtig sein[52]. So ist denn
auch naheliegend, daß Paulus in Röm 7 grundsätzlicher und weiterfüh-
render durchdacht hat, was in 1 Kor 15 nur anklingt und hinter der Auseinandersetzung mit der anderen Auffassung der Adressaten als Intention zurücktritt. Aber in welche Richtung Paulus hier denkt, läßt sich
von der späteren Äußerung her ein wenig erhellen. Röm 7, 24b spricht
von der Klage um Errettung aus dem σῶμα τοῦ θανάτου. Es ist die
Klage des ἄνθρωπος ψυχικός, des Adam-Menschen. Die Errettung aus
dem σῶμα τοῦ θανάτου ist bereits geschehen, was sich aus dem Zusammenhang in Röm 7 klar ergibt. Auch wenn in 1 Kor 15, 57 das Verb im
Partizip erscheint (bedingt durch die liturgisch geprägte[53] Dankfor-
mel), so geht allein aus der Tatsache, daß der Dank ausgesprochen
wird, hervor, daß der Sieg „uns" schon gegeben ist. In knapper Form

---

[51] *K.-G. Sandelin*, 84. 130 (vgl. 8. 97), interpretiert auch V. 56 auf dem Hintergrund
alexandrinischer Weisheitstradition: Weisheit sei dort zugleich Gesetzesdienst. Aber V. 56
ist nun alles andere als polemisch.

[52] *W. Marxsen*, Einleitung, 25.

[53] Vgl. neben 1 Kor 15, 57 und Röm 7, 25a noch Röm 6, 17 und 2 Kor 2, 14 (2 Kor 8, 16;
9, 15). Die Aussage, wofür Gott zu danken ist, wird, liturgischem Stil entsprechend, parti-
zipial ausgedrückt.

wird hier am Ende des Kapitels noch einmal prägnant die Verbindung von präsentischem und futurischem Aspekt der paulinischen Eschatologie zum Ausdruck gebracht[54]. Was in Zukunft geschieht (der Sieg über den Tod: V. 54 f.), dafür kann jetzt schon gedankt werden. Freilich gilt aber auch: Die Erlösung der sterblichen Leiber (Röm 8, 11) steht noch aus. Das heißt nun aber, daß in Röm 7, 24 f. (Dank für die Errettung aus dem σῶμα τοῦ θανάτου – vgl. 6, 6: σῶμα τῆς ἁμαρτίας) und in 8, 11 (künftige Lebendigmachung der θνητὰ σώματα) σῶμα in verschiedenem Sinne gebraucht wird: im ersten Fall als das der Sünde bzw. der σάρξ verfallene Ich, im zweiten als die kreatürliche Leiblichkeit[55]. Entsprechend beschreibt Röm 8 die Gegenwart als Hoffnung. Gerade das Pneuma facht die Sehnsucht nach der Erfüllung der Erlösung des Leibes an (Röm 8, 23 ff.). Röm 8 zeigt aber auch, daß Paulus Welt und Mensch nicht trennt (wie die Korinther es tun), indem er die ganze Schöpfung als auf Erlösung hin seufzend interpretiert. Dieser Gedanke ist in 1 Kor 15, 20–28. 51 ff. virulent. Denn hier wird der Tod als kosmische Macht ernst genommen und dem Menschen keine Separation aus Leib und Welt zugestanden. Heilsgegenwart und künftige Vollendung werden theologisch verklammert durch die christologische Analogieformel[56]: Wie Christus starb und auferstand – so werden die Christen (nach dem Tode) auferstehen. Das ganze Kap. 1 Kor 15 ist eine ausführliche Entfaltung dieser Formel (1 Kor 6, 14: s. o. S. 49 ff.). Deshalb legt Paulus das Kerygma 15, 3 ff. zugrunde.

f) V. 58

V. 58 ist paränetischer Abschluß des ganzen Kapitels. Das zeigt schon das konkludierende ὥστε, ferner die Schlußwendung οὐκ … κενός, die 15, 10 (ἡ χάρις … οὐ κενή)[57] und V. 14 (κενόν … τὸ κήρυγμα ἡμῶν, κενή … ἡ πίστις ὑμῶν) wieder aufnimmt. Die Paränese ist im Vergleich zu V. 34 überraschend milde. Das zeigt nicht nur die versöhnliche Anrede ἀδελφοί μου ἀγαπητοί, sondern auch die positive Wortwahl (besonders περισσεύειν, das einen positiven Ansatz voraussetzt), vor allem aber der abschließende Partizipialsatz. εἰδότες ὅτι leitet im Grunde einen theologischen „Indikativ" ein. Paulus knüpft an die Erfahrung an, die die

---

54 Vgl. dazu *G. Klein*, Eschatologie, 284 f.
55 *K.-A. Bauer*, 154 f.; *W. Schrage*, Leid, 161 A 53. *R. Bultmann*, Theologie, 201, übergeht den Aspekt von Röm 8, 11 in diesem Zusammenhang.
56 Daß es sich um eine eigenständig-paulinische Verwendung der Pistis-Formel handelt, wurde o. S. 45 f. zu 1 Thess 4, 14 und 1 Kor 6, 14 gezeigt.
57 Vgl. auch ἐκοπίασα (V. 10) und ὁ κόπος (als Subjekt zu κενός) in V. 58. V. 8–10 ist schon von daher als eine Illustration der Wirksamkeit des Kerygmas am Beispiel des Paulus aufzufassen (s. u. S. 250).

Korinther mit dem Kerygma gemacht haben[58] (vgl. 15,14. 17 – wo Paulus indirekt voraussetzt, daß das Kerygma in Korinth nicht „vergeblich" war). Diese ist die Basis der eschatologischen Hoffnung (V. 51 ff.); durch beides wird dann die Paränese ermöglicht[59]. Der eigentliche Inhalt der Paränese steckt in den drei Aussagen (1) ἑδραῖοι γίνεσθε, (2) ἀμετακίνητοι, (3) περισσεύοντες ... Alle drei Ausdrücke setzen etwas Positives voraus, das es nun festzuhalten und auszubauen gilt. Die beiden ersten lassen nun aber erkennen, daß die Korinther „unbeständig" und vor negativen Einflüssen nicht gefeit sind. Diese Gemeinde ist dabei, sich vom paulinischen Evangelium abbringen zu lassen – durch eine Theologie, die doch eigentlich ihrer Erfahrung widerspricht. Indem sie die Auferweckung der Toten bestreiten, bringen sie das Kerygma um seine Wirkung. Freilich setzt Paulus dabei seine Argumentation von V. 1–34 voraus.

II 15, 1–34: Die theologische Notwendigkeit der Totenauferstehung

Im ersten Teil des Kapitels (V. 1–34)[1] steht die paulinische Intention stärker im Vordergrund. In einem kunstvollen Argumentationsgebäude werden die theologischen *Konsequenzen und Aporien* der Auferstehungsleugnung aufgezeigt. Diese Erkenntnis hat den Exegeten davor zu bewahren, aus jedem Satz des Paulus sofort eine korinthische Anschauung oder Praxis abzuleiten. Das gilt insbesondere von den Aussagespitzen der beiden „negativen" Argumentationsgänge (V. 12–19 und V. 29–34), nämlich von V. 18 f. und V. 32b: Die Korinther müssen weder die Toten für verloren gehalten, noch müssen sie hedonistisch nach der Devise von Jes 22, 13 gelebt haben[2]. Auf die Hintergründe der Leugnung geht Paulus erst im zweiten Teil ein – was zwar für den Exegeten heute, nicht jedoch für die Adressaten damals ein Problem bedeutete, da diesen ja Anlaß und Hintergrund bekannt waren. Wenn man davon

---

[58] H. Conzelmann, 1 Kor, 351.

[59] Diese Anknüpfung an Erfahrung des Heils (wobei Paulus fast immer zugleich sich und die Adressaten als Beispiele vorstellt) ist ein wesentlicher Aspekt der paulinischen Zuordnung von „Indikativ" und „Imperativ". Im 1 Thess z. B. besteht der Indikativ nahezu ausschließlich in der Erinnerung an die Erfahrung: 1 Thess 1–3 (vgl. dazu W. Marxsen, 1 Thess, 22 ff. 28. 42 ff. u. ö.). Zum Verhältnis von Gewißheit, Hoffnung und Paränese in 1 Kor 15, 51 ff.: W. Schrage, Ethik, 176.

[1] Die Zweiteilung des Kapitels wird augenfällig an den beiden Schlußparänesen V. 34 und V. 58.

[2] So bereits L. I. Rückert, 396.

ausgeht, daß unmittelbarer Anlaß für den in 15,12 zitierten Widerspruch der Korinther das 1 Kor 6,14 im „Vorbrief" angeführte Argument der Analogie von Kerygma und Totenauferstehung war, dann wird eine Besonderheit des ersten Teiles verständlicher: Paulus sichert seine Prämisse, nämlich jene Analogie, die er in 6,14 erstmals ausgeführt hat, umständlich ab. Bevor er überhaupt auf den Anlaß zu sprechen kommt (V.12), baut in in V.1–11 eine Argumentationsbasis auf (1). Auf dieser Basis errichtet er dann drei Argumentationsgänge: V.12–19 (2); V.20–28 (3); V.29–34 (4). Die vier Teile bilden eine Art Argumentationspyramide, wobei jeder Argumentationsgang den Sockel für den nächsten bildet. (1) V.1–11 ist das Fundament. (2) V.12a als Neueinsatz (εἰ δέ) rekapituliert das Ergebnis, zu dem der neue Satz V.12b im Widerspruch steht. Das wird in V.13–19 gezeigt (εἰ δέ ... οὐκ). (3) V.20a muß deshalb eine Annahme machen, von der auszugehen nicht zum Widerspruch führt, die also mit V.1–11 konform geht (νυνί δέ als Neueinsatz). (4) ἐπεί in V.29 stellt einen verkürzten Rekapitulationssatz dar: „Wenn dem so ist ..." Dieser letzte Sockel ist wieder negativ: εἰ ... οὐκ (V.29. 32). Zwei „positive" Sockel (V.1–11. 20–28) wechseln sich mit zwei „negativen" (V.12–19. 29–34) ab. Diese formale Beobachtung ist für das Verständnis der Argumentationslogik wichtig[3].

1. Die Argumentationsbasis: die Wirksamkeit des Kerygmas (V.1–11)

Der Abschnitt 15,1–11 – wegen der kerygmatischen Formel in V.3b ff. wohl einer der am häufigsten behandelten des Neuen Testaments – ist für diese Untersuchung nur in Hinsicht auf seine *Funktion* im Gefüge von Kap.15 von Interesse. Um diese Funktion zu bestimmen, sind aber

---

[3] Diese Auffassung widerspricht der von *K.-G. Sandelin,* 11 ff., der eine inclusio (zyklische Komposition) nachzuweisen versucht und daraufhin zu einer unmöglichen Aufteilung in V.12–21 und V.22–28 kommt: Der erste Teil würde von ἀνάστασις νεκρῶν (V.12. 21), der zweite von πάντες bzw. πάντα, πᾶσιν umrahmt (V.22. 28). Aber schon das γάρ in V.22 macht diese Annahme unmöglich (auch ein erläuterndes oder fortführendes γάρ [S.23. 49] bedeutet keinen Neueinsatz; anders als δέ ist γάρ immer ein *eng verbindendes* syntaktisches Zeichen). Auch die inhaltlichen Gründe für einen Neueinsatz in V.22 (S. 21. 49 f.) überzeugen nicht: „V.22 dürfte mehr sagen als V.21 näher zu präzisieren" (50), ist noch kein Argument für einen Neueinsatz. Die zyklische Komposition ist für rhetorisch-argumentative Zwecke übrigens nicht geeignet, es sei denn als äußerste Umrahmung eines ganzen Komplexes. So könnten sich durchaus γνωρίζω δὲ ὑμῖν (V.1) und ... ὑμῖν λαλῶ (V.34 Ende) entsprechen, ebenso ἀδελφοί in V.1 und V.58. Die Argumentation dazwischen kann jedoch gar nicht zyklisch aufgebaut sein (was wäre Zentrum?). Ich möchte deshalb lieber von Plateau-Komposition sprechen. – Aus formal-logischen Gründen will *T. Bucher,* Biblica 55, 1974, 473, V.20 noch zu V.12 ff. ziehen. Dagegen spricht das γάρ von V.21. Statt nach logischen ist nach rhetorischen Gesichtspunkten zu gliedern (*M. Bünker,* 68 mit 142 A 126).

einige Einzelfragen zu klären, die untereinander wieder funktional abhängig sind: Worauf legt Paulus den Akzent? Wozu führt er die traditionellen formelhaften Aussagen in V. 3b ff. an? Diesen Fragen untergeordnet sind dann die weiteren: Wie weit reicht die Tradition? Was fügt Paulus der Tradition hinzu? Als Einstieg dient eine äußerliche Übersicht über den Aufbau: Daß mit V. 3b ein Zitat oder Referat vorpaulinischer Aussagen einsetzt, braucht hier nicht mehr nachgewiesen zu werden[4]. Umstritten ist dagegen, wo das tradierte vorformulierte Gut endet. Unabhängig davon ist aber festzustellen, daß V. 3b–10 eine Einheit bildet. Erst V. 11 lenkt zur Einleitung V. 1–3a zurück und zieht die Summe. Innerhalb von V. 3b–10 stellt V. 8–10 in gewisser Hinsicht einen besonderen Komplex dar, der jedoch weder formal noch thematisch vom Vorhergehenden abzulösen ist. Auf den ersten Blick wirken die drei Verse wie ein Exkurs. Sie werden deshalb gesondert nach ihrer Funktion zu befragen sein.

So ergeben sich folgende Arbeitsschritte: Analyse von V. 1–3a. 11; Untersuchung von Umfang und Form der kerygmatischen Tradition; paulinische Akzente innerhalb der Tradition; Frage nach der Intention von V. 8–10; Funktion der kerygmatischen Formel im ganzen.

a) Einleitung und Abschluß (V. 1–3a. 11)

Das einführende γνωρίζω hat seine spezifische Bedeutungskomponente der Information hier (wie in der genauen Parallele Gal 1, 11) verloren. Wie in Gal 1, 11; 1 Kor 12, 3 und 2 Kor 8, 1 hat es auch hier die Bedeutung „erinnern"[5]. Ein Problem ist die schwer durchschaubare Konstruktion der ersten beiden Verse. Bis V. 2a (δι' οὗ καὶ σῴζεσθε) ist sie noch klar: In vier Relativsätzen wird die Bedeutung des „Evangeliums" beschrieben[6]. Die syntaktische Funktion der folgenden drei Nebensätze ist dann umstritten. Das Problem löst sich aber, wenn man die Verschränkung der Konstruktion erkennt: (1) τίνι λόγῳ ist relativisch an den Hauptsatz angeschlossen[7], setzt also die Reihe der relativischen

---

[4] Dazu genügt der Hinweis auf V. 3a sowie auf die vielen mit V. 3b einsetzenden unpaulinischen Wendungen (z. B. *J. Jeremias*, Abendmahlsworte, 96; *H. Conzelmann*, Analyse, 134 ff.).

[5] *W. Schenk*, Textlinguistische Aspekte, 470 mit A 3; anders *H. Conzelmann*, 1 Kor, 295 mit A 16 („feierlich"); *J. P. Charlot*, II 1–22.

[6] *E. Norden*, 269, hat gezeigt, daß darin ein rhetorisches Schema religiöser Sprache zum Vorschein kommt; vgl. dazu *J. P. Charlot*, II 121 ff.

[7] So *Bl.-D.-R.* (14. Aufl.), § 298 A 8 (vgl. bereits *H.-F. Richter*, 75). In den vorherigen Auflagen von Bl.-D. wurde dieser Satzteil noch als „Vorausstellung des Nebensatzes vor den Hauptsatz (κατέχετε)" angesehen (12. Aufl. § 478). Hinter σῴζεσθε wird dann ein Punkt angenommen. Wenn aber, wie wahrscheinlich ist, τίνι λόγῳ auf den Wortlaut geht (s. nächste Anm.), ergäbe sich dabei die fragwürdige Aussage, als hinge das Heil vom Behalten des Wortlautes ab.

Aussagen fort. Semantisch betrachtet verrät die Wendung, daß Paulus ab V. 3a im Wortlaut zitiert[8]. (2) εἰ κατέχετε, ἐκτὸς εἰ μὴ εἰκῇ ἐπιστεύσατε ist von σῴζεσθε abhängig. Inhaltlich klingt damit V. 12–20 an: Wird das damals verkündete Evangelium hinfällig, „ist euer Glaube leer" (V. 14ff.). Die merkwürdige Stellung von τίνι λόγῳ erklärt sich dadurch, daß Paulus die wichtige Aussage εἰ κατέχετε nachträgt. Schuld daran ist die Serie relativischer Aussagen, die sich bis einschließlich τίνι λόγῳ fortsetzt und aus formalen Gründen nicht zu unterbrechen war[9]. Wegen der Überladenheit muß Paulus in V. 3a noch einmal die Tradition einleiten. Er tut dies mit einer offiziellen Traditionsformel[10]. ἐν πρώτοις ist (dem durchgehenden paulinischen Sprachgebrauch von πρῶτος gemäß[11]) rein zeitlich aufzufassen[12]: Paulus rekurriert auf einen Abschnitt seiner Anfangsverkündigung.

V. 11b faßt die Aussagen von V. 1–3a noch einmal zusammen (nachdem das Kerygma zitiert wurde): *Das Kerygma und seine Wirkung, der Glaube*, ist es, worauf es Paulus ankommt. Das ist die Basis seiner folgenden Argumentation. V. 11a erweckt zunächst den Anschein, als ginge es um die Allgemeingültigkeit, sozusagen die Ökumenizität des Kerygmas. Das ist jedoch nicht der Fall. Das εἴτε – εἴτε nimmt ja Bezug auf die Erscheinungen, nicht aber auf die Anerkennung des Kerygmas von verschiedenen christlichen Autoritäten. Daß Paulus hier durch die Erwähnung seiner Ostererscheinung seine Predigt autorisiert, könnte zwar durch V. 5–10 nahegelegt werden. Aber dieser Gedanke hätte im Kontext des ganzen Kapitels keinen Anhalt, der ganze Abschnitt über die Erscheinungen bliebe ein funktionsloser Exkurs. Wie das ganze 15. Kapitel enthält auch der Abschnitt V. 1–11 an keiner Stelle defensive Apologetik.

V. 1 und 11 entnimmt H. Conzelmann die Meinung, daß Paulus voraussetzt, das Kerygma sei in Korinth offiziell in Geltung (V. 1: ἐν ᾧ καί ἑστήκατε – Perfekt! V. 11: οὕτως ἐπιστεύσατε – ein ingressiver Aorist).

---

[8] So z. B. *A. Seeberg*, 47; *M. Dibelius*, Formgeschichte, 17 mit A 1; *F. Hahn*, 197 A 3; *F. Mussner*, Schichten, 60; *J. P. Charlot*, II 46 ff.; anders *J. Weiß*, 346; *H. Lietzmann*, Kor, 76 (dagegen jedoch *W. G. Kümmel* bei Lietzmann, 191). Zunächst ist damit gesagt, daß Paulus etwas aus seiner Anfangsverkündigung zitiert, was aber bereits vor ihm fixiert war.

[9] Vgl. o. S. 232 A 6. Der Sinn ist dann: Ich erinnere euch an das εὐαγγέλιον, ... durch das ihr gerettet werdet, (und zwar erinnere ich euch daran) im Wortlaut, mit dem ich es damals verkündigte – (durch das ihr gerettet werdet,) wenn ihr euch daran haltet, es sei denn, ihr wäret vergeblich zum Glauben gekommen.

[10] παραδιδόναι und παραλαμβάνειν entsprechen sowohl rabbinischer wie *hellenistischer* religiöser Terminologie. Auf das zweite weisen vor allem *E. Norden*, 270. 288 ff., und *H. Conzelmann*, Analyse, 134 A 18, hin.

[11] So zu Recht *J. P. Charlot*, II 168 ff. Vgl. z. B. 1 Kor 15, 45 f. (s. o. S. 117. 178 f.).

[12] Anders z. B. *K. Barth*, 75 f.; *H. Lietzmann*, Kor, 76.

Demnach hat V. 1–11 die Funktion, die zwischen Paulus und den Korinthern „gemeinsame Basis der Argumentation" herzustellen[13]. Im Gegensatz dazu hat W. Schmithals aufgrund seiner Einschätzung der korinthischen Anschauungen (gnostischer Doketismus) behauptet, das christologische Kerygma sei in Korinth direkt bestritten worden. V. 11 (Aorist) spreche nur von der Vergangenheit, in der das Kerygma in Geltung stand und Glauben bewirkte, aus V. 2 aber gehe hervor, daß dieses Kerygma nun seine Geltung bei einigen Korinthern eingebüßt habe[14]. Dagegen spricht nun aber die Perfektform ἐν ᾧ καὶ ἑστήκατε in V. 1, die Schmithals übergeht[15]. Paulus setzt die „Gültigkeit" des Kerygmas voraus. Deshalb kann V. 1–11 nicht die Intention haben, den Korinthern die Auferweckung Jesu zu beweisen. Nicht die Auferweckung Jesu, sondern die daraus zu folgernde Auferweckung der Christen ist das „Beweis"-Ziel des Paulus[16]. Die Auferweckung Jesu dient dazu in V. 12 ff. gerade als „Beweis"-Mittel. Also setzt Paulus sie voraus. Entsprechend geht er in V. 12–19 nicht von der Tatsache aus, daß die Auferweckung Christi bestritten wird, sondern umgekehrt von der Tatsache, daß die Auferweckung der Christen bestritten wird (V. 12). Daraus *folgert Paulus* in V. 13 eine implizite Verneinung der Auferweckung

---

[13] H. Conzelmann, 1 Kor, 295; vgl. ders., Analyse, 139 f.; vgl. W. Stenger, 73 f.

[14] W. Schmithals, Gnosis, 340–342 (vgl. auch R. J. Sider, Nature, 128 ff.). W. Schmithals verwickelt sich auch hier wieder im Zusammenhang mit seiner Mißverständnistheorie in Widersprüche. S. 339: „Daß Pls zu Beginn seiner Diskussion der Auferstehungsfrage in I 15 einen ausführlichen Nachweis der Auferstehung Jesu bringt, wäre unerklärlich, wenn er davon ausgehen konnte, daß die Tatsache der Auferstehung Jesu unbestritten war." Vgl. dagegen aber S. 150: „Wenn Pls auch offensichtlich nur ganz allgemein gehört hatte, daß nach Meinung gewisser Kreise in Kor. ἀνάστασις νεκρῶν οὐκ ἔστιν, und nicht etwa deshalb in I 15,3 ff. den Traditionsbeweis für die Auferstehung Christi führt, weil er darum wußte, daß man gerade auch diese leugnete, so ist doch selbstverständlich, daß die kor. Gnostiker verneinten, daß der begrabene Jesus von Nazareth am dritten Tage auferstanden sei."

[15] Vgl. aber W. Schmithals, Verhältnis, 382: V. 1 werde durch V. 2 limitiert. V. 11 vermeide „bewußt" ein präsentisches πιστεύετε.

[16] Insofern hat K. Barth, 76, gegenüber R. Bultmann, GuV I, 54 f., Recht behalten: vgl. z. B. E. Fuchs, Auferstehungsgewißheit (Aufs. I), 201; H. Conzelmann, Analyse, 140; ders., 1 Kor, 295. 304; H. W. Bartsch, 262. 272; G. Brakemeier, 29 ff.; G. Barth, 517 f.; M. Bünker, 138 A 74. R. Bultmann hatte behauptet: „ich kann den Text nur verstehen als den Versuch, die Auferstehung Christi als ein objektives historisches Faktum glaubhaft zu machen. Und ich sehe nur, daß Paulus durch seine Apologetik in Widerspruch mit sich selbst gerät; denn von einem historischen Faktum kann allerdings das nicht ausgesagt werden, was Paulus V. 20–22 von Tod und Auferstehung Jesu sagt" (GuV I, 54 f.); vgl. ders., KuM I, 45: diese Argumentation des Paulus sei „fatal" (vgl. auch H. Braun, Randglossen, 200). Gerade nicht fatal finden diesen (angeblichen) Auferstehungsbeweis u. a. O. Kuss, Paulus, 336 f.; J. Blank, 165. 169; B. Spörlein, 59. 62 f. (der beides will: sowohl Auferstehung der Toten wie Auferstehung Christi seien nebeneinander Beweis-Ziele); P. Stuhlmacher, Auferstehungszeugnis, 42 f.; R. J. Sider, Nature; H.-H. Schade, 199 ff.

Christi, die nun ihrerseits das Kerygma und damit das Heil zu Fall bringt (V. 14 ff.).

Damit stehen wir freilich vor einem schwerwiegenden Problem: Können die Korinther, wenn sie laut V. 12 der Meinung waren, Auferstehung Toter gibt es nicht (und – sofern die o. S. 30 ff. begründete Hypothese zutrifft – wenn sie diese Meinung wegen der Annahme der Unerlösbarkeit des Leibes vertraten), die im Kerygma vorausgesetzte Auferweckung Jesu anerkannt haben? Vier Möglichkeiten sind denkbar: (1) Die Korinther betrachteten die Auferweckung Jesu als die große Ausnahme. (2) Sie übergingen den Wortlaut des Kerygmas stillschweigend. (3) Sie interpretierten die Auferweckung Jesu im Sinne einer pneumatischen Erhöhung um (vgl. Philo, Mos II 288 ff.). (4) Sie lehnten diese Aussage des Kerygmas implizit mit der Leugnung jeder Totenauferweckung ab. – Die erste Annahme hat auszuscheiden [17], auch die zweite ist äußerst unwahrscheinlich. Für die dritte und vierte Annahme bedeutet es nun in gleicher Weise eine Schwierigkeit, daß Paulus die Auferweckung Jesu (und zwar als eine Auferweckung aus dem Tode [18]) als Prämisse (V. 20) und Basis seiner Argumentation voraussetzt. Streng genommen unterstellt er den Korinthern damit eine Prämisse, die sie von ihrem anthropologischen Dualismus her gar nicht akzeptieren dürften. Die Annahme eines paulinischen Mißverständnisses oder einer schon vom Ansatz her verfehlten paulinischen Argumentation wäre unausweichlich. Aber Paulus argumentiert in V. 1–34 geschickter. Er greift auf das Kerygma der Anfangszeit zurück und postuliert seine Gültigkeit gar nicht aus der bewußten Zustimmung der Gemeinde zum jetzigen Zeitpunkt, *sondern aus der Tatsache, daß die Gemeinde bis jetzt im Heil existiert.* Das ἐν ᾧ καὶ ἑστήκατε ist also eine *theologische* Tatsache (wie das δι' οὗ καὶ σῴζεσθε). Über die tatsächliche christologische Auffassung der Korinther erfahren wir hier nichts. Ob sie das Kerygma inzwischen uminterpretiert haben oder (implizit mit ihrer in V. 12b wiedergegebenen Aussage) ablehnten, läßt sich also nicht beantworten. Für Paulus ist *die gegenwärtige Tatsache des Christseins der Korinther Erfahrungsbeweis für die Wirksamkeit des Kerygmas. Das* aber impliziert notwendig auch die künftige Auferweckung der Christen (V. 13 ff.). Das geht insbesondere aus V. 13 ff. hervor (vgl. besonders V. 17b: Paulus setzt voraus, daß die Korinther nicht mehr „in den Sünden" ihrer vor-

---

[17] Vgl. *W. Schmithals*, Verhältnis, 383: „... wo begegnet andernorts ein Christentum, in dem die Auferstehung Jesu behauptet, die Auferstehung der Christen aber verneint wird?" *K. Barth*, 86 f., hatte das aber von den Korinthern angenommen.

[18] Also als eine leibliche Auferweckung im Sinne von 1 Kor 15, 36 ff. Insofern spielen für Paulus auch die Aussagen des Kerygmas über Sterben und Begrabensein Jesu eine Rolle: s. u. S. 253 f.

christlichen Vergangenheit[19] sind)[20]. Darum steht über dem ganzen der
Begriff εὐαγγέλιον (V. 1), der immer auch eine gegenwärtig wirksame
dynamische Größe bedeutet (vgl. Röm 1, 16). Dieser Auffassung widerspricht nicht der Hinweis auf den Wortlaut in V. 2, denn τίνι λόγῳ ist,
wie o. S. 232 f. gezeigt, nicht von σώζεσθε, sondern vom regierenden Verb
γνωρίζω abhängig. Für Paulus ist die soteriologische Wirkung des im
Kerygma zusammengefaßten εὐαγγέλιον eine erfahrbare und von den
Korinthern bereits erfahrene Tatsache (ἐπιστεύσατε). Als Erfahrung
(nicht als Tatsache im Sinne einer Satzwahrheit – als ginge es um die
Anerkenntnis eines objektiven Faktums) muß das εὐαγγέλιον freilich
„behalten" werden – sonst wäre die Wirkung in der Vergangenheit (der
damals entstandene Glaube: ἐπιστεύσατε – Aorist!) „vergeblich" für
Gegenwart und Zukunft (zeitloses Präsens σώζεσθε): V. 2. Die Vergeb-
lichkeit des εὐαγγέλιον ist nach Meinung des Paulus keineswegs einge-
treten, sondern nur eine potentielle Gegenannahme zu εἰ κατέχετε, welches seinerseits den realen Fall voraussetzt[21]. Was Paulus als gegeben
annimmt, ist also nichts anderes als die Erfahrung des Christseins, der
Glaube der Korinther. Mehr darf man aus den Versen nicht schließen[22].
Worauf es Paulus dann im folgenden ankommt, ist, den Korinthern
nachzuweisen, daß wenigstens einige von ihnen in ihren anthropologisch-soteriologischen Vorstellungen der Wirksamkeit und Wirklichkeit des Kerygmas nicht gerecht werden: Wenn die Auferweckung der
Toten abgelehnt wird, dann wird, was die Korinther möglicherweise
nicht bedacht haben, auch das christologische Kerygma hinfällig und
damit die Heilsrealität (V. 12–19). Dann gilt allerdings: εἰκῇ ἐπιστεύσατε (V. 2).

b) V. 3b–7

Die in der exegetischen Literatur zum Neuen Testament wohl am häufigsten behandelten Verse 3b–7 interessieren hier in erster Linie nur auf
der Ebene der paulinischen Aussageintention. Dazu ist aber ein unge-

---

[19] Dazu *H. Braun*, Randglossen, 201 ff.

[20] Vgl. 1 Thess 4, 13, wo von den Heiden (οἱ λοιποί) gesagt wird, sie hätten keine
Hoffnung. Dazu ist 1 Kor 15, 19 zu vergleichen (s. u.).

[21] Gegen *W. Schmithals*, Verhältnis, 382; *J. R. Sider*, Nature, 130. Richtig *W. Stenger*,
84.

[22] Z. B. gegen *H. Conzelmann*, 1 Kor, 295, der folgert: „In Korinth wird keine doketi-
sche Christologie vertreten". – Eine Möglichkeit, die Frage zu klären, ob die Korinther
auch Christi Auferweckung leugneten oder nicht, könnte noch darin bestehen, daß man
die τινες von V. 12 von der in V. 1–11 angeredeten Gemeinde abhebt (so etwa *W. Stenger*,
85). Dann wäre das ganze Kapitel nur eine ausführliche Mahnung, sich der Theologie einiger Extremisten nicht anzuschließen (vgl. V. 33 f.). Indes wäre die ganze Argumentation
ohne Stringenz, wenn nicht die Angesprochenen selber wenigstens zu einem großen Teil
die Anschauungen der τινες zumindest billigten (vgl. o. S. 15).

fähres Bild von Umfang, Form und Inhalt der Tradition nötig, um die paulinischen Akzente erkennen zu können[23]. Daß Paulus wörtlich zitiert, geht aus τίνι λόγῳ in V.2 hervor. Das ὅτι ist (wie das in V.12: s.o. S.16) ein echtes ὅτι rezitativum. Während der Einsatz der Formel mit V.3b unbestritten ist, bleibt die Frage nach dem Abschluß schwierig. Nach der heute überwiegend vertretenen und auch überzeugendsten Lösung, die im Kern auf A. von Harnack zurückgeht[24], ist die Formel mit V.5 abgeschlossen. Dafür spricht die bis einschließlich V.5 durchgängige formal geschlossene Konstruktion. Mit V.6, von dem wenigstens 6b von Paulus selbst formuliert sein muß („bis jetzt"), ist die Formel verlassen. Ein Problem besteht darin, daß V.7 dann wieder parallel zu V.5 gestaltet ist (s.u. S.239ff.).

1. V.3b–5

Die Formel V.3b–5[25] besteht aus vier Verben, von denen inhaltlich je zwei zusammengehören: gestorben – begraben; auferweckt – erschienen. Dadurch ergibt sich eine Zweiteilung, die formal durch das zweimalige κατὰ τὰς γραφάς (bei jeder der beiden Hauptaussagen) unter-

---

[23] Daß die Formel eine Vorgeschichte hatte und selber ein traditionsgeschichtlich angewachsenes Produkt darstellt, legen u.a. die Ausführungen von *W. Kramer*, 27ff., nahe. *J.P. Charlot* hat auf äußerst umständlichem Wege nachzuweisen versucht, daß die Formel auf ein Modell zurückgeht, das nur aus den vier Verben in V.3b–5a mit jeweiligem ὅτι bzw. καὶ ὅτι bestanden hätte, und das dann jeweils aufgefüllt worden wäre (IV 49ff.). Ob es einen solchen Formelkern jemals gegeben haben kann, erscheint mir fraglich. Demgegenüber rechnet *U. Wilckens*, Ursprung, 73ff., damit, daß Paulus erst verschiedene Einzelformeln und Einzelüberlieferungen in V.3b–7 zusammengefügt hätte (vgl. *R.E. Fuller*, 13ff.). Dagegen spricht die Einleitung in V.2f. sowie die Tatsache, daß sich einige Glieder nicht als selbständige Formeln isolieren lassen, so ἐτάφη, das nur in Verbindung mit der Hauptaussage ἀπέθανεν sinnvoll ist – vgl. *K. Wengst*, 92ff. Wengst, 93, dürfte auch gegenüber *Kramer*, 15 A 9, recht haben, wenn er nicht nur das erste ὅτι, sondern auch die drei folgenden καὶ ὅτι zum ursprünglichen Bestand der Formel rechnet (vgl. *Ph. Vielhauer*, Geschichte, 18; *Charlot*, III 66ff. 100ff. IV 51ff. u.ö.). *F. Mussner*, Struktur, hat deshalb aufgrund der parataktischen καί auf „enumerative Redeweise" geschlossen. Daraus folgert er dann, daß mit den vier Elementen der Formel in V.3b–5 zeitlich sukzessive Ereignisse gemeint wären, von denen jedes einzelne selbstgewichtiges Element einer zeitlichen Kette wäre, nicht aber eine soteriologische Deutung (so auch *R.J. Sider*, Nature, 134f.). Diese These halte ich für grundsätzlich verfehlt. Dagegen spricht schon das nur den Gliedern I und III zukommende „nach den Schriften". Dagegen spricht vor allem die Beobachtung, daß z.B. in den paulinischen Schriften verstreut die Elemente I (gestorben) und III (auferweckt) auch je für sich isoliert begegnen und dabei für den *ganzen* christlichen Glauben stehen können.

[24] *A.v. Harnack*, 62ff. (abgesehen von v. Harnacks spezieller These zu V.5 und 7: u. S.239).

[25] Die folgende Analyse der Formel entspricht den formalen Beobachtungen bei *A.v. Harnack*, 62ff.; *J. Jeremias*, Abendmahlsworte, 95ff.; *W.G. Kümmel*, Kirchenbegriff, 3.

strichen wird. ἐτάφη und ὤφθη dienen als jeweilige Bestätigung der Hauptaussagen. Nur diese sind erweitert: „gestorben" ὑπὲρ τῶν ἁμαρτιῶν ἡμῶν – „auferweckt" τῇ ἡμέρᾳ τῇ τρίτῃ. Auf diese Erweiterungen beziehen sich die beiden Schrifthinweise[26]. Die Sterbe-Aussage wird durch eine soteriologische Deutung erweitert. Dies in Verbindung mit dem Hinweis auf die Schrift zeigt schon, daß es nicht um eine Faktensicherung in chronologischer Sequenz geht, sondern um eine theologische Interpretation[27]. Die Frage ist nun, was die zweite Erweiterung, „am dritten Tage", für eine Funktion hat. Ist dies denn nicht doch eine chronologische Angabe?[28] Die durch κατὰ τὰς γραφάς hervorgehobene Parallelität zur ersten Erweiterung (gestorben „für unsere Sünden") läßt auch hier an eine theologische, deutende Aussage denken. K. Lehmann hat hingewiesen auf die alttestamentlich-jüdische Tradition vom dritten Tag als „Tag der Heilswende, der Errettung aus großer Not und drohender Gefahr", worin die „Gewißheit der Hoffnung auf göttliche Hilfe ‚am dritten Tag' zum Ausdruck gebracht" werde. In dieser Tradition steht schon Hos 6,2 selber[29]. So kommt Lehmann zu dem

---

44; ders., bei Lietzmann, 191; E. Lichtenstein, 7; H. v. Campenhausen, 9; W. Kramer, 15; J. Kremer, 25 ff.; H. Conzelmann, Analyse, 137; ders., 1 Kor, 296 f.; G. Brakemeier, 26; K. Wengst, 93; Ph. Vielhauer, Geschichte, 18 f.; W. Stenger, 76, und anderen. Bestritten wird sie in neuester Zeit von J. P. Charlot, III, 53. 58. 60 ff. 121 ff., u. ö., und F. Mussner, Struktur, 405–408. Charlots Zerschlagung der Formel könnte sich allenfalls auf ein allerfrühestes Stadium beziehen. Hier geht es aber darum, welche Form Paulus selbst vorgegeben war. Zu Mussner s. o. S. 237 A 23.

[26] Wahrscheinlich ist neben Jes 53 an Hos 6,2 gedacht (z. B. H. Grass, 134 ff.; H. Conzelmann, 1 Kor, 302). Dagegen wird häufig behauptet, beide Schrifthinweise bezögen sich nicht auf die Erweiterungen, sondern auf die verbalen Hauptaussagen („gestorben" – „auferweckt"): so z. B. W. G. Kümmel, Kirchenbegriff, 9 ff.; R. E. Fuller, 15. 24; G. Brakemeier, 27: der Verweis auf die Schrift solle Tod und Auferstehung generell „als eschatologische Ereignisse proklamieren". Aber ein bloßes „Sterben" des Christus läßt sich kaum aus dem AT herleiten (den formalen Schrifthinweis für Sterben und Auferstehen zusammen gibt es allerdings bei Lukas). Das Problem liegt in der Erweiterung „am dritten Tage" (s. gleich im Text).

[27] Schon die alleräteste Osterbotschaft ist Interpretation und Erfahrungsdeutung mit Impuls gebender Kraft. Nicht weil das Grab leer war, ist Christus auferweckt, sondern weil Menschen in der Begegnung mit einem Gestorbenen das Leben Gottes im Kontext der Erinnerung an Jesus erfahren, darf man Jesus nicht bei den Toten suchen. Ob ἐτάφη die Tradition vom leeren Grab voraussetzte (dagegen H. Grass, 146), ist letzten Endes belanglos: „auferweckt" setzt selbstverständlich ein leeres Grab voraus – aber noch nicht eine ausgebaute Erzählung vom Finden des leeren Grabes. Für Paulus ist das ἐτάφη im Makrokontext jedoch von wesentlicher Bedeutung (s. u. S. 253 f.).

[28] Z. B. J. Weiß, 349: „daß am 3. Tage die Auferstehung Jesu wirklich geschehen, also konstatiert worden sei" (des näheren: die Kephas-Erscheinungen); H. v. Campenhausen, 12. 51: an diesem Tage sei das leere Grab entdeckt worden; vgl. J. Kremer, 49; J. Jeremias, Theologie, 288 f.; R. J. Sider, Nature, 136 ff.; J. P. Charlot, III, 153 ff.

[29] K. Lehmann, 262–281 (Zitat: 264). Die Belege aus Targumim und Midraschim, die diese Tradition bezeugen, sind freilich nicht sehr alt. Aber man muß dabei mit älteren Überlieferungen rechnen. Vgl. dazu R. E. Fuller, 26 f.

wichtigen Ergebnis, daß „die Aussage ‚auferweckt am dritten Tag‘ eine streng *theologische* Interpretation und keine geschichtliche Bestimmung" ist[30]. Damit ist ein durchgehender Parallelismus der Formel erwiesen. Zwei Einzelheiten sind aber noch bemerkenswert: (1) Die Perfektform ἐγήγερται hebt sich von den übrigen drei Verben im Aorist ab. Dadurch wird die gegenwärtige Bedeutsamkeit zum Ausdruck gebracht: „der, den Gott auferweckt hat, lebt jetzt als Auferweckter"[31]. (2) Die Wirkung der Auferweckung ist eine bleibende, die die Rettung (Auferweckung) der Christen mit einschließt. Darauf will Paulus hinaus. Im Gegensatz zum absoluten ἐτάφη ist ὤφθη mit einem Objekt erweitert[32]. Dadurch erhält die Formel den Ansatz zum Achtergewicht. Im folgenden erweitert Paulus dieses vierte Element durch Anfügung weiterer Erscheinungen.

2. V. 7

Mit V. 6 wechselt die Konstruktion. Dieser Vers wird als ganzer nicht zur Formel gehört haben. V. 6b spricht von der Gegenwart des Paulus. Zu V. 6a hat G. Klein bemerkt: „Das pedantische und zugleich ganz unpräzise ἐπάνω πεντακοσίοις ist in einer formelhaften Bildung kaum denkbar."[33] Anders ist es mit V. 7. Formal entspricht dieser Vers genau dem letzten Glied der Formel (V. 5), ja, er erscheint wie eine Parallelbildung dazu: Dem ὤφθη vor einer Einzelperson folgt mit εἶτα angeschlossen ein ὤφθη vor einer Gruppe. A. v. Harnack hielt noch die δώδεκα für identisch mit den ἀπόστολοι πάντες und meinte daher, V. 5 und 7 seien zwei rivalisierende Formeln, die den Primat im ersten Fall für Petrus und im zweiten für Jakobus beansprucht hätten[34]. Bedenkt man jedoch, daß beide Gremien, der Zwölferkreis und die Apostelgruppe, nicht identisch sind[35], daß sie höchstwahrscheinlich im Laufe der ersten Jahre des Urchristentums einander ablösten, daß ferner der Herrenbruder Jakobus Petrus als Führungsperson in den Hintergrund drängte[36], dann enthält das Nebeneinander von V. 5 und V. 7 noch den

---

[30] S. 339. Zustimmend: *C. Bussmann*, 90–92; bereits *E. Lichtenstein*, 7; *H. Grass*, 134 ff.; vgl. *R. E. Fuller*, 27.

[31] *K. Wengst*, 96; vgl. *E. Lichtenstein*, 9; *F. Hahn*, 204; *J. Kremer*, 44.

[32] Die Versuche von *W. Michaelis*, 12, und *E. Bammel*, 402 f., die Formel mit absolutem ὤφθη enden zu lassen, konnten nicht überzeugen, da bei den Auferstehungserscheinungs-Aussagen des Neuen Testamentes durchweg ein Dativ-Objekt folgen muß: vgl. dazu *H. Grass*, 297 f.; *F. Hahn*, Hoheitstitel, 198 f.

[33] *G. Klein*, Zwölf Apostel, 40 A 160.

[34] *A. v. Harnack*, 62 ff.

[35] Daß die Identifizierung beider Gremien erst eine Konstruktion des Lukas ist, hat *G. Klein*, Zwölf Apostel, gezeigt.

[36] *U. Wilckens*, Ursprung, 71 f.; *G. Klein*, Gal 2,6–9, 109; vgl. *ders.*, Verleugnung des Petrus, 84 ff.

Reflex einer geschichtlichen Entwicklung: Das Gremium der Zwölf mit Petrus an der Spitze (als dem ersten, der überhaupt eine Erscheinung des Auferstandenen erlebte) wurde im Laufe der Zeit verdrängt durch ein anderes Gremium, den Kreis der Apostel (wobei, wie die Person des Petrus zeigt, einzelne Personen von einem Gremium ins andere übergegangen sein können). Wie Petrus mit dem Zwölferkreis, so könnte auch Jakobus mit dem anfänglichen Apostelkreis zusammengehört haben [37]. Dieser Vermutung entspricht eine formale Beobachtung zu V. 5 und 7: Der Wechsel zwischen εἶτα und ἔπειτα als Reihungspartikel ist nicht zufällig. Die chronologische Gliederung mit ἔπειτα (V. 6), ἔπειτα (V. 7a), ἔσχατον δὲ πάντων (V. 8) geht auf Paulus selbst zurück. In V. 5 und 7 sind die Gruppenerscheinungen hingegen durch εἶτα an die Erscheinungen vor den Einzelpersonen angereiht [38]. Die Verbindung mit εἶτα bringt offenbar eine engere Beziehung zum Ausdruck. Wie die Erscheinung vor den Zwölfen gewissermaßen von der Erscheinung vor Petrus abgeleitet ist, so könnte auch die Erscheinung vor allen Aposteln enger mit der Erscheinung vor Jakobus zusammenhängen. Was die Einzelpersonen betrifft, so haben die Erscheinungen durchaus eine legitimierende Funktion [39]. Diese Funktion überträgt sich dann auf das entsprechende Gremium.

Die Frage ist nun, ob V. 7 von Paulus selber (in formaler Entsprechung zu V. 5) gebildet wurde. Das ist kaum anzunehmen, denn wie G. Klein gezeigt hat, widerspricht der exklusive Ausdruck τοῖς ἀποστόλοις πᾶσιν gerade dem paulinischen Duktus der Aussage, wonach Paulus sich selber in den Kreis der Erscheinungsempfänger mit einbezieht (V. 8–10) [40]. Paulus gebraucht hier den Apostelbegriff einer älteren Stufe (im Sinne von Gal 1, 17: οἱ πρὸ ἐμοῦ ἀπόστολοι) – offenbar im Zwang der Tradition. V. 7 ist dann (wenigstens dem Inhalt sowie dem

---

[37] So *U. Wilckens*, Ursprung, 67; *R. E. Fuller*, 39; dafür spricht Gal 1, 17–19; anders *G. Klein*, Gal 2, 6–9, 113 f. A 79.

[38] Vgl. *R. E. Fuller*, 27 f. εἶτα bei Paulus sonst nur noch 1 Kor 15, 24, wo τὸ τέλος durch εἶτα mit der Parusie zusammengeschlossen wird („*damit* ist das Ende da ... "), während das vorherige ἔπειτα die Auferstehung der Christen zeitlich von der Auferstehung Christi als ἀπαρχή abhebt. ἔπειτα ist bei Paulus geläufiger (1 Kor 12, 28; 15, 6. 7. 23. 46; Gal 1, 18. 21; 2, 1; 1 Thess 4, 17). Die Ersetzung des εἶτα durch ἔπειτα in V. 5 bei א A u. a. und in V. 7b bei p⁴⁶ א* A G u. a. entspricht der späteren Tendenz, dem Text eine durchgehende chronologische Sequenz der Erscheinungen zu entnehmen: vgl. *W. Michaelis*, 24; *W. Schenk*, Textlinguistische Aspekte, 474; *W. Stenger*, 79.

[39] *U. Wilckens*, Ursprung, 75 (vgl. *R. E. Fuller*, 13 ff.; *C. Bussmann*, 102 ff.), redet gar von Legitimationsformeln. Aber die hat es wohl kaum isoliert gegeben. Auf keinen Fall darf man die Auferstehungtradition (V. 3b–4) von der Legitimationstradition trennen. Beides fällt ja zusammen. Erst aus den „funktionsbegründend(en)" Erscheinungen ergibt sich ja (im Sinne des Erkenntnisgrundes) die Auferstehungsbotschaft: *W. Marxsen*, Auferstehung Jesu von Nazareth, 88 ff.

[40] *G. Klein*, Zwölf Apostel, 40 ff.

verwendeten Apostelbegriff nach) ein schon vorpaulinischer Nachtrag oder Anhang zur Formel[41], in dem die Legitimation der neuen Führung zum Ausdruck gebracht wird, und zwar aus einer Zeit, in der Petrus und der Zwölferkreis nicht mehr die alleinige Führungsrolle innehatten[42]. Als letzten durch eine Erscheinung legitimierten und beauftragten Apostel versteht Paulus sich selbst (V. 8–10).

3. V. 6

Bevor Paulus die Tradition von der Erscheinung vor Jakobus und der (damit wohl zusammenhängenden) vor „allen Aposteln" anführt, fügt er V. 6 ein. Die uns sonst unbekannte Erscheinung vor „über 500 Brüdern" zerreißt den sachlichen Zusammenhang von V. 5 und 7. Daß Paulus sie nur um der chronologischen Genauigkeit willen einfügt, ist kaum anzunehmen. Dennoch gehört sie wahrscheinlich in den Zusammenhang der Erscheinung vor Petrus, deren Wirkung sich gewissermaßen wellenförmig um Petrus über den Zwölferkreis hinaus ausbreitete. Dagegen sind die in V. 7 erwähnten Erscheinungen sozusagen eine neue Phase – mit einer anderen Person im Mittelpunkt und einem anderen Träger-Gremium. Aufschluß über die Funktion der Erwähnung dieser Erscheinung vor über 500 Brüdern kann man von V. 6b erwarten – freilich enthält V. 6b zwei Aussagen, und es fragt sich, welche von beiden die Spitze bildet. U. Wilckens hat gemeint, Paulus hätte mit V. 6 eine erzählende Überlieferung referiert: „Der Ton liegt hier auf dem Nochvorhandensein der genannten Zeugen, so daß man sich jederzeit bei ihnen erkundigen kann … Seine [des Paulus] Angabe ist so präzis gemeint, daß er um ihrer Genauigkeit willen den Tod einiger aus der Gruppe dieser Zeugen mit erwähnt."[43] Die Schlußaussage von V. 6

---

[41] G. Klein, (vorige A); J. Kremer, 28.

[42] Nach Gal 1, 17–19 muß man für die früheste Zeit (bei Bekehrung des Paulus) voraussetzen, daß bereits ein Apostelgremium (οἱ πρὸ ἐμοῦ ἀπόστολοι) existierte, zu dem auch Petrus zählte (vgl. G. Klein, Gal 2, 6–9, 116 f.). Problematisch ist aber, ob Jakobus zu diesem Kreis gehört. Ich meine, daß dies aus Gal 1, 19 hervorgeht: ἕτερον δὲ τῶν ἀποστόλων οὐκ εἶδον εἰ μὴ Ἰάκωβον τὸν ἀδελφὸν τοῦ κυρίου. εἰ μή muß sich m. E. auf die Grundmenge der Apostel beziehen, so daß Paulus in der zweiten Satzhälfte das zunächst apodiktische οὐκ einschränkt – vgl. 1 Kor 1, 14. 16: οὐδένα … εἰ μή … καί (anders L. P. Trudinger, NT 17, 1975, 200–202; dagegen aber G. Howard, NT 19, 1977, 63 f.). 1 Kor 15, 7 muß nun aber aus späterer Zeit stammen, in der man die Bekehrung des Herrenbruders in der Rückschau als Legitimierung seines zunehmenden Einflusses im Kreis der jerusalemer Apostel reflektierte (etwa in der Zeit während oder nach dem Apostelkonzil). ·

[43] U. Wilckens, Ursprung, 63 A 13; vgl. W. Michaelis, 13; H. Grass, 148. 298; P. Stuhlmacher, Auferstehungszeugnis, 42; bereits J. Weiß, 350. Dies hängt mit dem Verständnis des ganzen Abschnittes als Zeugenbeweis der Auferstehung Jesu zusammen. Aber Petrus, Jakobus und Paulus wären doch als Zeugen, bei denen man sich erkundigen könnte, aus-

wäre dabei aber doch gar nicht erforderlich, weil sie in οἱ πλείονες bereits impliziert ist. Hinzu kommt, daß Paulus sonst nirgends an einer für seine Aussage funktionslosen chronistischen Genauigkeit gelegen ist. Bereits Karl Barth hatte deshalb im Schluß von V. 6 die Pointe gesehen: „Der Nachdruck liegt auf der zweiten Hälfte des Satzes. Sie verweist voraus auf den Gedanken, der erst in V. 12 ff. zur Entfaltung kommen wird."[44] Danach läßt V. 6b das Thema der Auferstehung der Christen schon anklingen (vgl. das κοιμᾶσθαι in V. 6 und V. 18): Wenn sogar Zeugen der Auferweckung Christi gestorben sind, wo bleibt da die den Tod überwindende Macht Gottes, die durch die Erscheinung des lebendigen Christus bzw. die rettende Kraft des Kerygmas manifestiert wurde?[45] Das erinnert an 1 Thess 4, 13 ff., wo der Tod das Heil Gottes auf die Lebenden zu begrenzen scheint. Während Paulus aber dort das Motiv von der Totenerweckung als Hilfsgedanken einführt, um die Geschlossenheit und Totalität der Parusieerwartung zu bewahren[46], ist hier der Gedanke der Auferweckung der Christen bereits fundamentaler durchdacht: Das Heil wird in Analogie zur Auferweckung Christi grundsätzlich als Lebendigmachung und Neuschöpfung durch Gott verstanden.

c) V. 8–10

1. Vier neuere Auslegungsversuche

Wie in V. 6 so formuliert Paulus in V. 8–10 selbständig. Hier müßte man nun die Spitze des ganzen Komplexes V. 3b ff. erwarten, doch hat bisher noch niemand befriedigend zeigen können, welche Funktion dieser Abschnitt im Zusammenhang mit V. 3b–7 eigentlich hat. Im Anschluß an das Stichwort ἀπόστολοι fügt Paulus seine eigene ihn ermächtigende Bekehrung durch seine Christusvision an. So könnte man annehmen, daß es ihm hier um eine Apologie seines Apostolates geht. Das wäre nun freilich im Zusammenhang überraschend. Entsprechend wird der Abschnitt dann auch überwiegend als ein Exkurs verstanden[47].

---

reichend gewesen. Nicht um die Tatsache der Auferstehung, sondern um ihre theologische Bedeutung geht es.

[44] *K. Barth,* 84. Angeschlossen haben sich dieser Deutung *H.-W. Bartsch,* 272 f.; *H. Conzelmann,* 1 Kor, 304; *G. Brakemeier,* 35 mit A 148; vgl. *E. Güttgemanns,* 92 A 209. Dagegen aber neben R. Bultmann, H. Braun, W. Schmithals u. a. einerseits U. Wilckens, andererseits vor allem *R. J. Sider,* Nature, 128 ff.

[45] Diese Auslegung wird durch die textlinguistischen Überlegungen zur Struktur des Textes von *W. Schenk,* Textlinguistische Aspekte, 472, und *W. Stenger,* 78, bestätigt. Von der Rhetorik her: *M. Bünker,* 65.

[46] S. o. S. 37 ff.

[47] Bereits *J. Weiß,* 353 („eine Digression"; ebenso *M. Bünker,* 66); *G. Klein,* Zwölf Apostel, 40; *U. Wilckens,* Ursprung, 64 f.

In vier neueren Beiträgen wird versucht, die Funktion dieser Verse genauer zu bestimmen.

a) Vom Gedanken der Apologie des paulinischen Apostolates geht P. v. d. Osten-Sacken aus. Paulus bezeichne sich als ἔκτρωμα in Relation zu den vorhergehenden Aposteln: „(mir) gleichsam als der Fehlgeburt (unter den Aposteln)."[48] Die christologische Formel mit ihren legitimierenden Erscheinungs-Erwähnungen hätte den Korinthern nämlich für eine Bestreitung des paulinischen Apostolates als schärfste Waffe gedient, da sie implizit den Apostolat des Paulus ausschloß. „Einen unbequemen Mann auszuschalten, indem man seine Legitimation ... bestreitet und zu diesem Zweck auf andere anerkannte Autoritäten verweist, ist stets die bequemste Lösung aller Konflikte."[49] Diese Auslegung ist alles andere als wahrscheinlich. Daß man das formulierte Kerygma gegen Paulus verwendete, ist ausgeschlossen. Paulus zitiert es ja als gemeinsame Basis (V. 1 f. 11). Überdies wäre die Argumentation des Paulus im ganzen mehr als ungeschickt. V. 8–10 kann gar nicht die Funktion haben, daß Paulus sich darin den vorher genannten Autoritäten gleichstellt. Vor allem zeigt V. 6, daß es *im Verständnis des Paulus* nicht mehr um die Apostel-Legitimation geht: Die über 500 Brüder haben ja keine Apostelfunktion[50]. Nach v. d. Osten-Sackens Auslegung ist nicht mehr nur V. 8-10 ein Exkurs, sondern der ganze Abschnitt V. 1–11[51].

b) In manchem ähnlich ist die Erklärung von J. H. Schütz: ἔκτρωμα (von Schütz verstanden als „Frühgeburt") verwendete Paulus als Selbstbezeichnung, um die Nichtigkeit der apostolischen Existenz zum Ausdruck zu bringen. Gerade darin sehe Paulus aber seine apostolische Autorität begründet[52]. Vor allem hängt die These von Schütz mit einer fragwürdigen Einschätzung der korinthischen Theologie zusammen: Die Korinther hätten sich bei ihrer Überzeugung, die Christen wären bereits auferstanden und der Tod wäre entmachtet, gerade auf das von Paulus zitierte Kerygma berufen (vgl. den ähnlichen Gedanken bei P. v. d. Osten-Sacken). Die Konsequenzen, die sie dann daraus gezogen hätten, wären in V. 13-19 wiedergegeben: „behind vv. 13–19 we hear not Paul, but the Corinthian community speaking."[53] Bei einer Leug-

---

[48] *P. v. d. Osten-Sacken*, 252.
[49] A. a. O. 255.
[50] Darauf machte schon *Ph. Bachmann*, 435, aufmerksam; vgl. auch *W. Schenk*, Textlinguistische Aspekte, 473 (zu V. 6); *H.-H. Schade*, 199.
[51] A. a. O. 259 stellt *P. v. d. Osten-Sacken* die berechtigte Frage, warum Paulus sich gerade an dieser Stelle verteidige. Antwort: Bevor Paulus über die Auslegung des Kerygmas rede (V. 12 ff.), müsse er seine amtliche Befugnis dazu legitimieren. Gegen diese Auslegung im Sinne von apostolischer Apologetik zu Recht: *H.-H. Schade*, 198 f.
[52] *J. H. Schütz*, 454 ff.   [53] A. a. O. 446.

nung der korinthischen „collapsed eschatology" würden sich die Absurditäten von V. 13–19 ergeben[54]. Demgegenüber betonte Paulus in V.
20 ff. und in V. 8–10 die präsentische Macht des Todes. ἔκτρωμα stehe
für „the idea of death"[55]. Dagegen ist zu sagen: V. 13–19 kann unmöglich Argumentation der Korinther sein. Zwischen der Tradition, auf die
sich die Korinther angeblich beriefen (V. 3 ff.), und der apostolischen
Norm, auf die Paulus sich beruft (V. 8–10), dürfte in solchem Fall kein
gleitender Übergang bestehen (Paulus hebt V. 8 nicht von V. 7 ab). Vor
allem ist der Übergang von V. 12 zu V. 13 nach der Hypothese von
Schütz überhaupt nicht zu verstehen. Schließlich ist V. 8–10 geradezu
ins Gegenteil verkehrt: Nicht um die Todes-Existenz des Apostels geht
es, sondern um sein Leben. Denn Paulus nennt sich nicht als Apostel
ἔκτρωμα, sondern er bezeichnet sich so in Bezug auf sein vorchristli-
ches Dasein.

c) Besser gelingt es E. Güttgemanns, die Verse 8–10 in die Auseinandersetzung um die Auferstehung der Toten einzubeziehen. Ja, diese
Verse sind geradezu das Zentrum für seine These[56]. Er geht davon aus,
daß Paulus hier auf konkrete Vorwürfe der gnostischen Korinther gegen sein Apostolatsverständnis eingehe. ἔκτρωμα sei ein Schimpfwort
der Gnostiker. Das ergebe sich einmal aufgrund des bestimmten Artikels[57], zum anderen aus der Tatsache, „daß ἔκτρωμα und ἔσχατον
πάντων sich eigentlich gegenseitig ausschließen"[58]. Die Beobachtungen
sind im Ansatz zwar richtig, doch führen sie nicht im mindesten zu der
von Güttgemanns gegebenen Erklärung: die Gnostiker hätten Paulus
aufgrund seiner Christologie, die die Distanz zwischen Auferstehung
Christi und (noch ausstehender) Auferstehung der Christen betone,
zum Außenseiter gestempelt. „Der wahre Apostel verkündige nämlich
die Identität zwischen Christus und den Christen ..."[59] Paulus berufe
sich demgegenüber auf die Tradition und die Gemeinsamkeit mit den
übrigen Aposteln. Nur insofern sei er tatsächlich „Außenseiter", als er
als letzter in die Reihe der Verkündiger hineingekommen sei[60]. – Abgesehen einmal von der wagemutigen These, die sich mit Christus identisch fühlenden Gnostiker (wiederum abgesehen von der religionsgeschichtlichen Unmöglichkeit einer solchen Meinung) hätten ihre (über-
spitzte) Meinung als den Normalfall und die Normalchristologie des

---

[54] A. a. O. 444 ff.
[55] A. a. O. 455. Damit ist etwas Richtiges erkannt (s. u.).
[56] E. Güttgemanns, 88–94.
[57] So schon J. Weiß, 352; A. v. Harnack, 72; A. Fridrichsen, 80; J. Schneider, ThWNT II,
464, Z. 18 ff.
[58] E. Güttgemanns, 98; vgl. J. Weiß, 351; J. Schneider, ThWNT II, 463 f.
[59] E. Güttgemanns, 90.
[60] A. a. O. 91.

Paulus als Außenseitertum aufgefaßt, scheitert diese Erklärung schon daran, daß ἔκτρωμα nicht im entferntesten mit „Außenseiter" wiederzugeben ist. Mit dieser semantischen Deutung landet Güttgemanns nun ungewollt doch wieder bei der Deutung von ἔκτρωμα, die er vermeiden wollte: indem er das Wort nun doch auf ἔσχατον πάντων bezieht. Im übrigen deutet nichts in V. 1–11 auf eine Lehrdifferenz in der Christologie hin[61].

d) G. Brakemeier geht ebenfalls davon aus, daß ἔκτρωμα als ein Schimpfwort der Gegner aufzufassen sei. Dabei gehe es freilich nicht um den späteren Zeitpunkt der Christus-Erscheinung, sondern um die vorchristliche Vergangenheit des Paulus[62]. „Paulus nimmt den Begriff auf, bejaht die in ihm sich ausdrückende Verurteilung seiner Person und beruft sich auf die Gnade Gottes ..."[63] Fragwürdig ist an dieser These, wieso die späte Bekehrung des Paulus in Korinth Anlaß für eine Beschimpfung des Apostels gewesen sein soll. Aber darauf kommt es Brakemeier im Entscheidenden nicht an. Er entdeckt hier eine vom gesamten Thema des Kapitels bestimmte theologische Aussage: Der Vergleich mit einem ἔκτρωμα „dient vielmehr dem Aufweis eines im Zusammenhang entscheidenden Gedankens: Am Beispiel seiner Person, an seiner vorchristlichen und schließlich apostolischen Existenz zeigt Paulus, was das Ostergeschehen für ihn bedeutet"[64]. Damit hat Brakemeier m. E. den Nerv der Aussage getroffen, ohne jedoch eine überzeugende Begründung für diese mehr intuitive These zu liefern. Leider ist aber auch Brakemeier dabei auf die Frage der angeblich strittigen Legitimität des paulinischen Apostelamtes fixiert. Der Sinn wird wieder völlig verkannt, wenn er aufgrund von V. 9 behauptet: „Der frühere Verfolger ist *als Bekehrter* eine nicht lebensfähige Fehlgeburt."[65] Das liegt daran, daß auch Brakemeier davon ausgeht, ἔκτρωμα wäre ein Schimpfwort der Gegner. Daß man noch zu dieser Zeit und etwa gar in Korinth dem Paulus seine vorchristliche Vergangenheit als Makel vorhielt, ist ausgeschlossen. Umgekehrt ist es Paulus selbst, der an seiner eigenen Vergangenheit demonstriert, was der auferweckte Christus zu bewirken vermag.

---

[61] Vgl. gegen E. Güttgemanns auch *P. v. d. Osten-Sacken*, 247 A 10; 250 A 23; *G. Brakemeier*, A 157.

[62] *G. Brakemeier*, 37.

[63] A. a. O. 38.

[64] A. a. O. 39; ähnlich bereits *A. Schlatter*, Paulus, 400; neuerdings auch *Chr. Wolff*, 170, der jedoch zu Recht über Brakemeiers Deutung hinausgeht, indem er ἔκτρωμα 1. als eine Selbstbezeichnung des Paulus auffaßt und 2. diese Bezeichnung ausschließlich auf die vorchristliche Vergangenheit bezogen sein läßt.

[65] A. a. O. 38 (Hervorhebung von mir).

2. ἔκτρωμα

Eine semantische Klärung dieses Wortes ist bisher nicht gelungen. Im Kontext ist das Wort eingebettet zwischen ἔσχατον δὲ πάντων und ὁ ἐλάχιστος τῶν ἀποστόλων. Das führt zu einem doppelten Mißverständnis. *Einmal* verleitet das dazu, Paulus *als Apostel* mit ἔκτρωμα bezeichnet zu sehen. *Zum anderen* wird aus der voranstehenden Wendung die zeitliche Kategorie als semantische Komponente auf den Begriff übertragen, so daß man fast immer von der Bedeutung „Frühgeburt" ausgeht. So aber landet man notwendig in einer Aporie: „Da nun genau genommen ἔκτρωμα und ἔσχατον im Gegensatz zueinander stehen, kann ἔκτρωμα nur in einem ganz allgemeinen Sinn gemeint sein. Paulus bezeichnet sich als den, der ‚geistlich geurteilt' nicht zur rechten Zeit geboren wurde, weil er nicht schon zu Lebzeiten ein Jünger des Herrn war."[66] Hinzu komme „das des Gewaltsamen" seiner Christusschau: „Das Hauptgewicht liegt auf dem Unnormalen des Vorganges ..."[67] Hinzu kommt eine *dritte* verhängnisvolle Weichenstellung: Durch den Artikel vor ἔκτρωμα wird das Wort determiniert. Das bedeute, daß Paulus hier ein Schimpfwort seiner Gegner aufgreife und dialektisch umkehre[68]. – Die Fehler der bisherigen Auslegung liegen auf drei Ebenen: a) Bei der semantischen Bestimmung hat man die Begriffsgeschichte (vor allem LXX, hellenistisches Judentum) vernachlässigt[69]. b) Der Makro-Kontext (Thema der Auferweckung Toter) ist von den Auslegern (bis auf wenige Ausnahmen[70]) nicht berücksichtigt. c) Die Determination durch den Artikel ist syntaktisch unzureichend erklärt. Daß es sich um ein Schimpfwort handeln muß, ist alles andere als zwingend.

Zu a): ἔκτρωμα begegnet dreimal in LXX, an allen drei Stellen aber durch den Kontext eindeutig festgelegt in der Bedeutung „Totgeburt" (Num 12, 12; Hiob 3, 16; Koh 6, 3); vgl. ferner griech. Hen 99, 5 [εκτρωσο]υσιν; Sibyll II 282: „abtreiben". Philo gebraucht das Wort zwar nur All I 75 f., veranlaßt durch Num 12, 12. An anderen Stellen verwendet er

---

[66] *J. Schneider*, ThWNT II, 464, 4 ff. Andere lösen den Widerspruch von ἔσχατος und ἔκτρωμα als „Frühgeburt", indem sie eine weitere Bedeutungskomponente von ἔκτρωμα annehmen: „Scheusal", so *G. Björck*, 3 ff. *Th. Boman*, 236 ff., greift das auf und sieht darin eine Anspielung auf die gebrechliche Physis des Paulus (vgl. auch *E. Fuchs*, Ges. Aufs. III, 63). Die Bedeutung „Scheusal" ist aber erst sehr spät belegt (*J. Munck*, 183).

[67] *J. Schneider*, ThWNT II, 464, Z. 10 ff. (Zitat Z. 15 f.). Ebenso *J. Blank*, 188 f.

[68] S. o. S. 244 A 57. *A. Fridrichsen*, 80 ff., meint, die Gegner hätten das auf die Bekehrung des Paulus bezogen (er wäre ein nur mangelhafter, mißratener Christ), Paulus selbst hätte es dann auf seine vorchristliche Zeit angewendet (letzteres trifft m. E. zu).

[69] Eine Ausnahme ist *J. Munck*, 183 ff., der aber die naheliegenden Konsequenzen nicht zieht.

[70] *G. Brakemeier*, (s. o. S. 245); *A. Schlatter*; *Chr. Wolff* (s. o. S. 245 A 64); entfernt auch *Ph. Bachmann*, 433 f.; *J. C. K. Freeborn*, 566.

aber absolut gleichbedeutend ἀμβλωθρίδια (synonym zu ἐκτρώματα in All I 76; ferner Imm 14; Migr 33), ἄμβλωσις (Spec III 117), ἀμβλίσκειν (Congr 129. 138; Spec III 108) und ἐξαμβλοῦν (Det 147) [71]. Dahinter verbirgt sich ein Motiv, das eng mit der Soteriologie Philos zusammenhängt. Der ἄφρων νοῦς oder ἡ τοῦ φαύλου ψυχή bringt nur „Fehlgeburten" zur Welt, was „seelischen Tod" bedeutet (All I 76). Anders als bei Paulus wird der Ausdruck „Fehlgeburt"[72] bei Philo aber da, wo er metaphorisch gebraucht ist, in erster Linie auf die Werke und Laster des eigenmächtigen Nous gedeutet. Philos metaphorischer Gebrauch von „Fehlgeburt" hängt mit seiner Inspirations- und Gnadenlehre zusammen: Nur was Gott eingibt und der Mensch „empfängt", kann eine lebendige Frucht sein (Migr 33; Congr 129 f. 138). In All I 76 klingt jedoch der Zusammenhang mit der Lehre vom „doppelten Tod" noch an. In diesen Zusammenhang gehört die Metapher ursprünglich. Nach dieser Tradition ist das nur körperliche Leben in Wahrheit „totes Leben" (Conf 79). Die Schlechten sind zu Lebzeiten Tote (Fug 54–59; vgl. Sap 3,16; 5,13). Die Gottesleugner sind seelisch tot (Spec I 345). Daß in diesen Zusammenhang die Metapher von der Fehlgeburt = Totgeburt ursprünglich gehört, verrät neben All I 76 auch Mut 96: „der Seele Tod ist sinnlicher und leerer Meinung Zeugung und Geburt." Beide Stellen legen die Annahme nahe, daß erst Philo die Metapher von einem Menschentyp (der seelisch Tote) auf die Werke bezog (wie er ja auch sonst Typen, zum Beispiel die Erzväter, zu abstrakten Tugenden, zu Ideen umwandelt)[73]. In Congr 129 ff. ist Mose selbst das Produkt der wahren „Empfängnis". Die Gedanken von „empfangen", Gnade, Inspiration usw. stehen aber auch hinter 1 Kor 15,8–10[74].

Wir können also vermuten, daß die Metapher von der „Totgeburt" in den Kontext der weisheitlichen Tradition vom lebendigmachenden Pneuma gehört[75]. Der Mensch ohne das πνεῦμα ζῳοποιοῦν, den erlö-

---

[71] Das vulgäre ἔκτρωμα meidet er nach Möglichkeit. ἀμβλωθρίδιον ist der attische Ausdruck (L. Cohn in Philo deutsch III, 42 A 3).

[72] In der Grundbedeutung „Totgeburt" (vgl. neben All I 76 vor allem Spec III 108. 117, wo unmetaphorischer Gebrauch vorliegt). Migr 33 klingt daneben aber auch die Bedeutung „Frühgeburt" mit an, insofern es um die Unreife der eigenmächtigen Werke des Nous geht. Aber auch dort ist der Gedanke der Lebensunfähigkeit impliziert.

[73] Ein weiterer Hinweis ist Congr 129: „Die Seelen aber, die ohne Vernunft schwanger werden, bringen entweder Fehlgeburten zur Welt oder gebären einen *Streitsüchtigen und einen Sophisten.*"

[74] Vgl. Virt 165: „wer genau erkannt hat, daß er als Geschenk von Gott seine Kraft und Stärke empfangen hat, der wird an seine Ohnmacht denken, die ihm vor Empfang dieses Geschenkes anhaftete, und wird darum ... dankbar sein dem Urheber der Wandlung, der ihn stärker machte ..." und 168: „da dir Kraft verliehen ist von dem Allmächtigen, so laß andere daran teilnehmen und handle an ihnen so, wie an dir gehandelt ist ..."

[75] IrenHaer I 4,1 (griech. Fragment: Epiphanius PanHaer 31,16, 1–6 [von den Valentinianern]) begegnen ἔκτρωμα und ζῳοποιεῖν nebeneinander.

senden, erweckenden, erst wahrhaft lebendig machenden Geist, ist seelisch, in Wahrheit, eigentlich tot (vgl. Sap 3, 16; 5, 13) – so wie der Protoplast Adam als Lehmpuppe, als Golem. „Totgeburt" ist der beste Ausdruck dafür, daß ein Geborener dennoch tot ist, und das heißt natürlich: Ein nur biologisch Lebender ist (als natürlicher Mensch) geistlich
tot. Die Metapher ist also durchaus aus dem Gedankenkreis der in
Korinth bekannten Anthropologie genommen (wie der Ausdruck
πνεῦμα ζῳοποιοῦν in 15, 45 f.). Aber dieser übertragene Gebrauch von
„tot" führt nicht zwangsläufig zu einer spiritualistischen Anthropologie. Diese Frage (nach dem σῶμα) steht hier für Paulus noch nicht zur
Debatte.

Die Metapher von der Fehlgeburt hat später einen festen Sitz in der
gnostischen Mythologie erhalten: „Vom Wesen der Archonten"
(NHC II, 4: 86, 20–97, 23) 94, 15[76]; Titellose Schrift „Vom Ursprung der
Welt" (NHC II, 5: 97, 24–127, 17) 99, 9. 26; 115, 5[77]; ApokrJoh BG 46;
HippolRef V 17, 6 (von den Peraten); VI 31, 2. 4 f. 36, 3 (von den Valen-
tinianern); VII 26, 7 (von Basilides); ClemAlex ExcTheod 68; IrenHaer
I 4, 1; vgl. 8, 2[78]. Bis auf eine Ausnahme (nämlich „Vom Ursprung der
Welt" 115, 5) geht es immer darum, daß die materielle Schöpfung als
„Fehlgeburt" bezeichnet wird. Während insbesondere in den Hippolyt-
Referaten die Gestaltlosigkeit (Chaos) dabei die Metapher semantisch
bestimmt[79], geht insbesondere aus der Titellosen Schrift[80] ein ursprünglicher Sinn noch deutlicher hervor: Der Neid, der aus dem Schatten geboren ist, „wurde *als* eine Fehlgeburt befunden, *in der kein Geist
(pneuma) war*" (NHC II 99, 9). „… die Hyle des Chaos, die (weg)ge-
worfen worden war *wie eine Fehlgeburt. Denn es war kein Geist in ihr*"
(NHC II 99, 26). Damit ist „Fehlgeburt" definiert durch den Mangel an

---

[76] Zählung bei *R. A. Bullard* (nach *P. Labib*, Coptic Gnostic Papyri): I, Tafel 134–145,
dort 142, 15.

[77] Zählung bei *A. Böhlig/P. Labib*: I, Tafel 145–176, dort 147, 9. 26; 163, 5.

[78] Vgl. auch Rechter Ginza (*M. Lidzbarski*, S. 11 Z. 39). Nach IrenHaer I 8, 2 wird dabei schon direkt auf 1 Kor 15, 8 Bezug genommen (vgl. IgnRöm 9, 2). Ursprünglich ist der
gnostische Gebrauch der Metapher nicht von Paulus herzuleiten, sondern geht ebenfalls
auf den weisheitlichen zurück. Die erwähnten griechischen Referate der Kirchenväter gebrauchen alle das Wort ἔκτρωμα. Aus allen Stellen geht hervor, daß eine feste Metaphorik vorliegt (in den koptischen Texten jeweils im Vergleich: zu übersetzen mit „wie", „als",
„vergleichbar" o. ä.), vgl. besonders HippolRef VI 31, 2: οὕτω γὰρ καλοῦσιν.

[79] ClemAlex ExcTheod 68: das Unvollkommene, Hilflose, Schwache. Die Beziehung
zur expliziten Golem-Motivik der Rabbinen ist hier besonders deutlich: danach ist Adam
vor seiner Belebung eine ungeformte Masse (vgl. *G. Scholem*, Eranos-Jahrbuch 22, 1953,
S. 238 f.). Ps 139, 16 hat גלמי tatsächlich die Bedeutung „Embryo" (was *G. Scholem*, ebd., allerdings bestritten).

[80] Text und Übersetzung: *A. Böhlig / P. Labib* (dortige Zählung: 147, 9. 26; 163, 1–5);
zur Schrift im ganzen vgl. *A. Böhlig*, Gnostische Probleme (dort 133: über den Einfluß
der jüd.-alexandrinischen Theologie).

Pneuma. Ganz deutlich werden die Zusammenhänge in Titellose Schrift NHC II 115, 3–5. Es geht um die Schöpfung Adams durch die Archonten: „Als sie aber Adam vollendet hatten, legte er (der Oberarchon) ihn in ein Gefäß, weil er wie die Fehlgeburten gestaltet war, *da sich kein Geist (pneuma) in ihm befand.*" 115, 1 wurde Adam ψυχικός genannt. „Fehlgeburt" ist also das Gegenteil von πνευματικός, nämlich ψυχικός. Hier haben wir genau die ursprüngliche weisheitliche Bedeutung der Metapher: Was ohne Pneuma ist, ist – obwohl geboren – tot. Seine Lebendigkeit ist nur eine psychische[81]. Das heißt: Wir haben hier das Adam-Golem-Motiv in seiner ursprünglichen weisheitlichen Form vor uns. Der amorphe Zustand des „Erdenkloßes" Adam oder seine embryonale Gestalt dienen als Bild für seine irdische Nichtigkeit ohne das unsterblich machende Pneuma. Nun setzt die Titellose Schrift freilich selber schon eine dreistufige Anthropologie voraus (vgl. die Zusammenfassung 117, 28–118, 2; ferner 122, 6–9[82]): Der erste Adam ist πνευματικός (der sich den Archonten als Spiegelbild zeigte, so daß sie ihn nach seinem Aussehen – jedoch mit ihrem σῶμα schufen), der zweite (der Protoplast mit psychischem Anhauch) ψυχικός, der dritte χοϊκός. Die Definition von „Fehlgeburt" als „ohne Pneuma" setzt aber ganz klar noch den älteren weisheitlichen Dualismus von natürlichem und pneumatischen Leben voraus[83], wie er in der Schrift „Vom Wesen der Archonten"[84] deutlicher zutage tritt. Die Archonten sind selber ψυχικοί, der Protoplast als ihr Gebilde ebenfalls (Gen 2, 7a). Gen 2, 7b wird dann aber (wie bei Philo! s. o. S. 103 ff.) im Sinne der Pneuma-Inspiration verstanden, so daß Adam von oben her schon πνευματικός ist (wobei ψυχὴ ζῶσα nun als pneumatische Seele verstanden wird). Dies Pneuma verliert er aber wieder im Schlaf des Vergessens, so daß er auf Erlösung angewiesen ist (87, 18 ff.[85]). Hier wird deutlich, wie nahe die weisheitliche Deutung von Gen 2, 7 (vor allem bei Philo, All I 32) schon der gnostischen kommt[86] – oder umgekehrt: wie weit der Gnostizismus von den weisheitlichen Motiven lebt.

---

[81] In diesem Sinne wird dann Gen 2, 7 in verschiedenen Variationen ausgedeutet: z. B. wird unterschieden zwischen einem psychischen Hauch (Gen 2, 7 auf die Archonten bezogen, die ja selber nur psychisch sind) und einem pneumatischen Hauch „von oben". Ursprünglich geht es bei diesem Adam-Golem-Motiv nur um den Hauch „von oben" (s. o. S. 88 A 38).

[82] Zählung bei *A. Böhlig / P. Labib*: 165, 28–166, 2; 170, 6–9.

[83] Dazu *A. Böhlig*, Urzeit, 143 f.

[84] Text und engl. Übersetzung: *R. A. Bullard.*

[85] Bei *R. A. Bullard*: 135, 18 ff.

[86] Was bei Philo (und seiner weisheitlichen Tradition) wie bei den Korinthern und Paulus daran fehlt, ist die Erklärung der Schöpfung als Produkt eines Falls. Entscheidend für den Gnostizismus ist das, was *vor* Gen 1 liegt (s. o. S. 195 ff.).

Damit ist deutlich geworden, daß die Fehlgeburt-Metapher in die
selbe Tradition gehört wir der Begriff πνεῦμα ζῳοποιοῦν, die Lehre
von zwei Urmenschen und die ψυχικός-πνευματικός-Terminologie.
Das heißt für 1 Kor 15, 8: Paulus greift auch hier ein Element der
Sprach- und Denkwelt der Korinther auf – freilich an dieser Stelle un-
polemisch, weil das ontologische Problem und damit das Verhältnis
von πνεῦμα und σῶμα noch nicht zur Debatte steht. Er will nur zeigen,
daß der auferstandene Christus Tote lebendig macht. Erst ab 15, 18 f.
20 ff. und besonders V. 35 ff. geht es dann um die Reichweite dieses
Lebendigmachens.

Zu b): Ausgehend von der Bedeutung „Totgeburt" ergibt sich ein
klarer Sinn der Verse, der mit dem weiteren Kontext bestens überein-
stimmt. *In der Person des Paulus, in seiner Bekehrung und Berufung, hat
Gott durch seine Gnade einen Toten lebendig gemacht*[87]. Ohne die Gnade
Gottes war das vorchristliche Leben des Paulus Totsein. Die Erscheinung des auferweckten Christus wurde ihm zur Auferweckung vom
Tode, die zugleich weiterwirkt (κοπιᾶν). Die Christus-Erscheinung vor
Paulus ist daher Exempel der lebenschaffenden, Tote erweckenden,
wirksamen Macht Gottes. Paulus verschärft den Kontrast durch den
Hinweis auf seine vorchristliche Verfolgertätigkeit, die nun zum höchsten Ausdruck seines toten Lebens wird (vgl. Phil 3, 4 ff.). Wie die Erscheinung des Auferstandenen gerade an Paulus einen total Negativen
„umkehrte" (darum ist die Erscheinung vor Paulus im Zusammenhang
von V. 3b ff. zwar die zeitlich letzte, aber als die typische die wichtigste
in der ganzen Reihe), so hat sie zugleich auch gerade aus diesem Mann
den tüchtigsten Apostel gemacht (V. 10). V. 9 darf man dabei nicht auf
die Gegenwart des Apostels beziehen. Hier geht es nur darum, daß
Paulus *von seiner Vergangenheit her, von Natur her* der unwürdigste ist.
Seine mangelnde ἱκανότης ist ja durch die χάρις θεοῦ belanglos geworden, aufgehoben. So ist er zum tüchtigsten Werkzeug der Gnade Gottes geworden. Die Wirkung der schöpferischen Gnade Gottes besteht
in weiterwirkender Aktivität (κοπιᾶν; οὐ κενή: vgl. V. 14!), im εὐαγγέλιον. Das Kerygma hat so selber Leben schaffende Wirkung: εὐαγγέλιον … δι' οὗ καὶ σῴζεσθε (V. 1 f.). Das haben die Korinther selbst ja
durch Paulus erfahren. Sie „leben" durch das *durch ihn* vermittelte
Evangelium. Der Rückfall aus diesem Evangelium würde Rückfall in
das tote Dasein bedeuten (vgl. V. 17–19)[88].

---

[87] Vgl. o. S. 245 A 64. – Das hat eine Konsequenz: „Als Erscheinungszeuge gehört
Paulus … selbst zu dem Evangelium …" (*W. Stenger*, 80).

[88] Dadurch, daß Paulus sich in V. 8–10 der Metaphorik weisheitlicher Inspirations-
theorie bedient und damit die Bekehrung darstellt, begibt er sich ein gutes Stück auf die
auch hinter 15, 45 f. erkennbare Pneumatiker-Theologie der Korinther. Nur zieht er andere Konsequenzen. (Leibliche) Auferweckung der Christen ist für ihn dadurch gerade

Zu c): Der Artikel vor ἔκτρωμα ist aus syntaktischen Gründen notwendig. ἔκτρωμα ist bezogen auf das determinierte κἀμοί und folglich ebenfalls determiniert[89]. Das ἔκτρωμα-Sein kommt danach Paulus zu zum Zeitpunkt des ὤφθη ("... erschien er *mir*, der ich sozusagen eine ,Totgeburt' war ..."). Andernfalls wäre ἔκτρωμα nach ὡσπερεί auf das Verb zu beziehen („... erschien er mir in der Weise wie einer Mißgeburt").

d) Zur Funktion der kerygmatischen Formel im ganzen

Was Paulus in V. 3b ff. in Erinnerung ruft, ist Teil seiner Verkündigung bei Gründung der Gemeinde. Diese ist der terminus ante quem für das Alter der Tradition, die als ganze nicht viel älter zu sein braucht[90]. Ein ähnlicher Fall von Anknüpfung an das Missionskerygma liegt vor in 1 Thess 1, 9b–10. Auch hier faßt Paulus seine Gründungspredigt unter Aufnahme vorformulierter Wendungen zusammen[91]. Weder 1 Thess 1, 9 f. noch 1 Kor 15, 3b ff. enthält den Gedanken der Auferweckung der Toten. Gemeinsam ist beiden Texten die Aussage von der zentralen Bedeutung der Auferweckung Christi. Bedeutsam sind aber zwei Unter-

---

nicht überflüssig und sinnlos geworden (wie für die Korinther). Im Gegenteil: Wird diese geleugnet, dann geht die lebendig machende Wirkung des Kerygmas überhaupt verloren. Das neue Leben (in der christlichen Existenz) wäre eine Täuschung. Darauf geht Paulus aber erst in V. 12 ff. ein. – Ausgeschlossen ist durch V. 8–10 aber wohl die These, die Korinther hätten behauptet, die Auferweckung bereits hinter sich zu haben. Dann wäre V. 8–10 Wasser auf ihre Mühlen. Dann könnte Paulus auch nicht mit dem Hinweis auf die vergangene und gegenwärtige Erfahrung von „Leben" argumentieren.

[89] *P. v. d. Osten-Sacken*, 250: „ὡσπερεί τῷ ἐκτρώματι ist also streng als vorgezogene Apposition zu κἀμοί auszulegen." Zwei Seiten später leitet er aber den Artikel aus dem Bezug vom Vorherigen her: „(mir) gleichsam als der Fehlgeburt (unter den Aposteln)" (252 – im Anschluß an *Ph. Bachmann*, 433). Diese Erklärung ist einerseits abwegig, denn wegen der Zugehörigkeit zu κἀμοί liegt die Determiniertheit der Wendung nahe; darüberhinaus ist sie aus inhaltlichen Gründen falsch: als „apostolische" Fehlgeburt verliert die Metapher ihren Sinn. Bei den Ausnahmen, die *P. v. d. Osten-Sacken*, 251 mit A 29, gegen *G. Björck*, 8, anführt, liegt die Sache anders: 1 Kor 3, 1 ist ὡς πνευματικοῖς direkt von λαλῆσαι abhängig (vgl. 2 Kor 11, 16) und nicht vorangestellt (ebenso Hebr 12, 5); 1 Kor 3, 10 und 7, 25 fehlt ein eigenständiges Personalpronomen, das von ὡς abhängig wäre (ebenso 1 Petr 1, 19). Würde der Artikel in 1 Kor 15, 8 fehlen, wäre ὡσπερεί ἐκτρώματι auf das Verb ὤφθη zu beziehen. Genau das aber hat *G. Björck*, 8, gemeint, dessen syntaktische Begründung für die Notwendigkeit des Artikels von *P. v. d. Osten-Sacken*, 251 f., schief wiedergegeben wird. Wie G. Björck auch *J. Munck*, 181, und *Bl.-D.*, 13. Aufl. (!), 433, 3 A.

[90] Vgl. *J. Becker*, Gottesbild, 117 f. Mit dem παρέλαβον V. 3a ist weder gesagt, daß Paulus die Tradition schon bei seinem Christwerden empfing (mit *J. Becker*, Gottesbild, 118 A 12, gegen *P. Stuhlmacher*, Bekenntnis, 377 f. A 1), noch daß die Formel als Ganzheit ältestes Gut darstellt – was schon der offene „Rand" V. 6. 7. 8 ff. ausschließt.

[91] Dazu *C. Bussmann*, 39 ff.; *J. Becker*, Auferstehung, 32–45; *W. Marxsen*, 1 Thess, 17 f. 40 f.

schiede: 1. 1 Thess 1,10 blickt von der Auferweckung Christi (Aorist) her auf die bevorstehende Parusie voraus. 1 Kor 15,3b–5 spricht von der Gegenwart des Auferstandenen (Perfekt: ἐγήγερται). 2. In 1 Thess 1,9 f. fehlt eine Sterbens-Aussage.

Zu 1.: Man wird hierfür kaum einen plötzlichen Gesinnungswandel des Paulus zwischen dem Gründungsaufenthalt in Thessalonich (etwa 49) und dem in Korinth (etwa 50) annehmen dürfen – eher schon verschiedene Situationen bei der Gründung der Gemeinden, am besten aber wohl verschiedene Situationen zur Zeit der Abfassung der Briefe. So erinnert Paulus in 1 Kor an einen bestimmten *Teil* seiner Gründungspredigt (vgl. ἐν πρώτοις V. 3a): an die vivifikatorische Macht von Sterben und Auferwecktsein Christi. Darin ist nun allerdings der von den Korinthern bestrittene Gedanke der Auferstehung der Christen nicht explizit enthalten; Paulus muß ihn erst durch mühsame Argumentation daraus entwickeln (V. 13 ff.). Dem dient wahrscheinlich schon V. 6b: Selbst von den Auferstehungszeugen sind einige gestorben, so daß der Tod eine Grenze für das Heil bedeuten würde – wenn Gott nicht aufgrund der Auferweckung Christi auch die Toten erweckt (vgl. die gleiche Aussagerichtung in 1 Thess 4,13 ff.). Es ist möglich, daß Paulus einzig aus diesem Grund die Erscheinung vor den über 500 Brüdern erwähnt. Ein Ausblick auf die Parusie fehlt dabei im Kerygma V. 3 ff. völlig. Es ist kaum anzunehmen, daß Paulus davon bei seiner Gründungsmission in Korinth nicht gesprochen hätte (das wäre schon angesichts 1 Thess 1,9 f., einer Aussage, die in Korinth geschrieben wurde, überraschend). Er wird diesen Gedanken vielmehr im Zusammenhang von 1 Kor 15,1 ff. nicht gebraucht haben. Von der Parusie ist erst in V. 23 ff. und V. 51 ff. die Rede. Doch muß man beachten, daß an beiden Stellen der Gedanke der Totenerweckung dem der Parusie bzw. des Endes vor- und übergeordnet ist. Hier liegt eine deutliche Akzentverschiebung gegenüber 1 Thess vor. Wir vermuteten bereits, daß das im Zusammenhang steht mit der Auseinandersetzung des Paulus mit der korinthischen Anthropologie[92]. Deutlich geworden ist, daß Paulus in 1 Kor 15 stärker von der gegenwärtigen Erfahrung von Heil her argumentiert (vgl. das Perfekt ἐγήγερται in V. 4; ferner V. 8–10; V. 17). An diese vergangene und gegenwärtige Heilserfahrung zu erinnern, darin besteht die Funktion des repetierten Kerygmas, das an sich ebensowenig eine gegenüber der Theologie normative Eigenbedeutung hat wie irgendeine apokalyptische Vorstellung[93].

---

[92] Dazu s. o. S. 48 f. und 223 ff.

[93] Gegen *H. Schlier*, Hauptanliegen, 151 f.; *J. Kremer*, 30 („Dogma"); *F. Mussner*, Schichten, 69 („norma normans"); mit Einschränkung auch gegen *H. Conzelmann*, Analyse, bes. 139. Sein Satz, „daß keine alte Bekenntnisformel von der Parusie spricht" (ebd.),

Zu 2.: Der zweite Unterschied zu 1 Thess 1, 9 f. besteht darin, daß der Tod Christi erwähnt wird. Zwar ist V. 3b vorpaulinisch formuliert. Aber man kann annehmen, daß in der Zitierung dieser Formel-Elemente auch ein paulinisches Anliegen zum Ausdruck kommt[94]. V. 17 nimmt den (unpaulinischen) Plural ἁμαρτίαι wieder auf. Wenn das Kerygma hinfällig würde, würden die Korinther noch in den Sünden ihrer heidnischen Vergangenheit[95] existieren, also ohne die πίστις, die ja ματαία wäre. Der Anklang an V. 3b zeigt aber, daß das Sterben Christi mit in den heilsbedeutsamen Zusammenhang gehört. Etwas deutlicher wird das in V. 20 ff.: Dadurch daß Christus gestorben und auferweckt ist, ist er der „Erstling der *Entschlafenen*". Er teilte also soweit das Los der adamitischen Menschheit, daß auch er dem Tod unterworfen war. Erst dadurch, daß Gott ihn auferweckt hat, ist er der neue Mensch, durch den Gott die Menschen lebendig macht. Entsprechend sind nicht nur die Lebenden mit seinem Leben verbunden, sondern auch die Toten werden es wieder sein. Wie bereits o. vermutet, klingt dieser Gedanke in V. 6 an: Die verstorbenen Brüder, die seine Erscheinung erfahren haben, bleiben von seinem Leben nicht ausgeschlossen.

Auch die in der Formel überlieferte Aussage ἐτάφη hat eine Funktion für die paulinische Intention. Für Paulus kommt es gegenüber den Korinthern darauf an, ein Verständnis des Todes als eines Überganges des pneumatisch Erlösten in das körperlose Sein auszuschließen[96]. Weil der Tod den Menschen in seiner Ganzheit *als* σῶμα betrifft, ist Auferwek-

---

ist angesichts 1 Thess 1, 9 f. unhaltbar (*E. Käsemann*, Traditionsgeschichte, 142). Gegen eine dogmatische Überbewertung der Formel in 1 Kor 15, 3b ff. als „Kerygma-Dogma" s. *E. Fuchs*, Muß man an Jesus glauben, 271: „Denn jene Formeltexte waren die Wirkung. Die Ursache bleibt das Ereignis, das Jesus für uns zum Wort des Glaubens gemacht hat."

[94] Vgl. *H. Conzelmann*, Analyse, 141: Die Korinther „trennen die Auferstehung Christi von seinem Tod. Sie lassen den Tod spiritual hinter sich. Dagegen stellt Paulus die Einheitlichkeit der Glaubensaussage heraus: Man kann die Verkündigung der Auferstehung nicht haben ohne die Verkündigung des Todes". Ähnlich auch *U. Wilckens*, Weisheit, 20 (freilich mit der Implikation der These von der realisierten Auferstehung der Christen); vgl. auch *C. Bussmann*, 87–89.

[95] Dazu *H. Braun*, Randglossen, 201 f., und s. u. S. 258.

[96] *H. F. Richter*, 34 f. 37. 85 f., betont entsprechend den antidoketischen Charakter des ἐτάφη. Er geht jedoch zu weit, wenn er das als paulinischen Einschub in die Formel verstehen möchte. Dagegen spricht schon der parallele Aufbau der Formel. Im übrigen reicht das ἐτάφη allein für eine antidoketische Funktion nicht aus, denn ein Verwesen des Leibes im Grabe wäre für den Doketismus eine geradezu notwendige Annahme, dem es doch auf das Überleben allein der pneumatischen Seele ankommt. Erst ein Hinweis auf das *leere* Grab könnte antidoketisch sein. Nun ist das Leersein des Grabes wohl im folgenden ἐγήγερται impliziert, jedoch liegt darin kaum die Intention der Formel (vgl. o. S. 238 A 27). In der Tradition war das Leersein des Grabes nicht strittig. Beide Zweige der ältesten Ostertradition (1 Kor 15, 3b–5 und Mk 16, 1–6. 8) setzen es (anders als das ὤφθη, das in der vormarkinischen fehlt) voraus. Ob die *Korinther* das in ἐτάφη + ἐγήγερται implizierte Leersein des Grabes inzwischen anzweifelten, läßt sich nicht feststellen.

kung als Neuschöpfung erforderlich. Entsprechend ist Christus gestorben und aus dem Grabe auferweckt worden[97]. Insofern kommt es Paulus gegenüber den Korinthern auf jedes einzelne der vier verbalen Glieder der Formel an.

Im späteren Römerbrief greift Paulus das Credo von 1 Kor 15, 3b–5 noch einmal auf und deutet nun auch die ἐτάφη-Aussage im Analogie-Schema soteriologisch aus: συνετάφημεν οὖν αὐτῷ ... εἰς τὸν θάνατον (Röm 6, 4). Dabei ist jetzt der präsentische Aspekt ausschließlich in den Vordergrund gerückt: Wie der Myste in der Weihe dem alten Leben gestorben ist, so ist der Christ in der Taufe der Sünde gestorben und führt schon jetzt ein neues Leben (Röm 6, 4), ein Leben wie aus Toten (Röm 6, 13)[98]. Dabei klingt aber die ältere futurische Analogiebildung im Sinne von 1 Thess 4, 14 und 1 Kor 6, 14 als Basisaussage noch an, so in Röm 6, 5 und vor allem V. 8: εἰ δὲ ἀπεθάνομεν σὺν Χριστῷ (Aorist), πιστεύομεν ὅτι καὶ συζήσομεν αὐτῷ (Futur). 1 Kor 15 ist als ganzes nun aufzufassen als eine ausführliche Explikation dieser älteren Analogiebildung (wenn die o. S. 49 ff. geäußerte Vermutung zutrifft: eine Explikation von 1 Kor 6, 14) und steht zeitlich wie sachlich genau zwischen 1 Kor 6, 14 und Röm 6. Während in 1 Kor 6 die Aussage von der künftigen Auferweckung (des ganzen Menschen: σῶμα) den gegenwärtigen *leiblichen* Gehorsam begründen sollte (s. o. S. 54 ff.), ist es in 1 Kor 15 umgekehrt: Hier dient die gegenwärtige Heilserfahrung dazu, die Notwendigkeit der Aussagen von der künftigen leiblichen Auferweckung der Christen zu begründen. Fällt diese, so fällt – mit dem formelhaft zusammengefaßten εὐαγγέλιον (1 Kor 15, 1 ff.) – auch jene gegenwärtige Heilswirklichkeit. Die soteriologische Konsequenz des Kerygmas ist es, auf die Paulus im folgenden hinaus will. Indem die Auferstehung Toter in Korinth bestritten wird, ist das Band zwischen Christologie und Soteriologie zerrissen. Das heißt in der Konsequenz, die Paulus zieht: das Kerygma ist für die Korinther funktionslos geworden. Es ist nicht mehr Mittel und Ausdruck der lebenschaffenden Macht Gottes. Damit ist noch einmal deutlich geworden, daß es Paulus in 1 Kor 15, 1–11 gerade nicht um eine *historische* Absicherung, sondern um die soteriologische Funktion des Kerygmas geht. Glauben als „Leben aus Toten"[99] erstreckt sich aber auch auf den Leib (Röm 6, 13; 1 Kor 6, 14 ff.). Darum muß das „Leben aus Toten" auch den Tod des Leibes „verschlingen". Darauf geht Paulus nicht nur in 1 Kor 15, 35 ff. (vgl. V. 54 f.), sondern schon in V. 20–28 ein. So ist für Paulus die soteriologi-

---

[97] Vgl. *Chr. Wolff*, 161.

[98] Einen eschatologischen Vorbehalt gegenüber einem mysterientheologischen Enthusiasmus vermag ich in Röm 6 nicht zu erkennen (vgl. *G. Sellin*, „Die Auferstehung ist schon geschehen", 277 ff.; ebenso *A. J. M. Wedderburn*, NTS 29, 1983, 337–355).

[99] Vgl. *W. Marxsen*, Glaube als Auferstehung.

sche Wirkung des Kerygmas zentrales Anliegen. Im folgenden Abschnitt (V. 12–19) versucht er zu zeigen, daß von der anthropologischen These der Korinther das Kerygma selbst und die Christologie berührt werden.

2. Die christologische Konsequenz der Leugnung der Totenauferweckung (V. 12–19)

a) V. 12

V. 12 enthält die These der Korinther, die, wie bereits gezeigt, selber schon eine Gegenbehauptung ist und sich auf eine positive Äußerung des Paulus über die Auferstehung der Christen (vgl. 1 Kor 6, 14) bezieht. V. 12 besteht aus einem konditionalen Nebensatz (εἰ), der die Summe aus V. 1–11 zieht und diese als angenommene Realität voraussetzt, und einem rhetorischen Fragesatz (πῶς), der eine darin zitierte Behauptung als im Widerspruch zur Prämisse des realen Konditionalsatzes stehend kennzeichnet. Die Prämisse ist freilich nicht die Auferweckung Jesu als objektives Faktum, sondern die Verkündigung seiner Auferweckung (εἰ δὲ Χριστὸς κηρύσσεται ὅτι ...)[100]. Das ist nun freilich kein Argument dafür, daß die Korinther diese Behauptung nicht anerkannt hätten[101]. Diese Formulierung erklärt sich vielmehr daraus, daß Paulus grundsätzlich nicht unterscheidet zwischen einem objektiven historischen Faktum und seiner soteriologischen Wirksamkeit. Das κηρύσσειν des auferweckten Jesus ist ja die Wirklichkeit der Auferweckung Christi. Das κηρύσσειν ist die Tatsache, das, was erfahrbar ist, das, was lebendig macht. Nur so kann die Auferweckung Christi durch Gott eine Heilsbedeutung haben: indem sie als Botschaft von der lebenschaffenden Schöpferkraft Gottes selber Menschen lebendig macht. Auf einer bloßen *Behauptung* eines Faktums, das die Korinther zudem nicht anerkannt hätten, könnte Paulus niemals seine Schlüsse in V. 13 ff. aufbauen.

b) Die Struktur von V. 13–19

In V. 13 nimmt Paulus die Behauptung der Korinther aus V. 12b zur Prämisse. Zunächst einmal kann offenbleiben, wie Paulus dabei zu der Folgerung V. 13b kommt. Ganz entscheidend ist, daß er nicht schon aus der Leugnung der Auferstehung[102] Toter an sich Hoffnungslosigkeit

---

[100] ὅτι in V. 12a leitet wieder ein direktes Zitat ein, wobei jedoch gegenüber V. 4 ἐκ νεκρῶν vor ἐγήγερται eingefügt ist.

[101] So *R. J. Sider*, Nature, 131.

[102] Das Nebeneinander von ἀνάστασις und ἐγείρεσθαι in V. 12a + b und V. 13a + b zeigt, daß Paulus beides synonym gebraucht.

und Ausfall des Glaubens folgert, sondern erst aus der von ihm selbst hier eingetragenen *christologischen* Implikation. Nicht direkt dadurch, daß die Korinther die Auferstehung Toter leugnen, entleeren sie den Glauben, sondern erst dadurch daß sie damit *implizit* die Auferweckung Christi negieren. Alle Hauptsätze in V. 14 f. 17–19 beziehen sich nun auf die neue (christologische) Prämisse von V. 13b. 16b, die Paulus selber aus der These der Korinther folgert. Es gibt also drei Aussagestufen in V. 13–17:

1. Es gibt keine Auferstehung Toter: V. 13a. 15c. 16a
2. Es gibt keine Auferweckung Christi: V. 13b. 14a. 15b. 16b. 17a
3. Es gibt kein Heil: V. 14b. c. 15a. 17b. c. 18
   a) Das Kerygma ist leer (V. 14b) – der Apostel ein Lügner (V. 15a)
   b) Der Glaube ist leer (V. 14c), vergeblich (V. 17b), die Korinther noch in Sünden (V. 17c)
   c) Die Toten sind verloren (V. 18) [103].

Die Zwischenschaltung von 2. ist ganz entscheidend. Erst dadurch folgt 3. Damit ist aber klar, daß Paulus nicht annimmt, die Korinther seien Leute, für die mit dem Tode alles aus sei. Man darf 1. und 3. nicht kurzschließen. Ebenso ist klar, daß die Korinther die Auferweckung Christi selbst allenfalls implizit abgestritten haben können, denn eine Negierung derselben leitet Paulus ja erst aus der Leugnung der Totenauferstehung ab. Das Problem ist nun, wie Paulus aus der Leugnung der Auferweckung Toter die Leugnung der Auferweckung Christi folgern kann. Es gibt zwei Möglichkeiten. Entweder argumentiert Paulus: Wenn man die Möglichkeit, daß Tote auferweckt werden können, bestreitet, dann kann kein Toter je auferweckt werden – also kann auch Christus nicht auferweckt worden sein [104]. Dafür könnte die indeterminierte Wendung ἀνάστασις νεκρῶν sprechen, die man auffassen kann als Auferstehung von irgendwelchen Toten (im Unterschied zu *der* Auferstehung *der* Toten), also als die Möglichkeit überhaupt, daß jemand aus dem „Kreis der Toten" heraustrete [105]. Vor allem V. 15c zeigt,

---

[103] Die Sequenz verläuft in V. 13–18 folgendermaßen:

1.	13a		15c. 16a	
2.	13b. 14a		15b	16b. 17a
3.		14b. c. 15a		17b. c. 18

Zum Aufbau von V. 12–19 im ganzen s. *J. Lambrecht*, 503. V. 12 und 19 rahmen die Argumentation V. 13–18 ein. V. 19 faßt sie in einem abschließenden Konditionalsatz zusammen.

[104] So z. B. *K.-G. Sandelin*, 18; *M. Bachmann*, Gedankenführung (mit ausführlicher formallogischer Begründung); *ders.*, LingBibl 51, 1982, 79 ff.; *H.-H. Schade*, 193 ff.

[105] So *M. Bachmann*, Gedankenführung, 268–272; *ders.*, LingBibl 51, 1982, 81 ff. Diese Sicht würde gut zu der auch von uns vermuteten korinthischen Position passen: daß die

daß Paulus die Aussagen 1. und 2. auf diese Weise verknüpft[106]. Diese Art der logischen Argumentation erlaubt aber keine Umkehrung in dem Sinne, als würde aus der Auferweckung *eines* Toten nun die Auferweckung anderer Toter folgen. Genau *das* aber behauptet Paulus in V. 20ff. Die logische Erklärung genügt also nicht[107]. Die zweite Erklärung geht davon aus, daß für Paulus Auferweckung Christi und Auferweckung der Christen eine Einheit darstellen, in der sich beide Hälften stützen. Ohne ihre soteriologische Wirkung fällt die Auferweckung Christi selber. In V. 13–19 zieht Paulus den Gedanken auf der negativen Seite durch, in V. 20ff. auf der positiven. Dahinter steht (wie dann aus V. 20ff. deutlich wird) der Gedanke von der Schicksalsgemeinschaft von Christus und den Christen, wie er zum Beispiel in Röm 6 in der Deutung der Taufe als Mitsterben und verheißenes Mit-Leben seinen Ausdruck findet. Diese Deutung könnte man im Unterschied zu der „logischen" die „mythologische" nennen[108]. Am deutlichsten

Korinther Auferstehung Toter wegen der Leiblichkeit dieser Vorstellung überhaupt abgelehnt hätten.

[106] Dabei ist es, wie *H.-H. Schade*, 194 f., zeigt, gleichgültig, ob man die Aussagenlogik oder die Prädikatenlogik zugrundelegt. Doch führt die Logik nicht sehr weit: „Paulus beweist nicht die Auferstehung Christi aus der Totenauferstehung; er beweist aber auch nicht, ‚daß aus der Auferweckung Christi notwendig die Auferstehung der Christen' folgt, sondern er beweist, daß bei Geltung des Satzes ‚Christus ist von den Toten auferweckt' (V. 12a) der Satz ‚es gibt keine Totenauferstehung' (V. 12b) falsch ist." (ebd., 195). Logisch ist das korrekt – doch ist es nicht das, was Paulus sagen will (s. nächste A).

[107] *T. Bucher*, Biblica 55, 1974, 470, beschreibt die Logik des Abschnittes folgendermaßen: Er nimmt V. 20 noch hinzu. So gewinnt er zwei Prämissen (V. 13 und V. 20) und daraus eine Conclusio nach dem Modus Tollens:
„1. Wenn es keine Auferstehung der Toten gibt, dann ist auch Christus nicht auferweckt worden" (1. Prämisse, V. 13).
„2. Nun ist aber Christus auferweckt worden" (2. Prämisse, V. 20).
„3. Also gibt es auch eine Auferstehung der Toten" (Conclusio: Modus Tollens).
Veranlaßt durch die Einwände Bachmanns (o. S. 256 A 104) hat *Bucher*, LingBibl 53, 1983, 70 ff., diese mißverständliche Logik inzwischen prädikatenlogisch (mit Hilfe von All- und Existenz-Quantor) präzisiert:
„1. Wenn kein Toter auferstanden ist, dann ist Christus nicht auferstanden.
2. Nun ist Christus auferstanden.
3. Also sind (mindestens) einige Toten auferstanden." (97).
Aber auch dieser Schluß geht zu weit. Daß es Totenauferstehung also „gibt" (wenigstens eine: die Christi), will Paulus in V. 12ff. gar nicht beweisen; das setzt er vielmehr voraus (V. 12. 20). Er will nur zeigen: Wenn es sie (gar) nicht gäbe (wie die Korinther behaupten), dann gäbe es auch nicht die Auferweckung Christi. Und *das* hätte dann fatale Konsequenzen: V. 14bff. Also ist das Ziel logischer Argumentation schon in Buchers Satz (1) („Wenn kein Toter auferstanden ist, dann ist Christus nicht auferstanden": V. 13) erreicht. Der Schluß, Satz (3) („Also sind ... einige Toten auferstanden"), liegt überhaupt nicht im Blickwinkel der Argumentation. Das wäre für Paulus ja auch viel zu wenig. Was er letztlich zeigen will, ist, daß aus der Auferweckung Christi die Auferweckung der (aller) Christen folgen wird. Keine Logik allein bringt einen solchen Schluß zustande.

[108] Diese Deutung findet sich z. B. bei *H. Braun*, Randglossen, 198 ff.; *H. Conzelmann*, 1 Kor, 313 f.

kommt sie in V. 20–22 zum Ausdruck. Nur aufgrund dieser Voraussetzung ergibt sich die unlösbare Verbindung von Auferweckung Christi
und Auferweckung der Christen [109]. Paulus kommt es gerade auf die
Verklammerung beider an [110]. Zunächst aber geht es nun um die Verbindung von 2. (Es gibt keine Auferweckung Christi) und 3. (Predigt
und Glaube sind leer): V. 14–17. Nicht weil die Korinther womöglich
immanenzverhaftete Leugner postmortalen Heils wären, zieht Paulus
diese Folgerungen, sondern weil er den christologischen Grundsatz des
Heils gefährdet sieht. Die Argumentation ist ähnlich wie in 1 Thess
4, 13: Dort drohte der Zweifel wegen der unerwartet Verstorbenen die
christliche Heilserwartung überhaupt in Frage zu stellen. Die „übrigen,
die keine Hoffnung haben", sind dort die, die außerhalb des christlichen Glaubens stehen. Das bedeutet schon per definitionem Heillosigkeit. Wenn nun hier (1 Kor 15) zusammen mit dem christologischen Bekenntnis dem Glauben der Boden entzogen ist, verliert die Verkündigung ihren Inhalt (κενός), und der Glaube wird leer (V. 14). Das bedeutet dann für den Apostel, daß er Falsches verkündigt (V. 15a). V. 15b
und c führen noch einmal zurück zum Ausgang der Argumentation.
V. 16 setzt erneut ein: 1. → 2. In V. 17 artikuliert Paulus noch einmal
die dann bestehende Heillosigkeit: der Glaube ist dann „wirkungslos"
(μάταιος), weil die Korinther dann ja noch in dem Zustand sind, aus
dem sie das Evangelium befreit haben sollte: in ihren „Sünden" [111]. Damit klingt die soteriologische Deutung der Sterbensaussage aus dem
Kerygma V. 3b an. Wenn in Christus nicht das Leben Gottes zum Zuge
gekommen ist, dann gilt: „Die Schuld ist nicht vergeben, die Macht der
Sünde nicht gebrochen." [112] Und das bedeutet dann: totale Hoffnungslosigkeit, Sieg des Todes: V. 18 f. Das logische Argument in V. 13 (und
15c) dient Paulus nur als ein Hilfsmittel, um die Aussage-Ebene 2. zu
erreichen: die Geltung des christologischen Kerygmas steht in Frage.
Der Schritt von 2. (= Christus ist nicht auferweckt) zu 3. (= Verkündigung und Glaube sind „leer" und „vergeblich") ist nicht mehr ausschließlich ein logischer Schritt: Paulus erreicht damit die Ebene rhetorischen Appells: „Ihr bestreitet eure eigene Heilswirklichkeit" (V. 17).
Das Kerygma als Ausdruck des εὐαγγέλιον (V. 1) ist ja wirksame Reali-

---

[109] Dazu *H. Braun*, Randglossen, 199: „Darum gilt nicht nur: ohne Christi Auferwekkung gibt es keine allgemeine Totenauferweckung, sondern auch das Gegenteil: bei Fort-
fall der allgemeinen Totenauferweckung hat Christi Auferweckung nicht stattgefunden."
[110] Unmöglich kann es deshalb in V. 20 ff. um eine Distanzierung beider gehen (s. u.
S. 261 ff.).
[111] *H. Braun*, Randglossen, 202 ff., unter Hinweis auf den auffälligen Plural wie in
Röm 7, 5.
[112] *H. Braun*, Randglossen, 204.

tät. Natürlich haben die Korinther das nicht bestreiten wollen. Paulus zeigt ihnen aber, daß sie solches (unwillentlich) tun.

Die Aussage der Ebene 3., also die soteriologische Aussage, entfaltet Paulus nach drei Richtungen:

a) Das Kerygma ist „leer" (V. 14f.)
b) der Glaube „vergeblich", die Korinther noch „in Sünden" (V. 17)
c) die Toten verloren (V. 18).

Alle drei soteriologischen Aussagen sind von der christologischen Aussage der Ebene 2. direkt abhängig, nicht aber von der Aussage der Ebene 1. Das gilt auch von c): Erst jetzt über den Umweg des christologischen Satzes bezieht Paulus die Konsequenzen in Bezug auf die Auferweckung der Christen selber mit ein. Damit ist die Argumentation in gewisser Weise zirkulär: Ausgehend vom Satz der Bestreitung der Totenerweckung mündet sie wieder bei einer Aussage über die Toten. V. 18 darf jedoch auf keinen Fall mit V. 12b kurzgeschlossen werden, als hätte Paulus sagen wollen: Die Verstorbenen sind deshalb verloren, weil mit dem Tode alles aus ist oder weil sie die Parusie verpassen[113]. Ganz entscheidend ist in V. 18 (und entsprechend dann in V. 19) das ἐν Χριστῷ. ἐν-Χριστῷ-Sein ist die gegenwärtige Heilsrealität, der Gegensatz zum vergangenen Sein ἐν ταῖς ἁμαρτίαις. Es ist die Wirkung der lebenspendenden Kraft des im Kerygma zusammengefaßten Evangeliums. Gerade weil es im Kerygma um Tod und Leben Christi geht, erstreckt sich die Wirkung auch auf den Tod. Dabei steht im Hintergrund schon die Voraussetzung, daß die Christen schicksalhaft mit Christus verbunden sind, was Paulus erst in V. 20–22 mit dem Adam-Christus-Schema expliziert.

c) V. 19

In einem abschließenden Konditionalsatz faßt Paulus die Argumentation zusammen. Auf den ersten Blick wirkt dieser Vers nun tatsächlich so, als argumentiere Paulus jetzt in der kurzschlüssigen Weise: „Wenn unsere Hoffnung nur auf Innerweltliches gerichtet ist ...". Doch trifft das nicht zu – aus zwei Gründen:

1) Die auffällige Formulierung ist zu beachten:
a) ἐλπίζειν mit ἐν ist im NT einmalig. ἐν τῇ ζωῇ ταύτῃ kann dabei kaum Objekt und Ziel der Hoffnung meinen[114].

---

[113] Die ganze Argumentationsstruktur ist verkannt von *B. Spörlein*, 68 ff., der den Vers paraphasiert: „Folglich sind auch die in Christus Verstorbenen verloren, denn Auferweckung gibt es ja nicht." Eine solche kurzgeschlossene Auslegung von V. 18 f. liegt auch bei der Mißverständnishypothese von *R. Bultmann*, Theologie, 172, und *W. Schmithals*, Gnosis, 147 (vgl. auch *H. Conzelmann*, 1 Kor, 316 A38), vor.

[114] So *G. Brakemeier*, 47 f., und *E. Güttgemanns*, 76 (Hoffnung auf „Auferstehung" nur

b) Die auffällige Perfektform ἠλπικότες ἐσμέν und das nachgestellte, dem Prädikat zuzuordnende μόνον legen den Sinn nahe: „Wenn wir in diesem Leben Hoffung nur gehabt haben ...“, d. h. Getäuschte sind[115], die sich auf etwas verlassen haben, das nicht stimmt ...

2) Vor allem ist das ἐν Χριστῷ zu beachten, womit an V. 18 angeknüpft wird. ἐν Χριστῷ ἠλπικότες in V. 19a ist genaue Entsprechung zu οἱ κοιμηθέντες ἐν Χριστῷ von V. 18. „In Christus entschlafen sein“ ist dann gleichbedeutend mit „in Christus gehofft *haben*“: eine Täuschung – *wenn Christus nicht auferweckt ist*. Damit aber ist erwiesen, daß auch V. 19 an den christologischen Zwischensatz angeschlossen ist[116]. Nicht zufällig klingt hier der Gedanke des Todes an: Ohne Christi Auferweckung bliebe nicht Gott Sieger über den Tod, bliebe der Tod als Feind siegreich (V. 24 ff. 51 ff.: s. u. S. 272 ff. und o. S. 223 ff.). Zugleich klingt das im folgenden wesentliche ἐν Χριστῷ an. Damit wird die Verbindung der Aussagen 1. und 2. wieder zum Zuge gebracht, nun aber positiv: Die Christen sind schicksalhaft mit Christus verbunden. Was mit Christus geschah, geschieht notwendig mit ihnen. Was mit ihnen nicht geschieht, kann auch mit Christus nicht geschehen sein.

---

der Lebenden). ἐλπίζειν ἐν begegnet so zwar gelegentlich in LXX, doch im NT steht bei ἐλπίζειν dann ausschließlich εἰς oder ἐπί (Joh 5, 45; Röm 15, 12; 2 Kor 1, 10; 1 Tim 4, 10; 5, 5; 6, 17; 1 Petr 1, 13; 3, 5).

[115] *Bl.-D.-R.,* § 352, 1. Vgl. *G. Kegel,* 41 mit A 25. Die andere Möglichkeit (Hoffnung „nur in diesem Leben“: so *H. Conzelmann,* 1 Kor, 315 f.) ist ausgeschlossen angesichts des Nachsatzes: Es wäre nicht einzusehen, warum die Christen dann „*elender* als alle (übrigen) Menschen“ sein sollten; diesen, die keine Hoffnung haben (vgl. 1 Thess 4, 13: eine theologische, keine historische Aussage; historisch gab es selbstverständlich heidnisches Hoffen auf postmortales Heil), wären die Christen dann ja allenfalls gleichgestellt. Sinnvoll ist der Komparativ nur, wenn die Christen sich als *genarrte* Hoffende erwiesen.

[116] Angesichts V. 18 f. muß man noch einmal die Frage stellen, ob Paulus die Korinther mit seiner Argumentation überhaupt trifft. Denn wenn diese ein leibloses postmortales Heil erwarteten, konnten für sie die in Christus Entschlafenen ja keineswegs verloren sein. Doch muß man den Argumentations*gang* des Paulus beachten: 1. → 2. Wenn es keine Auferweckung Toter gibt, ist auch Christus nicht auferweckt worden. 2. → 3. Wenn Christus nicht auferweckt worden ist, stimmt das Kerygma nicht – und: *Wenn das Kerygma nicht stimmt,* gibt es für (Lebende und) Tote kein Heil. – Dabei läßt Paulus eine Heilshoffnung am christologischen Kerygma vorbei nicht zu. Eine postive Begründung folgt erst ab V. 20 und dann vor allem ab V. 35 ff. Paulus greift den anthropologischen Pneuma-Soma-Dualismus nicht direkt an. Er nimmt einen sehr langen Anlauf: Er baut eine theologische Basis auf (V. 1–11), entlarvt die korinthische These indirekt als Widerspruch zu dieser theologischen Basis (V. 12–19) und stellt dann die ihm wichtige *positive* Verbindung von kerygmatischer Heilsrealität und Auferweckung als leiblicher Neuschöpfung her: V. 20–28. Bezeichnend ist, daß er in V. 20–22 gerade an das in Korinth akzeptierte und geläufige Schema der zwei Anthropoi anknüpft.

3. Die kosmische Dimension der Auferweckung Christi (V. 20–28)

Die Verbindung von Christus und den Christen, die Paulus in V. 12–19 e contrario voraussetzt, wird nun positiv entfaltet. Er verwendet dazu zwei Motive: in V. 20–22 das Motiv der beiden antithetischen Urmenschen (Adam-Christus-Motiv), das seiner Herkunft nach der alexandrinisch-jüdischen Weisheit zugehört (und, wie aus 15,45 f. hervorgeht, in Korinth die maßgebliche Begründung für die dualistische Anthropologie abgab), und ein apokalyptisches Motiv von der Überwindung der kosmischen Mächte durch Christus (V. 23–28). Dadurch stellt der ganze Abschnitt eine ziemlich genaue Entsprechung zu V. 44b–50 + V. 51 ff. dar. Es handelt sich hier um den zentralen Teil der paulinischen Argumentation.

a) Zwei Positionen der Auslegung

Bevor wir uns der Nachzeichnung der paulinischen Gedankenführung selber zuwenden, ist es sinnvoll, zwei diametral entgegengesetzte Interpretationen des Abschnittes vorzustellen.

1. Die erste (und heute bei weitem vorherrschende) geht davon aus, daß Paulus hier den korinthischen Enthusiasmus einer bereits als vollzogen propagierten Auferstehung (s. o. S. 23 ff.) durch eine apokalyptische „Bremse" bekämpfe[117]. In diesem Sinne hat der Abschnitt für E. Käsemann insofern für die paulinische Theologie grundlegende Bedeutung, als Paulus hier im Zeichen urchristlicher Apokalyptik seine Auferstehungstheologie gegen den Enthusiasmus eingesetzt habe: „Christi Auferstehung ist also, auch wenn sie als Beginn der allgemeinen Auferweckung gilt, vorläufig noch die große Ausnahme, an der wir nicht anders als in Hoffnung partizipieren. Das regnum Christi wird eben dadurch gekennzeichnet, daß er, aber nicht wir dem Tode entnommen sind"[118]. Dem dienten in erster Linie die Ausführungen über das Verhältnis von Christi und unserer Auferstehung, über das regnum Christi und über den (erst) endzeitlichen Sieg über den Tod. Deutlicher noch hat J. M. Robinson das ausgedrückt: Die Korinther hätten in der Taufe bereits „die endgültige Vollendung selbst" gesehen. „Sie hätten ihr eigenes Sterben schnell und schmerzlos durch eine symbolische

---

[117] So vor allem *J. Schniewind*, 124 ff.; *W. G. Kümmel* bei Lietzmann, Kor, 192 ff.; *E. Käsemann*, Apokalyptik, 120 f. 127 ff.; *ders.*, Fragen, 27 f.; *J. M. Robinson* (in: Köster/Robinson), 28 ff.; *J. C. K. Freeborn*, 561; *E. Brandenburger*, Adam, 70 ff.; *E. Güttgemanns*, 67 f.; *G. Brakemeier*. 14 ff. 42 ff. 50 f.; *H.-A. Wilcke*, 60 ff.; *J. H. Wilson*, 107; *J. H. Schütz*; *G. Barth*, 521 f.; *J. Becker*, Auferstehung, 74 ff. 80 ff., u. a.

[118] *E. Käsemann*, Apokalyptik, 128.

Handlung bereits hinter sich gebracht und befanden sich schon jetzt (!) in der Ruhe der Seligen." Demgegenüber korrigiere Paulus in 15,23: „Halt, nicht so schnell!"[119]. Es gibt einige auf den ersten Blick plausible Gründe, die für diese Deutung sprechen: So hat E. Brandenburger auf das Futur ζῳοποιηθήσονται aufmerksam gemacht. Der Entsprechungsgedanke in V. 20–22 verlange eigentlich, „daß, wie dem gegenwärtigen Sein in Adam ein gegenwärtiges ἀποθνῇσκειν entspricht, so dem gegenwärtigen Sein in Christus auch die gegenwärtige ζωή"[120]. Vor allem aber V. 23 wird so interpretiert: Daß Paulus hier eine zeitliche Staffelung verschiedener τάγματα aufführt, zeige, daß die Auferstehung der Christen bewußt in die Zukunft verlegt und von der Auferweckung Christi distanziert werde[121]. Weiter läßt sich dann ἀπαρχή in V. 20 auffassen im Sinne von: die Auferweckung Christi ist nicht schon die endzeitliche Totenauferweckung, sondern *nur erst* der Anfang[122]. Schließlich läßt sich dann auch der ganze Passus V. 24–28 unter dem Vorzeichen lesen, daß die Ausständigkeit der Auferstehung betont werde: *Erst noch* muß die Unterwerfung der Mächte bis hin zum letzten Feind, dem Tod, erfolgen[123]. Gegen alle diese Argumente sind aber schwerwiegende Einwände zu erheben. Gegen E. Käsemann muß gesagt werden, daß es hier gar nicht um die „allgemeine Auferweckung" der Toten geht. In V. 21 f. greift Paulus gerade nicht ein apokalyptisches, sondern das den Korinthern vertraute mysterienhafte Motiv auf (ἐν τῷ

---

[119] *J. M. Robinson*, 31. Die kurze Bemerkung von Robinson, diese korinthische Häresie müsse als eine Interpretation des Kerygmas V. 3 ff. aufgefaßt werden, da Paulus die Gültigkeit des Kerygmas in Korinth voraussetzt (S. 32), wird von *J. H. Schütz*, 448 ff., ausgebaut: V. 13 ff. sei korinthische (nicht paulinische) Folgerung aus dem Kerygma: Wenn die präsentische Interpretation des Kerygmas nicht gelte, sei dieses selbst außer Kraft gesetzt (dazu s. o. S. 243 f.). Ein paulinisches Argument dagegen sei V. 20–28. – Eine Zuspitzung der These vom korinthischen Enthusiasmus ist die Meinung von *E. Güttgemanns*, 62 ff., der hinter 1 Kor 15 nicht nur eine eschatologische, sondern eine christologische Lehrdifferenz erblickt: Die korinthischen Gnostiker hätten Identität zwischen Christus und den Christen gelehrt. In Christi Auferstehung (die doketisch zu verstehen sei) wäre auch schon die Auferstehung der Christen geschehen, da Christus für die Korinther „der Erlöser-Anthropos war, in dem die kosmisch-universale Auferstehung vollzogen ist …" (73). Die zeitliche Differenzierung durch Paulus in V. 20 ff. diene zugleich zur christologischen Differenzierung. Diese konstruierte Vorstellung vom Anthropos-Mythos, die im wesentlichen der bei W. Schmithals entspricht, ist relitionsgeschichtlich unhaltbar.

[120] *E. Brandenburger*, Adam, 72, unter Hinweis auf Röm 6,4; ähnlich *E. Güttgemanns*, 73 A 109; *H.-A. Wilcke*, 67; *G. Brakemeier*, 50.

[121] *J. Schniewind*, 124 f.; *R. Bultmann*, GuV I, 55; *W. G. Kümmel* bei Lietzmann, 192 f.; *E. Güttgemanns*, 70 ff.

[122] So z. B. *G. Brakemeier*, 50; *E. Güttgemanns*, 74; *J.-H. Schütz*, 441; *E. Brandenburger*, Adam, 71 A 4 – jeweils unter Hinweis auf *W. Bauer*, 161: Die ursprüngliche Bedeutung „ist stark verblaßt, so daß α [ἀπαρχή]. fast = πρῶτος ist".

[123] So z. B. *J. Schniewind*, 125 f.; *E. Güttgemanns*, 70–72; *G. Brakemeier*, 58 ff.

Χριστῷ)[124]. Wie überhaupt bei Paulus geht es nur um die Auferwekkung der Christen (V.18. 23b). Daß V.24 aber einen weiteren Akt (Auferstehung der übrigen) bezeichne, ist dadurch ausgeschlossen, daß τὸ τέλος niemals „Rest" heißen kann (worüber sich heute nahezu alle Ausleger einig sind). Wenn Paulus aber das mysterienhafte Schema voranstellt, dann zeigt dies, daß er gerade nicht die Distanz, sondern die Zusammengehörigkeit von Christus und den Christen betonen will. Das wird ja auch ganz entschieden vom vorangehenden Kontext gefordert. Eine Möglichkeit für E.Käsemanns Deutung bestünde allenfalls dann, wenn man im Sinne E.Brandenburgers davon ausgeht, daß Paulus zum Anthropos-Schema durch die korinthische Gegenposition verleitet wurde (so weit muß man zustimmen) und daß er es dann futurisch hätte uminterpretieren müssen (Futur: ζῳοποιηθήσονται). Gegen diese letzte Annahme läßt sich sagen, daß das Futur für Paulus selbstverständlich sein dürfte (wie übrigens auch in Röm 6), weil er im Kontext ζῳοποιεῖν nicht (wie die Korinther) auf die ins zeitlose Sein versetzende Inspiration des Pneuma-Christus, sondern auf die leibliche Auferweckung bezieht. Wenn man davon ausgeht, daß Auferweckung sowohl für Paulus wie für die Korinther leiblich (und daher zukünftig) ist[125], dann ist das Schema Adam – Christus für Paulus ja überhaupt nur in zeitlich-distanzierendem Sinne anzuwenden. Nicht daß Auferstehung später kommt, sondern daß sie überhaupt kommt, ist dann die Spitze. Genau das sagt aber der Ausdruck ἀπαρχή: Im Erstling kündigt sich das gewisse Kommen der ganzen Ernte an. Genau das aber besagt auch τάγμα (s.u. S.271f.). Dem entspricht das ὥσπερ – οὕτως in V.22. Vor allem: Was soll bei einer Intention, wie E.Käsemann, J.M.Robin-

---

[124] Es ist umbestritten, ob ἐν τῷ Ἀδάμ und ἐν τῷ Χριστῷ in V.22 instrumental (so z.B. *Chr. Wolff*, 179) oder lokal (so z.B. *H.Conzelmann*, 1 Kor, 318f.) aufzufassen sind. Die Parallelität zu V.21 (dort διά) könnte für die erstgenannte Annahme sprechen. Doch beides muß sich nicht ausschließen: Durch Christus als πνεῦμα ζῳοποιοῦν (V.21b) kam das Leben für die, die zu ihm gehören (V.22b; vgl. V.48). Dann klingt in dem ἐν τῷ Χριστῷ πάντες ζῳοποιηθήσονται zugleich ein πάντες ἐν Χριστῷ mit (vgl. V.18). In diesem Fall wäre V.22 nicht einfach synonym mit V.21. Damit wäre auch die Schwierigkeit beseitigt, die in dem πάντες von V.22b sonst steckte: als würde Paulus mit einer universalen Erlösung der totalen Menschheit rechnen. Dagegen würde ja schon V.23 sprechen. Daß τὸ τέλος in V.24a nicht den „Rest" der Menschheit meint, sondern das „Ende" dieses Kosmos (sei das nun ein drittes τάγμα oder nicht), dazu s.u. S.272 A157f. – Ob man nun rein instrumental oder teils instrumental, teils lokal versteht: Auf jeden Fall bleibt der (in V.48 klarer ausgedrückte) mythologische Sinn bestehen, wonach Christus und die Christen einen Zusammenhang bilden, in einer Analogie stehen. Also wird von Paulus betont: Die Auferstehung der Christen ist durch die ἀπαρχή *verbürgt* – nicht aber zurückgestellt. Das heißt wiederum: Paulus redet gegen eine Meinung, die die Auferstehung ablehnt, nicht aber gegen eine Meinung, wonach die Auferstehung schon geschehen sei.

[125] Daher lehnen die Korinther „Auferstehung" als soteriologische Kategorie überhaupt ab: s.o. S.23ff. und *G.Sellin*, „Die Auferstehung ist schon geschehen", 227 A15.

son, E. Brandenburger u. a. sie dem Paulus unterstellem möchten, der
ganze Abschnitt V. 24–28? Auf keinen Fall kann man diese Verse im
Sinne etwa von 2 Thess 2, 1–12 verstehen, wo es tatsächlich darum geht,
daß vor dem Ende noch ein großes apokalyptisches Programm abrollen
muß. Die Auswahl der Zitate in V. 25–27 wäre einer solchen Intention
gerade hinderlich. Und falls man sich dadurch helfen will, daß man annimmt, diese Zitate mit enthusiastischer Tendenz wären von den Korinthern ins Spiel gebracht worden[126] – die paulinischen Zusätze, Leit-
worte und Akzente sprechen ebenfalls nicht dafür, daß hier ein „noch
nicht" eingeschärft werde: δεῖ γὰρ αὐτὸν βασιλεύειν ... (V. 25); in V. 26
ist nicht ἔσχατος Prädikat („Rhema"), sondern ὁ θάνατος; πάντα ist
durchgängig das Leitwort. Und mit V. 28 kann man bei solcher Deutung überhaupt nichts anfangen (s. u. S. 275 f.). Entscheidend schließlich
ist die Intention des vorangehenden Kontextes V. 13–19: Dort läuft alles auf die untrennbare Zusammengehörigkeit von Christi und der
Christen Auferstehung hinaus.

2. Die andere Deutungsmöglichkeit, die zu der soeben vorgetragenen das komplementäre Gegenstück bildet, wird am klarsten von U.
Luz und D. J. Doughty vertreten.

a) U. Luz geht von der Beobachtung aus, daß es in V. 1–19 gerade
um die soteriologisch notwendige Verbindung von Christi und der
Christen Auferweckung geht[127]. Das zeige ἀπαρχή, ja das Adam-Christus-Schema überhaupt. Zukünftigkeit sei dabei selbstverständlich (vgl.
Röm 5, 12. 17), betont werde dagegen die Wirklichkeit der Auferstehung: „Wird in Vers 21 f. im Noch-Ausstehen der Auferstehung und
nicht in ihrer Gewißheit der Skopus der paulinischen Aussagen gesehen, so wird die ganze Argumentation der Verse 12–34 unverständlich."[128] Entsprechend versteht Luz die Aufzählung der Tagmata in V.
23–24a: „Danach kann der Sinn der Aufzählung der ,Ordnungen' nur
der sein: So gewiß das erste ,tagma', die Auferstehung Christi als ,Erst-
ling' schon geschehen ist, so gewiß wird auch das zweite ,tagma', die
Auferstehung der Gläubigen und das Ende eintreffen."[129] Es bleibt

---

[126] Z. B. *G. Brakemeier*, 59.

[127] *U. Luz*, 332 ff.

[128] 337.

[129] 342. Luz rechnet dabei (wie z. B. auch *R. Bultmann*, GuV I, 56; *J. Baumgarten*, 102;
J. Becker, Auferstehung, 83; *W. Stenger*, 92; *J. Lambrecht*, 511) mit drei Stufen (Auferstehung Christi – Auferstehung der Christen – τὸ τέλος). Besser geht man jedoch von der
Annahme von zwei Stufen aus. Es geht ja in V. 23 um eine Erläuterung des ζῳοποιηθήσονται, das in V. 23 Prädikat bleibt. Die zweite Stufe, die Auferweckung der Christen,
leitet zugleich das „Ende" ein. Damit ist jede Spekulation über ein Zwischenreich nach
der Parusie ausgeschlossen (mit *H.-A. Wilcke*, 85 ff., bes. 94 ff.). Parusie, „Ende", Auferstehung bilden einen Akt. Dieser Deutung (von nur zwei ,tagmata') entspricht im übrigen
die semantische Differenzierung von ἔπειτα und εἶτα (vgl. o. S. 239 f. zu 15, 5–7): εἶτα

dann aber die Frage nach dem Sinn von V. 24–28. Diese Verse werden
ja fast immer als Digression[130] oder als Ausmalung oder Begründung
des Futurs ζῳοποιηθήσονται[131] verstanden. Nach Luz begrenzt Paulus
hier eine Tradition von der Unterwerfung der Mächte unter Christus
(vgl. Phil 2,9–11), die ihren Audruck in der traditionellen Verbindung
von Ps 110,1 mit Ps 8,7 findet (vgl. Eph 1,20 ff.; Hebr 1,13; 2,6 ff.;
1 Pet 3,22) und ursprünglich und für sich zeitlos und unbegrenzt gemeint war, durch eine Tradition von der Übergabe der Herrschaft
Christi an Gott. Luz versteht das aber nicht als Polemik gegen ein (womöglich korinthisches) Heilsvollendungsbewußtsein, sondern er erklärt
es positiv aus der Struktur der paulinischen Theologie selber[132]. Der In-
terpretationsschlüssel ist V. 26: Der Tod herrscht ja auch noch in der
Zeit des regnum Christi. Paulus versteht ihn – offenbar anders als die
Korinther – als kosmische Macht. Ja, er ist für ihn geradezu das Merkmal der unerlösten, adamitischen Menschheit und damit das, was der
vollständigen Herrschaft Gottes entgegensteht. Für die Besiegung des
Todes als Macht aber steht im Sinne des Paulus die Auferstehung der
Toten. „Wenn nun die Korinther die Auferstehung der Toten ablehnten, so lehnten sie damit … die Macht der von ihnen ja bejahten Auferstehung Christi ab."[133] Wenn aber der Tod als Macht nicht unüberwun-
den bleiben darf, dann geht es im letzten bei dieser kosmisch-apoka-
lyptischen Dimension der Eschatologie um die „Gottheit Gottes", wie
der abschließende Vers 28 zeigt[134]. – Es ist deutlich, wie U. Luz damit
ein ursprüngliches Anliegen von E. Käsemann trifft, jedoch auf ande-
rem Wege: „Die Apokalyptik ist hier für Paulus nicht die Bremse angesichts eines dem Handeln Gottes vorgreifenden Enthusiasmus, sondern
Zeugnismittel angesichts eines die Zukunft preisgebenden Unglau-
bens."[135]

b) Noch entschieden weiter als U. Luz geht D. J. Doughty in der
Auslegung von V. 20–28[136]. Sein Aufsatz ist ein Generalangriff gegen
die am deutlichsten von E. Käsemann und J. M. Robinson vertretene

---

drückt eine nähere zeitliche Zusammengehörigkeit aus (vgl. *H.-A. Wilcke*, 95 f.; *B. Spör-
lein*, 75 f.). Man könnte εἶτα τὸ τέλος dann wiedergeben: „Dann (oder: damit) ist das
Ende da". Der ganze Abschnitt V. 24–28 ist dann eine Explikation des zweiten ‚tagma‘
(*G. Barth*, 522). Vgl. aber u. S. 272 A 158.

[130] S. u. S. 272 A 156.

[131] So *R. Bultmann*, GuV I, 53 (dagegen zu Recht *U. Luz*, 343 A 93).

[132] *U. Luz*, 343–348. Daß hier eine vorpaulinische Zitatenkombination vorliege, hat *J.
Lambrecht*, 508, bezweifelt – mit guten Gründen: Eph 1,20–23 hängt wahrscheinlich von
1 Kor 15,23 ff. ab.

[133] *U. Luz*, 348.

[134] 351.

[135] *U. Luz*, 350.

[136] *D. J. Doughty*, 62–66. 74–85.

These, Paulus bekämpfe eine gnostische, enthusiastische realisierte Eschatologie mit einem apokalyptischen eschatologischen Vorbehalt. Im Gegenteil: Paulus selber sei es, der gerade im 1 Kor unbefangen die präsentische Realität des Heils betone (6, 11; 3, 21 f.). Die Auseinandersetzung mit den Korinthern betreffe nicht das Problem von Zukunft und Gegenwart des Heils, sondern die Art und Weise christlicher Existenz als solcher (in Gegenwart und Zukunft) [137]. Unbestreitbar sei

---

[137] *Doughty*, 62 ff. – Doughty wendet sich gegen E. Käsemann und J. M. Robinson und kehrt zu R. Bultmann (und E. Dinkler) zurück. Zu E. Dinklers These, „daß in der kosmologischen Eschatologie eine existentiale Eschatologie sich ausspricht und die eigentliche Absicht des Paulus festgehalten wird, wenn wir interpretieren: die eschatologische Verheißung, welche in die Zukunft weist, hat schon hier und jetzt die eschatologische Existenz des Christen geschaffen" (*E. Dinkler*, Problem, 225 f.), hatte *J. M. Robinson*, 30, bemerkt: „Dies ist eine Illustration dafür, wie man bei der kerygmatischen Interpretation der Taufe durch Paulus einsetzen, den eschatologischen Vorbehalt übersehen und schließlich bei einer frohlockenden Hervorhebung der schon erfolgten Erlösung herauskommen kann." Das sei das gleiche Mißverständnis, „wie wir es für die damalige Situation in Korinth vermuten". Mir scheint, hier wird auseinandergerissen und zur Alternative erklärt, was bei Paulus eine Einheit bildet: Gegenwart und Zukunft des Heils, menschliche Existenz und kosmische Dimension des Existierens (σῶμα-Sein). Darin hat doch Dinkler recht: daß Paulus durchgehend bei der gegenwärtigen Erfahrung einsetzt und auf sie hinaus geht (wir sahen schon, wie dies für die ganze Interpretation von 1 Kor 15, 1–19 gilt). Darum ist die Rechtfertigungslehre das Zentrum der paulinischen Theologie. Nur – und darin sollte man die Berechtigung von Käsemanns Insistieren auf dem Stellenwert von Apokalyptik und Kosmologie zugestehen – der Mensch ist in dieser paulinischen Sicht nicht ein der objektiven Welt enthobenes Subjekt, sondern zugleich mit dem Kosmos Kreatur. – *E. Käsemann* geht nun aber weiter und will von daher die Rolle der Anthropologie in der Theologie einschränken: sie sei nur mehr eine Funktion des eigentlichen Themas: der totalen Machtergreifung Christi als des Kosmokrator (Fragen, 23). Aber wird damit nicht letzten Endes doch wieder zerrissen, was zusammengehört? Anders als im modernen Wirklichkeitsverständnis, das Wirklichkeit auf Objektivierbares einschränkt, gehören gerade für das mythische Wirklichkeitsverständnis immer Beziehungen auf den Menschen als Subjekt und Bedeutungen, die er dem Kosmos beilegt, zur Wirklichkeit hinzu. Bedeutung kann der Kosmos doch nur haben, insofern sich der Mensch in ihm spiegelt – allerdings (und darin könnte Käsemanns Anliegen aufgenommen sein): der Mensch *ist* zugleich Kosmos (im paulinischen σῶμα-Begriff kommt dies deutlich zum Ausdruck). Wenn man nun solche (z. B. apokalyptischen) Texte „entmythologisiert" und „existential interpretiert", tut man doch nichts anderes als was die Verfasser dieser Texte selber taten: man bezieht die menschliche Existenz in die Betrachtung mit ein. *D. J. Doughty*, 64 f. A 27, wirft von daher E. Käsemann vor, daß er durch sein Ausspielen von Theologie gegen Anthropologie die unvermeidliche enge Beziehung von Sprache und Existenz verkenne, so daß Theologie und Anthropologie spekulativ zu werden drohen. „The controversy between Paul and the Corinthians is translated, therefore, into a speculative debate about the presence and future of salvation ... Consequently, the relationship between Paul and the Corinthians is misinterpreted, as if they were in essential agreement concerning the character of eschatological existence, and differed only as to whether this existence is a present reality." Ja, das Anliegen des Paulus selbst sei verkannt, wenn seine Dialektik von Haben und Nicht-haben (1 Kor 7, 29 ff.), von Indikativ und Imperativ lediglich darauf zurückgeführt werde, daß die Erfüllung des Heils noch zukünftig und gegenwärtige christliche Existenz immer noch von der Macht der Sünde

zwar, daß die Korinther das Heil als gegenwärtige Realität zu besitzen glauben. Dies begründeten sie aber nicht mit einer bereits realisierten Auferstehung. Im Gegenteil: sie hätten (mit 15,12) jede zukünftige Hoffnung bestritten. Ihre Meinung wäre gewesen: „Death is the end of everything."[138] Zumindest habe Paulus sie so verstanden, wie 15,12. 18 f. 32 zeigen würden. In dieser Frontstellung gehe es Paulus nicht um das Problem von Gegenwart oder Zukunft der Auferstehung, sondern um die Realität von Auferstehung und Zukunftshoffnung überhaupt. Auf diesem Hintergrund sei zunächst 15,20–22 zu interpretieren: Paulus betone hier die aus dem Kerygma *notwendig zu folgernde* Auferstehung der Christen. ἀπαρχή betone die notwendige *Folge*, die selbstverständlich futurisch ausgedrückt werden muß, wobei der Akzent aber nicht auf dem Futur liege. Vielmehr liege diesen Versen die Konzeption des Leib-Christi-Gedankens zugrunde (V.21). Dieses gnostisch geprägte Modell werde hier aber von Paulus selbst eingeführt. Es diene Paulus gerade als Argument gegen die radikal individualistische Konzeption der Korinther[139]. „The Corinthian spiritualists ... conceive of the salvation mediated by the sacraments in a radically individualistic sense, as merely an infusion of spiritual power ... They do not recognize, that through baptism they have become ‚one body‘ in Christ, and that therefore they share a common destiny with Christ and with one another."[140] Danach wäre es also gerade Paulus, der „gnostische" Gedanken einführt, und das Pneumatikertum der Korinther wäre zu unterscheiden vom „gnostischen" Corpus-Christi-Gedanken. – V.23–28 interpretiert Doughty dann ähnlich wie U.Luz: Das apokalyptische Schema diene dazu, die in Christi Auferstehung implizierte *Konsequenz* der Auferstehung der Christen zu betonen. Bezweifelt wird nicht, daß apokalyptisches Denken vorliegt; nur diene die Apokalyptik dem Paulus gerade nicht zur Hervorhebung eines eschatologischen Vorbehalts, sondern zur Betonung einer soteriologischen Konsequenz. V.24bff. betone dabei durchaus einen kosmologischen Aspekt. Auch V.26 (endgültiger Sieg über den Tod) versteht Doughty nun im Sinne der Konse-

---

beherrscht sei (65 A27). Doughty versucht das dann exegetisch an 1 Kor 7,29–31 (66–74) und 15,20–28 zu belegen (S.74–85).

[138] *D.J.Doughty*, 75. Er kommt damit zu einer ähnlichen These wie *B.Spörlein*. Aber während Spörlein die Korinther im Sinne von 1 Thess 4,13 ff. versteht (nur die bei der Parusie noch Lebenden erwartet Erlösung vom Tode), schreibt Doughty ihnen reine Gegenwartsreligion zu (vgl. *D.J.Doughty*, 78 A66).

[139] *D.J.Doughty*, 79 f. (vgl. 68).

[140] Ebd. Auf den Zusammenhang von Sakramenten und Individualismus wies u.a. auch schon *H.Schlier*, Hauptanliegen, 148. 150 f., hin. *D.J.Doughty*, 80 A71, macht darauf aufmerksam, daß dieser paulinische Corpus-Christi-Gedanke, der, wie E.Käsemann betont, den leiblichen Gehorsam des Christen impliziert (*E.Käsemann*, Anliegen, 29), nichts mit Apokalyptik zu tun hat.

quenz: „Paul does not argue here that death still reigns ... What Paul proclaims is that even the power of death will surely be overcome, and in fact has been already overcome, in so far as the resurrection of Christ already determines the destiny of those who belong to him (V. 57)."[141] Damit habe Paulus gerade das „Schon" (und nicht ein „Noch-nicht") betont. Ja, Doughty geht sogar noch weiter: Paulus wolle für die Christen die Wirklichkeit des Todes herabspielen: „for those who belong to Christ the dominion of death over this world no longer has significance."[142] „Death as such no longer has any eschatological signi-ficance. The experience of death has been reduced to a merely wordly occurence."[143] (Diese Interpretation ist freilich kaum haltbar und schei-tert angesichts V. 24–28; vgl. besonders V. 26. Es wird deutlich, wie dem Paulus hier beinahe die Position zugeschoben wird, die wir bei Philo kennenlernten und auch in Korinth voraussetzen.) Paulus geht es nach Doughty um die gegenwärtige Realität der Erlösung: „For those who are in Christ Jesus, therefore, the end of history has already arrived ..."[144] Sowohl Corpus-Christi-Gedanke wie apokalyptische τάγμα-Folge (wobei V. 20–22 der primäre Interpretationsrang zukommt) dien-ten dieser Intention. Eschatologie gründe so letztlich in Christologie: Die Zukunft des Christen sei determiniert durch seine Zugehörigkeit zum Leibe Christi, die sich im leiblichen Gehorsam ausprägt. Die Grenze gegenüber dem Enthusiasmus sei daher nicht in der Eschatolo-gie, sondern in der Christologie begründet (1 Kor 6, 12–20). „This is what the Corinthians do not understand. They have no such concep-tion of the body of Christ."[145]

c) U. Luz und D. J. Doughty ziehen aus ihrer jeweiligen Exegese Konsequenzen für die Frage nach der korinthischen Theologie. U. Luz rechnet damit, „daß Paulus tatsächlich die Position der Korinther nur unzureichend erkannt und verstanden hat"[146]. Denn: „Hätte er er-kannt, daß für die korinthischen Enthusiasten der Verzicht auf eine Er-wartung einer künftigen Auferstehung gerade nicht Heillosigkeit, son-dern eine bestimmte Weise des Heilsverständnisses meinte, so hätte er wohl anders argumentiert."[147] Dagegen ist nun aber doch mit der Mög-lichkeit zu rechnen, daß Paulus den Hintergrund der These aus V. 12

---

[141] D. J. Doughty, 81.

[142] 82. Hier besteht eine wesentliche Abweichung von der Interpretation durch U. Luz, dessen Meinung jedoch zutreffend ist (vgl. V. 26). D. J. Doughty gerät hier in eine überzogene Extremposition zu E. Käsemann und J. M. Robinson.

[143] D. J. Doughty, 83.

[144] 84.

[145] 85.

[146] U. Luz, 337.

[147] 338.

sehr wohl gekannt hat, den Korinthern aber grundsätzlich zeigen will, daß ihre Anschauung in der Konsequenz zur Heillosigkeit führt. Es ginge dann nicht nur um das Stichwort ἀνάστασις νεκρῶν οὐκ ἔστιν, auf das Paulus hier voreilig und oberflächlich reagiert hätte, sondern um den ganzen Hintergrund dieser These. Es ist kaum vorstellbar, daß Paulus nach den früheren Ausführungen aus 1 Kor 1–14, die die Kenntnis des pneumatischen „Enthusiasmus" in Korinth voraussetzen, nun plötzlich den ganzen pneumatischen Hintergrund der korinthischen Theologie vergessen haben sollte, zumal er in 15,35 ff. auf diese anthropologischen Fragen sehr ausführlich eingeht. Aber gibt es denn eine Möglichkeit, die korinthische Auferstehungsleugnung auch auf dem Hintergrund einer solchen Auslegung von 15,20–28, wie U. Luz und D. J. Doughty sie geben, zu verstehen? Doughty rechnet mit keinem Mißverständnis mehr, sondern leitet die korinthische Situation direkt aus den paulinischen Ausführungen ab. Was R. Bultmann, W. Schmithals, U. Luz u. a. für das paulinische Mißverständnis halten, nämlich daß für die Korinther mit dem Tode alles aus sei, sieht er als die möglicherweise echte Meinung der Korinther an. Natürlich läßt sich V. 12 in diesem Sinne verstehen. Paulus hätte dann in V. 20–28 herausstellen wollen, daß es für die Christen *doch* eine Hoffnung über den Tod hinaus gibt. Aber diesen Gedanken liest Doughty (zu Recht) aus V. 20–28 gerade nicht als das zentrale Anliegen heraus.

D. J. Doughtys Interpretation von 15,20–28 verlangt nun auch gar nicht unbedingt eine solche Annahme totaler Jenseitshoffnungs-Leugnung. Nach seiner Interpretation geht es Paulus doch viel mehr um die Soteriologie des Corpus-Christi-Gedankens gegenüber einer individualistischen und sakramentalistischen Soteriologie. Wer die Totenauferweckung der Christen durch Gott leugnet, leugnet die *Funktion* der Auferweckung Christi, zerreißt das Band zwischen Christus und den Christen – nicht unbedingt deshalb, weil er jede Hoffnung aufgibt, sondern weil er an Christus, am Kerygma vorbei hofft. – Luzens und (mit der oben erwähnten Einschränkung) Doughtys Auslegung ist im Prinzip m. E. zutreffend. Mehr aber, als beide gesehen haben, paßt diese Argumentation des Paulus zu der These, die Korinther hätten die Rede von der Auferweckung der Christen aus Gründen ihrer hellenistisch-jüdischen Anthropologie abgelehnt. V. 20–28 ist – so die These – der paulinische Gegenentwurf gegen eine Theologie, die das Heil auf den νοῦς in seiner Beziehung zum Pneuma einschränkt und die Welt sich letztlich selbst überläßt, genauer gesagt: die sich in seinem σῶμα-Sein ausdrückende Weltbezogenheit des Christen (Geschöpf) ausklammert.

b) V. 20–22

Das Wesentliche zu diesen Versen ist in den referierten Thesen von U. Luz und D. J. Doughty bereits enthalten. Paulus stellt die Zusammengehörigkeit von Auferweckung Christi und Auferweckung der Christen (als soteriologische Wirkung der erstgenannten) nun positiv dar (in V. 13–19 argumentierte er von der gegenteiligen Annahme aus). ἀπαρχή ist die Erstlingsfrucht, die die Ernte erwarten läßt. Christus als der Antityp Adams schließt (als ein Urmensch: vgl. V. 48) die Christen mit ein. Beide Urmenschen sind Ursprünge für das Daseinsprinzip der ihnen Zugehörenden: Der erste ist sterblich, darum sind die Adam-Menschen durch den θάνατος gekennzeichnet. Der Antityp ist Ursache des Lebens (vgl. V. 45: πνεῦμα ζῳοποιοῦν) durch seine Auferweckung. Paulus setzt hier also die Umkehrung der beiden Anthropoi, die er erst in V. 45 f. begründet, voraus. θάνατος und ἀνάστασις νεκρῶν sind Mächte, welche die Menschen des jeweiligen Bereichs bestimmen. Dabei steht διά nicht im Hinblick auf Adams erste Sünde, sondern im Hinblick auf die Auferweckung Christi. Das Adam-Christus-Schema dient hier dazu, den Zusammenhang von Kerygma und seiner soteriologischen Wirkung zu demonstrieren. Wenn Paulus dabei in V. 21 dem (pneumatischen) Anthropos ἀνάστασις νεκρῶν zuschreibt, so liegt darin die entscheidende Spitze gegen die Korinther, die eine solche Wirkung gerade ablehnen mußten[148]. Dadurch wird V. 21 zur Gegenthese von V. 12. V. 22 (als Begründung zu V. 21: γάρ) ist genaue Vorwegnahme von V. 45 (vgl. das ζῳοποιεῖν). Das zweite πάντες ist dabei selbstverständlich auf die Christen eingeschränkt. Daß hier der Zwang eines vorpaulinischen Urmensch-Schemas walte, ist unwahrscheinlich[149], denn auch dort gäbe es keinen Universalismus auf beiden Seiten der Antithese. Vielmehr ist der Kreis der Sterblichen für Paulus zugleich mögliches Objekt der Vivifikation durch Christus, so daß das Subjekt von sterben und auferweckt werden prinzipiell gleichbleibt. Christus leitet ja die neue Schöpfung ein[150]. Ja, der universale Aspekt dieser Schöpfung, die den Tod endgültig ausschaltet, wird im folgenden von Paulus betont, so daß gerade er ein Interesse an der Formulierung von πάντες in V. 22b haben könnte. Das Futur in ζῳοποιηθήσονται trägt dagegen nicht den Ton, sondern ist für Paulus selbstverständlich[151]. Im

---

[148] So zu Recht G. *Brakemeier*, 50 (der jedoch viel mehr Gewicht auf die angebliche futurische Akzentsetzung legt).

[149] Gegen E. *Brandenburger*, Adam, 72; G. *Brakemeier*, 50 f., u. a.

[150] S. o. S. 179 f. A 245 u. S. 189 f. A 1.

[151] Vgl. die unpolemischen Futura in Röm 5, 17. 19: U. *Luz*, 336 A 71. Der Einwand von G. *Barth*, 521 A 29, dies Argument erscheine „nicht stichhaltig, weil der später geschriebene Römerbrief bereits durch die Erfahrung in Korinth mitgeprägt sein kann", be-

Zusammenhang der Auferstehung (die für ihn mit der Parusie zusammengehört: vgl. schon 1 Thess 4, 13 ff.) muß Paulus in erster Linie futurisch reden – wenngleich er gerade auch in 1 Kor 15 (V. 8–10) von einer metaphorischen Erweckung in seinem eigenen Leben sprechen kann (s. o. S. 242 ff.). Entscheidend für das Verständnis von V. 20 ff. ist der vorherige Kontext (U. Luz): Auf die Zusammehörigkeit beider Ereignisse läuft alles von 15, 1, dann besonders von V. 13 an hinaus. Dem entspricht das emphatisch affirmative νυνὶ δὲ Χριστὸς ἐγήγερται – und es ist kaum anzunehmen, daß dieser Gedankenbogen ab V. 20b abrupt gebremst würde.

c) V. 23

V. 23 scheint auf den ersten Blick nun doch die zeitliche Differenzierung von Auferweckung Christi und Auferweckung der Christen zu betonen. Indes führt eine genaue semantische Bestimmung von τάγμα zum gleichen Ergebnis wie die Auslegung von V. 20–22. Syntaktisch ist V. 23 eine Explikation von ζωοποιεῖν, das in eine ἀπαρχή und deren Folge (ἔπειτα) aufgeteilt wird. τάγμα ist wörtlich das „Angeordnete", bevorzugt dann gebraucht im militärischen Bereich: „Abteilung", „Truppe"[152]. Die Nähe zu ἀπαρχή läßt hier bei τάγμα an so etwas wie Vorhut + Truppe denken. ἕκαστος … ἐν τῷ ἰδίῳ τάγματι ist – auf religiösen Bereich übertragen – geradezu stehende Wendung: 1 QS 6, 8; Herm sim VIII 2–5 [153]. 1 Clem 37, 3; 41, 1 wird diese Wendung nun sogar im Sinne von Rang, Dienstgrad gebraucht; und zwar geht es 1 Clem 41, 1 um die Rangfolge von Hoherpriester, Priester, Leviten, Laien[154]. In seiner Grundbedeutung „das Angeordnete", „Gefügte", ist τάγμα

---

deutet eine petitio principii, insofern die These über den korinthischen Enthusiasmus zur Voraussetzung gemacht wird.

[152] *H.-A. Wilcke*, 76 ff., folgert daraus, daß Christus als Einzelperson kein τάγμα darstellen könne. Im Anschluß an B. Weiss bezieht er deshalb V. 23a auf den ganzen Satz V. 22, nicht nur auf ζωοποιεῖν. Daher muß er in V. 23 ein Prädikat von εἶναι ergänzen: Adamiten und Christen bilden dann die zwei „tagmata" (84 f.). Diese Deutung ist schon deshalb ausgeschlossen, weil V. 23a dann nicht nur vom vorangehenden Verb ζωοποιηθήσονται, sondern auch von V. 23b isoliert und damit funktionslos wäre (vgl. *U. Luz*, 339 A 78). Außerdem läßt sich V. 22 nicht statisch im Sinne einer Prädestination verstehen. Die zwei tagmata sind also Christus (als ἀπαρχή) und die Christen.

[153] Vgl. *G. Delling*, ThWNT VIII, 31 f.

[154] *H.-A. Wilcke*, 81 f., wendet ein, auch bei den Offiziersrängen gehe es um mehrere Personen. Nun wird aber 1 Clem 41, 4 auch der Hohepriester indirekt als ein τάγμα bezeichnet. Wilckes Einwand (S. 82), „aber das τάγμα des Hohepriesters wird im Grunde doch von mehreren konstituiert, wenn auch in einem zeitlichen Nacheinander: ein Hohepriester hat Vorgänger und Nachfolger …", ist zu spitzfindig. Es kommt doch nur auf den Rang an. So begegnet das Wort auch im Phaidros-Mythos bei Plato (246 ff.): Die Götter folgen dem Anführer bei ihrem Aufstieg zum τόπος geordnet nach ihrem Rang.

nun aber ein exklusiv apokalyptischer Begriff: die Anordnung und Zuordnung der Ereignisse, der Plan[155]. Gleichgültig, ob nun die militäri-
sche oder apokalyptische Bedeutung überwiegt: Wenn das erste
„tagma" angekommen ist, muß notwendig das weitere folgen (nach
Plan) – wie die Truppe nach der Vorhut.

d) V. 24–28

Ähnlich wie 15, 8–10 werden auch diese Verse häufig für einen Exkurs
gehalten[156]. Und ähnlich wie dort liegt auch hier die Spitze der paulinischen Aussage von V. 20 ff. εἶτα τὸ τέλος bezieht sich auf die Parusie
(V. 23). Zeitlich geht es mit V. 24 nicht mehr weiter voran, die Welt ist
damit abgeschlossen (τὸ τέλος[157]). V. 24–28 ist also zeitlich gesehen nur
eine Explikation zum in V. 23b bereits erreichten Endpunkt. Weiter expliziert wird das „Ende" mit zwei ὅταν-Sätzen, von denen der erste
gleichzeitig (Konj. Präsens) mit τὸ τέλος, der zweite aber untergeordnet, vorzeitig (Konj. Aorist) ist: Die Herrschaft Christi ist Gegenwart
(seit seiner Auferstehung), das Ende der Zeit ist aber erst erreicht, nachdem Christus alle Widermächte besiegt hat[158]. Auf dem „alle" liegt der
Ton. Das zeigt schon das gehäufte Vorkommen von πᾶς (zehnmal in
V. 24–28)[159], vor allem aber auch die Funktion der beiden Zitate Ps
110, 1 und Ps 8, 7. Daß beide bereits vorpaulinisch im Urchristentum
kombiniert gewesen wären[160], um die schon vollzogene Unterwerfung
der Mächte unter Christus bei seiner Erhöhung auszusagen, wie Eph

---

[155] Vgl. dazu *U. Luz*, 342; *H. Conzelmann*, 1 Kor, 319 f.; *J. Becker*, Auferstehung, 82 f.
Entsprechend hat das Äquivalent תכון in 1 QS 5, 3; 9, 21 u. ö. die Bedeutung „das Festge-
setzte", „die Bestimmung" (*G. Delling*, ThWNT VIII, 82, Z. 11 f.).

[156] Z. B. von *H. Lietzmann*, Kor, 81; *R. Schnackenburg*, Herrschaft, 205; *J. C. K. Freeborn*, 558; *B. Spörlein*, 76. 78; *M. Bünker*, 68.

[157] Daß τὸ τέλος als „Rest" zu verstehen und somit von einem weiteren Akt der Auferstehung der übrigen Menschen, der Nichtchristen, die Rede wäre, wird heute kaum noch
behauptet. τὸ τέλος ist ja durch die beiden ὅταν-Sätze eindeutig temporal bestimmt (s.
auch o. S. 263 A 124). Zugleich geht aus der Auslegung (oben im Text) hervor, daß es zwischen Parusie (V. 23) und Herrschaftsübergabe Christi an Gott (V. 24 ff.) kein „Zwischenreich" gibt (vgl. den ausführlichen Nachweis von *H.-A. Wilcke*; vgl. auch *W. D. Davies*,
295, und s. o. S. 264 f. A 129).

[158] Temporal gesehen ergibt sich so zwar eine zeitliche Staffelung in drei Akte: Auferweckung Christi – Auferweckung der Christen = endgültiger Sieg über die Macht des
Todes – Übergabe der Herrschaft an Gott. Aber die Übergabe der Herrschaft ist kein
weiteres τάγμα, und τὸ τέλος ist nicht allein auf die Herrschaftsübergabe zu beziehen,
sondern auf den ganzen Komplex Auferstehung (= Überwindung der Todesmacht),
Parusie und Herrschaftsübergabe. *Beide* ὅταν-Sätze explizieren ja τὸ τέλος. τάγματα gibt
es also nur *zwei*: Christus und die Christen.

[159] Vgl. *G. Barth*, 523; *U. Luz*, 351 A 122; *H. Conzelmann*, 1 Kor, 324; *W. Stenger*, 91.
94 f.

[160] *U. Luz*, 344; vgl. *A. Lindemann*, Aufhebung, 82 f.; dagegen *J. Lambrecht*, 508. 511.

1,20 ff. zeige[161], ist keineswegs zwingend. Die präsentische, „enthusiastische" Zuspitzung paßt zur Tendenz des Verfassers von Eph, der seinerseits 1 Kor 15,23–28 als Vorlage benutzt haben könnte[162]. F. W. Maier hat nachgewiesen, daß es Paulus dabei betont auf das πάντας (V. 25) bzw. πάντα (V. 27) ankam[163]. Der entscheidende Satz in der Ausführung des Paulus ist dabei V. 26[164]. Dieser Vers ist durch die beiden Zitate eingerahmt. Die begründende Funktion des zweiten Zitats in V. 27a liegt gerade im πάντα, das zeigt, daß der Tod nicht ausgenommen sein kann. Dieser herrscht aber noch, da es ja das Sterben noch gibt. Dann läuft die ganze Argumentation aber darauf hinaus, „daß Christi Königtum die unverbrüchliche *göttliche* Garantie hat, daß er ... als triumphierender Sieger hervorgeht. ἄχρι οὗ πάντας aber soll ... die unfehlbare Gewißheit begründen, daß *kein Feind unvernichtet bleibt, auch der Tod nicht*"[165]. Sieht man so in V. 26 die Spitze der Argumentation, wird die Beziehung des angeblich exkursartigen Abschnittes zum Thema des ganzen Kapitels schlagartig deutlich. Daß es hier noch viel weniger als in V. 23 auf einen eschatologischen Vorbehalt ankommen kann, zeigt gerade die Verwendung von Ps 8,7. G. Brakemeier macht das indirekt durch seine gegenteilige Auslegung deutlich: Die Verbindung von Ps 110,1 und Ps 8,7 sei im Sinne von Eph 1,20 ff. gerade ein Argument der korinthischen Enthusiasten gewesen, die mit dem πάντας belegt hätten, daß der Tod schon entmachtet sei. Paulus lese dagegen aus Ps 8,7 die Begrenzung der Herrschaft Christi heraus. Die Spitze sei also V. 28: „Es soll die mögliche Konsequenz abgewehrt werden, daß Gott im regnum Christi aufgeht."[166] Dies sind nun allerdings zwei Hypothesen zugleich: Einmal hätten die Korinther behauptet, der Tod wäre schon entmachtet, Christus sei schon jetzt Sieger über alle Mächte. Zugleich hätten sie die Konsequenz gezogen, auch Gott sei im regnum Christi aufgegangen. Die zweite These ist geradezu absurd[167]. Die erste These setzt zuviel voraus: Warum sollte Paulus ausgerechnet die für ihn bei dieser Frontstellung gefährliche Verbindung von Ps 110,1 und Ps 8,7 aufgegriffen und dabei obendrein noch die πᾶς-Wendungen vermehrt und verstärkt haben? In V. 25 fügt er πάντας in das Zitat Ps 110,1 selber ein. Warum folgt das Zitat Ps 8,7 nun noch *nach* der angeblichen Pointe (V. 25), wo es sie doch gerade verdirbt? In V.

---

[161] So vor allem *G. Brakemeier*, 60 ff.

[162] So *J. Lambrecht*, 508 mit A 33.

[163] *F. W. Maier*, 152 f.

[164] So schon *K. Barth*, 94; vor allem *F. W. Maier*, 146. 152 f.; *U. Luz*, 348; vgl. *G. Barth*, 523; *H. Conzelmann*, 1 Kor, 324 f.

[165] *F. W. Maier*, 147; vgl. *H. Conzelmann*, 1 Kor, 323 ff.

[166] *G. Brakemeier*, 60 ff. (Zitat: 63).

[167] Vgl. *G. Barth*, 523.

27a (Zitat Ps 8,7) ist nichts enthalten, was für Paulus spräche, wenn es
ihm auf einen eschatologischen Vorbehalt angekommen wäre. Der Aorist ὑπέταξεν würde Paulus dann geradezu widerlegen[168]. Dennoch
darf nicht übersehen werden, daß der zukünftige Aspekt des Sieges
über den Tod hier eine Rolle spielt – aber nicht etwa in dem Sinne, daß
die Korinther ihn schon für besiegt hielten[169]. Vielmehr dürfte es
darum gehen, daß der Tod für Paulus eine kosmische Macht ist, die
ihre Herrschaft ausübt, solange die Welt noch nicht an ihr τέλος gekommen ist. Diese Macht ist darin noch wirksam, daß auch die, die ἐν
Χριστῷ sind, sterben (V. 6. 18). Die Gegenwart als Zeit des regnum
Christi ist bestimmt einerseits von der schon geschehenen Auferstehung
Christi, andererseits von der noch andauernden Unterwerfung der widergöttlichen Mächte, von denen der Tod noch nicht besiegt ist (vgl.
V. 54 f.). U. Luz hat in seiner Deutung zu Recht diesen kosmischen
Aspekt herausgestellt: Gerade weil es nicht um die Überwindung individuellen Todesschicksals geht, muß Paulus zeigen, daß die Wirkung
und *Macht* der Auferstehung Christi nur dann zum Zuge kommt, wenn
sie die *Macht* des Todes besiegt[170]. Nun meint Luz allerdings, Paulus
argumentiere so, weil er die Korinther in dem Sinne mißverstanden
hätte, daß er ihnen Hoffnungslosigkeit und Zukunftslosigkeit unter-
stellen mußte. Ist diese Folgerung notwendig? Die wesentlichen Elemente der Interpretation durch Luz behalten ihre Gültigkeit auch ohne
diese Hypothesen, wenn man nämlich annimmt, die *Korinther hätten
eine individualistische Hoffnung auf Unsterblichkeit gehabt*[171]. Das er-

---

[168] Vgl. *G. Barth*, 523 f. A 42. Daß Barth dabei dennoch mit einer korinthischen These
ἀνάστασιν ἤδη γεγονέναι rechnet (S. 56 f.), erscheint mir inkonsequent.

[169] Es ist ein methodischer Fehler, der vor allem bei G. Brakemeier auffällt, daß jede
Äußerung des Paulus an sich als polemisch verstanden wird. An diesem Fehler krankt die
bisherige Forschung in der „Gegnerfrage" noch zu sehr. Es wäre demgegenüber zu fragen, ob Paulus nicht viel mehr selbständig argumentiert. Gerade V. 20–28 ist ja eine *positive* Darstellung seiner Auferstehungstheologie.

[170] *U. Luz*, 348 f.; vgl. *H. Conzelmann*, 1 Kor, 325. Conzelmann zählt dort vier Funktionen der apokalyptischen Elemente in V. 24 ff. auf: „a) daß der Tod ... Widersacher
Gottes ist ... b) daß er sich auf die gesamte Existenz des Menschen bezieht (nicht etwa
nur auf den isoliert gedachten Körper); c) daß er eine *geschichtliche* Macht ist; d) daß der
Sieg über den Tod nicht darin besteht, daß der Mensch ihm und seiner (bleibenden) Ge-
walt entschlüpft, sondern daß er selbst überwältigt wird." Alle vier Funktionen passen genau zu der Annahme, die Korinther vertreten eine dualistische Anthropologie.

[171] Ihr Verhältnis zum Tod entspricht genau dem aus Philos Schriften erkennbaren
(s. o. S. 135 f.). Entsprechendes gilt ja von ihrer Haltung zum σῶμα (s. o. S. 130 ff.). – Die hier
vorgeschlagene These ist streng zu unterscheiden von der Theorie, die Korinther hätten
eine bereits erfolgte Auferstehung Lebender behauptet. Sie haben *gar keine* Auferstehung
behauptet (V. 12 ist also ganz wörtlich zu nehmen), dafür aber ein unvergängliches
Pneuma im Pneumatiker postuliert. Dies bewirkte auch bei ihnen Hoffnung für die Zukunft.

klärt einerseits ihre These: Auferstehung ist unmöglich (und bei dieser dualistischen Anthropologie auch unnötig). Vor allem aber erklärt das die Argumentation des Paulus in V. 20–28: Hier geht Paulus genau auf den Kern der korinthischen Theologie ein. So erklärt sich zunächst das korporative Adam-Christus-Schema: Wie in (oder durch) Adam *alle* sterben (und darin die Macht des Todes wirksam ist), so schafft Christus generell und total Leben[172]. Weil der Tod aber noch wirksam ist, kann seine totale Besiegung nur zukünftig sein. Paulus erklärt dies mit einer apokalyptischen Tagmatik (V. 23). Ginge es, wie die Korinther meinen, nur um das individuelle Jenseitsschicksal, *dann bliebe der Tod ja ein ewiger Bestandteil der Welt, eine ungebrochene Macht*: denn der Körper des Menschen stirbt auf jeden Fall, und mit ihm wird Gottes leibliche Schöpfung abgewertet. Es ist dieser *Dualismus*, gegen den Paulus im Sinne eines Monismus argumentiert: *Alles* ist Christus unterworfen, auch der Tod. Christi Auferstehung wäre geradezu wirkungslos, wenn sie nicht den Tod selber besiegen würde. Und dieser Sieg geschieht am Ende gerade durch die leibliche Auferweckung der Toten (s. o. S. 179 f. A 245). Die Korinther verharmlosen den Tod als Trennung der pneumatischen Seele vom verachteten Körper. Sie überlassen die Schöpfung damit dem Tod, der – so Paulus – dann Sieger bleibt.

e) Die Subordination des Sohnes unter den Vater (V. 28)

Schließlich erklärt sich von dieser Voraussetzung her der letzte noch ungedeutete Bestandteil des Textes: Warum betont Paulus so stark die Rückgabe der Herrschaft Christi an Gott? Soweit ich sehe, ist bisher noch keine befriedigende Erklärung vorgebracht worden.

1. Es wurde behauptet, das betonte πάντα mache V. 28 logisch erforderlich[173]. Aber die Aussage von V. 28 ist ja selbstverständlich und tautologisch (vgl. das δῆλον ὅτι ... in V. 27c). Warum führt Paulus sie dann noch an?

2. Man leitete aus V. 28 (im Zusammenhang mit V. 24) die These von der ἀποκατάστασις πάντων ab[174]. Aber V. 24 läßt wegen der Bedeutung

---

[172] Auf den ersten Blick scheint dieser universal-kosmische Aspekt der sonst bei Paulus durchweg anzutreffenden christologischen Einschränkung der Auferweckung zu widersprechen. Doch bedeutet der endgültige Sieg über den Tod nicht die universale Auferstehung aller je Gestorbenen (vgl. 1 Kor 15,51. 57: die πάντες sind auf die „Wir", d. h. die Christen, eingeschränkt). Ebenso ist die christologische Einschränkung in V. 22 nicht zu bestreiten (s. o. S. 263 A 124). Logisch ist beides nicht vereinbar. Der Glaube, der in der personalen Christusbeziehung lebt, sprengt durch seine Ausweitung in der Hoffnung seine subjektive Konstitution und postuliert eine letzte gottangemessene positive Seinstotalität (vgl. Röm 8; aber auch Röm 9–11). Was als „Krise" des Menschen dualistisch angelegt ist, mündet so in einen letzten Monismus einer Heimholung der Schöpfung.

[173] Z. B. *J. Weiß*, 360; *F. W. Maier*, 154.

[174] Z. B. *O. Pfleiderer*, Paulinismus, 271; vgl. *H. Lietzmann,* Kor, 81 f.

von τέλος („Ende", nicht „Rest") solche Annahme nicht zu. Die Formulierung von V. 28c klingt zwar mystisch-pantheistisch, drückt aber keine philosophische Weltanschauung aus[175].

3. G. Brakemeier vermutet: „Es soll die mögliche Konsequenz abgewehrt werden, daß Gott im regnum Christi aufgeht."[176] Daß Christen jemals eine solche Konsequenz gezogen hätten, ist kaum denkbar.

4. U. Luz erklärt, es gehe Paulus hier und letztlich in der ganzen Auferstehungsfrage um die „Gottheit Gottes"[177]. Das wird von unserer bisherigen Auslegung voll bestätigt. Es fragt sich aber, ob sich nicht noch eine speziellere Funktion der Aussage V. 28 im Zusammenhang aufzeigen läßt. Warum betont Paulus das?

Verständlicher wird der Gedanke, wenn man ihn als Reaktion auf einen impliziten Dualismus der korinthischen Pneumatiker versteht. Wenn der Tod durch das Individuum kraft des Pneumas lediglich umgangen wird, bleibt er selbst ja in der Welt. Dann ist Gott nicht alles in allem. Die Gottheit Gottes ist also in der korinthischen Theologie gefährdet. Hier deutet sich erstmals als Möglichkeit der Gnostizismus an, der Schöpfung und Gott voneinander trennt. Wenn Christus aber über alle Mächte einschließlich des Todes siegt, bleibt Gottes All-Macht gewahrt. Christi All-Herrschaft ist also gerade das Mittel, Gottes Herrschaft zu wahren. Der Sieg über den Tod besteht aber in der Auferweckung der Toten. *In der Auferweckung der Toten setzt Gott seinen Anspruch auf die gesamte Schöpfung durch.* So ist es gerade Paulus, der den Tod radikal ernst nimmt, und es sind die Korinther, die sich an eine Kontinuität, an eine Fortsetzung des geistigen Subjekts in der Transzendenz klammern. Tod ist für den Pneumatiker Durchgang, für Paulus Vernichtung[178]. Darum ist der Tod für Paulus eine mythische Macht bis ans Ende der Welt. Erst dann ist Gott „über-all". Für die Korinther aber ist die Welt „gott-verlassen".

4. Die existenziellen Konsequenzen der Leugnung (V. 29–34)

a) Zusammenhang mit dem vorhergehenden Kontext

Nachdem die „positive" Argumentation für die theologische Notwendigkeit der Annahme der Auferweckung der Christen abgeschlossen ist, wird die „negative" Argumentationsweise von V. 12–19 fortgesetzt

---

[175] Vgl. *H. Conzelmann*, 1 Kor, 326 f.

[176] *G. Brakemeier*, 63 (dazu s. o. S. 273); vgl. *G. Brakemeier*, A 273.

[177] *U. Luz*, 351. Vgl. 352: „So zeigt die paulinische Eschatologie einen tief theozentrischen Grundzug."

[178] Manche Totenrede müßte heute anders aussehen, wenn man sich ernsthaft auf Paulus berufen will.

(Voraussetzung: „Wenn Tote überhaupt nicht auferweckt werden" V. 29b), jedoch mit einem entscheidenden Unterschied: Sowohl V. 12–19 wie V. 20–28 waren christologisch ausgerichtet. In V. 12–19 wurde jede negative Aussage nur über den Zwischensatz „wenn Christus nicht auferweckt wurde" erreicht. In V. 20–28 wurde zunächst umgekehrt in Christi Auferweckung die Auferweckung der Christen einbezogen. Dabei mußte Paulus aber weitergehen, um auf den theologischen Grundirrtum der Korinther einzugehen: den anthropologischen Dualismus. Ihn wehrt er mit einem Rekurs auf die kosmische Dimension der christlichen Theologie ab, indem er indirekt aufzeigt, daß der anthropologische Dualismus der Korinther letztlich zu einem kosmologischen führen würde, weil der Tod als widergöttliche Macht bestehen bliebe. Das ἐπεί in V. 29 schließt nun an diese positive Argumentation an: „Wenn es anders ist, ..."[179] V. 29 führt also nicht einfach V. 12–19 fort, sondern setzt V. 20–28 als Vorinformation voraus. Das ist wichtig, um die Funktion der Verse 29–34 im Zusammenhang zu erkennen: Wenn der Tod als widergöttliche Macht theologisch nicht berücksichtigt wird, ergeben sich als Konsequenzen die in V. 29ff. aufgezeigten Absurditäten: ist stellvertretendes Sakrament für die Toten Unsinn, ist das Leben des Apostels in leiblicher Gefahr sinnlos.

b) V. 29 (die „Taufe für die Toten")

1. Zur Bedeutung von βαπτίζεσθαι ὑπὲρ τῶν νεκρῶν

Auf welchen Brauch spielt Paulus hier an? Diese Frage galt bis in die jüngste Zeit als eines der schwierigsten exegetischen Einzelprobleme[180]. Pauschal gesehen werden heute noch drei Auslegungstypen vertreten:

a) Durch besondere Interpunktion erreicht man, daß der Vers von der normalen Taufe handelt. ὑπὲρ τῶν νεκρῶν bezieht sich dann entweder auf die toten Körper, oder ὑπέρ wird im Sinne von εἰς verstanden[181].

---

[179] W. Bauer, 562 (elliptisches ἐπεί); vgl. Bl.-D.-R., § 456,3.

[180] B. M. Foschini bespricht allein 35 verschiedene Deutungstypen. K. C. Thompson, 647 A 2, erwähnt sogar 200. Darstellung und Kritik der wichtigsten bei Chr. Wolff, 185 ff.

[181] Der Versuch geht auf Semler zurück. Heute werden zwei Arten dieser Auslegung vertreten. 1. K. C. Thompson, 658 f.: ἐπεὶ τί ποιήσουσιν οἱ βαπτιζόμενοι, (;) ὑπὲρ τῶν νεκρῶν εἰ ὅλως νεκροὶ οὐκ ἐγείρονται; (.) τί καὶ βαπτίζονται ὑπὲρ αὐτῶν; – ὑπὲρ τῶν νεκρῶν wird also von βαπτίζεσθαι syntaktisch getrennt. Inhaltlich wird es auf die toten Leiber der Getauften bezogen: Wenn es keine Auferstehung des Leibes gibt, sind die (in der normalen Taufe) Getauften nur für den toten Leichnam getauft. Diese Deutung wird schon von vielen Kirchenvätern vertreten (z. B. Chrysostomos: vgl. K. Staab, 447; ebenso Tertullian: K. C. Thompson, 656 f.). οἱ νεκροί ist aber unmöglich in der Bedeutung von σώματα zu verstehen. Ebenso sperrt sich ὑπέρ gegen solche Deutung. 2. B. M. Foschini, 94 ff.: ἐπεὶ τί ποιήσουσιν οἱ βαπτιζόμενοι; ὑπὲρ τῶν νεκρῶν; εἰ ὅλως νεκροὶ οὐκ ἐγείρον-

Syntaktisch spricht gegen alle diese Uminterpunktionen, daß dabei aus vollständigen Sätzen Ellipsen werden. Vor allem aber ist bis V. 32 durchgehend der Bedingungssatz dem Hauptsatz vorangestellt (was bei besagter Uminterpunktion zerstört würde). Das gilt auch für V. 29a, wenn man beachtet, daß ἐπεί ein verkürzter Bedingungssatz ist[182].

b) Die Interpunktion wird in der üblichen Form belassen, und ὑπέρ wird final aufgefaßt: Heidnische Korinther, deren christliche Verwandte gestorben seien, hätten sich taufen lassen, um bei der Auferstehung mit ihnen wieder vereinigt zu sein[183]. Diese Annahme ist aber ganz unwahrscheinlich. Das würde ja voraussetzen, daß eine bestimmte jüdisch-christliche Auferweckungsvorstellung in Korinth zum weltbildhaften Allgemeingut (selbst der Heiden) geworden wäre. Demgegenüber dürfte doch die *Leugnung* der Auferstehung viel eher der allgemeinen Weltanschauung der Korinther entsprechen[184].

c) Deshalb hat sich heute mit Recht überwiegend die Annahme durchgesetzt, daß es sich nur um einen sakramentalen Brauch einer Vikariatstaufe handeln kann[185]. Viele Ausleger wundern sich, daß Paulus diesen Brauch nicht mißbillige, zumal er 1 Kor 10 z. B. ein magisches Taufverständnis abwehre[186]. Aber wie Paulus 1 Kor 11,29 f. ein magisches Abendmahlsverständnis voraussetzt, wie er auch ekstatische Phänomene wie die Glossolalie grundsätzlich billigt (1 Kor 14,1 ff.), so ist es auch an dieser Stelle nicht verwunderlich, daß er ohne aufgeklärte Kritik einen magischen Brauch konstatiert. Entscheidend ist ja jeweils, wie er dabei die soteriologische Funktion herauskehrt. Das zeigt sich in diesem Fall darin, daß V. 29 auf einer Ebene mit dem existenziellen Argument V. 30–32a steht.

ται, τί καὶ βαπτίζονται; ὑπὲρ αὐτῶν; – βαπτίζεσθαι ὑπέρ will Foschini nun synonym zu βαπτίζεσθαι εἰς (τὸ ὄνομα) verstehen: Wenn Tote nicht auferstehen, sind die Getauften in den Tod (in den Kreis der Verstorbenen) getauft (ähnlich *K. Staab*, 449 f.). – Diese Deutung ist ebenfalls unmöglich. *B. M. Foschini* führt für solchen Gebrauch von ὑπέρ auch keine Belege an; was er dafür ausgibt (S. 95 f.), sind vorwiegend Stellen, an denen εἰς steht, wofür auch ὑπέρ *hätte stehen können.*

[182] S. o. S. 231 u. 277.

[183] So z. B. *M. Raeder*; *J. Jeremias*, Flesh and Blood, 303 f.

[184] Vgl. *G. Brakemeier*, A 314. Auch die Auslegung von J. Jeremias und M. Raeder muß voraussetzen, daß die βαπτιζόμενοι von V. 29 nicht mit den Leugnern identisch sein können.

[185] So z. B. *R. Schnackenburg*, Heilsgeschehen, 90 ff.; *E. Dinkler*, Artikel „Totentaufe" (RGG VI, 958); *H. Conzelmann*, 1 Kor, 328, und fast alle neueren Ausleger. *M. Rissi* geht ebenfalls davon aus, daß nur eine Vikariatstaufe gemeint sein kann, bestreitet aber, daß diese sakramentalistisch sei: es handle sich um einen zeichenhaften Bekenntnisakt lebender Christen: „wir glauben an die Auferstehung dieses Toten" (89). Dagegen zu Recht *E. Lohse*, ThLZ 89, 1964, 275 f. Der massiv sakramentalistische Hintergrund dieser Sitte läßt sich nicht bestreiten.

[186] Vgl. *R. Schnackenburg*, Heilsgeschehen, 98.

Das Futur ποιήσουσιν erklärt sich als logisch abhängig vom in ἐπεί implizierten Bedingungssatz („wenn das so ist, was tun *dann* ...“). Das Partizip Passiv βαπτιζόμενος ist zeitlos (vgl. das Verb V. 29 Ende). V. 29 setzt also den Brauch voraus, daß Christen sich stellvertretend für ungetauft Verstorbene taufen lassen, um diesen noch Anteil am Heil zu verschaffen.

2. Zum religionsgeschichtlichen Ursprung der Taufe für die Toten

Die Tatsache, daß an oder im Zusammenhang mit Toten sakramental gehandelt wird, muß in irgend eine Form mit dem ägyptischen Brauch der *Totentaufe* zu tun haben. Wir haben dabei an die ägyptischen Mysterien hellenistischer Zeit zu denken[187]. Diese Taufe verschafft dem Verstorbenen die Unsterblichkeit. Wenn die Vikariatstaufe damit etwas zu tun hat, dann liegt es nahe, dabei an eine Handlung zu denken, durch die die Seele des Verstorbenen Anteil am jenseitigen Leben gewinnt. Eine solche Vorstellung würde in der Tat ausgezeichnet zu dem pneumatischen Dualismus der Korinther passen. Das Totensakrament verleiht dem Verstorbenen das Pneuma, das seine Seele unsterblich werden läßt. Wie mag sich dieser Brauch nun aber in der christlichen Gemeinde zur Taufe der Lebenden (Bekehrten) verhalten? Entweder ist es ein zweiter Ritus, eine Wiederholung der Taufe, also ein zusätzliches Totensakrament – oder ein Ersatz bei unerwartet vor der Taufe Verstorbenen.

Nun handelt es sich aber in 1 Kor 15, 29 nicht um eine Taufe an Verstorbenen, sondern um eine stellvertretende Taufe an Lebenden zugunsten Verstorbener. Eine solche Vikariatstaufe ist erst aus späterer Zeit indirekt für gnostische Sekten (Marcioniten, Kerinthianer?) belegt: bei Joh. Chrysostomos (Hom 40), Epiphanius (PanHaer 28,6) und Didymus von Alexandrien[188]. Auch Tertullian, de resurr 48; adv Marc V 10 verweist auf diesen sakramentalen Brauch („vicarium baptisma“)[189]. Hinzu kommt ExcTheod 22 (ClemAlex), wo gesagt wird, die Engel hät-

---

[187] *R. Reitzenstein*, Mysterienreligionen, 220 ff.; *A. Oepke*, ThWNT I, 530 f.; vgl. *A. Wlosok*, 111 f. mit A 136; *Chr. Wolff*, 190. Daß dieser Brauch ins afrikanische Christentum eingedrungen ist, geht aus einem Verbot dieser Sitte auf dem 3. Konzil von Karthago (397) hervor (*K. Staab*, 444).

[188] *K. Staab*, 444. 447. 449 (Epiphanius: GCS 25, S. 318 f.; Chrysostomos: MPG 61, 347 f.); vgl. *H. Lietzmann*, Kor, 82; *W. Schmithals*, Gnosis, 244 f.; *B. Spörlein*, 84 f. Die Exegese der Kirchenväter selbst versucht, eine solche Deutung zu umgehen. Die Häretiker beriefen sich bereits auf Paulus. Dennoch ist die Sitte nicht erst aufgrund von 1 Kor 15, 29 bei ihnen entstanden (so zu Recht *W. Schmithals*, Gnosis, 245; *E. Dinkler*, RGG VI, 958); s. auch *K. Rudolph*, Mandäer, II, 289 A 4.

[189] CChrSL I, 642 n. 989.

ten sich in der Vorzeit für die Sterblichen = Toten taufen lassen. In einem weiteren Taufsakrament geht diese Taufe auf den Gnostiker über, der sich mit seinem Engel vereint[190]. Daß es eine stellvertretende Weihe für ungeweiht Verstorbene aber bereits in den älteren Mysterien gab, setzt ein orphisches Fragment voraus[191]. Das spricht für den Ursprung der Vikariatstaufe aus den Mysterien[192]. Diese Hypothese könnte im folgenden hilfreich sein für das Verständnis des paulinischen Arguments V. 29 im kommunikativen Vorgang.

Es bleibt noch die Frage, welchen Sinn die Vikariatstaufe in Korinth gehabt haben mag. Aus 1 Kor 10 und 11 kann man entnehmen, daß man den Sakramenten in Korinth eine massive magische Wirkung zugeschrieben hat (vgl. 1 Kor 11, 30). Allerdings kann sich diese Wirkung nur auf die Seele des Menschen bezogen haben, die im Sakrament pneumatisch überhöht und unsterblich gemacht wurde. So machte die Taufe die Seele immun gegenüber dem (seelischen) Sterben[193]. Dies aber ist offenbar noch möglich nach dem Tod des Leibes. Ja, vielleicht ist die Tatsache, daß es bei der Taufe um die Seele und nicht um den Leib ging, auch der Grund dafür, daß man nicht den Toten selbst taufte (einen Leichnam), sondern stellvertretend für ihn einen Lebenden[194].

---

[190] Vgl. dazu *H.-G. Gaffron*, 187. Hier geht es bereits um eine gnostische Auslegung von 1 Kor 15, 29. Die Toten sind „wir" im irdischen Zustand. Die Erlösung in der Taufe ist also ein präexistenter Vorgang. (Zur Vereinigung mit Engeln s. o. S. 61 f. A 90).

[191] Bei *H. Lietzmann*, Kor, 82; vgl. *W. G. Kümmel* bei Lietzmann, 194, zu S. 82 Z. 27; *E. Rohde*, II, 128 A 5; *J. Leipoldt*, Taufe, 57 f.; *Chr. Wolff*, 190.

[192] S. o. S. 279 A 187. Das muß auch *G. Wagner*, 285, konzedieren. Daß es nicht um genuin Gnostisches geht, räumt *L. Schottroff*, 165, ein; ebenso *W. Schmithals*, Gnosis, 245: „Die Sitte der Vikariatstaufe kann in der Gnosis selbst nicht entstanden sein, sondern ist wohl mit der Taufe überhaupt aus den Mysterienkulten übernommen worden." – Daß gerade die Gnostiker die Vikariatstaufe übernommen haben, bedeutet für W. Schmithals insofern ein Problem, als er der korinthischen Gnosis jeglichen Sakramentalismus abspricht (241; vgl. 376 f.). Gegen W. Schmithals' Inkonsequenzen in dieser Frage: *D. Georgi*, VF 1960, 92. – Das korinthische Pneumatikertum läßt die Alternative sakramental – spirituell nicht zu. Die Erfahrung des Geistes wirkt auch – und darin besteht ein Unterschied zu Philo – substanzhaft und magisch. Dennoch bezieht sie sich nicht auf den Leib. Die Vikariatstaufe kommt im Verständnis der Korinther allein der Seele des Verstorbenen zugute (vgl. *W. Marxsen*, Glaube als Auferstehung, 65). Es ist möglich, daß aus diesem Grunde nicht der Tote selbst (ägyptische Totentaufe), sondern ein Lebender für ihn getauft wurde.

[193] Vgl. *J. Becker*, ÖTK, 4, 1, S. 226.

[194] Daß sich die Seele eines Verstorbenen noch eine Zeit lang in der Nähe des Toten aufhält, war gelegentliche Anschauung: vgl. *W. Bousset/H. Gressmann*, 297 A 1. Dieser Zustand läßt noch Zeit für ein Sakrament, das die Himmelsreise ermöglicht. Fest steht, daß der leibliche Tod nach dualistisch-weisheitlicher Vorstellung noch nicht den Tod der Seele bedeutet (s. o. S. 135 f.), die folglich noch pneumatischer Manipulation zugänglich ist.

3. Die Funktion von V. 29 im kommunikativen Vorgang (Pragmatik)

Das schwierigste Problem von V. 29 ist damit noch gar nicht in den Blick gekommen: Was will Paulus mit dem Hinweis auf die Vikariatstaufe eigentlich erreichen? Wenn die Korinther den Brauch üben, dann haben sie doch Hoffnung über den Tod hinaus. Wußte Paulus das nicht? Irgendwie, scheint es, redet er an ihnen vorbei.

a) Am einfachsten machen es sich B. Spörlein und D. J. Doughty mit diesem Vers. Eigentlich müßten sie die größten Schwierigkeiten mit ihm haben, da sie ja den Korinthern jede Jenseitserwartung absprechen und davon ausgehen, daß Paulus diese korinthische Anschauung kennt. Dafür können sie sich auf V. 30 ff. berufen (Paulus wolle dort sagen: ohne Jenseitshoffnung ist mein Leben sinnlos). Ihre Lösung: οἱ βαπτιζόμενοι ὑπὲρ τῶν νεκρῶν sind nicht identisch mit den Auferstehungsleugnern[195]. Paulus erwähne einen Brauch, den er gemeinsam mit den angeredeten Korinthern akzeptiere, der aber, hätten die Leugner recht, hinfällig würde. Diese Annahme ist aus mehreren Gründen unhaltbar: Der Hinweis auf den Brauch wäre weit hergeholt. Es wäre überraschend, daß Paulus ein solches sakramentales specialissimum um seiner selbst willen gewahrt sehen möchte. Stringenz hat dies Argument nur, wenn es um einen Brauch jener Korinther geht, die zugleich die Auferstehung Toter leugnen[196]. Hinzu kommt die Beobachtung, daß Paulus in V. 29–34 nach einem festen Schema verfährt, bei dem es immer um die Begründung und die beispielhafte Belegung durch den Hinweis auf die existenziellen Erfahrungen der Angeredeten sowie des Paulus selber geht (z. B. 1 Kor 1, 26 ff. + 2, 1 ff.; 3, 1 ff. + 3, 5 ff.; 8, 1 ff. + 9, 1 ff.; 15, 15 + 17). Schließlich paßt der hinter V. 29 erkennbare Sakramentalismus gut zu den im übrigen 1 Kor erkennbaren Zügen der korinthischen Pneuma-Theologie. Daß dabei die Leugner von Kap. 15 wiederum mit den sonst im Brief angesprochenen Pneumatikern nichts zu tun hätten, wie B. Spörlein annehmen muß, ist ganz ausgeschlossen. οἱ βαπτιζόμενοι ὑπὲρ τῶν νεκρῶν sind also keine Sondergruppe der Korinther, sondern jeweils diejenigen einzelnen Mitglieder der Gemeinde (die auch hier als ganze angesprochen wird), bei denen der in Korinth geübte und von Paulus als selbstverständlich vorausgesetzte Brauch von Fall zu Fall akut wird.

b) Die andere Auffassung, die Korinther würden die gnostische Position der bereits geschehenen Auferstehung vertreten, hat es mit V. 29 nicht leichter. Nach E. Güttgemanns behaftet Paulus die Korinther hier

---

[195] B. Spörlein, 82 ff.; D. J. Doughty, 76 A 63.

[196] J. Weiß, 304; M. Rissi, 91; W. Schmithals, Gnosis, 244; G. Brakemeier, 74; Chr. Wolff, 190; A. J. M. Wedderburn, Denial, 230; M. Bünker, 145 A 51.

bei einem eklatanten Selbstwiderspruch [197]. Demnach würden bei ihnen Praxis und Theorie gänzlich auseinanderfallen. Der Theorie nach wäre die Auferstehung nur auf Lebende bezogen, und die Toten wären davon ausgenommen. In der Praxis hätten die Korinther jedoch noch etwas für die Toten getan. Diese Annahme ist absurd. V. 29 setzt überdies gerade eine *Theorie* im Sinne einer Hoffnung für Tote voraus.

c) G. Brakemeier erkennt demgegenüber, daß V. 29 Jenseitshoffnung voraussetzt. Die Schwierigkeiten der anderen Deutungen möchte er umgehen, indem er V. 29 ein ganz anderes Argument entnimmt: Das Futur ποιήσουσιν zeige, daß unter der Bedingung der paulinischen Annahme der Totenerweckung als Gnadenakt Gottes der Brauch der Totentaufe überflüssig und sinnlos werde: Wenn Gott die Toten erwecken wird, was soll dann eure Totentaufe noch? Damit sei dann auch das Problem, daß Paulus hier mit Sakramentsmagie argumentiere, aus der Welt [198]. Richtig erkannt hat Brakemeier, daß V. 29a einen den vorherigen Kontext aufgreifenden Bedingungssatz impliziert. Nur zeigt V. 29b, daß genau das Gegenteil von dem dasteht, was Brakemeier behauptet: Wenn Tote *nicht* erweckt werden, ist eure Totentaufe sinnlos [199].

d) Ein wesentlicher Grund dafür, daß R. Bultmann mit einem paulinischen Mißverständnis rechnete, ist gerade V. 29. Dieser Vers zeigt ja, daß für die Korinther mit dem Tode keineswegs alles aus sei, wie Paulus irrtümlich annehme [200]. Dann muß man sich aber fragen, ob Paulus nicht selber bei der Niederschrift von V. 29 hätte merken müssen, daß er die Lage falsch eingeschätzt hätte [201]. Hier ergeben sich also die selben Schwierigkeiten wir oben bei den Positionen a) und b). – Die folgenden beiden einander ähnlichen Lösungsversuche wollen diesem Problem gerecht werden:

e) P. Hoffmann hat die Mißverständnistheorie insofern variiert, als er meint, von seinen theologischen Voraussetzungen her gebe es für das Denken des Paulus nur die Alternative leibliche Auferstehung oder Heilsverlust überhaupt. Leiblose Zukunft könne Paulus nur mit Heillosigkeit gleichsetzen. Paulus *ignoriere* damit jede Seelen- oder Pneuma-Soteriologie hellenistischer Art [202]. Auch diese Annahme überzeugt

---

[197] *E. Güttgemanns*, 78. *J. Becker*, Auferstehung, 87, nimmt an, für den „Ausnahmefall" („Spezialfall"), daß ein Gläubiger vor der Taufe stirbt, habe man inkonsequenter Weise doch mit der Auferweckung Toter gerechnet.

[198] *G. Brakemeier*, 74 f.

[199] ἐπεί als elliptischer Konditionalsatz impliziert also eine Verneinung: wenn es *anders* ist als in V. 20–28 dargelegt ...

[200] *R. Bultmann*, Theologie, 172; vgl. *W. Schmithals*, Gnosis, 147; *U. Luz*, 337; *H. Conzelmann*, 1 Kor, 310.

[201] Einem vorzeitigen Aufgeben der Exegese kommt es gleich, wenn *H. Conzelmann*, 1 Kor, 327, dem Paulus die Aussage unterschiebt: „Da komme ich nicht mehr mit."

[202] *P. Hoffmann*, 243. 245.

nicht ganz: In V. 35 ff. geht Paulus ja ausführlich auf die Probleme der leiblosen Jenseitsvorstellung der Korinther ein. Und sofern die o. S. 261 ff. gegebene Deutung zutrifft, hat Paulus in V. 20–28 genau den Nerv der korinthischen Anthropologie getroffen (vgl. auch 2 Kor 5,1 ff.).

f) L. Schottroff kommt völlig ohne Annahme eines paulinischen Mißverständnisses aus: „Paulus befindet sich durchaus nicht im Irrtum über die gegnerische Meinung, sondern er kennt sie detailliert. Er argumentiert bis v. 34 allerdings nur mit Gegenbehauptungen und uneinsichtigen hypothetischen Konsequenzen …"[203] Mit V. 29 wolle Paulus die Korinther „darauf festnageln, daß sie mit der Ablehnung der Totenauferstehung konsequenterweise jedes postmortale Heil leugnen müßten, was sie aber, wie Paulus weiß, nicht tun"[204]. Warum sollten sie das auch!? Von ihren Voraussetzungen her, die Paulus nach L. Schottroff kennt, ist das *keine* Konsequenz. Die ganze Argumentation des Paulus wäre demnach verfehlt.

g) Vielleicht impliziert Paulus aber noch einen anderen Gedanken: Taufe ist für ihn ja *Einverleibung in Christus* und damit *Anteilhabe an Tod und Auferweckung Christi* (Röm 6,4). Wir sahen bereits, daß man mit diesem Gedanken auch schon zum Zeitpunkt der Abfassung von 1 Kor 15 rechnen muß (wegen 15,13 ff. 20–22: s. o. S. 255 ff. 261 ff.). Ohne Zweifel ist diese Vorstellung mysterienhaft geprägt[205]. Das gleiche gilt ja für den Brauch der Totentaufe. Für Paulus, der ihn christologisch versteht[206], *bedeutet die Totentaufe dann ein nachträgliches Hineinversetzen in Christus* (der Tod des Ungetauften wird sozusagen nachträglich zu einem Mitsterben mit Christus). Dann aber *folgt daraus, daß der Tote auch mit Christus auferweckt werden wird. Also setzt (für Paulus) die Totentaufe die Erwartung der Auferweckung der Christen gerade voraus*, weil Paulus auch die Totentaufe vom Kerygma her (Tod *und* Auferstehung) interpretiert. Durch die nachgeholte Taufe wird das Sterben des zu Lebzeiten Ungetauften nachträglich zu einem Sterben mit Christus. Ein so qualifiziertes Sterben fordert aber *vom Kerygma her*, mit dem Paulus von 15,1 an argumentiert, notwendig auch eine Auferstehung mit Christus[207]. Nur so wird (neben der Tatsache, daß Paulus die Totentaufe

---

[203] *L. Schottroff*, 166.

[204] 163.

[205] Vgl. *N. Gäumann*, 41 ff.; *K. Wengst*, 39 f.; *E. Käsemann*, Röm, 151 ff.; *H. Braun*, „Stirb und werde", 152 ff.

[206] Dies ist dann die beste Erklärung dafür, daß er den Brauch überhaupt akzeptieren kann.

[207] Wiederum wird deutlich, daß es nicht um das Problem von Gegenwart und Zukunft der Auferweckung geht. Diese Frage wird für Paulus überhaupt nicht zum Problem. V. 29 wäre als Argument für Paulus sogar prekär, wenn es darum ginge. Zugleich beweist V. 29, daß es auch den Korinthern nicht um Auferstehung *Lebender* geht (gegen *Güttgemanns*).

positiv verwendet) auch erklärlich, warum er das Argument erst an dieser Stelle bringt (und nicht schon in V. 13–19, wo man es sonst erwarten sollte): In V. 21 f. dient das Adam-Christus-Schema dazu, die Auferweckungserwartung vom ἐν-Χριστῷ-Gedanken her zu begründen: Wer in Christus ist, wird von Gott lebendig gemacht werden. „In Christus" kommt man aber durch die Taufe[208]. Wenn die Korinther also Tote taufen, *müssen* sie die durch Christus inaugurierte Auferweckung der Toten zugeben (die Paulus in V. 20–22 ja begründet hat). Das würde heißen, 1. daß Paulus schon zur Zeit des 1 Kor das in Röm 6 dargelegte Taufverständnis entwickelt hat[209], und 2. daß das Adam-Christus-Schema (1 Kor 15, 20–22) für ihn mit dieser Tauftheologie zusammengehört. Damit stoßen wir auf einen sowohl bei Paulus wie bei den Korinthern vorauszusetzenden, religionsgeschichtlich von mysterienhaften Motiven her geprägten Gedankenkomplex. Während man in Korinth das Motiv rein pneumatisch versteht (ἐν Χριστῷ = ἐν πνεύματι), hat Paulus durch die Fundierung mit Hilfe des Kerygmas (15, 3 ff.) den Gedanken *leiblicher* Auferweckung induziert: vgl. Röm 6, 1 ff. Entsprechend kann er das ἐν-Χριστῷ-Motiv abwandeln zum Motiv vom *Leibe* Christi (s. o. S. 59 ff.). Zugleich fällt damit auf die Argumentation in V. 18 f. weiteres Licht: Gilt nur das „halbe" Mysterien-Schema (das Mit-Sterben), dann sind die mit dem Christus-Geschick verbundenen Gestorbenen verloren. Entscheidend ist wiederum, daß die christologische Aussage dazwischengeschaltet ist.

Für die Funktion von V. 29 im Gespräch des Paulus mit den Korinthern bedeutet das: Paulus kennt den mysterienhaften Hintergrund der Vikariatstaufe. Er vertieft diese Sakramentspraxis jedoch christologisch im Sinne von Röm 6. Vorbereitet hat er das durch das Adam-Christus-Schema V. 20–22 (ἐν τῷ Χριστῷ)[210]. Damit hat er im Ansatz seiner ganzen Argumentation die korinthische Engführung der Soteriologie auf die Seele aufgesprengt. Während in Korinth die Vikariatstaufe die pneumatische Stärkung der Seele zur Himmelsreise ermöglichen soll, ist sie für Paulus Einver*leibung* in Christus und damit Einfügung in sein Geschick (Tod und Auferstehung). V. 29 dient damit ebenfalls dem für Paulus zentralen Anliegen, christologisches Kerygma und Soteriologie (bzw. Anthropologie) zu verbinden. Das impliziert für Paulus zugleich die somatische Dimension der erwarteten Auferstehung der Toten.

---

[208] Diesen Gedanken kann Paulus auf Seiten der Korinther voraussetzen (vgl. 1 Kor 12, 13).

[209] Vgl. *K. Wengst*, 36 ff.; *J. Becker*, Auferstehung, 55 ff.

[210] Andeutungsweise in dieser Richtung: *B. Schneider*, 452 A 8.

c) V. 30–32 (die Todesexistenz des Apostels)

Nur von dieser Deutung des Verses 29 her wird auch V. 30–32 als paulinisches Argument verständlich[211]. In irgend einer Weise müssen die Argumente V. 29 und V. 30–32 ja homogen sein. Der Zusammenhang wird schlagartig erhellt, wenn man erkennt, daß es auch hier um ein mysterienhaftes Verständnis von Tod und Leben geht. Das gilt vor allem für das „tägliche Sterben" (V. 31), das auf dem Hintergrund des Mysterienschemas zu verstehen ist[212]. Paulus konkretisiert das ursprünglich sakramentale Sterben nun im täglichen Leben[213], in diesem Fall exemplarisch auf seine Person bezogen. Zum „Sterben" gehört aber nach dem Mysterienschema das neue Leben, ohne das jenes seinen Sinn verlöre. So erst wird die argumentative Funktion von V. 30f. einleuchtend: Ohne die Hoffnung darauf, daß Gott vom Tode erweckt, wäre (neben dem Sakramentsbrauch der Korinther) auch die Existenz des Apostels sinnlos. Wieder ist der Zusammenhang mit V. 20–28 zu bedenken: Das tägliche Sterben des Apostels ist zugleich Anteilhabe an Christus[214] und

---

[211] R. Bultmann, W. Schmithals, B. Spörlein u. a. sehen in diesen Versen den klarsten Beleg für ihre These, Paulus wolle gegen Jenseits-Skeptiker sagen: ohne Auferstehung wäre alles umsonst. In der Tat könnte man die Verse oberflächlich so verstehen. Nur die Parallelität von V. 30 zu V. 29 wird so nicht verständlich.

[212] Soweit ich sehe, hat als einziger *H. Braun*, „Stirb und Werde", 157, auf die Beziehung dieses Verses zum Mysterienschema aufmerksam gemacht. Dann erkärt sich der Zusammenhang mit V. 29 (vgl. dagegen z. B. *H. Conzelmann*, 1 Kor, 329, zu V. 30f.: „Das neue Argument hat mit dem bisherigen nichts zu tun.").

[213] Die Herleitung des Motivs vom „täglichen Sterben" aus mysterientheologischen Zusammenhängen impliziert keineswegs eine Verinnerlichung der paulinischen Leidenstheologie, sondern macht nur verständlich, wie Paulus das Leiden des Christen (exemplarisch im Leiden des Apostels: vgl. die Peristasenkataloge vor allem des 2 Kor) christologisch begründen konnte. *W. Schrage*, Leid, 142ff. 167ff., betont dagegen stärker den apokalyptischen Aspekt. In Jesu Auferweckung sei der neue Äon angebrochen. Das Zugleich von Sterben und Leben sei durch die Überschneidung der Äonen gegeben. Aber diese sind doch nur in der mit Christus verbundenen Existenz des Christen überschnitten! Die apokalyptische Deutung steht oder fällt mit der These, daß Jesu Auferweckung von Anfang an den Beginn der allgemeinen endzeitlichen Totenauferweckung darstellt. Das scheint mir aber nicht der Fall zu sein (s. o. S. 38f. A 3). Die christologische Beschreibung der christlichen Existenz im Modus des Ineinanders von Sterben und Leben, wie sie Paulus in den Peristasenkatalogen und eben auch in 1 Kor 15, 31 f. vorführt, ist m. E. Ausdruck genuin paulinischer Theologie, die sich nicht allein apokalyptisch ableiten läßt, sondern zugleich eine personale, sakramentale Komponente hat. Apokalyptisch ist freilich die Leibhaftigkeit des Leidens in Verbindung mit der futurischen Dimension des Lebens als auferweckte Leiber.

[214] Man könnte fragen, ob nicht das Problem von Phil 1, 23 von hier aus seine Klärung erhält: Das Sterben verbindet mit Christus – nicht, weil der Apostel dann „im Himmel" bei Christus ist (das ist übrigens im Prinzip die Position der Korinther), sondern weil sein Tod Anteil an Christi Tod bedeutet. Wieder konkretisiert Paulus ursprünglich sakramentale Soteriologie biographisch (vgl. auch 2 Kor 4, 10 f.; 6, 9). Umgekehrt kann Paulus genau

Beweis für die ungebrochene Macht des Todes, dem die Korinther im leiblichen Sterben zu entgehen meinen, der bei ihrem Dualismus geradezu irrelevant wird. Für ihren dualistischen „Pneuma-Glauben" hat das Leiden keine Funktion, während Paulus es christologisch versteht. Für die Korinther ist Leiden und Sterben funktionslos und sinnlos – nichts anderes sagt Paulus in V.30–32. Folglich kann er die Konsequenz in V.32b ziehen (die die Korinther keineswegs selber gezogen haben müssen). V.32a dient als *konkretes* Beispiel, mag θηϱιομαχεῖν nun wörtlich oder metaphorisch zu verstehen sein. κατὰ ἄνθϱωπον spricht für das zweite[215]. In V.32b verallgemeinert Paulus wieder: Wenn Tote nicht auferweckt werden, ist auch das „Sterben" in diesem Leben sinnlos. Die Folge wäre, daß man nach der Devise Jes 22,13 leben könnte. Paulus nimmt nicht an, daß die Korinther das tun[216]. Der viel berufene gnostische Libertinismus paßt zu V.32 überhaupt nicht: Gnostiker allgemein wären nicht aus Nihilismus oder Skepsis „Libertinisten" (Paulus hätte sie also wieder falsch verstanden). Versteht man V.32b im hypothetischen Sinne, dann wird die Funktion von V.33 deutlich: μὴ πλανᾶσθε impliziert, daß die Korinther die Folgerung V. 32b bestreiten würden. Dagegen Paulus: „Irrt euch nicht!"[217] „Gute Sitten" setzt voraus, daß die Korinther die Konsequenz von V.32b bisher nicht gezogen haben. Aber es kann noch dazu kommen: ὁμιλίαι κακαί können das bewirken.

d) V.33 f. (abschließende Mahnung)

V.33 leitet über zur Schlußmahnung V.34. Die Frage ist, ob man V.33 lediglich rhetorisch-paränetisch zu verstehen hat, oder ob Paulus an

---

so seine Berufung und Bekehrung als Leben der Auferstehung konkretisieren (s. o. S. 246 ff. zu 15,8); vgl. auch *E. Kamlah*, ZNW 54, 1963, 229, und *G. Brakemeier*, 76. Zur christologischen Dimension des „täglichen Sterbens" und der Anteilhabe am Leben Christi: *W. Schrage*, Leid, 160 ff. 167 ff., der den Zusammenhang aber apokalyptisch begründen möchte (s. vorige A).

[215] M.E. dient die Wendung dazu anzuzeigen, daß θηϱιομαχεῖν sich auf Menschen bezieht. *W. Bauer*, 135 (vgl. *G. Brakemeier*, 77), versteht κατὰ ἄνθϱωπον polemisch: nur menschlich – nicht „als ein der Auferstehung gewisser Christ", weil gewöhnlich die Wendung in Gegenüberstellung zu Gott gebraucht wird. In diesem Fall liegt der Gegensatz aber in θηϱιο-. – V.32 braucht dabei keineswegs anti-epikureische Polemik zu sein (gegen *A. J. Malherbe*, JBL 87, 1968, 71–80). V.32a gehört eng zu V.30 f. hinzu. – Daß 15,32 einen ephesinischen Gefängnisaufenthalt voraussetzt (*A. Suhl*, 140. 201 f. 214. 310), ist unwahrscheinlich. Die Todesgefahr in der Asia (2 Kor 1,8) muß später gewesen sein (s. o. S. 48 A 45).

[216] Vgl. *L. Schottroff*, 165, u. o. S. 19 und 21 mit A 19.

[217] Der formelhafte Gebrauch der Wendung in 1 Kor 6,9 widerspricht dieser Auslegung nicht: „Oder wißt ihr nicht, daß Ungerechte das Reich Gottes nicht ererben werden? (Wenn ihr das meint, seid ihr im Irrtum; aber) irrt euch nicht! ... (Ungerechte werden das Reich Gottes nicht ererben)." Auch hier wird also ein Zwischensatz impliziert, gegen den das μὴ πλανᾶσθε gesetzt ist.

konkrete religiöse Einflüsse denkt. Im ersten Fall wäre das Sprichwort metaphorisch aufzufassen. Gemeint wäre dann etwa der Gedanke: Eure Dogmatik kann auf eure Ethik abfärben[218]. Aber V. 34 scheint doch eher auf konkrete Verhältnisse anzuspielen. Die τινες können entweder Leute innerhalb der korinthischen Gemeinde sein (die Auferstehungsleugner selbst, die theologischen Wortführer oder eine besondere Gruppe), oder aber es ist – besonders wenn man damit die ὁμιλίαι κακαί von V. 33 in Zusammenhang bringt – an Einflüsse von außen gedacht. Im Unterschied zum 2 Kor kommt Paulus im 1 Kor relativ selten auf derartige auswärtige Einflüsse zu sprechen. Aber allein die Tatsache, daß Anhänger des Apollos genannt werden (1,12; 3,4 ff. 22), zeigt, daß solche Einflüsse vorliegen. Und 1 Kor 9,12 (vgl. 9,3. 5) setzt voraus, daß zur Zeit der Abfassung des 1 Kor in Korinth bezahlte Apostel tätig sind oder waren. Dies ist wichtig für die Frage nach dem Verhältnis der Gegner des 2 Kor zur korinthischen Theologie, wie sie dem 1 Kor zu entnehmen ist.

Alle vier Satzelemente von V. 34 enthalten Hinweise darauf, wo die Quelle des verderblichen Einflusses auf die Korinther zu suchen ist. ἐκνήψατε δικαίως spielt auf ein Theologumenon hellenistisch-jüdischer weisheitlicher Theologie an[219]. Wenn δικαίως hier mit „wirklich" zu übersetzen ist[220], kann man annehmen, daß Paulus die Sprache der Korinther oder ihrer „Hintermänner" aufnimmt, die beanspruchten, „nüchtern" zu sein (wobei Paulus impliziert: ihr seid ja gar nicht wirklich nüchtern!)[221]. Wieder wird religiös hoch geladene Sprache von Paulus ethisiert: Der Wandel ist das Feld der wahren Nüchternheit. μή ἁμαρτάνετε ist also paulinische Interpretation des ἐκνήψατε. Wieder darf man daraus keinen Libertinismus der Korinther erschließen. Paulus verlagert nur das Feld der mystischen Gotteserkenntnis auf das Gebiet des christlichen Wandels. Den christologischen Hintergrund darf man dabei nicht übersehen: Glied des Leibes Christi zu sein, konkreti-

---

[218] Vgl. *A. Schlatter*, Paulus, 429: ὁμιλίαι = Geschwätz. Sprichwörter sind in ihrem rhetorischen Kontext häufig metaphorisch.

[219] Dazu *H. Lewy*, passim; vgl. *G. Brakemeier*, A 342. Die wichtigsten Belege bietet Philo (*H. Lewy*, 3 ff.) mit seinem Schlagwort „nüchterner Rausch", das die pneumatische Ergriffenheit, den Seelenflug, die Erkenntnis, die Ekstase bezeichnet. Dazu gehört aber auch OdSal 11,7 f. (*M. Lattke*, I, 108 f.): „Ich trank – und wurde trunken – unsterbliches Wasser; und meine Trunkenheit wurde nicht zur Unvernünftigkeit."

[220] *J. Jeremias*, ZNW 38, 1939, 122; vgl. *W. Bauer*, 393.

[221] So *G. Brakemeier*, 79. *H. Conzelmann*, 1 Kor, 331, meint, es werde dabei auf πίωμεν V. 32 zurückverwiesen. Dabei wird aber übersehen, daß die Aufforderung zur Nüchternheit religionsgeschichtlich nicht zur Devise von Jes 22,13 paßt. Viel eher darf man annehmen, daß nicht der Hedonismus, sondern die (philonische) „Nüchternheitsforderung" der Meinung der Korinther entspricht. Paulus argumentiert dialektisch: Gerade eure Theologie kann zu etwas führen, das ihr gar nicht wollt! Seid *wirklich* nüchtern ...!

siert sich in der Existenz, schließt Sünde aus (vgl. 15,17; zum Zusammenhang von Sünde und Leib: 6,12 ff.). Ebenso dialektisch wie das ἐκνήψατε δικαίως ist die Wendung von der ἀγνωσία θεοῦ: Einige Leute, die γνῶσις θεοῦ von sich behaupten, haben gerade ἀγνωσία θεοῦ. γνῶσις (θεοῦ) ist nun aber nicht nur Schlagwort der Korinther (1 Kor 8), sondern ein zentraler Begriff der hellenistisch-jüdischen Apologetik und Mystik [222]. Der Begriff der ἀγνωσία bzw. ἄγνοια gehört dabei eng mit der Nüchternheitsforderung zusammen: Der *blinde* Rausch ist Metapher der Unkenntnis Gottes [223]. Die „Nüchernheit" ist bei Philo geradezu Ausdruck der mystischen und ekstatischen Gotteserfahrung, so daß sich bei ihm als Oxymoron der Begriff der „nüchternen Trunkenheit" findet [224]. Genau dieser Zusammenhang steht hinter 1 Kor 15,34: Paulus greift offenbar zurück auf die den Korinthern geläufige Gedankenwelt, wendet sie nun jedoch gegen die Korinther. Dabei ist er vorsichtig, indem er den schweren Vorwurf nur „einigen" (unbestimmt) macht. Aber es ist klar, daß damit gerade jene getroffen werden, die von sich mystische „Nüchternheit" (Weisheit) und γνῶσις θεοῦ behaupten. Die dialektische Gestaltung des Nüchternheitsbegriffes ermöglicht ihm diese Umkehrung: Eine mystische Theologie, die von hellenistisch-jüdischem Denken nach der Art Philos geprägt ist, wird zur wahren

---

[222] γνῶσις (τοῦ) θεοῦ (Gen.obi.): Sap 2,13; 14,22; 2 Kor 2,14; 4,6; 10,5. Philo gebraucht die Wendung nur Imm 143 (γνῶσις überhaupt selten: dazu s. o. S. 107 A 99; 121 A 130, und *A. Wlosok,* 78 ff. mit A 45. 46). Der Begriff begegnet in rationalisierter Fassung in der hellen.-jüd. Apologetik, so in den hellen.-jüd. Traditionsstücken von ConstApost VII und VIII (*W. Bousset,* Studien, 236 f. 262 ff.; vgl. 1 Kor 8), überwiegend dann aber im Sinne übernatürlicher mystischer Gotteserkenntnis esoterischer Art, so durchweg in den Zauberpapyri und im Bereich der Mysterienkulte (*R. Reitzenstein,* Mysterienreligionen, 66 f. 285 ff.; vgl. *R. Bultmann,* ThWNT I, 701 Z. 14 ff.). Die paulinische Verwendung des Begriffs ist letztlich von daher geprägt, vermittelt durch das hellenistische Judentum. Als hellenistischer Jude ist Paulus genau so „Gnostiker" (in diesem erweiterten Sinne des Wortes) wie die Korinther, nur daß er andere theologische Konsequenzen zieht.

[223] *H. Lewy,* 73 ff.; *E. Lövestam,* 82 ff.; zur ἄγνοια bei Philo: *A. Wlosok,* 77 ff. Philo, Ebr 154 ff., sind ἄγνοια und Trunkenheit der Seele identisch (an dieser Stelle ist „seelische Trunkenheit" negativ gebraucht im Gegensatz zur enthusiastischen *„nüchternen* Trunkenheit").

[224] Z. B. Op 71; All I 84; Fug 166; Prob 13. Dazu *H. Lewy,* passim. *E. Lövestam,* 83 A 1, bestreitet, daß Philos Konzeption der „nüchternen Trunkenheit" eine Beziehung zum Neuen Testament habe. Aber gerade, wenn das Schlagwort „Nüchternheit" in Korinth eine Rolle gespielt haben sollte, wie das Wort δικαίως vermuten läßt, muß man doch schon eine ähnliche Konzeption wie die Philos voraussetzen: Ekstatische Phänomene einer γνῶσις θεοῦ (unter dem Stichwort „Weisheit") sind für die Korinther gerade bezeichnend (1 Kor 1–4; 12–14). Nur auf diesem Hintergrund erklärt sich das Nebeneinander von Forderung nach *wirklicher* Nüchternheit und Vorwurf der ἀγνωσία: *„Nüchterner* Rausch" ist in der ekstatischen Tradition Philos Ausdruck der γνῶσις θεοῦ, der pneumatischen Erkenntnis. Paulus verwirft dieses Pneumatikertum implizit als (falschen) Rausch und ἀγνωσία θεοῦ. Die Nüchternheit besteht nach ihm erst im leiblichen Gehorsam.

Nüchternheit auf den Boden der konkreten Existenz (μὴ ἁμαϱτάνετε) zurückgerufen (nicht zufällig wird man dabei an das vorhergehende Kapitel 14 erinnert, das sich mit pneumatisch-ekstatischen Phänomen befaßt). Der Ruf zurück in das konkrete Leben, zur Ethik, paßt dabei genau in die Linie der paulinischen Aussagen über die Leiblichkeit (V. 35 ff.). Die korinthischen Pneumatiker haben diese Welt bereits hinter sich gelassen. Wenn es noch eines Beweises bedürfte, daß hellenistisch-jüdische Theologie, wie wir sie aus Philo kennen, in *Korinth* eine Rolle spielt, dann lieferte ihn V. 34. Denn hier klingen nicht nur die bis dahin nur bei Philo ausführlich belegten Begriffe „nüchtern" und ἀγνωσία (bzw. bei Philo: ἄγνοια) an, sondern die Formulierung zeigt eindeutig, daß Paulus hier polemisiert und einen erhobenen Anspruch von „Nüchternheit" und γνῶσις θεοῦ in sein Gegenteil wendet: „Seid *wirklich* ‚nüchtern' – einige haben (im Gegenteil) ἀγνωσία θεοῦ". Das setzt ohne jeden Zweifel einen korinthischen Anspruch auf Erkenntnis (denn das ist bei Philo die Nüchternheit), auf γνῶσις θεοῦ, voraus.

Zusammenfassung

Es war das Ziel dieser Arbeit, den in sich geschlossenen Diskurs 1 Kor 15 als Teil der umfassenderen Kommunikation des Paulus mit seiner Gemeinde zu Korinth zu verstehen. Bei der Frage nach dem Anlaß stießen wir auf den religionsgeschichtlichen Hintergrund der Bestreitung einer Totenauferstehung. Als Ergebnis der Untersuchung sei folgendes festgehalten:

Die ursprünglich heidenchristliche korinthische Gemeinde ist wahrscheinlich sehr bald, nachdem Paulus sie verlassen hatte, unter den theologischen Einfluß alexandrinisch-jüdischen Pneumatikertums geraten. Es liegt nahe, daß hier die Person des Apollos (1 Kor 1–4; Apg 18,24–19,1) eine maßgebliche Rolle spielte. Die hellenistisch-jüdischen Einflüsse kommen zum Ausdruck in der Anthropologie, die mit der eigentümlichen Soteriologie dieser Pneumatheologie in Verbindung steht: Der natürliche Mensch ist als Stück Welt vergänglich. Das betrifft nicht nur sein σῶμα, sondern auch seine ψυχή. Erst die Inspiration des transzendenten Weisheits-Pneumas macht ihn zum unsterblichen Wesen. Erlösung besteht einzig in dieser Teilhabe am Pneuma. Von dieser Sicht aus ist das σῶμα bis zum Tode eine lästige Fessel der (pneumatischen) Seele. Von diesem anthropologischen Dualismus her muß die Rede von der Auferweckung der Christen auf Widerspruch stoßen.

1. Den Ausgangspunkt der Untersuchung bildet 1 Kor 15,12. In einem *forschungsgeschichtlichen Überblick* (S. 17 ff.) wurde gezeigt, daß man in Korinth die Auferstehung der Christen nicht deshalb ablehnte, weil man das Heil mit dem Erleben der Parusie verknüpft hätte. Ebensowenig verstand man unter „Auferstehung" einen präsentischen oder perfektischen soteriologischen Akt (sakramental oder gnostisch vermittelt). Vielmehr wurde sie wegen ihres *leiblichen* Charakters abgelehnt. Gerade in der Sicht der Pneuma-Soteriologie muß der Leib mit dem Tode endgültig vergehen. Erlösung bedeutet dann pneumatische Verwandlung der Seele, und der Tod ist nichts als ein Abstoßen des lästigen Leibes von der seit der Erlösung unsterblichen Seele.

2. 1 Kor 15,12 als Negation setzt in der Vorgeschichte eine „Position" voraus: Paulus muß zuvor gegenüber den Korinthern von leiblicher Auferweckung der Christen geredet haben (S. 15 ff.). Diese „Position" ist im 1 Kor, der eine Sammlung von zwei (oder drei) paulinischen Schreiben nach Korinth darstellt, noch erhalten, und zwar in 6,14. Der

Widerspruch der Korinther bezieht sich auf 1 Kor 6,12–20, einen Absatz aus dem Vorbrief, in dem Paulus im Zusammenhang einer Kritik am pneumatischen und antisomatischen „Libertinismus" die Würde des σῶμα herauskehrt, wodurch der leibliche Wandel des Christen seine Bedeutung erhält (S. 54 ff.). In 6,14 entwickelt Paulus ein bereits in 1 Thess 4,14 (S. 45 f.) anklingendes christologisches Prinzip weiter (das dann in 1 Kor 15,1–34 ausführlich ausgebaut wird): Der Christ ist durch das „Geschick" Christi (Tod und Auferweckung) „geprägt". Der „Ort" dieser Christus-Erfahrung ist das σῶμα. Im Anfragenbrief bringen die Korinther ihren Widerspruch dagegen vor, worauf Paulus in Kap. 15 (im Antwortbrief) ausführlich eingeht.

3. Ausgangspunkt für die religionsgeschichtliche Untersuchung ist 1 Kor 15,45 f. Drei Motive daraus sind entscheidend: der Begriff πνεῦμα ζῳοποιοῦν, die Adam-Christus-Antithetik, die Antithese ψυχικός – πνευματικός. Alle drei lassen sich auf eine weisheitliche Tradition des alexandrinischen Judentums zurückführen. Im Hintergrund steht eine weisheitliche Auslegung von Gen 2,7. Allegorisch wird die Belebung des toten Adam durch das Pneuma auf die erlösende Weisheitsinspiration bezogen. Ohne diese ist der Mensch geistlich gesehen „tot" (Adam-Golem-Motiv: S. 79 ff.). Der Dualismus von pneumatischem und natürlichem Leben (von πνευματικός und ψυχικός) findet seinen Ausdruck im Motiv der zwei Urmenschen, wie es am ausführlichsten im Allegorischen Kommentar Philos von Alexandrien begegnet (S. 92 ff.). In Anknüpfung an das Nacheinander von Gen 1,27 und 2,7 erhält der Pneumatiker einen ontologischen Vorrang vor Adam, dem natürlichen Menschen. Der pneumatische (erlöste) Mensch ist als geistliches Wesen eine zeitlose und präexistente Größe, verwandt mit dem Logos. Paulus knüpft an dieses in Korinth zumindest bekannte Motiv an, faßt jedoch die Antithetik nicht mehr ontologisch, sondern chronologisch auf und kehrt zugleich die Reihenfolge der beiden Anthropoi um (S. 159 ff.). Schon bei Philo (und dann in Korinth) ist der Pneumatiker selbst bereits eine soteriologisch aktive Gestalt, ein Erlösungsmittler. Es lag nahe, diese Spekulationen über den ἄνθρωπος θεοῦ auch christologisch zu verwenden. Christus ist danach wie der vollendete Weise, der Pneumatiker, ein „Mensch" Gottes, ein „Sohn" Gottes. Dabei hat man die für das pythagoreisch-platonische Denken Philos typischen ontologischen Urbild-Abbild-Ketten offenbar auch auf das hierarchische Verhältnis von Christus – Apostel – Gemeinde angewendet.

4. Alle in 1 Kor 15,45 f. entdeckten weisheitlichen Motive finden sich wieder im Gnostizismus. Dennoch ist es falsch, von einer korinthischen Gnosis zu reden. Zwar ist die alexandrinisch-jüdische Weisheit als „Mutter" des späteren Gnostizismus anzusehen, aber es fehlt ihr noch ein Wesenskriterium des Gnostizismus: Der Dualismus führt zwar be-

reits zur Entwertung von Kosmos und Leib, aber er hat noch nicht den
Gottesgedanken und das Schöpfungsmotiv erfaßt. Vielmehr ist bei
Philo der Kosmos selber Ausdruck der Güte Gottes, nicht aber miß-
glücktes Produkt eines gefallenen Pneuma-Wesens. Zwar ist Gott bereits so absolut transzendent wie im Gnostizismus, der vermittelnde Logos aber hält auch die materielle Schöpfung noch in einer positiven Relation zu Pneuma und Gott. Die Treibkraft im alexandrinischen Judentum, die schließlich zum Gnostizismus führt, ist wahrscheinlich das
(neu)pythagoreische Gedankengut des in Alexandrien heimischen Mittelplatonismus. Auch in den Korintherbriefen gibt es noch keine Anzeichen für das entscheidende Kriterium des Gnostizismus: den widergöttlichen Charakter der durch einen Fall entstandenen Welt (S. 195 ff.). Die
alexandrinisch-jüdischen Denkgrundlagen in Korinth gehen übrigens
nicht auf direkten Einfluß Philos zurück. Philo selbst ist nur ein Zeuge
dieser hellenistisch-jüdischen Theologie. Vermittler solcher Gedanken
in Korinth könnte aber Apollos gewesen sein, mit dem Paulus sich indirekt in 1 Kor 1–4 auseinandersetzt.

5. Auf die anthropologisch-soteriologischen Denkvoraussetzungen
der Korinther geht Paulus erst im zweiten Teil des Kapitels ein
(15, 35 ff.). Während den Korinthern an einer anthropologischen Kontinuität von der diesseitigen zur jenseitigen Existenz liegt (wonach der
Weise als wahrhaft Lebender nur scheinbar noch irdisch existiert, in
Wahrheit schon ein Himmelswesen ist), betont Paulus die Diskontinuität zwischen der irdisch-sterblichen Existenz und der Existenz als
σῶμα πνευματικόν, als neuem Geschöpf (S. 189 ff.). Im Gegensatz zu den
Korinthern nimmt er den Tod als Wesensbestimmung des Menschen
ernst (vgl. S. 261 ff.). Die scharfe Betonung von Tod und Auferweckung
des Leibes als Einschnitt führt freilich zu Spannungen mit anderen Aussagen des Apostels, was den Zeitpunkt der Erneuerung und Neuschöpfung betrifft. Es besteht kein Zweifel, daß der Christ für Paulus schon
zu Lebzeiten neue Kreatur ist, insofern er vom Pneuma bestimmt ist.
Wo dieses Verständnis jedoch wie in Korinth zu einer Vernachlässi-
gung von Welt und Leiblichkeit radikalisiert wird, sieht Paulus sich ge-
nötigt, die Kategorie des σῶμα-Seins hervorzuheben. Das aber führt
zur Spannung, die die Eigentümlichkeit der paulinischen Eschatologie
ausmacht: Der Christ ist zugleich neue und alte Kreatur. Formal wird
das dann später im 2 Kor (2 Kor 3–6) und vor allem im Röm (Röm 5–8)
ausgeglichen: Der Geist ist das „Angeld" der Erlösung. Der Befreiung
von Sünde und Gesetz folgt noch die Erlösung des sterblichen Leibes.
Die zwei antithetischen φύσεις überschneiden sich in der Existenz des
Christen (vgl. aber auch schon 1 Kor 13, 9 ff.). Der Tod selbst ist noch
nicht entmachtet (1 Kor 15, 24–28: vgl. S. 272 ff.). Strukturell ist dieser
eschatologische Doppelaspekt schon im ältesten uns erhaltenen Brief

des Paulus angelegt, im 1 Thess: Erlösung besteht in der Bewahrung vor dem kommenden Zorn bei der Parusie (1 Thess 1, 10), aber das bestimmt das gegenwärtige Leben des Christen, der von Christus geprägt schon jetzt das zukünftige Leben „wie am Tage" lebt (1 Thess 5, 1–11). Rein äußerlich nimmt Paulus also eine Mittelposition ein zwischen zeitlosem Pneumatismus und (in gewisser Hinsicht auch zeitloser – weil gegenwartsloser) Apokalyptik. Gegenüber den korinthischen Pneumatikern betont er stärker den apokalyptischen Aspekt.

6. In 1 Kor 15, 1–34 (S. 230 ff.) argumentiert Paulus prinzipieller und von eigenen Prämissen ausgehend. Was 1 Thess 4, 14 und 1 Kor 6, 14 mehr beiläufig anklang (und Röm 6, 1 ff. dann noch einmal grundsätzlicher entfaltet wird), wird hier ausführlich fundiert: Das Heil ist nicht etwas lediglich durch Christus Initiiertes, sondern es ist auch in seinem Inhalt christologisch strukturiert. Das Kerygma von Tod und Auferweckung Christi hat mythische Dimension, ja es besteht überhaupt nur in dieser. Auferstehung Christi und Auferstehung der Toten sind eine Einheit, ein Knoten, der sich nicht mehr in isolierte Ursache und davon isolierbare Wirkung zerlegen läßt. Wo das Kerygma zur Wirkung kommt, geschieht bereits Auferweckung vom Tode, wie Paulus an seiner Person demonstriert (15, 8–10: S. 242 ff.). In 15, 20 ff. wird freilich die Komplexität von Auferstehung Christi und Auferstehung der Christen dann doch zeitlich zerlegt in ἀπαρχή und τὸ τέλος. Nicht darin jedoch liegt eine Pointe oder gar die polemische Spitze. Auch hier geht es um die Einheit, in der das eine ohne das andere nicht existiert: ohne τέλος ist die ἀπαρχή nicht existent. Gerade in V. 20–28 geht es Paulus nicht um eine Betonung des „Noch nicht", sondern um die notwendige *Zusammengehörigkeit* von gegenwärtiger Wirklichkeit als Anfang und zukünftigem Geschehen als Implikation und Wirkung des schon Geschehenen. Wer aber diese Wirkung, diese Implikation leugnet, der leugnet damit auch das gegenwärtig wirkliche Heil, sein eigenes Stadium der πίστις (15, 17). In dieser Leugnung ist wiederum auch die Leugnung der Erlösung als Erlösung vom Tode enthalten. Die Korinther sehen den Tod nur als Übergang an (wie das alexandrinische Judentum), für Paulus ist er eine weltbestimmende Macht, die Sieger bliebe und Gott die Gottheit versagte, wenn das im Christus-Geschehen Implizierte nicht zur Geltung käme (V. 24–28).

Ein Ziel dieser Untersuchung sollte sein, die paulinischen Aussagen durch eine Erhebung der Positionen seiner Gesprächspartner – soweit dies möglich erschien – profilierter und dadurch für uns verständlicher zu machen. Gleichsam als Nebenprodukt kam dabei eine bedeutende Richtung des Urchristentums deutlicher, wie ich meine, als zuvor in den Blick, die zwar als mehr oder weniger häretisch im Untergrund der ältesten christlichen Theologiegeschichte anzusiedeln ist, dennoch aber

von gewaltiger Wirkung war. Das alexandrinisch-jüdische Erbe, mit
dem Stichwort „Gnosis" m. E. unzureichend wenn nicht gar irreführend
bezeichnet, hat die abendländische Geistesgeschichte untergründig und
beinahe stärker geprägt als die kanonisierten Schreiben des Paulus selber. Apollos und die späteren aus 2 Kor 10–13 bekannten Gegner des
Paulus sind Vertreter dieser ältesten hellenistisch-judenchristlichen
Theologie. Vermutlich liegen dabei in der für das alexandrinische Judentum maßgeblichen ἄνθρωπος-θεοῦ-Vorstellung auch die Wurzeln
der ältesten hellenistischen Christologie: Aus einem Anthropos wird
durch das Pneuma eine Art Hypostase Gottes, ein Heil vermittelndes
Pneuma-Wesen.

Abkürzungsverzeichnis zu den Quellen

I Philo von Alexandrien

II Übrige Quellen

ApokAbr	Abraham-Apokalypse
ApokMos	Mose-Apokalypse
ApokrJoh	Johannes-Apokryphon
Arist	Aristeasbrief
AssMos	Assumptio Mosis
BG	Berolinensis Gnosticus (= Till; s. Lit.-Verz. I)
bKeth	Babylonischer Talmud, Traktat Kethubbot
bSanh	Babylonischer Talmud, Traktat Sanhedrin
CChrSL	Corpus Christianorum, Series Latina
CH	Corpus Hermeticum
ClemAlex Strom	Clemens Alexandrinus, Stromata
ClemAlex ExcTheod	Clemens Alexandrinus, Excerpta ex Theodoto
1 Clem	(1.) Klemens-Brief
ConstApost	Apostolische Konstitutionen
DiogLaert	Diogenes Laertius
Euseb HE	Euseb, Kirchengeschichte
Euseb PraepEv	Eusep, Praeparatio evangelica
GCS	Die griechischen christlichen Schriftsteller der ersten drei Jahrhunderte
GenR	Genesis Rabba (Midrasch Bereschit Rabba)
1 Hen	Erstes Henochbuch
aethHen	aethiopischer Henoch
griechHen	griechischer Henoch
Herm sim	Hirt des Hermas, Similitudines
HippolRef	Hippolyt, Refutatio Omnium Haeresium
IgnRöm	Ignatius, An die Römer
IrenHaer	Irenaeus, Adversus Haereses
Jambl VitPythag	Jamblichus, De Vita Pythagorica
JosAnt	Josephus, Antiquitates
JosAs	Joseph und Aseneth
JustinDial	Justin, Dialog
JSHRZ	Jüdische Schriften aus hellenistisch–römischer Zeit
Koh	Kohelet (Prediger Salomo)
Lukian, Ver.hist.	Lukian, Verae historiae
4 Makk	4 Makkabäer
MPG	Migne, Patrologia Graeca
NHC	Nag-Hammadi-Codex
OdSal	Oden Salomos
Orig Joh	Origenes, Johannes-Kommentar (Werke Bd. IV, s. Lit.-Verz. I)
Prov	Proverbien (Sprüche Salomos)
Ps.-Philo LibAnt	Pseudo-Philo, Liber Antiquitatum
QohR	Qohelet Rabba (Midrasch)
1 QH	Qumranschriften, Hodajot
1 QS	Qumranschriften, Gemeinderegel

Sap(Sal)	Sapientia Salomonis (Weisheit Salomos)
SChr	Sources Chrétiennes
SVF	Stoicorum Vetera Fragmenta (s. Lit.-Verz. I)
syrBar	Syrische Baruchapokalypse
TestAbr	Testament Abrahams
TestGad	Testament Gads (Testamente der zwölf Patriarchen)
TestHiob	Testament Hiobs
TU	Texte und Untersuchungen
VitAdEv	Vita Adae et Evae

Literaturverzeichnis

I Quellenausgaben und Übersetzungen

Die Apostolischen Väter. Griechisch und deutsch. Eingeleitet, herausgeben, übertragen und erläutert von Joseph A. Fischer, 1956.

Die Apostolischen Väter, I: Der Hirt des Hermas, hrsg. von M. Whittaker (GCS 48), 1956.

Apuleius. Lateinisch und deutsch: Der goldene Esel. Metamorphosen, hrsg. und übersetzt von Eduard Brand, ²1963.

Apuleius of Madauros: The Isis-Book (Metamorphoses, Book XI). Edited with an introduction, translation and commentary by J. G. Griffiths, Leiden 1975.

Aristotle: Generation of Animals. With an English translation by A. L. Peck (The Loeb Classical Library), 1953.

–: Historia Animalium. In three volumes. With an English translation by A. L. Peck (The Loeb Classical Library), 3 vols., 1965 ff.

Der Babylonische Talmud. Neu übertragen durch Lazarus Goldschmidt, Bd. 5 (1931); Bd. 9 (1934).

Batiffol, P.: Le livre de la Prière d'Aseneth (in: Batiffol, Studia Patristica, Paris 1889–90, 1–115).

Becker, J.: Die Testamente der zwölf Patriarchen (JSHRZ III 1), 1974.

Biblia Hebraica Stuttgartensia, ed. K. Elliger et W. Rudolph, 1977.

Black, M.: Apocalypsis Henochi Graece (in: Pseudepigrapha Veteris Testamenti Graeci vol. 3: M. Black, Apocalypsis Henochi Graece – A.-M. Denis, Fragmenta Pseudepigraphorum Graeca, 1970, 1–44).

Böhlig, A./Labib, P.: Die koptisch-gnostische Schrift ohne Titel aus Codex II von Nag Hammadi im Koptischen Museum zu Alt-Kairo. Herausgegeben, übersetzt und bearbeitet (Deutsche Akademie der Wissenschaften zu Berlin, Institut für Orientforschung, Veröffentlichung Nr. 58), 1962.

Bullard, R. A.: The Hypostasis of the Archons. The Coptic Text with Translation and Commentary with a Contribution by M. Krause (Patristische Texte und Studien 10), 1970.

Burchard, Chr.: Ein vorläufiger griechischer Text von Joseph und Aseneth (DBAT 14, 1979, 2–53).

–: Joseph und Aseneth (JSHRZ II 4), 1983.

Charles, R. H.: Apocrypha and Pseudepigrapha of the Old Testament in English, 2 vols., 1913.

–: The Greek Versions of the Testaments of the Twelve Patriarchs. Edited from nine MSS together with the variants of the armenian and slavonic versions and some hebrew fragments, Nachdruck der Ausgabe Oxford 1908, ²1960.

Charlesworth, J. H.: The Odes of Solomon. Edited with translation and notes, 1973.

Clemens Alexandrinus, hrsg. von Otto Stählin, 4 Bde. (GCS [12]; 15; 17; 39), 1905; 1906; 1909; 1936.

Corpus Hermeticum. Texte établi par A.D.Nock et traduit par A.-J.Festiguère, 4 Bde., 1945 und 1954.

Denis, A.-M.: Fragmenta Pseudepigraphorum Quae Supersunt Graeca (in: Pseudepigrapha Veteris Testamenti Graeci vol. 3: M.Black, Apocalypsis Henochi Graece – A.-M.Denis, Fragmenta Pseudepigraphorum Graeca, 1970, S. 45 ff.).

Diels, H.: Die Fragmente der Vorsokratiker griechisch und deutsch, hrsg. von W.Kranz, 3 Bde., ⁶1952.

Dietzfelbinger, Chr.: Pseudo-Philo: Antiquitates Biblicae (Liber Antiquitatum Biblicarum) (JSHRZ II 2), 1975.

Diogenes Laertius: Lifes of eminent philosophers. With an English translation by R.D.Hicks (The Loeb Classical Library), 2 vols., 1925.

Epiphanius (Ancoratus und Panarion), hrsg. von Karl Holl, Erster Band (GCS 25), 1915.

Die Esra-Apokalypse (IV Esra) Erster Teil: Die Überlieferung, hrsg. von Bruno Violet (GCS 18), 1910.

Eusebius Werke, Zweiter Band: Die Kirchengeschichte, hrsg. von Eduard Schwarz (GCS 9, 1–3), 3 Bde., 1903–1909.

–: Achter Band: Die Praeparatio Evangelica, hrsg. von Karl Mras (GCS 43), 2 Bde., 1954 und 1956.

Ginzberg, L.: The Legends of the Jews, vol I–VII, Philadelphia 1937–1956.

Die Gnosis, hrsg. von C.Andresen, 2 Bde. (Die Bibliothek der Alten Welt, Reihe Antike und Christentum), 1969 und 1971.

Goodspeed, E.J.: Die ältesten Apologeten, 1914.

The Greek New Testament, Ed. by K.Aland, M.Black, C.M.Martini, B.M. Metzger, A.Wikgren, ³1975.

Haeuser, Ph.: Des heiligen Philosophen und Märtyrers Justinus Dialog mit dem Juden Tryphon. Aus dem Griechischen übersetzt und mit einer Einleitung versehen (Bibliothek der Kirchenväter 33), 1917.

Harvey, W. W.: Sancti Irenaei episcopi Lugdunensis libros quinque adversus haereses, 2 Bde., 1857.

Hippolytus Werke, Dritter Band: Refutatio Omnium Haeresium, hrsg. von Paul Wendland (GCS 26), 1916.

Irénée de Lyon: Contre Les Hérésies, Livre I, Edition critique par A.Rousseau et L.Doutreleau, tome I + II (SChr 263/264), 1979; Livre II, par A.Rousseau et L.Doutreleau, tome I + II (SChr 293/294), 1982; Livre V, par A. Rousseau, L.Doutreleau, Ch.Mercier, tome I + II (SChr 152/153), 1969.

James, M.R.: The Testament of Abraham. The Greek text now first edited with an introduction and notes (Text and Studies II, 2), 1892.

Janssen, E.: Testament Abrahams (JSHRZ III 2), 1975.

Josephus. With an English translation by H.St.J.Thackeray. In nine volumes (The Loeb Classical Library), vol. IV–IX: Jewish Antiquities, 1930 ff.

Kautzsch. E.: Die Apokryphen und Pseudepigraphen des Alten Testaments, in Verbindung mit Fachgenossen übersetzt und herausgegeben, 2 Bde., Nachdruck 1975.

Klijn, A. J. F.: Die syrische Baruch-Apokalypse (JSHRZ V 2, 1976, 103–191).

Knibb, M. A.: The Ethiopic Book of Enoch. A new edition in the light of the Aramaic Dead Sea fragments (in consultation with E. Ullendorff), 2 vols., 1978.

Kraft, R. A. (ed.): The Testament of Job According to the SV Text. Greek text and English translation (Text and Translations 5 – Pseudepigrapha Series 4), SBL, 1974.

Krause, M./Labib, P.: Die drei Versionen des Apokryphon des Johannes im koptischen Museum zu Alt-Kairo (Abh. des Deutschen Archäologischen Instituts Kairo, Koptische Reihe, Bd. 1), 1962.

Labib, P.: Coptic Gnostic Papyri in the Coptic Museum at Old Cairo, Vol. I, Cairo 1956.

Lattke, M.: Die Oden Salomos in ihrer Bedeutung für Neues Testament und Gnosis (Orbis Biblicus et Orientalis 25), 2 Bde., 1979.

Lettre d'Aristée a Philocrate. Introduction, texte critique, traduction et notes, index complet des mots grecs par André Pelletier (SChr 89), 1962.

Lidzbarski, M.: Ginza. Der Schatz oder Das Große Buch der Mandäer, übersetzt und erklärt (Quellen der Religionsgeschichte 13, 4), 1925.

Lohse, E.: Die Texte aus Qumran. Hebräisch und deutsch. Mit masoretischer Punktation, Übersetzung, Einführung und Anmerkungen, ²1971.

Lucian with an English translation by A. M. Harmon, in 8 volumes (The Loeb Classical Library), vol. I, 1913, S. 247 ff.: Verae Historiae. .

Marcus, R.: Philo, Supplement I: Questions and Answers on Genesis; Supplement II: Questions and Answers on Exodus (The Loeb Classical Library), 2 vols., 1953.

Der Midrasch Bereschit Rabba, das ist die haggadische Auslegung der Genesis (Bibliotheca Rabbinica. Eine Sammlung alter Midraschim. Zum ersten Male ins Deutsche übertragen von August Wünsche), 2., 4., 5., 8., 10. und 11. Lieferung, Nachdruck 1967.

Der Midrasch Kohelet (Bibliotheca Rabbinica. Eine Sammlung alter Midraschim. Zum ersten Male ins Deutsche übertragen von August Wünsche), 1. u. 3. Lieferung, Nachdruck 1967.

The Nag Hammadi Library in English, Translated by Members of the Coptic Gnostic Library Project of the Institute for Antiquity and Christianity – ed. James M. Robinson, Leiden 1977.

Nestle/Aland, Novum Testamentum Graece, 26. Aufl. – 4: revid. Druck 1981.

Nielsen, J. T.: Irenaeus of Lyons Versus Contemporary Gnosticism. A selection from books I and II of Adversus Haereses, compiled by J. T. Nielson (Textus Minores 48), 1977.

Die Oracula Sibyllina, bearbeitet von Joh. Geffcken (GCS [8]), 1902.

Origenes Werke, Vierter Band: Der Johanneskommentar, hrsg. von Erwin Preuschen (GCS 10), 1903.

Petit, Francoise: Quaestiones in Genesim et in Exodum – fragmenta graeca. Introduction, Texte Critique et Notes (Les Oeuvres de Philon d'Alexandrie 33), 1978.

Philonenko, M.: Joseph et Aséneth. Introduction, Texte, Critique, Traduction et Notes (Studia Post-Biblica 13), 1968.

Philonenko-Sayar, B./Philonenko, M.: Die Apokalypse Abrahams (JSHRZ V 5), 1982.

Philonis Alexandrini Opera Quae Supersunt, ediderunt Leopoldus Cohn et Paulus Wendland, Bd I–VII, 1896–1930.

Platonis Opera, Recognovit brevique adnotatione critica instruxit Ioannes Burnet, 5 Bde., Oxford 1900 ff.

Plotins Schriften. Übersetzt von Richard Harder. Neubearbeitung mit griechischem Lesetext und Anmerkungen fortgeführt von R. Beutler und W. Theiler, 6 Bde. (Philosophische Bibliothek Bde. 211–215. 276), 1956–1971.

Plutarch's Moralia in fifteen volumes. With an English translation by Franc Cole Babbitt (The Loeb Classical Library), 1927 ff.

Rießler, P.: Altjüdisches Schrifttum außerhalb der Bibel, 1928.

Schaller, B.: Das Testament Hiobs (JSHRZ III 3), 1979.

Septuaginta, ed. A. Rahlfs, 2 Bde., 1935.

Septuaginta. Vetus Testamentum Graecum, Auctoritate Academiae Scientiarum Gottingensis editum, 1931 ff.

Stoicorum Veterum Fragmenta, collegit Ioannes ab Arnim, 4 Bde., Nachdruck 1964 (= SVF).

Quinti Septimi Florentis Tertulliani Opera, Pars I + II (CChr SL I), 1954.

Theophrastus, Enquiry Into Plants and minor works on odours and weather signs, With an English translation by Sir Arthur Hort, 2 vols. (The Loeb Classical Library), 1916.

Till, W. C.: Die gnostischen Schriften des koptischen Papyrus Berolinensis 8502, herausgegeben, übersetzt und bearbeitet (TU 60), 1955.

Walter, N.: Fragmente jüdisch-hellenistischer Exegeten: Aristobulos, Demetrius, Aristeas (JSHRZ III 2, 1975), S. 257 ff.

Die Werke Philos von Alexandria in deutscher Übersetzung, herausg. von Leopold Cohn, fortgeführt von I. Heinemann, M. Adler, W. Theiler, Teil I–VII, 1909–1964 (= Philo deutsch).

II Sekundärliteratur

Abkürzungen nach: S. Schwertner, Internationales Abkürzungsverzeichnis für Theologie und Grenzgebiete, 1974. – Davon abweichend und darüber hinaus werden noch folgende Abkürzungen verwendet:

Bl.-D. [-R.] = F. Blass/A. Debrunner: Grammatik des neutestamentlichen Griechisch, 13. Aufl. 1970 [14. Aufl. bearbeitet von F. Rehkopf, 1976].

EVB = E. Käsemann: Exegetische Versuche und Besinnungen, 2 Bde., verschiedene Aufl.

GuV I = R. Bultmann: Glauben und Verstehen. Gesammelte Aufsätze, 1933.

LingBibl = Linguistica Biblica. Interdisziplinäre Zeitschrift für Theologie und Linguistik, hrsg. von E. Güttgemanns, Bonn.

PW = Paulys Realencyclopädie der classischen Altertumswissenschaft, Neue Bearbeitung begonnen von Georg Wissowa.

Amir, Y.: Die hellenistische Gestalt des Judentums bei Philon von Alexandrien (Forschungen zum jüdisch-christlichen Dialog 5), 1983.

Arai, S.: Die Gegner des Paulus im I. Korintherbrief und das Problem der Gnosis (NTS 19, 1972/73, 430–437).

Armstrong, A. H.: Gnosis and Greek Philosophy (in: Gnosis. Festschrift für Hans Jonas, hrsg. von B. Aland, 1978, 87–124).

Bachmann, M.: Rezeption von 1 Kor 15 (V. 12 ff.) unter logischem und unter philologischem Aspekt (LingBibl 51, 1982, 79–103).

–: Zur Gedankenführung in 1 Kor 15, 12 ff. (ThZ 34, 1978, 265–276).

Bachmann, Ph.: Der erste Brief des Paulus an die Korinther (KNT 7), ³1921.

Bammel, E.: Herkunft und Funktion der Traditionselemente in 1 Kor 15, 1–11 (ThZ 11, 1955, 401–419).

Barrett, C. K.: Cephas and Corinth (in: Abraham unser Vater. Festschrift O. Michel, 1963, 1–12).

–: A Commentary on the First Epistle to the Corinthians (Black's New Testament Commentaries), 1968.

–: From First Adam to Last. A Study in Pauline Theology, 1962.

Barth, G.: Erwägungen zu 1 Kor 15, 20–28 (EvTh 30, 1970, 515–527).

Barth, K.: Die Auferstehung der Toten. Eine Akademische Vorlesung über I. Kor 15, 1924.

Bartsch, H.-W.: Die Argumentation des Paulus in I Cor 15, 3–11 (ZNW 55, 1964, 261–274).

Bauer, K.-A.: Leiblichkeit – das Ende aller Werke Gottes. Die Bedeutung der Leiblichkeit des Menschen bei Paulus (StNT 4), 1971.

Bauer, W.: Wörterbuch zu den Schriften des Neuen Testaments und der übrigen urchristlichen Literatur, Nachdruck der 5. Aufl., 1971.

Baumgarten, J.: Paulus und die Apokalyptik. Die Auslegung apokalyptischer Überlieferungen in den echten Paulusbriefen (WMANT 44), 1975.

Becker, J.: Auferstehung der Toten im Urchristentum (SBS 82), 1976.

–: Das Evangelium nach Johannes, Kap. 1–10 (ÖTK 4, 1), 1979.

–: Das Gottesbild Jesu und die älteste Auslegung von Ostern (in: Jesus Christus in Historie und Theologie. Neutestamentliche Festschrift für Hans Conzelmann zum 60. Geburtstag, 1975, 105–126).

Berliner Arbeitskreis für koptisch-gnostische Schriften: Die Bedeutung der Texte von Nag Hammadi für die moderne Gnosisforschung (in: Gnosis und Neues Testament. Studien aus Religionswissenschaft und Theologie, hrsg. von K.-W. Tröger, 1973, 13–76).

Betz, O.: Was am Anfang geschah (in: Abraham unser Vater. Festschrift O. Michel, 1963, 24–43).

Bianchi, U.: La Rédemption dans les Livres d'Adam (Numen 18, 1971, 1–8).

–: Some Reflections on the Greek Origins of Gnostic Ontology and the Christian Origin of the Gnostic Saviour (in: The New Testament and Gnosis. Essays in honour of R. Mc L. Wilson, ed. by A. H. B. Logan and A. J. M. Wedderburn, Edinburgh 1983, 38–45).

Bieder, W.: Artikel πνεῦμα, πνευματικός C I 2–II (ThWNT VI, 367–373).

Bjerkelund, C. J.: Parakalô. Form, Funktion und Sinn der parakalô-Sätze in den paulinischen Briefen (Bibliotheca Theologica Norvegica No. 1), 1967.

Björck, G.: Nochmals Paulus Abortivus (Coniectanea Neotestamentica 3, 1939, 3–8).

Black, M.: The Pauline Doctrine of the Second Adam (SJTh 7, 1954, 170–179).

Blank, J.: Paulus und Jesus. Eine theologische Grundlegung (StANT 18), 1968.

Blass, F./Debrunner, A.(/Rehkopf, F.): Grammatik des neutestamentlichen Griechisch, ¹³1970 (14. Aufl. 1976: bearbeitet von F. Rehkopf).

Blumenberg, H.: Arbeit am Mythos, 1979.

Böhlig, A.: Gnostische Probleme in der Schrift ohne Titel des Codex II von Nag Hammadi (Mysterion und Wahrheit. Gesammelte Beiträge zur spätantiken Religionsgeschichte [Arbeiten zur Geschichte des späteren Judentums und des Urchristentums VI], 1968, 127–134).

–: Der jüdische Hintergrund in gnostischen Texten von Nag Hammadi (Mysterion und Wahrheit, 80–101).

–: Mysterion und Wahrheit (Mysterion und Wahrheit, 3–40).

–: The New Testament and the Concept of the Manichean Myth (in: The New Testament and Gnosis. Essays in honour of R. Mc L. Wilson, ed. by A. H. B. Logan and A. J. M. Wedderburn, Edinburgh 1983, 90–104).

–: Urzeit und Endzeit in der titellosen Schrift des Codex II von Nag Hammadi (Mysterion und Wahrheit, 135–148).

Boman, Th.: Paulus Abortivus (I Kor XV. 8) (in: Th. Boman, Die Jesus-Überlieferung im Lichte der neueren Volkskunde, 1967, 236–240).

Bormann, K.: Die Ideen- und Logoslehre Philons von Alexandrien. Eine Auseinandersetzung mit H. A. Wolfson, Diss. Köln 1955.

Bornkamm, G.: Artikel μυστήριον. (ThWNT IV, 809–834).

–: Paulus (Urban-Taschenbücher 119), ³1977.

–: Die Vorgeschichte des sogenannten Zweiten Korintherbriefes (Geschichte und Glaube II, Ges. Aufs. IV, 1971, 162–194).

Bousset, W.: Hauptprobleme der Gnosis (FRLANT 10), 1910.

–: Jüdisch-Christlicher Schulbetrieb in Alexandria und Rom. Literarische Untersuchungen zu Philo und Clemens von Alexandria, Justin und Irenäus (FRLANT 23), 1915.

–: Eine jüdische Gebetssammlung im siebenten Buch der Apostolischen Konstitutionen (Religionsgeschichtliche Studien. Aufsätze zur Religionsgeschichte des Hellenistischen Zeitalters, hrsg. von A. F. Verheule [NT. S 50], 1979, 231–286).

Bousset, W./Gressmann, H.: Die Religion des Judentums im späthellenistischen Zeitalter (HNT 21), ⁴1966.

Boyancé, P.: Philon-Studien (in: Der Mittelplatonismus, hrsg. von C. Zintzen [WdF 70], 1981, 33–51).

Brakemeier, G.: Die Auseinandersetzung des Paulus mit den Auferstehungsleugnern in Korinth, Diss. masch., Göttingen 1968.

Brandenburger, E.: Adam und Christus. Exegetisch-religionsgeschichtliche Untersuchung zu Römer 5, 12–21 (1 Kor 15) (WMANT 7), 1962.

–: Die Auferstehung der Glaubenden als historisches und theologisches Problem (WuD 9, 1967, 16–33).

–: Fleisch und Geist. Paulus und die dualistische Weisheit (WMANT 29), 1968.

Braun, H.: Exegetische Randglossen zum 1. Korintherbrief (Gesammelte Studien zum Neuen Testament und seiner Umwelt, ³1971, 178–204).

–: Das „Stirb und Werde" in der Antike und im Neuen Testament (Gesammelte Studien zum Neuen Testament und seiner Umwelt, ³1971, 136–158).

Bréhier, E.: Les Idées Philosophiques et Religieuses de Philon d'Alexandrie (Études de Philosophie Médiévale VIII), ³1950.

Bucher, T.: Die logische Argumentation in 1 Kor 15,12–20 (Biblica 55, 1974, 465–486).

–: Allgemeine Überlegungen zur Logik im Zusammenhang mit 1 Kor 15,12–20 (LingBibl 53, 1983, 70–98).

Bünker, M.: Briefformular und rhetorische Disposition im 1. Korintherbrief (Göttinger Theologische Arbeiten 28), 1984.

Bultmann, R.: Exegetische Probleme des zweiten Korintherbriefes (Exegetica. Aufsätze zur Erforschung des Neuen Testaments, 1967, 298–322).

–: Artikel γινώσκω κτλ. (ThWNT I, 688–719).

–: Gnosis (JThS N.S. 3, 1952, 10–26).

–: Karl Barth, „Die Auferstehung der Toten" (GuV I, ⁵1964, 38–64).

–: Neues Testament und Mythologie (KuM I, ⁵1967, 15–48).

–: Der Stil der paulinischen Predigt und die kynisch-stoische Diatribe (FRLANT 13), 1910.

–: Theologie des Neuen Testaments, ⁶1968.

–: Das Urchristentum im Rahmen der antiken Religionen (rde 157/58), 1962.

–: Artikel ζωοποιέω (ThWNT II, 876 f.).

Burchard, Chr.: 1 Kor 15,39–41 (ZNW 75, 1984, 233–258).

Bussmann, C.: Themen der paulinischen Missionspredigt auf dem Hintergrund der spätjüdisch-hellenistischen Missionsliteratur (EHS. T 3), 1971.

Campenhausen, H. von: Der Ablauf der Osterereignisse und das leere Grab (SHAW. PH 1952, 4), ³1966.

Charlot, J. P.: The Construction of the Formula in 1 Kor 15,3–5, Theolog. Diss. München, 1968.

Christiansen, I.: Die Technik der allegorischen Auslegungswissenschaft bei Philon von Alexandrien (BGBH 7), 1969.

Cohn, L.: Einteilung und Chronologie der Schriften Philos (Philologus, Suppl. VII, 1899, 387–435).

Colpe, C.: Die „Himmelsreise der Seele" außerhalb und innerhalb der Gnosis (in: Le origini dello Gnosticismo [Studies in the History of Religions, Suppl. to Numen, XII], 1967, 429–447).

New Testament and Gnostic Christology (in: Religions in Antiquity. Essays in Memory of E. R. Goodenough, ed. by J. Neusner [Studies in the History of Religions, Suppl. to Numen, XIV], 1968, 227–243).

–: Die Religionsgeschichtliche Schule. Darstellung und Kritik ihres Bildes vom gnostischen Erlösermythus (FRLANT 78), 1961.

–: Vorschläge des Messina-Kongresses von 1966 zur Gnosisforschung (in: Christentum und Gnosis. Aufsätze hrsg. von W. Eltester [BZNW 37], 1969, 129–132).

–: Artikel ὁ υἱὸς τοῦ ἀνθρώπου (ThWNT VIII, 403–481).

Conzelmann, H.: Der erste Brief an die Korinther (KEK 5), ¹¹1969.

–: Die Mutter der Weisheit (Theologie als Schriftauslegung. Aufsätze zum Neuen Testament [BEvTh 65], 1974, 167–176).

–: Paulus und die Weisheit (Theologie als Schriftauslegung, 177–190).
–: Zur Analyse der Bekenntnisformel 1 Kor 15,3–5 (Theologie als Schriftauslegung, 131–151).
Cullmann, O.: Die Christologie des Neuen Testaments, ³1963.
Cumont, F.: Die orientalischen Religionen im römischen Heidentum. Nach der vierten französischen Auflage unter Zugrundelegung der Übersetzung Gehrichs bearbeitet von August Burckhardt-Brandenberg, ⁷1975.

Davies, W. D.: Paul and Rabbinic Judaism. Some Rabbinic Elements in Pauline Theology, ³1973.
Deissmann, A.: Licht vom Osten. Das Neue Testament und die neuentdeckten Texte der hellenistisch-römischen Welt, ⁴1923.
Deissner, K.: Auferstehungshoffnung und Pneumagedanke bei Paulus, 1912.
Delling, G.: Artikel τάγμα (ThWNT VIII, 1969, 31 f.).
De Wette, W. M. L.: Kurze Erklärung der Briefe an die Korinther, ²1845.
Dibelius, M.: An die Thessalonicher I/II. An die Philipper (HNT 11), ³1937.
–: Die Formgeschichte des Evangeliums, ⁴1961.
–: Die Isisweihe bei Apuleius und verwandte Initiationsriten (Botschaft und Geschichte. Ges. Aufs. II, 1956, 30–79).
Dihle, A.: Artikel „ψυχή, E.: Gnosis" (ThWNT IX, 1973, 657–659).
Dillon, J. M.: Eudorus und die Anfänge des Mittelplatonismus (in: Der Mittelplatonismus, hrsg. von C. Zintzen [WdF 70], 1981, 3–32).
–: The Middle Platonists. A Study of Platonism 80 B. C. to A. D. 220, 1977.
Dinkler, E.: Zum Problem der Ethik bei Paulus. Rechtsnahme und Rechtsverzicht (1 Kor 6,1–11) (Signum Crucis. Aufsätze zum Neuen Testament und zur christlichen Archäologie, 1967, 204–240).
–: Artikel „Korintherbriefe" (RGG IV, 1960, Sp. 17–23).
–: Artikel „Totentaufe" (RGG VI, 1962, Sp. 958).
Dörrie, H.: Die Erneuerung des Platonismus im ersten Jahrhundert vor Christus (Platonica Minora [Studia et Testimonia Antiqua VIII], 1976, 154–165).
–: Gnostische Spuren bei Plutarch (in: Studies in Gnosticism and Hellenistic Religions, presented to G. Quispel, Leiden 1981, 92–116).
–: Der Platoniker Eudoros von Alexandreia (Platonica Minora, 297–309).
–: Der Platonismus in der Kultur- und Geistesgeschichte der frühen Kaiserzeit (Platonica Minora, 166–210).
–: Präpositionen und Metaphysik. Wechselwirkung zweier Prinzipienreihen (Platonica Minora, 124–136).
Doughty, D. J.: The Presence and Future of Salvation in Corinth (ZNW 66, 1975, 61–90).
Drijvers, H. J. W.: Die Ursprünge des Gnostizismus als religionsgeschichtliches Problem (in: Gnosis und Gnostizismus, hrsg. von K. Rudolph, 1975, 798–841).
Dupont, J.: Gnosis. La connaisance religieuse dans les épitres de Saint Paul, 1949.
Ellis, E. E.: ‚Christ Crucified' (Prophecy and Hermeneutic in Early Christianity. New Testament Essays [WUNT 18], 1978, 72–79).
–: Paul's Use of the Old Testament, 1957.

Elsas, Chr.: Das Judentum als philosophische Religion bei Philo von Alexandrien (in: Altes Testament – Frühjudentum – Gnosis. Neue Studien zu „Gnosis und Bibel", hrsg. von K.-W. Tröger, 1980, 195–220).

Eltester, F.-W.: Eikon im Neuen Testament (BZNW 23), 1958.

Farandos, G. D.: Kosmos und Logos nach Philon von Alexandria (Elementa. Schriften zur Philosophie und ihrer Problemgeschichte, hrsg. von R. Berlinger und W. Schrader, Bd. IV 1976), Amsterdam 1976.

Farina, C.: Die Leiblichkeit der Auferstandenen. Ein Beitrag zur Analyse des paulinischen Gedenkenganges in 1 Kor 15, 35–58, theolog. Diss. Würzburg, 1971.

Fascher, E.: Die Korintherbriefe und die Gnosis (in: Gnosis und Neues Testament. Studien aus Religionswissenschaft und Theologie, hrsg. von K.-W. Tröger, 1973, 281–291).

Fee, G. D.: Eἰδωλόθυτα Once Again: An Interpretation of 1 Corinthians 8–10 (Biblica 61, 1980, 172–197).

Fischer, K. M.: Adam und Christus. Überlegungen zu einem religionsgeschichtlichen Problem (in: Altes Testament – Frühjudentum – Gnosis. Neue Studien zu „Gnosis und Bibel", hrsg. von K.-W. Tröger, 1980, 283–298).

–: Tendenz und Absicht des Epheserbriefes (FRLANT 111), 1973.

Foerster, W.: Das Wesen der Gnosis (in: Gnosis und Gnostizismus, hrsg. von K. Rudolph, 1975, 438–462).

Foschini, B. M.: „Those who are baptized for the dead" I Cor. 15:29. An exegetical historical dissertation, Worcester, Mass., 1951 (= CBQ 12, 1950, 260–276. 379–388; 13, 1951, 46–78. 172–198. 276–283).

Fraser, P. M.: Ptolemaic Alexandria, I–III, Oxford 1972.

Freeborn, J. C. K.: The Eschatology of 1 Corinthians 15 (StEv II [TU 87], 1964, 557–568).

Fridrichsen, A.: Paulus Abortivus (in: Symbolae Philologicae O. A. Danielsson octogenario dicatae, Uppsala 1932, 78–85).

Friedländer, M.: Der vorchristliche jüdische Gnostizismus, 1898.

Fromm, E.: Haben oder Sein. Die seelischen Grundlagen einer neuen Gesellschaft (dtv 1490), 1979.

Früchtel, U.: Die kosmologischen Vorstellungen bei Philo von Alexandrien. Ein Beitrag zur Geschichte der Genesisexegese (Arbeiten zur Literatur und Geschichte des Hellenistischen Judentums 2), 1968.

Fuchs, E.: Die Auferstehungsgewißheit nach 1. Korinther 15 (Zum hermeneutischen Problem in der Theologie. Die existentiale Interpretation, Ges. Aufs. I, ²1965, 197–210).

–: Muß man an Jesus glauben, wenn man an Gott glauben will? Vorerwägungen zur Auslegung von 1. Kor 15, 1–11 (Glaube und Erfahrung. Zum christologischen Problem im Neuen Testament, Ges. Aufs. III, 1965, 249–279).

Fuller, R. E.: The Formation of the Resurrection Narratives, 1971.

Gäumann, N.: Taufe und Ethik. Studien zu Römer 6 (BEvTh 47), 1967.

Gaffron, H.-G.: Studien zum koptischen Philippusevangelium unter besonderer Berücksichtigung der Sakramente, Theol. Diss. Bonn, 1969.

Georgi, D.: Die Gegner des Paulus im 2. Korintherbrief. Studien zur religiösen Propaganda in der Spätantike (WMANT 11), 1964.

–: Besprechung von Walter Schmithals, Die Gnosis in Korinth, 1956 (VF 9, 1958/59, 90–96).

Geschichte der griechischen Literatur von Wilhelm Christ, 6. Aufl., unter Mitwirkung von O. Stählin bearbeitet von W. Schmid (HAW 7), II. Teil, 2 Bde., München 1920 u. 1924.

Gillman, J.: Transformation in 1 Cor 15, 50–53 (EThL 58, 1982, 309–333).

Goodenough, E. R.: By Light, Light. The Mystik Gospel of Hellenistic Judaism, 1935.

–: Jewish Symbols in the Greco-Roman Period, 12 vols., 1953–1965.

Grässer, E.: Rezension: H.-W. Kuhn, Enderwartung und gegenwärtiges Heil, 1966 (Deutsches Pfarrerblatt 67, 1967, 608).

Grass, H.: Ostergeschehen und Osterberichte, ²1962.

Griffith, J. G.: (s. o. I: Apuleius of Madauros).

Gruenwald, I.: Apocalyptic and Merkavah Mysticism (Arbeiten zur Geschichte des antiken Judentums und des Urchristentums 14), 1980.

–: The Problem of the Anti-Gnostic Polemic in Rabbinic Literature (in: Studies in Gnosticism and Hellenistic Religions, presented to G. Quispel, Leiden 1981, 171–189).

Güttgemanns, E.: Der leidende Apostel und sein Herr. Studien zur paulinischen Christologie (FRLANT 90), 1966.

Gundry, R. H.: Sōma in Biblical Theology. With Emphasis on Pauline Anthropology (MSSNTS 29), 1976.

Haardt, R.: Zur Methodologie der Gnosisforschung (in: Gnosis und Neues Testament. Studien aus Religionswissenschaft und Theologie, hrsg. von K.-W. Tröger, 1973, 183–202).

Haenchen, E.: Die Apostelgeschichte (KEK 3), ¹⁶1977.

–: Artikel „Gnosis, II: Gnosis und NT" (RGG II, 1958, Sp. 1652–1656).

Hahn, F.: Christologische Hoheitstitel. Ihre Geschichte im frühen Christentum (FRLANT 83), ²1964.

–: Die Taufe im Neuen Testament (in: Calwer Predigthilfen – Taufe, 1976, 9–28).

–: Das Verständnis der Taufe nach Römer 6 (in: Bewahren und Erneuern. Festschrift für Kirchenpräsident i. R. Theodor Schaller, Speyer 1980, 135–153).

Halperin, D. J.: The Merkabah in Rabbinic Literature (American Oriental Series, vol. 62), New Haven, Connecticut, 1980.

Hamerton-Kelly, R. G.: Pre-Existence, Wisdom, and the Son of Man. A Study of the Idea of Pre-Existence in the New Testament (MSSNTS 21), 1973.

Harnack, A. v.: Die Verklärungsgeschichte Jesu, der Bericht des Paulus (1 Kor. 15, 3 ff.) und die beiden Christusvisionen des Petrus (SPAW.PH Berlin 1922, 62–80).

Harnisch, W.: Eschatologische Existenz. Ein exegetischer Beitrag zum Sachanliegen von 1. Thessalonicher 4, 13–5, 11 (FRLANT 110), 1973.

Haufe, G.: Die Mysterien (in: Umwelt des Urchristentums, hrsg. von J. Leipoldt u. W. Grundmann, I, 1965, 101 ff.).

Hauschild, W.-D.: Gottes Geist und der Mensch. Studien zur frühchristlichen Pneumatologie, 1972.

Hegermann, H.: Die Vorstellung vom Schöpfungsmittler im hellenistischen Judentum und Urchristentum (TU 82), 1961.

Heine, S.: Leibhafter Glaube. Ein Beitrag zum Verständnis der theologischen Konzeption des Paulus, 1976.

Heinrici, G.: Der erste Brief an die Korinther (KEK 5), [8]1896.

–: Das erste Sendschreiben des Apostels Paulus an die Korinther, 1886.

Hengel, M.: Judentum und Hellenismus. Studien zu ihrer Begegnung unter besonderer Berücksichtigung Palästinas bis zur Mitte des 2. Jh.s v. Chr. (WUNT 10), [2]1973.

–: Der Sohn Gottes. Die Entstehung der Christologie und die jüdisch-hellenistische Religionsgeschichte, 1975.

Hensell, G. M.: Antitheses and Transformation: A Study of I Corinthians 15:50–54, Saint Louis University, Ph. D., 1975.

Hoffmann, P.: Artikel „Auferstehung" I/3: Neues Testament (TRE IV, 450–467).

–: Die Toten in Christus. Eine religionsgeschichtliche und exegetische Untersuchung zur paulinischen Eschatologie (NTA N. F. 2), 1966 ([3]1969).

Hoppe, R.: Der theologische Hintergrund des Jakobusbriefes (fzb 28), 1977.

Horsley, R. A.: The Background of the Confessional Formula in 1 Kor 8, 6 (ZNW 69, 1978, 130–135).

–: Consciousness and Freedom among the Corinthians: 1 Corinthians 8–10 (CBQ 40, 1978, 574–589).

–: Gnosis in Corinth: I Corinthians 8. 1–6 (NTS 27, 1980, 32–51).

–: „How Can Some of You Say that there is no Resurrection of the Dead?" Spiritual Elitism in Corinth (NT 20, 1978, 203–231).

–: Pneumatikos vs. Psychikos. Distinctions of Spiritual Status among the Corinthians (HThR 69, 1976, 269–288).

–: Spiritual Marriage with Sophia (VigChr 33, 1979, 30–54).

–: Wisdom of Word and Words of Wisdom in Corinth (CBQ 39, 1977, 224–239).

Howard, G.: Was James an Apostel? A Reflection on a New Proposal for Gal i 19 (NT 19, 1977, 63 f.).

Hurd, J. C.: The Origin of I Corinthians, 1965.

Hyldahl, N.: Auferstehung Christi – Auferstehung der Toten (1. Thess. 4, 13–18) (in: Die Paulinische Literatur und Theologie, hrsg. von S. Pedersen, Århus / Göttingen 1980, 119–135).

–: Philosophie und Christentum. Eine Interpretation der Einleitung zum Dialog Justins (Acta Theologica Danica IX), 1966.

Isaacs, M. E.: The Concept of Spirit. A Study of Pneuma in Hellenistic Judaism and its Bearing on the New Testament (Heythrop Monographs 1), London 1976.

Jeremias, J.: Die Abendmahlsworte Jesu, [4]1967.

–: Artikel Ἀδάμ (ThWNT I, 141–143).

–: Beobachtungen zu neutestamentlichen Stellen an Hand des neugefundenen griechischen Henochtextes (ZNW 38, 1939, 115–124).

–: Chiasmus in den Paulusbriefen (Abba. Studien zur neutestamentlichen Theologie und zur Zeitgeschichte, 1966, 276–290).

–: „Flesh and Blood cannot inherit the Kingdom of God" (I Cor. XV. 50) (Abba. Studien zur neutestamentlichen Theologie und Zeitgeschichte, 1966, 298–307).

–: Neutestamentliche Theologie. Erster Teil: Die Verkündigung Jesu, ²1973.

Jervell, J.: Imago Dei. Gen 1, 26 f. im Spätjudentum, in der Gnosis und in den paulinischen Briefen (FRLANT 76), 1960.

Jewett, R.: Paul's Anthropological Terms. A Study of their Use in Conflict Settings (Arbeiten zur Geschichte des antiken Judentums und des Urchristentums 10), 1971.

Jolles, A.: Einfache Formen. Legende, Sage, Mythe, Rätsel, Spruch, Kasus, Memorabile, Märchen, Witz, Studienausgabe der 4. Aufl., 1972.

Jonas, H.: Gnosis und spätantiker Geist, I: Die mythologische Gnosis (FRLANT 51), ³1964; II 1: Von der Mythologie zur mythologischen Philosophie (FRLANT 63), ²1966.

–: Typologische und historische Abgrenzung des Phänomens der Gnosis (in: Gnosis und Gnostizismus, hrsg. von K. Rudolph, 1975, 626–645).

Käsemann, E.: An die Römer (HNT 8a), ³1974.

–: Anliegen und Eigenart der paulinischen Abendmahlslehre (EVB I, ⁶1970, 11–34).

–: Konsequente Traditionsgeschichte? (ZThK 62, 1965, 137–152).

–: Leib und Leib Christi. Eine Untersuchung zur paulinischen Begrifflichkeit (BHTh 9), 1933.

–: Neutestamentliche Fragen von heute (EVB II, 1964, 11–31).

–: Das theologische Problem des Motivs vom Leibe Christi (Paulinische Perspektiven, ²1972, 178–210).

–: Eine urchristliche Taufliturgie (EVB I, ⁶1970, 34–51).

–: Das wandernde Gottesvolk. Eine Untersuchung zum Hebräerbrief (FRLANT 55), ²1957.

–: Zum Thema der urchristlichen Apokalyptik (EVB II, 1964, 105–131).

–: Zur paulinischen Anthropologie (Paulinische Perspektiven, ²1972, 9–60).

Kaiser, H.: Die Bedeutung des leiblichen Daseins in der paulinischen Eschatologie. Teil I: Studien zum religions- und traditionsgeschichtlichen Hintergrund der Auseinandersetzung in 2. Kor 5, 1–10 (und 1. Kor 15) im palästinensischen und hellenistischen Judentum, Diss. ev. theol. Fakultät Heidelberg, masch., 1974.

Kegel, G.: Auferstehung Jesu – Auferstehung der Toten. Eine traditionsgeschichtliche Untersuchung zum Neuen Testament, 1970.

Kittel, H.: Die Herrlichkeit Gottes. Studien zu Geschichte und Wesen eines neutestamentlichen Begriffs (BZNW 16), 1934.

Klauck, H.-J.: Herrenmahl und hellenistischer Kult. Eine religionsgeschichtliche Untersuchung zum ersten Korintherbrief (NTA N. F. 15), 1982.

Klein, F.-N.: Die Lichtterminologie bei Philon von Alexandrien und in den Hermetischen Schriften. Untersuchungen zur Struktur der religiösen Sprache der hellenistischen Mystik, 1962.

Klein, G.: Apokalyptische Naherwartung bei Paulus (in: Neues Testament und christliche Existenz. Festschrift für Herbert Braun, hrsg. v. H. D. Betz u. L. Schottroff, 1973, 241–262).

–: Artikel „Eschatologie, IV. Neues Testament" (TRE X, Lieferung 1/2, 1982, 270–299).

–: Galater 2,6–9 und die Geschichte der Jerusalemer Urgemeinde (Rekonstruktion und Interpretation. Ges. Aufsätze zum Neuen Testament [BEvTh 50], 1969, 99–128).

–: Der Mensch als Thema neutestamentlicher Theologie (ZThK 75, 1978, 336–349).

–: „Reich Gottes" als biblischer Zentralbegriff (EvTh 30, 1970, 642–670).

–: Sündenverständnis und theologia crucis bei Paulus (in: Theologia Crucis – Signum Crucis. Festschrift für E. Dinkler zum 70. Geburtstag, hrsg. von C. Andresen und G. Klein, 1979, 249–282).

–: Die Verleugnung des Petrus. Eine traditionsgeschichtliche Untersuchung (Rekonstruktion und Interpretation. Ges. Aufsätze zum Neuen Testament [BEvTh 50], 1969, 49–98).

–: Die zwölf Apostel. Ursprung und Gehalt einer Idee (FRLANT 77), 1961.

Kleinknecht, H.: Artikel „πνεῦμα κτλ.", A: πνεῦμα im Griechischen" (ThWNT VI, 333–357).

Klijn, A. F. J.: I Thessalonians 4. 13–18 and its Background in Apocalyptic Literature (in: Paul and Paulinism. Essays in honour of C. K. Barrett, ed. by M. D. Hooker and S. G. Wilson, London 1982, 67–73).

Köster, H.: Einführung in das Neue Testament im Rahmen der Religionsgeschichte und Kulturgeschichte der hellenistischen und römischen Zeit, 1980.

Köster, H./Robinson, J. M.: Entwicklungslinien durch die Welt des frühen Christentums, 1971.

Krämer, H. J.: Der Ursprung der Geistmetaphysik. Untersuchungen zur Geschichte des Platonismus zwischen Platon und Plotin, ²1967.

Kramer, W.: Christos – Kyrios – Gottessohn. Untersuchungen zu Gebrauch und Bedeutung der christologischen Bezeichnungen bei Paulus und den vorpaulinischen Gemeinden (AThANT 44), 1963.

Kremer, J.: Das älteste Zeugnis von der Auferstehung Christi. Eine bibeltheologische Studie zur Aussage und Bedeutung von 1 Kor 15, 1–11 (SBS 17), 1966.

Kroll, J.: Die Lehren des Hermes Trismegistos (Beiträge zur Geschichte der Philosophie des Mittelalters, XII Heft 2–4), 1914.

Kühner, R./Gerth, B.: Grammatik der griechischen Sprache, Zweiter Teil: Satzlehre, Zweiter Band, Nachdruck der 3. Aufl. von 1904, 1963.

Kümmel, W. G.: Kirchenbegriff und Geschichtsbewußtsein in der Urgemeinde und bei Jesus, ²1968.

Kuhn, H.-W.: Enderwartung und gegenwärtiges Heil. Untersuchungen zu den Gemeindeliedern von Qumran (StUNT 4), 1966.

–: Der irdische Jesus bei Paulus als traditionsgeschichtliches und theologisches Problem (ZThK 67, 1970, 295–320).

Kuhn, K. G.: Giljomim und Sifre minim (in: Judentum – Urchristentum – Kirche, Festschrift J. Jeremias [BZNW 26], ²1964, 24–61).

Kuss, O.: Paulus. Die Rolle des Apostels in der theologischen Entwicklung der Urkirche (Auslegung und Verkündigung III), 1971.

Lambrecht, J.: Paul's Christological Use of Scripture in 1 Cor. 15.20–28 (NTS 28, 1982, 502–527).

Lebram, J. C. H.: Nachbiblische Weisheitstraditionen (VT XV, 1965, 167–237).

Lehmann, K.: Auferweckt am dritten Tag nach der Schrift. Früheste Christologie, Bekenntnisbildung und Schriftauslegung im Lichte von 1 Kor 15,3–5 (Quaestiones disputatae 38), 1968.

Leipold, J.: Die Mysterien/Das Christentum (Handbuch der Religionswissenschaft, 1. Teil, IV: Die Universalreligionen), 1948.

–: Sterbende und auferstehende Götter (Neues Testament und Religionsgeschichte, Heft 2), 1923.

–: Der Tod bei Griechen und Juden, 1942.

–: Die urchristliche Taufe im Lichte der Religionsgeschichte, 1928.

Leisegang, H.: Der Heilige Geist. Das Wesen und Werden der mystisch-intuitiven Erkenntnis in der Philosophie und Religion der Griechen, I. Band, 1. Teil: Die vorchristlichen Anschauungen und Lehren vom ΠΝΕΥΜΑ und der mystisch-intuitiven Erkenntnis, 1919.

–: Philon aus Alexandreia (PW XX 1, 1941, Sp. 1–50).

– (Ioannes): Indices ad Philonis Alexandrini Opera, 2 Bde., 1926–1930 (= Philonis Alexandrini Opera [s. Lit.-Verz. I], Bd. VII 1–2).

Lewy, H.: Sobria Ebrietas. Untersuchungen zur Geschichte der antiken Mystik (BZNW 9), 1929.

Lichtenstein, E.: Die älteste christliche Glaubensformel (ZKG 63, 1950/51, 1–74).

Liddell, H. G./Scott, R.: A Greek-English Lexicon, With a Supplement, 1968.

Lietzmann, H.: An die Korinther I/II (HNT 9), ergänzt von W. G. Kümmel, ⁵1969.

–: Einführung in die Textgeschichte der Paulusbriefe. An die Römer (HNT 8), ⁵1971.

Lindemann, A.: Die Aufhebung der Zeit. Geschichtsverständnis und Eschatologie im Epheserbrief (StNT 12), 1975.

–: Paulus im ältesten Christentum. Das Bild des Apostels und die Rezeption der paulinischen Theologie in der frühchristlichen Literatur bis Marcion (Beiträge zur Historischen Theologie 58), 1979.

Löhr, G.: 1 Thess 4,15–17: Das „Herrenwort" (ZNW 71, 1980, 269–273).

Lövestam, E.: Über die neutestamentliche Aufforderung zur Nüchternheit (StTh 12, 1958, 80–102).

Lohse, E.: Rezension: M. Rissi, Die Taufe für die Toten, 1962 (ThLZ 89, 1964, 275 f.).

Lüdemann, G.: Paulus, der Heidenapostel. Band I: Studien zur Chronologie (FRLANT 123), 1980.

Lührmann, D.: Das Offenbarungverständnis bei Paulus und in paulinischen Gemeinden (WMANT 16), 1965.

Lütgert, W.: Freiheitspredigt und Schwarmgeister in Korinth. Ein Beitrag zur Charakteristik der Christuspartei (BFchTh 12,3), 1908.

–: Die Vollkommenen im Philipperbrief und die Enthusiasten in Thessalonich (BFchTh 13,6), 1909.

Luz, U.: Das Geschichtsverständnis des Paulus (BEvTh 49), 1968.

Mack, B. L.: Logos und Sophia. Untersuchungen zur Weisheitstheologie im hellenistischen Judentum (StUNT 10), 1973.

Maier, F. W.: Ps 110,1 (LXX 109,1) im Zusammenhang von 1 Kor 15,24–26 (BZ 20, 1932, 139–156).

Maier, J.: Jüdische Faktoren bei der Entstehung der Gnosis? (in: Altes Testament – Frühjudentum – Gnosis. Neue Studien zu „Gnosis und Bibel", hrsg. von K.-W. Tröger, 1980, 239–258).

Malherbe, A. J.: The Beasts at Ephesus (JBL 87, 1968, 71–80).

Marxsen, W.: Die Auferstehung Jesu als historisches und als theologisches Problem, ⁴1966.

–: Die Auferstehung Jesu von Nazareth, 1968.

–: Auslegung von 1 Thess 4,13–18 (ZThK 66, 1969, 22–37).

–: Christlicher Glaube als Auferweckung von den Toten (Christologie – praktisch [Siebenstern 294], 1978, 58–80).

–: Einleitung in das Neue Testament. Eine Einführung in ihre Probleme, ⁴1978.

–: Der erste Brief an die Thessalonicher (ZBK NT 11. 1), 1979.

Mayer, G.: Index Philoneus, 1974.

Menard, J. É.: Die Erkenntnis im Evangelium der Wahrheit (in: Christentum und Gnosis. Aufs. hrsg. von W. Eltester [BZNW 37], 59–64).

–: Les Origines de la Gnose (RevSR 43, 1969, 24–38).

Mendelson, A.: Secular Education in Philo of Alexandria (Monographs of the Hebrew Union College 7), 1982.

Merklein, H.: Die Einheitlichkeit des ersten Korintherbiefes (ZNW 75, 1984, 153–183).

Metzger, B. M.: A Textual Commentary on the Greek New Testament, 1971.

Michaelis, W.: Die Erscheinungen des Auferstandenen, 1944.

Moule, Ch. F. D.: An Idiom-Book of New Testament Greek, 1953.

Müller, K.: Rezension: H.-W. Kuhn, Enderwartung und gegenwärtiges Heil, 1966 (BZ 12, 1968, 303–306).

Müller, U. B.: Zur frühchristlichen Theologiegeschichte. Judenchristentum und Paulinismus in Kleinasien an der Wende vom erstem zum zweiten Jahrhundert n. Chr., 1976.

Munck, J.: Paulus tanquam abortivus (I Cor. XV. 8) (in: New Testament Essays. Studies in Memory of T. W. Manson 1893–1958, ed. A. J. B. Higgins, 1959, 180–193).

Murmelstein, B.: Adam. Ein Beitrag zur Messiaslehre (WZKM 35, 1928, 242–275; 36, 1929, 51–86).

Murphy-O'Connor, J.: I Cor., VIII, 6: Cosmology or Soteriology? (RB 85, 1978, 253–267).

Mussner, F.: „Schichten" in der paulinischen Theologie dargetan an 1 Kor 15 (BZ 9, 1965, 59–70).

–: Zur stilistischen und semantischen Struktur der Formel 1 Kor 15,3–5 (in: Die Kirche des Anfangs. Für Heinz Schürmann, hrsg. von R. Schnackenburg. J. Ernst und J. Wanke, 1977, 405–416).

Nikiprowetzky, V.: Le Commentaire de l'Écriture chez Philon d'Alexandrie. Son Caractère et sa Portée (Arbeiten zur Literatur und Geschichte des hellenistischen Judentums 11), Leiden 1977.

Nilsson, M. P.: Geschichte der griechischen Religion, II: Die hellenistische und römische Zeit, ²1961.

Norden, E.: Agnostos Theos. Untersuchungen zur Formengeschichte religiöser Rede, ⁴1956.

Oepke, A.: Artikel βάπτω κτλ. (ThWNT I, 527–544).

Ollrog, W.-H.: Paulus und seine Mitarbeiter. Untersuchungen zu Theorie und Praxis der paulinischen Mission (WMANT 50), 1979.

Orr, W. F./Walther, J. A.: I Corinthians (Anchor Bible 32), New York 1976.

Osten-Sacken, P. von der: Die Apologie des paulinischen Apostolats in 1 Kor 15, 1–11 (ZNW 64, 1973, 245–262).

Oswald, N.: „Urmensch" und „Erster Mensch" – Zur Interpretation einiger merkwürdiger Adam-Überlieferungen in der rabbinischen Literatur, Diss. Kirchliche Hochschule Berlin, 1970.

Pagels, E. H.: „The Mystery of the Resurrection": A Gnostic Reading of 1 Corinthians 15 (JBL 93, 1974, 276–288).

Pascher, J.: Η ΒΑΣΙΛΙΚΗ ΟΔΟΣ. Der Königsweg zu Wiedergeburt und Vergottung bei Philon von Alexandreia (Studien zur Geschichte und Kultur des Altertums 17, Heft 3 u. 4), 1931.

Pearson, B. A.: Friedländer Revisited. Alexandrian Judaism and Gnostic Origins (Studia Philonica 2, Chicago 1973, 23–39).

–: Hellenistic-Jewish Wisdom Speculation and Paul (in: Aspects of Wisdom in Judaism and Early Christianity, ed. R. L. Wilken [University of Notre Dame Center for the Study of Judaism and Christianity in Antiquity, Nr. 1] , 1975, 43–66).

–: Jewish Elements in Corpus Hermeticum I (Poimandres) (in: Studies in Gnosticism and Hellenistic Religions, presented to G. Quispel, Leiden 1981, 336–348).

–: Jewish Elements in Gnosticism and the Development of Gnostic Self-Definition (in: The Shaping of Christianity in the Second and Third Centuries, London/Philadelphia 1980, 151–160. 241–245).

–: Philo, Gnosis and the New Testament (in: The New Testament and Gnosis. Essays in honour of R. Mc L. Wilson, ed. by A. H. B. Logan and A. J. M. Wedderburn, Edinburgh 1983, 73–89).

–: The Pneumatikos-Psychikos Terminology in 1 Corinthians. A Study in the Theology of the Corinthian Opponents of Paul and its Relation to Gnosticism (SBL Dissertation Series 12), Missoula, Mt. 1973.

Peel, M. L.: Gnosis und Auferstehung. Der Brief an Rheginos von Nag Hammadi. Mit einem Anhang: Der koptische Text des Briefes an Rheginos, übers. aus dem Engl. von W.-P. Funke, 1974.

–: Gnostic Eschatology and the New Testament (NT 12, 1970, 141–165).

Pesch, R.: Peter in the Mirror of Paul's Letters (in: Paul de Tarse. Apotre du Notre Temps, Rom 1979, 291–309).

–: Simon – Petrus. Geschichte und geschichtliche Bedeutung des ersten Jüngers Christi (Papst und Papsttum Bd. 15), 1980.

Peterson, E.: Die Einholung des Kyrios (ZSTh 7, 1930, 682–702).

Petit, F.: s. Lit.-Verz. I.

Pfleiderer, O.: Der Paulinismus. Ein Beitrag zur Geschichte der urchristlichen Theologie, ²1890.

Pohlenz, M.: Die Stoa. Geschichte einer geistigen Bewegung, 2 Bde., ³1964.

Quispel, G.: Judaism, Judaic Christianity and Gnosis (in: The New Testament and Gnosis. Essays in honour of R. McL. Wilson, ed. by A. H. B. Logan and A. J. M. Wedderburn, Edinburgh 1983, 46–60).

Räbiger, J. F.: Kritische Untersuchungen über den Inhalt der beiden Briefe des Apostels Paulus an die korinthische Gemeinde mit Rücksicht auf die in ihr herrschenden Streitigkeiten, ²1886.

Raeder, M.: Vikariatstaufe in 1 Kor 15, 29? (ZNW 46, 1955, 258–260).

Räisänen, H.: Paul and the Law (WUNT 29), 1983.

Rahlfs, A.: Über Theodotion-Lesarten im Neuen Testament und Aquila-Lesarten bei Justin (ZNW 20, 1921, 182–199).

Rahnenführer, D.: Das Testament des Hiob und das Neue Testament (ZNW 62, 1971, 68–93).

Reese, J. M.: Hellenistic Influence on the Book of Wisdom and its Consequences (Analecta Biblica 41), 1970.

Reinhardt, K.: Kosmos und Sympathie. Neue Untersuchungen über Poseidonios, 1926.

–: Poseidonios von Apameia (PW XXII 1, Sp. 558–826).

Reitzenstein, R.: Die hellenistischen Mysterienreligionen, ³1927.

–: Das iranische Erlösungsmysterium. Religionsgeschichtliche Untersuchungen, 1921.

–: Poimandres. Studien zur griechisch-ägyptischen und frühchristlichen Literatur, 1904.

–: Die Vorgeschichte der christlichen Taufe. Mit Beiträgen von L. Troje, 1929.

Reitzenstein, R./Schaeder, H. H.: Studien zum antiken Synkretismus aus Iran und Griechenland (Studien der Bibliothek Warburg VII), 1926.

Rese, M.: Die Rolle Israels im apokalyptischen Denken des Paulus (in: L'Apocalypse johannique et l'Apocalyptique dans le Nouveau Testament, par J. Lambrecht et al. [BEThL 53], 1980, 311–318).

Richter, H.-F.: I. Kor 15, 1–11. Eine exegetische, hermeneutische und ontologische Untersuchung, Diss. Kirchliche Hochschule Berlin, 1967.

Riesenfeld, H.: Das Bildwort vom Weizenkorn (zu I. Kor 15) (Studien zum Neuen Testament und zur Patristik. E. Klostermann zum 90. Geburtstag [TU 77], 1961, 43–55).

Rissi, M.: Die Taufe für die Toten. Ein Beitrag zur paulinischen Tauflehre (AThANT 42), 1962.

Robertson, A./Plummer, A.: A Critical and Exegetical Commentary on the First Epistle of St. Paul to the Corinthians (ICC 7), ²1914.

Robinson, J. M.: (siehe Köster, H./Robinson, J. M.)

Rohde, E.: Psyche. Seelencult und Unsterblichkeitsglaube der Griechen, 2 Bde., ⁷⁺⁸1921.

Rudolph, K.: Gnosis und Gnostizismus. Ein Forschungsbericht (ThR 34, 1969, 121–175. 181–231. 358–361; 36, 1971, 1–61. 89–124; 37, 1972, 289–360; 38, 1974, 1–25).

–: Die Gnosis. Wesen und Geschichte einer spätantiken Religion, 1977.

–: Ein Grundtyp gnostischer Urmensch-Adam-Spekulation (ZRGG 9, 1957, 1–20).

–: Die Mandäer, 2 Bde. (FRLANT 74/75), 1960/1961.

–: Randerscheinungen des Judentums und das Problem der Entstehung des Gnostizismus (in: Gnosis und Gnostizismus, hrsg. von K.Rudolph, 1975, 768–797).

Rückert, L.I.: Die Briefe Pauli an die Korinther, Erster Teil: Der erste Brief, 1836.

Sänger, D.: Antikes Judentum und die Mysterien. Religionsgeschichtliche Untersuchungen zu Joseph und Aseneth (WUNT – 2. Reihe – 5), 1980.

Saito, T.: Die Mosevorstellungen im Neuen Testament (EHS. T 100), 1977.

Sand, A.: Der Begriff „Fleisch" in den paulinischen Hauptbriefen (Biblische Untersuchungen 2), 1967.

Sandelin, K.-G.: Die Auseinandersetzung mit der Weisheit in 1 Kor 15 (Meddelanden från Stiftelsens för Åbo Akademi Forskningsinstitut, Nr. 12), Åbo 1976.

–: Spiritus Vivificans. Traditions of Interpreting Gen 2:7 (in: Opuscula Exegetica Aboensia in honorem R.Gyllenberg octogenarii [Acta Academiae Aboensis A, 45, 1] Åbo 1973, 59–75).

Sandmel, S.: Philo of Alexandria. An Introduction, 1979.

–: Philo's Knowledge of Hebrew (Studia Philonica 5, Chicago 1978, 107–112).

Schade, H.-H.: Apokalyptische Christologie bei Paulus. Studien zum Zusammenhang von Christologie und Eschatologie in den Paulusbriefen (Göttinger Theologische Arbeiten 18), 1981.

Schaller, B.: Artikel Ἀδάμ (EWNT I, 1980, Sp.65–67).

–: Gen. 1. 2. im antiken Judentum. Untersuchungen über Verwendung und Deutung der Schöpfungsaussagen von Gen. 1. 2. im antiken Judentum, Diss. Göttingen 1961.

Schelkle, K. H.: Theologie des Neuen Testaments, 4 Bde., 1968–1976.

Schenk, W.: Der 1.Korintherbrief als Briefsammlung (ZNW 60, 1969, 219–243).

–: Textlinguistische Aspekte der Strukturanalyse, dargestellt am Beispiel von 1 Kor XV. 1–11 (NTS 23, 1977, 469–477).

Schenke, H.-M.: Auferstehungsglaube und Gnosis (ZNW 59, 1968, 123–126).

–: Der Gott „Mensch" in der Gnosis. Ein religionsgeschichtlicher Beitrag zur Diskussion über die paulinische Anschauung von der Kirche als Leib Christi, 1962.

–: Hauptprobleme der Gnosis (Kairos 7, 1965, 114–123).

–: Das Problem der Beziehungen zwischen Judentum und Gnosis (Kairos 7, 1965, 124–133).

Schenke, H.-M./Fischer, K. M.: Einleitung in die Schriften des Neuen Testaments, I: Die Briefe des Paulus und Schriften des Paulinismus, 1978.

Schille, G.: Osterglaube (Arbeiten zur Theologie, Heft 51), 1973.

Schlatter, A.: Die korinthische Theologie (BFChTh 18,2), 1914.

–: Paulus der Bote Jesu. Eine Deutung seiner Briefe an die Korinther, [2]1956.

Schlier, H.: Doxa bei Paulus als heilsgeschichtlicher Begriff (Besinnung auf das Neue Testament. Exeget. Aufs. u. Vortr. II, [2]1967, 307–318).

–: Artikel κεφαλή κτλ. (ThWNT III, 1938, 672–682).

–: Über das Hauptanliegen des ersten Briefes an die Korinther (Die Zeit der Kirche. Ges. Aufs. 1956, 147–159).

Schmiedel, P. W.: Die Briefe an die Thessalonicher und an die Korinther (HC 2,1), ²1893.

Schmid, L.: Artikel κέντρον (ThWNT III, 662–668).

Schmidt, H.: Die Anthropologie Philons von Alexandreia, philos. Diss. Leipzig 1933.

Schmithals, W.: Die Gnosis in Korinth. Eine Untersuchung zu den Korintherbriefen (FRLANT 66), ³1969.

–: Rezension: H. Hegermann, Die Vorstellung vom Schöpfungsmittler im hellenistischen Judentum und Urchristentum, 1961 (ThLZ 88, 1963, Sp. 591–594).

–: Die historische Situation der Thessalonicherbriefe (Paulus und die Gnostiker. Untersuchungen zu den kleinen Paulusbriefen [Theologische Forschung 35], 1965, 89–157).

–: Die Irrlehrer des Philipperbriefes (in: Paulus und die Gnostiker. Untersuchungen zu den kleinen Paulusbriefen [Theologische Forschung 35], 1965, 47–87).

–: Die Korintherbriefe als Briefsammlung (ZNW 64, 1973, 263–288).

–: Das Verhältnis von Gnosis und Neuem Testament als methodisches Problem (NTS 16, 1969/70, 373–383).

Schnackenburg, R.: Gottes Herrschaft und Reich. Eine biblisch-theologische Studie, ²1961.

–: Das Heilsgeschehen bei der Taufe nach dem Apostel Paulus. Eine Studie zur paulinischen Theologie (MThS. H 1), 1950.

Schneider, B.: The Corporate Meaning and Background of 1 Cor 15,45b (CBQ 29, 1967, 450–467).

Schneider, J.: Artikel ἔκτρωμα (ThWNT II, 463–465).

Schneider, N.: Die rhetorische Eigenart der paulinischen Antithese (HUTh 11), 1970.

Schnelle, U.: 1 Kor 6:14 – Eine nachpaulinische Glosse (NT 25, 1983, 217–219).

Schniewind, J.: Die Leugner der Auferstehung in Korinth (Nachgelassene Reden und Aufsätze, hrsg. von E. Kähler, 1952, 110–139).

Schoeps, H. J.: Zur Standortbestimmung der Gnosis (in: Gnosis und Gnostizismus, hrsg. von K. Rudolph, 1975, 463–475).

Scholem, G.: Jewish Gnosticism, Merkabah Mysticism and Talmudic Tradition, 2. Aufl. New York 1965.

–: Die jüdische Mystik in ihren Hauptströmugen, 1957.

–: Die mystische Gestalt der Gottheit in der Kabbala (Eranos-Jahrbuch 29, 1960, 139–182).

–: Ursprung und Anfänge der Kabbala (Studia Judaica 3), 1962.

–: Die Vorstellung vom Golem in ihren tellurischen und magischen Beziehungen (Eranos-Jahrbuch 22, 1953, 235–289).

Schottroff, L.: Der Glaubende und die feindliche Welt. Beobachtungen zum gnostischen Dualismus und seiner Bedeutung für Paulus und das Johannesevangelium (WMANT 37), 1970.

Schrage, W.: Ethik des Neuen Testaments (Grundrisse zum Neuen Testament 4), 1982.

–: Der Judasbrief (NTD 10, 1980, S. 223–239).

–: Die konkreten Einzelgebote in der paulinischen Paränese. Ein Beitrag zur neutestamentlichen Ethik, 1961.

–: Leid, Kreuz und Eschaton. Die Peristasenkataloge als Merkmale paulinischer theologia crucis und Eschatologie (EvTh 34, 1974, 141–175).

–: Artikel συναγωγή (ThWNT VII, 1964, 798–839).

–: Zur Frontstellung der paulinischen Ehebewertung in 1 Kor 7, 1–7 (ZNW 67, 1976, 214–234).

Schürer, E.: Geschichte des jüdischen Volkes im Zeitalter Jesu Christi, 3 Bde., ⁴1901–1909.

Schütz, J. H.: Apostolic Authority and the Control of Tradition: I Cor. XV (NTS 15, 1968/69, 439–457).

–: Schulz, S.: Die Decke des Mose. Untersuchungen zu einer vorpaulinischen Überlieferung in 2 Kor 3, 7–18 (ZNW 49, 1958, 1–30).

Schwantes, H.: Schöpfung der Endzeit. Ein Beitrag zum Verständnis der Auferweckung bei Paulus (Arbeiten zur Theologie, I. Reihe, Heft 12), 1963.

Schwanz, P.: Imago Dei als christologisch-anthropologisches Problem in der Geschichte der Alten Kirche von Paulus bis Clemens von Alexandrien, Göttingen 1979.

Schweitzer, A.: Die Mystik des Apostels Paulus, 1930.

Schweizer, E.: Der Brief an die Kolosser (EKK [12]), 1976.

–: Artikel χοϊκός (ThWNT IX, 460–468).

–: Die Kirche als Leib Christi in den paulinischen Homologumena (ThLZ 86, 1961, 161–174).

–: Artikel πνεῦμα, πνευματικός D–F (ThWNT VI, 387–450).

–: Artikel ψυχικός (ThWNT IX, 662–664).

–: Artikel σάρξ C 4–F (ThWNT VII, 118–151).

–: Artikel σῶμα κτλ. A und B 3–E (ThWNT VII, 1024–1042. 1043–1091).

–: Versöhnung des Alls. Kol 1, 20 (in: Jesus Christus in Historie und Theologie. Neutestamentliche Festschrift für H. Conzelmann, hrsg. von G. Strecker, 1975, 487–501).

Scroggs, R.: The Last Adam. A Study in Pauline Anthropology, Philadelphia 1966.

Seeberg, A.: Der Katechismus der Urchristenheit, Leipzig 1903 (Nachdruck: ThB 26, 1966).

Sellin, G.: Allegorie und „Gleichnis". Zur Formenlehre der synoptischen Gleichnisse (ZThK 75, 1978, 281–335).

–: „Die Auferstehung ist schon geschehen." Zur Spiritualisierung apokalyptischer Terminologie im Neuen Testament (NT 25, 1983, 220–237).

–: Das „Geheimnis" der Weisheit und das Rätsel der „Christuspartei" (zu 1 Kor 1–4) (ZNW 73, 1982, 69–96).

Siber, P.: Mit Christus leben. Eine Studie zur paulinischen Auferstehungshoffnung (AThANT 61), 1971.

Sider, R. J.: The Pauline Conception of the Resurrection Body in I Corinthians XV. 35–54 (NTS 21, 1975, 428–439).

–: St. Paul's Understanding of the Nature and Significance of the Resurrection in I Corinthians XV (NT 19, 1977, 124–141).

Siegert, F.: Nag-Hammadi-Register (WUNT 26), 1982.

Simon, M.: Eléments gnostiques chez Philon (in: Le origini dello Gnosticismo [Studies in the History of Religions, Suppl. to Numen, XII], 1967, 359–374).

Smith, J. Z.: The Prayer of Joseph (in: Religions in Antiquity. Essays in Memory of E. R. Goodenough, ed. by J. Neusner [Studies in the History of Religions, Suppl. to Numen, XIV], 1968, 253–294).

Smyth, K.: Heavenly Man and Son of Man in St. Paul (SPCIC 1961 [Analecta Biblica 17–18], 1963, vol. I, 219–230).

Soden, H. von: Sakrament und Ethik bei Paulus. Zur Frage der literarischen und theologischen Einheitlichkeit von 1 Kor. 8–10 (Urchristentum und Geschichte. Ges. Aufs. und Vorträge, hrsg. von H. v. Campenhausen, I, 1951, 239–275).

Spörlein, B.: Die Leugnung der Auferstehung. Eine historisch-kritische Untersuchung zu 1 Kor 15 (Biblische Untersuchungen 7), 1971.

Staab, K.: 1 Kor 15, 29 im Lichte der Exegese der griechischen Kirche (SPCIC 1961 [Analecta Biblica 17–18], 1963, vol. I, 444–450).

Stein, E.: Die allegorische Exegese des Philo aus Alexandreia (BZAW 51), 1929.

Stenger, W.: Beobachtungen zur Argumentationsstruktur von 1 Kor 15 (LingBibl 45, 1979, 71–128).

Stuhlmacher, P.: Das Auferstehungszeugnis nach 1 Kor 15, 1–20 (in: Theologie und Kirche. Reichenau-Gespräch, hrsg. von der Evangelischen Landessynode in Würtemberg, ²1967, 33–59).

–: Das Bekenntnis zur Auferweckung Jesu von den Toten und die Biblische Theologie (ZThK 70, 1973, 365–403).

Suhl, A.: Paulus und seine Briefe. Ein Beitrag zur paulinischen Chronologie (StNT 11), 1975.

Theiler, W.: Philo von Alexandria und der Beginn des kaiserzeitlichen Platonismus (in: Parusia. Festschrift für J. Hirschberger, 1965, 199–218).

–: Philo von Alexandria und der hellenisierte Timaeus (in: Der Mittelplatonismus, hrsg. von C. Zintzen [WdF 70], 1981, 52–63).

–: Die Vorbereitung des Neuplatonismus, 1934.

Thiselton, A. C.: Realized Eschatology at Corinth (NTS 24, 1978, 510–526).

Thompson, K. C.: I Corinthians 15, 29 and Baptism for the Dead (StEv II [TU 87] 1964, 647–659).

Thyen, H.: Die Probleme der neueren Philo-Forschung (ThR 23, 1955, 230–246).

–: Der Stil der Jüdisch-Hellenistischen Homilie (FRLANT 65), 1955.

Tobin, T. H. (S. J.): The Creation of Man: Philo and the history of interpretation (CBQ. MS 14), 1983.

Tröger, K.-W.: Gnosis und Judentum (in: Altes Testament – Frühjudentum – Gnosis. Neue Studien zu „Gnosis und Bibel", hrsg. von K.-W. Tröger, 1980, 155–168).

–: Artikel „ψυχή, E: Gnosis" (ThWNT IX, 1973, 659–661).

Trudinger, L. P.: ῞ΕΤΕΡΟΝ ΔΕ ΤΩΝ ΑΠΟΣΤΟΛΩΝ ΟΥΚ ΕΙΔΟΝ, ΕΙ ΜΗ ΙΑΚΩΒΟΝ. A Note on Galatians i 19 (NT 17, 1975, 200–202).

Unnik, W. C. van: Gnosis und Judentum (in: Gnosis. Festschrift für Hans Jonas, hrsg. von B. Aland, 1978, 65–86).

Vielhauer, Ph.: Geschichte der urchristlichen Literatur. Einleitung in das Neue Testament, die Apokryphen und die Apostolischen Väter, 1975.

–: Oikodome. Das Bild vom Bau in der christlichen Literatur vom Neuen Testament bis Clemens Alexandrinus, Diss. Heidelberg, 1939 (abgedruckt in: Oikodome. Aufsätze zum Neuen Testament Bd. 2, hrsg. von G. Klein [ThB 65], 1979, 3–168).

–: Paulus und die Kephaspartei in Korinth (NTS 21, 1975, 341–352).

Vögtle, A.: Die Adam-Christus-Typologie und „der Menschensohn" (TThZ 60, 1951, 309–328).

–: Der Menschensohn und die paulinische Christologie (SPCIC 1961 [Analecta Biblica 17–18], 1963, vol. I, 199–218).

–: Die Tugend- und Lasterkataloge im Neuen Testament exegetisch, religions- und formgeschichtlich untersucht (Neutestamentl. Abh. XVI 4/5), 1936.

Völker, W.: Fortschritt und Vollendung bei Philo von Alexandrien. Eine Studie zur Geschichte der Frömmigkeit (TU 49,1), 1938.

Wächter, L.: Rezension: H.-W. Kuhn, Enderwartung und gegenwärtiges Heil, 1966 (ThLZ 93, 1968, 658 f.).

Wagner, G.: Das religionsgeschichtliche Problem von Röm 6, 1–11 (AThANT 39), 1962.

Walter, N.: Der Thoraausleger Aristobulos. Untersuchungen zu seinen Fragmenten und zu pseudepigraphischen Resten der jüdisch–hellenistischen Literatur (TU 86), 1964.

Wedderburn, A. J. M.: The Body of Christ and Related Concepts in I Corinthians (SJTh 24, 1971, 74–96).

–: Hellenistic Christian Traditions in Romans 6? (NTS 29, 1983, 337–355).

–: Philo's „Heavenly Man" (NT 15, 1973, 301–326).

–: The Problem of the Denial of the Resurrection in I Corinthians XV (NT 23, 1981, 229–241).

Weinel, H.: Die Echtheit der paulinischen Hauptbriefe im Lichte des antignostischen Kampfes (in: Festgabe für J. Kaftan, 1920, 376–393).

Weiss, H.-F.: Paulus und die Häretiker. Zum Paulusverständnis in der Gnosis (in: Christentum und Gnosis. Aufsätze hrsg. von W. Eltester [BZNW 37], 1969, 116–128).

Weiß, J.: Der Erste Korintherbrief (KEK 5), Neudruck der 9. Aufl. von 1910, 1970.

Wellmann, M.: Diokles (PW V, Sp. 802–812).

–: Erasistratos (PW VI, Sp. 333–350).

Wengst, K.: Christologische Formeln und Lieder des Urchristentums (StNT 7), 1972.

Wibbing, S.: Die Tugend- und Lasterkataloge im Neuen Testament und ihre Traditionsgeschichte unter besonderer Berücksichtigung der Qumran-Texte (BZNW 25), 1959.

Widmann, M.: 1 Kor 2, 6–16: Ein Einspruch gegen Paulus (ZNW 70, 1979, 44–53).

Wilcke, H.-A.: Das Problem eines messianischen Zwischenreichs bei Paulus (AThANT 51), 1967.

Wilckens, U.: Der Brief an die Römer. 1. Teilband Röm 1–5 (EKK 6,1), 1978.

–: Christus, der „letzte Adam", und der Menschensohn. Theologische Überlegungen zum überlieferungsgeschichtlichen Problem der paulinischen Adam-Christus-Antithese (in: Jesus und der Menschensohn. Für Anton Vögtle, 1975, 387–403).

–: Der Ursprung der Überlieferung der Erscheinungen des Auferstandenen. Zur traditionsgeschichtlichen Analyse von 1.Kor. 15, 1–11 (in: Dogma und Denkstrukturen. E. Schlink zum 60.Geburtstag, hrsg. v. W.Joest und W. Pannenberg, 1963, 56–95).

–: Weisheit und Torheit. Eine exegetisch-religionsgeschichtliche Untersuchung zu 1.Kor. 1 und 2 (BHTh 26), 1959.

–: Zu 1 Kor 2, 1–16 (in: Theologia Crucis – Signum Crucis. Festschrift für E. Dinkler zum 70.Geburtstag, hrsg. von C.Andresen und G.Klein, 1979, 501–537).

Willms, H.: ΕΙΚΩΝ. Eine begriffsgeschichtliche Untersuchung zum Platonismus. I.Teil: Philon von Alexandreia, Münster 1935.

Wilson, J. H.: The Corinthians Who Say There Is No Resurrection of the Dead (ZNW 59, 1968, 90–107).

Wilson, R. Mc L.: Gnosis und Neues Testament, dt. 1971.

–: The Gnostic Origins (VigChrist 9, 1955, 193–211).

–: Gnostic Origins Again (VigChrist 11, 1957, 93–110).

–: Philo of Alexandria and Gnosticism (Kairos 14, 1972, 213–219).

Winden, J. C. M. van: An Early Christian Philosopher. Justin Martyr's Dialogue with Trypho, Chapters One to Nine. Introduction, Text and Commentary (Philosophia Patrum I), 1971.

Winter, M.: Pneumatiker und Psychiker in Korinth. Zum religionsgeschichtlichen Hintergrund von 1.Kor. 2, 6–3, 4 (Marburger Theologische Studien 12), 1975.

Wisse, F.: The ‚Opponents' in the New Testament in Light of the Nag Hammadi Writings (in: Colloque international sur les textes de Nag Hammadi, ed. B.Barc [BCNH Et 1], Quebec/Louvain 1981, 99–120).

Wlosok, A.: Laktanz und die philosophische Gnosis. Untersuchungen zu Geschichte und Terminologie der gnostischen Erlösungsvorstellung (AHAW. PH 1960, 2.Abh.), 1961.

Wolff, Chr.: Der erste Brief des Paulus an die Korinther, Zweiter Teil: Auslegung der Kapitel 8–16 (ThHK VII 2), Berlin 1982.

Wolfson, H. A.: Philo. Foundations of Religious Philosophy in Judaism, Christianity, and Islam, vol. I–II, Cambridge Mass., 1947.

Zeller, Ed.: Die Philosophie der Griechen in ihrer geschichtlichen Entwicklung, III 2, ⁶1963.

Stellenregister

1. Altes Testament

2. Neues Testament (ohne 1 Kor 15)

3. Außerbiblisches Judentum (außer Philo)

4. Philo von Alexandrien

5. Gnosis und Hermetik

6. Frühchristliche Schriften

7. Sonstige antike Schriften (Philosophie)

Forschungen zur Religion und Literatur des Alten und Neuen Testaments

123 Gerd Lüdemann
Paulus, der Heidenapostel

Band I: Studien zur Chronologie. 301 Seiten, Leinen

Der Autor unternimmt den Versuch, denselben methodischen Grundsatz auf die Chronologie des Paulus anzuwenden, der bei der Rekonstruktion der Theologie des Apostels längst anerkannt ist: nämlich ausschließlich die Primärquellen zugrundezulegen. Die Arbeit befindet sich vorwiegend in einem Dialog mit demjenigen Zweig neutestamentlicher Wissenschaft, der diesem Grundsatz zuneigt, und läßt weitgehend die Ansätze unberücksichtigt, die den Verfasser für einen Paulusbegleiter halten.

„G. Lüdemann legt eine Studie vor, der der Paulusforscher wegen ihrer Substanz Beachtung schenken muß. Der Autor hat mit seinem kritischen Engagement das Problembewußtsein geschärft."
Theologische Literaturzeitung

„Der Versuch, die paulinische Chronologie allein aus den echten Paulinen zu gewinnen, ist ein berechtigtes Anliegen. Dem Verfasser gelingt es in hervorragender Weise, die Indizien so zusammenzustellen, daß sie beweiskräftig werden. Das Buch ist in vielerlei Weise anregend. Man liest es mit Gewinn."
Ordenskorrespondenz

131 Gerd Theißen
Psychologische Aspekte paulinischer Theologie

419 Seiten, Leinen und kartonierte Studienausgabe

Am Beispiel paulinischer Texte zeigen die Untersuchungen, daß der urchristliche Glaube darauf zielt, menschliches Verhalten und Erleben tiefgreifend zu verändern.
Methodisch erweist sich, daß eine ruhig voranschreitende und disziplinierte psychologische Exegese möglich ist, indem einerseits historisch-kritische Forschung durch verschiedene psychologische Ansätze vertieft, andererseits psychologische Forschung in einer von ihr oft vernachlässigten historischen Dimension getrieben wird.
Schließlich will das Buch ein Beitrag zu dem von vielen Mißverständnissen belasteten Gespräch zwischen Theologie und Psychologie sein.

Vandenhoeck & Ruprecht in Göttingen und Zürich

Paulusstudien

Vandenhoeck & Ruprecht in Göttingen und Zürich